供临床医学等医学类相关专业及全科医生培训使用

全科医学
临床思维和沟通技巧

第2版

主　审　顾　湲
主　编　王　静
副主编　蔡飞跃　王荣英　陈嘉林

U0288230

- 倾听 -
- 同理心 -
- 情景演绎 -
- 整体性思维 -
- 医疗安全策略 -

人民卫生出版社
·北京·

图书在版编目（CIP）数据

全科医学临床思维和沟通技巧 / 王静主编. —— 2版.
北京 ：人民卫生出版社，2024. 12. —— ISBN 978-7-117-
37365-4

Ⅰ. R4

中国国家版本馆 CIP 数据核字第 2024UX1616 号

人卫智网	www.ipmph.com	医学教育、学术、考试、健康，购书智慧智能综合服务平台
人卫官网	www.pmph.com	人卫官方资讯发布平台

全科医学临床思维和沟通技巧
Quankeyixue Linchuang Siwei he Goutong Jiqiao
第 2 版

主　　编：王　静
出版发行：人民卫生出版社（中继线 010-59780011）
地　　址：北京市朝阳区潘家园南里 19 号
邮　　编：100021
E - mail：pmph @ pmph.com
购书热线：010-59787592　010-59787584　010-65264830
印　　刷：人卫印务（北京）有限公司
经　　销：新华书店
开　　本：787×1092　1/16　　印张：26
字　　数：616 千字
版　　次：2020 年 11 月第 1 版　　2024 年 12 月第 2 版
印　　次：2025 年 1 月第 1 次印刷
标准书号：ISBN 978-7-117-37365-4
定　　价：89.00 元

打击盗版举报电话：010-59787491　E-mail：WQ @ pmph.com
质量问题联系电话：010-59787234　E-mail：zhiliang @ pmph.com
数字融合服务电话：4001118166　　E-mail：zengzhi @ pmph.com

纸书内容编者

（按姓氏笔画排序）

王　静	杭州医学院
王华力	香港港岛西联网家庭医学及基层医疗服务部
王荣英	河北医科大学第二医院
邓宏宇	四川大学华西医院
卢美萍	浙江大学医学院附属儿童医院
丛衍群	浙江大学医学院附属浙江医院
刘浩濂	香港家庭医学学院
阮恒超	浙江大学医学院附属妇产科医院
李卿慧	宁夏回族自治区人民医院
吴　疆	香港大学深圳医院
吴秋萍	嘉兴大学附属妇儿医院
张　敏	河北医科大学第二医院
张雅丽	河北医科大学第二医院
陈嘉林	中国医学科学院北京协和医院
林常敏	汕头大学医学院
林锦春	深圳大学附属第三医院(深圳市罗湖区人民医院)
易春涛	上海市徐汇区卫生健康委员会监督所
柴栖晨	浙江大学医学院附属浙江医院
唐宽晓	山东大学齐鲁医院
黄　萍	北京顾瑗咨询工作室
崔丽萍	宁夏医科大学总医院
蔡飞跃	深圳大学总医院
廖晓阳	四川大学华西医院
潘红英	杭州医学院附属人民医院(浙江省人民医院)
潘珊珊	杭州医学院

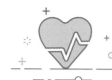 **数字内容编者**

（按姓氏笔画排序）

王　力	杭州医学院
王　静	杭州医学院
王晓伟	河北医科大学
方玉红	浙江省湖州市吴兴区朝阳爱山街道社区卫生服务中心
左安举	山东大学齐鲁医院
朱建强	浙江省平湖市新仓镇中心卫生院
刘　湘	深圳市宝安区松岗人民医院
刘亚贤	宁夏回族自治区人民医院
刘晓明	唐山市工人医院
汤红玫	西湖区文新街道社区卫生服务中心
阮恒超	浙江大学医学院附属妇产科医院
杨芸峰	上海市徐汇区枫林街道社区卫生服务中心
邱陆珏骅	深圳市宝安区松岗人民医院
何月妃	深圳大学总医院
何国枢	深圳市第四人民医院
汪晓静	杭州市临平区中西医结合医院
金　锋	广东省东莞市麻涌镇社区卫生服务中心
周其刚	杭州市上城区笕桥街道社区卫生服务中心
高宋婷	杭州市萧山区瓜沥镇社区卫生服务中心
郭婷婷	深圳市南山区医疗集团总部西丽社区健康服务中心
唐　平	深圳大学附属第三医院(深圳市罗湖区人民医院)
黄素素	杭州医学院
葛承辉	杭州市拱墅区文晖街道社区卫生服务中心
滕丽萍	浙江大学医学院附属儿童医院

序

2016年，习近平总书记在全国卫生与健康大会上强调，"没有全民健康，就没有全面小康"。我国全科医学发展状况是医疗保障能否落实的"试金石"，加强全科医生队伍建设是医改重要内容之一。在国家有关制度健全之时，全科诊疗中的核心人物——全科医生被赋予了重要使命。

"健康中国建设"促进了医学教育的创新发展。与发达国家相比，全科医学在我国起步较晚。近15年来，国务院及国家卫生健康委员会一系列支持全科学科建设的文件发布后，经过众多有识之士的共同努力，截至2022年底，全国全科医生总数已达46.3万。然而与老百姓的需求相比，全科医生仍显数量不足、质量欠佳，诊疗水平规范化、同质化及标准化不尽如人意。因此必须建立、健全全科医生培养制度，其中编写高质量、高水平的符合全科医学临床实践的教材是培养全科医生的重要一环。为此，在本教材第2版的修订过程中，坚持"立德树人根本任务"的战略部署要求，将医德教育与人文素质教育贯穿于教材编写的全过程，强化临床沟通实践教学，着力培养兼具倾听、同理心、人文关怀和整体性诊疗思维等能力的"有温度"的好医生。

本教材的第1版于2020年11月由人民卫生出版社出版。4年多来，受到了国内全科医生的喜爱。本版仍不忘医学教育人才培养的初心，与时俱进、力求创新，在传统纸质教材的基础上融合数字内容，推动传统课堂教学迈向数字教学与移动学习的新时代。

本书主编王静教授在临床思维和医患沟通方面不断探索创新，以症状或体征为切入点，结合临床思维导图和RICE问诊，阐述常见健康问题的整体性临床思维和问诊技巧，以培养全科医生的接诊水平，提高处理常见健康问题的能力。

本书各位编者结合自己的临床实践，贡献各自的真实病例、临床诊疗思维和经验；全科医生和其他各专科医生合作，既科学实用，又接地气。

期待本版教材问世后，能进一步启发和指导高校的全科医学教育改革，推进医教协同，为培养高质量的全科医学人才作出积极贡献。

复旦大学附属中山医院全科医学科

2024年4月10日

 **主审简介**

顾湲

教授,首都医科大学。中华医学会全科医学分会第三届、第四届、第五届副主任委员,中国非公立医疗机构协会家庭医生与基层医疗管理分会会长,世界家庭医生学会农村工作委员会委员,《中华全科医师杂志》顾问,清华大学医疗服务治理研究中心顾问。

 **主编简介**

王静

教授,杭州医学院。医师执业范围:全科医学和康复医学。浙江省线上继续教育精品课程授课老师,《中国全科医学》杂志审稿专家,深圳大学附属第三医院外聘医学教育专家,北京顾湲咨询工作室家庭医生培训专家,海峡两岸医药卫生交流协会全科医学专业委员会常务委员,中国老年保健协会基层皮肤病与医学美容医联体分会常务委员,中国非公立医疗机构协会家庭医生与基层医疗管理分会——社会办医疗机构全科医疗帮扶专家。

蔡飞跃

　　主任医师,特聘教授,深圳大学总医院。海峡两岸医药卫生交流协会全科医学专业委员会常务委员,中国非公立医疗机构协会全科医疗分会常务委员,广东省家庭医生团队培训师资。《中国全科医学》杂志编委。广东岭南名医,医学健康科普专家,健康中国新媒体影响力十佳个人(2018 年)。

王荣英

　　博士,主任医师,教授,全科医学博士研究生导师,河北医科大学全科医学院学术副院长,河北医科大学第二医院全科医疗科主任。中国健康管理委员会全科分会副会长,中国医疗保健国际交流促进会全科医学分会副主任委员,中国社区卫生协会社区继续教育分会副主任委员,中国医师协会全科医师分会常务委员,海峡两岸医药卫生交流协会全科专业委员会常务委员,中华医学会全科医学分会委员,河北省医学会全科医学分会主任委员,河北省医师协会全科医师分会候任会长,河北省脑中风协会全科医师分会主任委员。《中国全科医学》杂志、《中华全科医师杂志》和《中国医药》杂志编委,《中国毕业后教育杂志》审稿专家。

陈嘉林

　　博士,主任医师,教授,全科医学硕士研究生导师,北京协和医学院 / 北京协和医院。《中华全科医师杂志》《中国全科医学》杂志和《中国输血杂志》编委。

主审主编按语

　　医学院校教育作为全科医学教育体系的基础,与全科医生的培养质量密切相关。在教材修订过程中,坚持"建设教育强国""落实立德树人根本任务"的战略部署要求,将医德教育与人文素质教育贯穿于教材编写的全过程。在前一版的基础上,我们借鉴约翰·莫塔(John Murtagh)的临床安全诊断策略,结合大量的临床经验,提出整体性临床思维——临床4问。从症状或体征入手,结合思维导图和 RICE 问诊,对病例进行层层解析,引导读者拓宽思路,减少漏诊、误诊的发生,确保医疗安全。

　　为了改变全科医学理论与临床实践割裂、重理论轻实践的现状,本书把全科医学9项基本原则深度契合在每个临床病例中。采用情景剧的编写方式,融入倾听、同理心和人文关怀等职业素养元素,强化临床沟通实践,着力培养兼具这些职业素养和整体性临床思维等能力的"有温度"的好医生。

　　书中的每一个病例,都在告诉读者:医生可以把医学仪器的检查报告作为诊断和制订治疗方案的依据,但不能对患者的身心问题视而不见;医生除了处方之外,需要多一些人文关怀,安慰患者,帮助患者。同时,在纸质教材里嵌有二维码,提供教学 PPT、视频、选择题等,内容通俗易懂、图文并茂,供线上线下融合使用。

　　主审和主编一直投身于全科医学教学研究及全科医疗临床与社区实践,在工作中,强烈意识到全科医学基本理论需要与临床实践相结合。为此,特组织国内全科医生、专科医生和中国香港特别行政区的家庭医生精诚合作,精心打造出了充分体现全科医学学科特色的教材。

　　本书得到了祝墦珠教授的大力支持,以及各位编委和所在单位的鼎力相助,在此一并表示感谢。在编著过程中,我们参阅了国内外大量文献,引用了其中的一些观点和内容,在此深表谢意。由于编写水平有限,书中难免存在不足和疏漏,我们期盼广大读者不吝指正,愿与大家共同为新一代全科医生的培养工作奉献绵薄之力! 在全科路上,携手同行!

2024 年 3 月 30 日

目录

┃第一章┃概述

第一节 RICE——以人为本的全科问诊模式 002

第二节 RICE 问诊在医患沟通中的应用 008

第三节 整体性临床思维在全科医疗中的应用 025

第四节 全科医疗患者管理模式 032

第五节 全科医生基本素养 036

┃第二章┃全科常见症状的临床思维和沟通技巧

病例 1 心悸 21 年,加重 1 年余 042

病例 2 咳嗽咳痰 2 年余,加重 3 个月 052

病例 3 反复腰背痛 4 年 062

病例 4 反复眩晕 7 天 071

病例 5 突发头晕、气促、手足痉挛十余分钟 078

病例 6 间断乏力 6 个月,加重伴头晕 2 个月 086

病例 7 意识不清十几分钟 093

病例 8 反复腹部隐痛 1 年,再发 1 个月 099

病例 9 间断腹痛 2 年,加重伴尿色加深 1 个月 106

病例 10 排便困难 9 年余 111

病例 11 大便次数增加,带血 3 个月 119

病例 12 反复腹胀 4 年余,加重 2 个月 126

病例 13 阴茎勃起障碍 2 年 133

病例 14 进行性排尿困难 2 年,下腹胀痛 10 小时 143

病例 15 反复尿频 1 年余 151

病例 16 血糖高半年余 159

病例 17 双下肢水肿半年、腹胀 2 个月余 168

病例 18 双手、膝关节、足趾关节疼痛伴失眠 1 年余,加重 2 周 175

病例 19 黄疸 3 周 183

病例 20 吞咽困难,进行性消瘦 3 个月 190

病例 21 全身疼痛 1 年,加重半个月 197

病例 22 间断咳嗽、胸痛、呼吸困难 5 年,加重 1 周 204

病例 23 头痛 3 个月余......................................212

病例 24 失眠 2 年..220

病例 25 口角歪斜 1 小时....................................229

病例 26 产后腹痛 6 个月余.................................234

病例 27 头痛 2 年..240

病例 28 颈部淋巴结肿大近 1 个月.......................246

病例 29 发现外生殖器肿物 1 天..........................253

病例 30 咳嗽伴乏力、盗汗 1 个月......................260

病例 31 躯体和心理倦怠及体重增加 10 个月余......265

病例 32 "恶臭" 3 年..272

病例 33 疲乏 1 年..279

病例 34 反复头晕 1 年,加重 1 周......................287

病例 35 反复右眼视物模糊 20 天........................295

病例 36 皮肤反复瘙痒 1 个月余..........................302

| 第三章 | 儿科常见症状的临床思维和沟通技巧

病例 1 反复呕吐 3 年..310

病例 2 发热 5 天,皮疹 2 天..............................317

病例 3 反复发热半年,再发 3 天........................323

病例 4 间断呕吐 4 天,加重半天,哭闹剧烈.........331

病例 5 发热伴咽痛 2 天.....................................336

病例 6 腹泻、呕吐伴发热 2 天...........................341

附 免疫异常儿童疫苗接种的常见问题.................348

| 第四章 | 妇科常见症状的临床思维和沟通技巧

病例 1 白带异常 2 个月余.................................354

病例 2 阴道流血 10 余日...................................362

病例 3 自觉下腹肿块 1 周.................................368

病例 4 停经 45 日,阴道流血 3 日伴突发左下腹痛 1 小时......375

病例 5 月经紊乱 1 年,潮热出汗 3 个月..............383

病例 6 意外怀孕拟行人工流产,咨询避孕措施......391

推荐阅读...398

附病例诊断列表..401

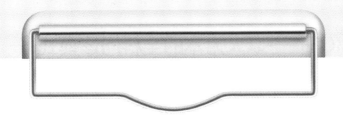

第一章

概述

01章

 学习目标

1. 明确以症状或体征入手的整体性临床思维方法,以患者为中心的整体性临床思维及在全科医疗中的应用。
2. 说出以人为中心的问诊模式,RICE 问诊的技巧。
3. 描述 RAPRIOP 的含义。

第一节　RICE——以人为本的全科问诊模式

视频 1-1-1

在医院里,专科医生之间讨论病例时,经常会这样开头"我今天收了一个'冠心病'、两个'胃出血'、三个'卒中'"。而在全科医生讨论病例时,可能会这样开始"今天我看了一位 78 岁的婆婆,她有高血压、心脏病多年,今天自己来复诊拿药(平时都是老伴儿陪着一起来),说心口不舒服,想做心脏检查。"

采集病史、物理检查、作出诊断、治疗疾病——这是传统的"器质性"的诊疗模式。近年来,以人为中心的诊疗模式,被越来越多的医务人员接受。其实远在古希腊时代,在希波克拉底的诞生地——科斯(COS)的医学院,已经提出这个理念:注重每一位患者的需要。近代,也有不少基于以患者为中心的诊疗模式被提出,例如 Carl Rogers 的"以当事人为中心的治疗"(client-centered therapy)、George L. Engel(1977)的"生理 - 心理 - 社会"医学模式(biopsychosocial model)、McWhinney(1984)的"疾病 - 患病"模式(disease-illness model)。以患者为中心,注重患者在患病中的经历、体验、感受,关注疾病对患者造成的影响,越来越受到重视。就如 Sir William Osler 提出的:重要的是了解这个人,而不只是关心他身上的病。

疾病,从生物学角度,可以有症状、体征、临床检验异常、潜在的病理原因、诊断和鉴别诊断。作为医生,从进入医学院的第一天,就开始系统的学习,接受系列知识的培训。成为医生之后,惯性思维也令我们更加注重生物学角度的病因、病理、诊断和治疗。这也是作为一名医生的基本功和专业性。而从患者的角度,患病是一种不舒服的感受,患者会有自己的想法、关注点、担心和期望,患病会对患者的生活造成一定的影响。这种经历,是每位患者独有的、真实存在且不可忽略的。以患者为中心,并不等于患者主导一切,什么都听患者的。在诊疗过程中,充分融合医生(专业)和患者(感受)的关注点,令大家取得共识,才可以互相配合,更好地处理患者的问题。

国外的一些研究表明,以患者为中心的诊疗模式,并不会延长患者的就诊时间,反而有助于提高患者的满意度,有助于提高医生的满意度,可减少医疗失误,还可以促进患者的康复,提高医疗系统的效率,比如减少不必要的检查和治疗。在全科诊疗实践中,以患者为中心的诊疗过程可以体现在以下几个方面(图 1-1-1):

1. 医生通过病史采集,询问患者的主诉、病症,并进一步了解患者的感受、想法、担心和期望,其问诊方式被总结为 RICE:R(reason)——患者就诊的原因;I(idea)——患者对自己健康问题的看法;C(concern)——患者的担心;E(expectation)——患者的期望。

2. 关注患者全人健康,而不是只注重疾病。

3. 医生与患者达成共识。

4. 健康促进,医生提出和患者本次就诊无关的,但可以促进患者健康的预防性建议。

5. 建立和谐的医患关系。

6. 患者参与的诊疗计划。

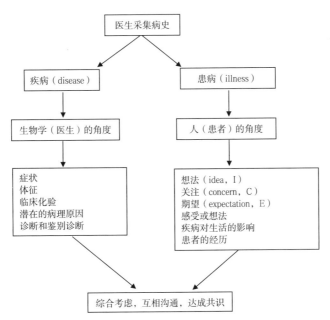

图 1-1-1 以患者为中心的诊疗模式

如何去了解患者的 RICE 呢？如何做到医生和患者之间达成共识呢？医生和患者如何一起建立诊疗计划呢？临床工作中,我们很可能会遇到这种情形:当你和一位"网球肘"患者讲了一系列药物与非药物治疗、运动注意事项之后,患者最后说"医生,这些我都知道,我也有药,今天来是要开一张病假条。"有时,我们用尽九牛二虎之力对一位非典型性心绞痛患者解释,所有检查都做了,结果她的胸痛不是因为心脏病导致的,患者最后告诉你,她的哥哥最近因为食管癌去世了,她很悲痛。假如我们尽早知道患者的 RICE,是否可以更好、更有效地处理这类情况呢？下面我们借助真实病案来介绍 RICE 问诊法。

案例

张女士,81 岁,高血压患者,每三个月定时复诊,血压控制稳定。半年前的检查报告如下:空腹血糖、糖化血红蛋白、肾功能、肝功能、血脂全部控制良好。一年前心脏彩超、24 小时动态心电图、CT 动脉造影检查全部正常。

张女士的老伴 10 年前因脑出血去世,她有一个女儿,单身,与女儿一起住。

张女士无烟酒等不良嗜好。

就诊时:BP 134/76mmHg,P 76 次 /min,BMI 23.5kg/m²。

主诉:定时复诊取药,不过觉得最近有些上不来气,想看看有什么问题。

需要思考的问题：

1. 如何用归纳演绎的方法采集病史？
2. 如何建立诊断和鉴别诊断？
3. 如何清楚地了解患者的 RICE？
4. 如何同患者达成共识，共同制订诊疗方案？

 病史采集：

医生：张奶奶您好，请坐。今天回来复诊啊？（就诊原因 R）

患者：对啊，来拿药。

医生：您最近怎么样啊？（开放性问题）

患者：都挺好，血压不错，都正常，药也吃得好。就是最近总觉得有些上不来气。

医生：您能再详细讲一下上不来气是怎么回事吗？（让患者进一步阐述，澄清主诉）

患者：就是我一走路，就觉得气不够，然后都不太敢出去了。（患者的感受）

思考以下问题 → 患者的主诉是什么？有什么可能的诊断？为什么？分析现有的资料：长者，既往高血压史，气促，无吸烟史。常见的气促 / 呼吸困难原因：肺源性、心源性、缺乏运动、过度通气等。分析已有的数据，以上可能性都存在。进一步问诊如下：

医生：这样的情形有多久？

患者：大概两三个月了。

医生：大概什么时候会发生？

患者：就是一走路就这样，尤其是出门。在家还好，坐下来休息也没事。

医生：大概走多远会这样？

患者：一出门一走就这样，上不来气，家里就没事。

医生：家里做家务、劳累的时候，有没有上不来气？

患者：家里没事。

医生：家里走路也没事？

患者：对。

思考以下问题 → 患者的主诉是什么？她的可能的诊断 / 问题清单是什么？为什么？根据进一步收集的资料考虑：非典型的劳累性呼吸困难，慢性起病，促发因素为出门走路。可能的原因：肺源性、心源性呼吸困难机会降低；而缺乏运动、过度通气，或其他少见原因机会增加。

医生：您还有其他不舒服吗？（开放性问题）

患者：没有。

医生：上不来气的时候，有没有其他不舒服？例如头晕等。（评估严重程度）

患者：没有。

医生：有没有咳嗽呢？（进一步缩窄问题清单）

患者：没有。

医生：有没有胸痛呢？晚上睡觉，有没有上不来气呢？

患者:没有。

医生:有没有脚肿呢? 体重有没有改变?

患者:没有。

医生:平时做运动,有没有气促呢?

患者:我平时一直都有做运动,都没什么。最近因为担心上不来气,都少去了。(疾病对患者的影响)

思考以下问题 ➔ 现在的问题清单是什么? 可能的诊断是什么? 分析:基本可以排除肺源性或心源性引起的气促,也不支持缺乏运动、肥胖等原因。

医生:那您觉得自己可能是什么事? (患者自己的想法 I)

患者:我也不清楚,不过应该不是心脏的事,我去年刚做过检查,都好好的。

医生:那您有什么特别担心的? (患者的担忧 C)

患者:我能有什么担心呢? 虽然老伴走了,女儿对我很好。家里也没什么操心的,吃得好睡得好。

医生:嗯,那很好。不过您因为上不来气都少出门了,我还是有些担心。(排除情绪有关的可能性,表现同理心)

患者:那倒也是。我就怕走不了路了,怕摔倒。

医生:为什么呢? (气促和怕摔倒之间缺乏直接联系,需要进一步询问)

患者:最近我的两个朋友都摔了,骨折,一个做手术了,还能走几步,另一个根本下不来床了。我就怕自己也摔倒。

医生:那您最近摔倒过吗? (评估跌倒的风险)

患者:没有。

医生:您平时走路有没有不稳的情况?

患者:还可以,没有跌跌撞撞的。

医生:那为什么会上不来气呢?

患者:我怕自己也摔,一出门就走路非常小心。越小心越不会走路了。然后就觉得一走路就上不来气。(患者的担忧 C)

医生:如果有您女儿一起陪着出门,会不会好一些?

患者:那是,和她一起出门,我就哪里都敢去,也不怕了。不过,她要上班,也不能天天陪我。

思考以下问题 ➔ 现在患者的问题清单是什么? 有什么体格检查需要做? 分析患者的健康问题清单:高血压控制稳定;担心跌倒导致活动功能受限;心肺疾病基本可以排除。体格检查:目的是确定或排除诊断。可选择以下体检项目:心肺听诊,可排除心肺功能问题;长者跌倒风险的筛查。体格检查发现:心肺听诊清,无杂音。

跌倒风险筛查:起身行走测试(timed up and go test)16 秒,步态尚可。起身行走测试方法:请受检者坐在直背的椅子上,然后请患者站起,依照平常习惯速度往前走 3m,转身回到椅子上再坐下。如果步态不稳,或所用时间超过 14 秒,则显示跌倒的风险高(图 1-1-2)。

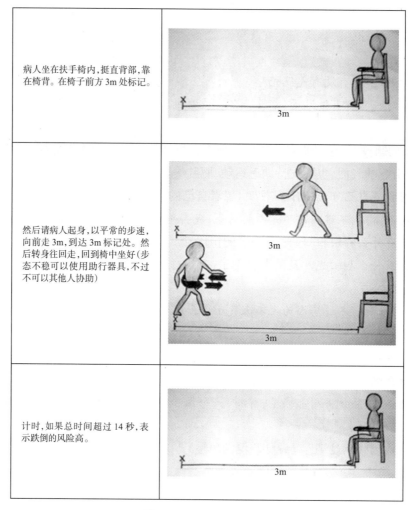

图 1-1-2　起身行走测试

起身行走测试的 cut-off 值（患者所需要的时间）在不同的实验参考值略有不同。这里采用 14 秒,适用人群为既往健康的长者人群。

更新患者的问题清单:高血压控制稳定;跌到风险高。思考的问题:如何与患者达成共识,共同制订管理计划——RAPRIOP。

医生:张奶奶,刚才详细了解了您的情况,和做了体格检查之后,我觉得您的担心还是有道理的,您跌倒的风险比较高。不过,如果您因为担心跌倒,而不敢出门的话,并不是一个好的方法。其实通过进一步的评估和训练,可以降低您跌倒的风险。

患者:对啊,我就是担心,大概有些过头了。(通过解释,解除担忧,达成共识)

医生:我可以转诊您去康复科,做一个全面的跌倒风险评估,然后,可以做一段时间的物理治疗,比如行走训练。这样您的步态可以更平稳,可以减少跌倒的危险。(提出建议)

患者:好啊,其实我也在想是不是应该用拐杖,但又怕难看。(患者的参与)

医生:对,选择一根适当的拐杖,的确可以让您走得更安全一些。现在拐杖设计得很好,又轻又结实,老年人拿着,还挺有气派呢。

患者:听你这样说,我这就去选一个。

医生:好的,我这就安排您去康复科,学习一下如何挑选合适的拐杖,参加预防跌倒风险评估计划,希望可以尽量减少跌倒的风险。(转诊)

患者:好的。

医生:我安排您 3 个月以后再回来复诊,看看进展如何。(观察随访)

患者:谢谢你!

通过这个病例,可以了解到,如何通过 RICE 问诊,了解患者的感受。并进行 RAPRIOP 和患者达成共识,共同治理疾病。

(王华力)

第二节 RICE 问诊在医患沟通中的应用

良好的医患沟通是建立和谐医患关系的前提,能提高患者的满意度、遵医性和医疗效果。在出现医疗纠纷的原因中,常常是患者对医生的医疗行为感到不满意,感到医生没有很好地和他们沟通,感觉被草率对待且没得到过任何解释,感到被忽视。所以,医务工作者的许多行为包括礼貌、关注度、倾听、移情和同情心等,都与患者的满意度有关。若想建立良好的医患关系,全科医生需要掌握医患沟通的技巧。

对于专科医生来说,病是相对固定的,而患者却是流动的,最好的策略就是用高级的仪器设备去研究疾病。虽然这种临床思维方式在疾病的诊疗方面取得一些成功,但在整体性的服务上存在很多缺陷。如消化科医生每天接诊的病例多数是消化道方面的问题,而患消化系统疾病的患者却形形色色,患者看完病就走了,与医生没有固定的关系,医患之间没有机会深入的沟通和了解。因此,消化科医生可能知道患者得的是哪种消化道疾病,却不一定清楚患者是什么样的人,患者的个人因素与消化道疾病的联系是怎样的? 对于全科医生来说,接触到的疾病和健康问题是多种多样的,而患者却是相对固定的,最好的策略就是去研究患者。研究患者的方法中的 RICE 问诊是常采用的方法。下面介绍医患沟通的基本策略和 RICE 问诊法在医患沟通中的应用。

一、医患沟通的基本策略

(一)培养友善沟通的技能

掌握和运用友善的沟通技术是构建医生与患者和谐关系的基石。友善沟通有两个策略:第一是学会聆听,医生应该仔细地聆听患者在说什么,临床上有一句古老的格言"听患者说,他(她)会告诉你诊断";第二是用患者喜欢的方式称呼患者并与其交流。医生应该培养自己的沟通技术,比如学会打招呼、尊重和礼貌、恰当的介绍、点头鼓励。在医患沟通中,保持适当的目光交流、给人安心的肢体语言、恰当赋予同情的接触(从肩部到手背)等,医生多数会得到正面的评价。有些情况下,我们因繁重的工作陷于疲劳和压力之中,当我们的工作面临很大压力时,常常会忽略患者,而患者和社会又对我们有过高的期望。作为这个崇高而伟大的职业群体的一员,我们应该努力成为一流的专业人员。乔治·格瑞辛格(音乐家、《海顿传记》的作者)说过:医生应该脾气好、极富耐心、沉着冷静、不存偏见、善解人意。

(二)善于观察,看人说话

1. **善于观察**　全科医生要对每个患者进行详细的观察,从躯体(器官、组织)、心理和社会方面来机敏地"审视"患者。电视连续剧《实习医生格蕾》中的医生 Addison 主张使用相面技术,通过患者的面部特征和身体表现方式,来判断患者的特点。相面艺术实际上是一种缜密的观察,通过对患者的着装、举止和互动,来全面地研究患者。患者在言谈中提供的语言信息非常有限,常常有掩饰、隐瞒或假装的成分。许多潜在的、隐秘的信息很可能从非语言表现中流露出来,有时候非语言信息更加真实深刻。因此,全科医生在倾听患者诉说的同时,还应注意观察患者的表情、眼神、语调、语气及无意识的动作;注意患者的年龄、性别与职业,注意患者的衣着打扮和气质;注意是谁陪患者来看病的;注意患者叙述的内容与表情是否一致。

2. **看人说话**　要看看眼前的这个患者是一个什么样的人,如年龄、穿着、说话的风格、受文化教育的程度等,根据表述问题的方式可以预测问题的性质;根据年龄、家庭生活周期可以预测个人的问题;要对一些有明显特征的人保持敏感,这样就可以说出患者比较喜欢的话。

(三)接诊的技巧

全科医生最应具备的 4 大品质是:热情、负责、忠诚、开放自己。开放自己是让别人接近的基础,更是建立信任关系的基础。患者找医生看病总是有点紧张,应该让患者尽快放松下来。不要一开始就看病,可以先简单地闲聊几句,问问从哪里来的,是怎么来的,从事什么工作等,好像聊家常一样。患者往往有害羞、怀疑、忌讳、胆怯、畏惧、迟疑等心理,全科医生需要清楚患者一般会产生什么样的心理状态,在及时了解患者的心理状态之后,要巧妙地消除患者的心理负担。从心理和感情层面上与患者沟通,比较容易与患者建立密切的关系。

下面介绍一些全科医生在接待患者的过程中应该掌握的基本技巧。

1. **打招呼、请患者坐下**　打招呼、请患者坐下是一般的接待礼仪。当患者进入全科诊室,简单的招呼一声"您好! 请坐",会让患者感觉被关注、被尊重、受重视,容易拉近双方的关系。让患者坐在医生的右侧,距离控制在 0.5 ~ 0.8m,有利于交流和检查。如果有必要,可以适当地移动一下凳子,方便患者与自己保持适当的距离。

2. **关心患者**　先关心人,是一种理念上的要求,提醒全科医生,看病先要看人。以疾病为中心模式指导下的医生过分关注疾病,很少关心患者,医生不愿意多说话,也不愿意听患者说太多"没用的话"。以患者为中心模式指导下的全科医生应该先看一看眼前的这位患者,如果是一位熟悉患者,可以问问患者最近的生活和工作情况;如果是一位首诊患者,可以问一问患者家住哪里,做什么工作等。关心一下"人",可以营造一种亲切感,减少患者的紧张情绪,有助于接下去进一步了解"病",该问什么就问什么,了解"人"和了解"病"有时需要交替进行。总之,了解人和了解病同等重要。

3. **关注接诊细节**　关注细节,最容易打动患者。接诊细节包括四个方面:患者、医生、服务和告别。

(1)患者:关注患者身上的非语言线索,如患者的表情、语气、无意识的动作、穿着打扮等。如果患者说话支支吾吾、情绪焦虑不安,可能表明患者有难言之隐,这时,全科医生应该有意识地关紧门,保证尊重患者的隐私,为患者保密。

(2)医生:要重视全科医生身上的细节,如衣着整洁、表情亲切、语气温和、为患者检查前洗洗手、表示关注时身体往前倾等。

(3)服务环节:全科医生要对每一个服务环节进行管理,包括配合患者、详细解释病情、耐心说服教育、反复强调重要的事项等。例如:面对一个性格直爽、反应很快、语速较快的患者,全科医生应该调整自己的语速,采用直接、快速的交往方式,用和患者一样的频率与患者沟通,缩短了心理上的距离,让患者感觉两个人配合得非常默契;面对一个性格内向的患者时,应该很有耐心,让患者感觉到来自医生情感上的支持,愿意与他建立朋友式的关系。

(4)告别环节:给人留下深刻印象的往往是告别的那一刻,所以全科医生要重视这一点。患者告别之前,医生应该对患者做一次简单的总结:您的问题是这样的……;您回去需要注意一、二、三……;如果您服药后仍然没有好转,及时来找我……;您走好,祝您早日康复! 在患者离开之前,要确认一下:记下患者的家庭住址、联系电话或电子信箱了吗? 给患者联系卡了吗? 患者是否忘记拿自己的物品?

4. 用热情带动患者 医生的情绪很容易感染患者,一位对患者充满热情、对工作充满激情、对帮助患者战胜病魔充满自信的医生,常令患者感动,无形之中会带动患者,患者会不知不觉地跟随医生的思维思考问题,两者之间很容易形成一种相互信任的关系。如果医生缺乏热情,患者的情绪就会变得低落。对工作缺乏激情的医生很难迅速与患者建立一种良好的关系。

(四)问诊的技巧

面对不同的患者和需要,要采用不同的问诊方式。问诊有封闭式问诊和开放式问诊两种方式。

1. 封闭式问诊 临床思维方式的典型流程是采用以疾病为中心的问诊方式,希望在最短的时间内迅速抓住一些关键线索,如“您哪里痛?”然后以此为中心建立诊断假设,再通过体检、实验室检查、特殊检查、试验性治疗、利用时间进行观察等去寻找各种证据,排除或证实诊断假设;一旦原来的诊断假设被推翻,就再建立一个新的诊断假设,直到患者的疾病被确诊,然后制订相应的治疗方案,治愈疾病或控制症状。封闭式问诊有明确的对象,有指定的答案,患者只能在有限的答案中进行选择,如问:“睡眠好不好?”“头痛不痛?”“咳嗽有痰吗?”患者的回答只能是“好或不好”“痛或不痛”“有或没有”。

2. 开放式问诊 开放式问诊有两种方法:BATHE 问诊和 RICE 问诊。

(1)BATHE 问诊:B(background)——背景,了解患者可能的心理或社会因素;A(affect)——情感,了解患者的情绪表达;T(trouble)——烦恼,了解问题对患者的影响程度;H(handling)——处理,了解患者的自我管理能力;E(empathy)——同情,对患者的不幸表示理解和体恤,从而使他感受到全科医生对他的支持。

(2)RICE 问诊:R(reason)——患者就诊的原因;I(idea)——患者对自己健康问题的看法;C(concern)——患者的担心;E(expectation)——患者的期望。

紧急情况下,全科医生先采用封闭式问诊,了解疾病或问题的性质、类型和特征,确认并处理现患问题。等待病情稳定后,再采用开放式问诊,了解患者的主观体验、问题背景和来龙去脉。一般情况下,临床上常常交替采用以上两种问诊方法,以便更完整、准确、深刻地理解患者及其问题。如果患者对开放性提问的回答已离题太远,可以用封闭式问诊把话题引导到正题上。

1)了解患者就诊的原因(reason):患者就诊的原因包括以下几个方面:①躯体方面的疼痛或不适难以忍受;②严重的焦虑;③出于管理方面的目的(就业体检、开病假条、开医疗证明等);④一般体检或咨询;⑤躯体化问题。医生可以这样问:最近有什么与之前不一样的? 您最担心什么事? 您希望我怎样帮您? 您觉得自己过得怎么样? 一直困扰着您的是什么事情? 生病对您的生活有哪些影响?

2)了解患者的想法和担忧(idea or concern):比如您认为自己是什么问题？您认为一直影响您健康的因素有哪些？哪些因素能改善您的健康？问题多严重时才认为自己病了？什么情况才去求医？您感觉自己的问题严重吗？您有什么担忧吗？您觉得有必要改变自己吗？

3)了解疾患对患者的意义:疾患对患者的意义包括积极的意义、消极的意义和特殊的意义。患者的积极意义:正好有借口不参加某次聚会，或者正好借机休息一下;疾患的消极意义:加重了家里的经济负担，或骨折后运动生涯结束了，不能实现冠军梦了;疾患的特殊意义:我(儿童)生病了爸爸妈妈就不离婚了，或我病了家人才会关心我。医生可以问:您生病了会怎么样呢？患病后，您在生活上有改变吗？您希望自己尽快好起来吗？

4)了解疾病或疾患和家庭之间的相互影响:比如能谈谈您的家庭吗？您得病后会对家庭造成哪些影响？家人对您是什么样的反应？家里有影响您的健康因素吗？

5)了解患者的需要和期望(expectation):患者对医疗服务的满意度很大程度上取决于医生满足患者需要和期望的程度。医生要了解患者的需要和期望，可以问:您希望医生怎样帮助您？还有其他问题需要讨论吗？

6)了解患者生活或工作的社区中是否存在不良因素:如您从事什么工作？感觉怎么样？在您家附近有没有可能影响您生活和健康的因素？

7)了解患者的社会关系和支持网络:如您是本地人吗？您有哪些亲戚和朋友？当有烦恼的时候，您是怎样处理的？您的生活中谁最重要？当您有困难时，常来帮助您的是谁？会给您哪些帮助？您参加社会团体活动了吗？

3. RICE 问诊的技巧 全科医生应该掌握的问诊核心技能，包括巧妙地问、耐心地听、细心地观察、适当地反馈。下面介绍问诊中需要掌握的技巧:

(1)创造良好的问诊环境:安静、整洁、舒适和明亮的问诊环境有利于患者反映其全面、深层次的问题。如果在人多嘈杂的环境中问诊，问诊中患者的说话常常被打断，会影响患者情绪和对问题的回忆。问诊时最好只有医生和患者，没有其他人干扰，但必要时可以让"第三者"介入。

(2)关注问诊的情景:全科医生问诊时，诊桌上放一盒纸巾和相关健康教育的小单张。让患者坐在医生的右边，医生的身体稍稍侧向右边并稍作前倾，有利于进行面对面的交流，医生用右手去检查患者比较方便，询问和记录时感觉比较自然，目光接触比较直接。医生的眼睛要传送重视、鼓励、同情、共鸣和关心的信息。医生与患者保持一段让双方都感到舒适的距离(0.5 ~ 0.8m)。不做无关的事，比如接电话，最好没有人打扰。

(3)合理安排问诊程序:不同的患者可以采用不同的问诊程序，一般有以下 3 种情况:

1)第一次接触的慢性病患者:采用开放式问诊，问诊程序应该是问本次就诊的主要问题，包括主诉、现病史、简单的既往健康史等;问患者及其就医背景等。

2)急症患者:如果是急症，必须先解除病痛和生命危险，然后再深入了解患者及其健康问题。先采用封闭式问诊，快速问诊健康问题，无法处理的问题及时转诊，或者等病情稳定后再问患者的就医背景。

3)已经建立健康档案的患者:先花几分钟时间查看患者的健康档案，了解患者的背景及既往的健康状况。然后问本次就诊的问题、目的、就医背景、问题与患者生活背景的联系等。

(4)做耐心的倾听者:倾听是全科医生需要掌握的基本沟通技巧，有助于建立良好的医患关系。有的时候,患者并不需要一张处方,倾诉是他们就诊的唯一目的,这时候,全科医生只需要耐心倾听,表示接受患者的感受,同情患者,支持患者。诉说是一种最好的发泄方式,本身具有治疗作用,是治疗中重要的一部分。善于倾听的全科医生容易受老百姓的欢迎。下面介绍几种倾听的技巧:

1)用心聆听,适当反馈:倾听时,我们一般会相互观察,70% 利用视觉,20% 利用听觉,5% 利用触觉,5% 利用嗅觉。视线的接触是最重要的非语言信息沟通。听患者说的时候,注意自己的眼神、表情和行为,要与对方有眼神的交流,时不时对视一下,再把目光集中到对方的脸部,传递一种友好、关心、同情和共鸣的信息。在记录病历的时候,应及时调整身体姿势,不时点头,表示理解、同意和赞许。给予患者适当的反馈,如"哦""真的""嗯""后来呢?""不要急,慢慢说""这事很重要,说详细点""别担心""我会替您保密的""我怎么帮助您?"等。

2)适时打断和引导:患者倾诉时,尽量不要打断对方。因为打断对方的思路,会让患者造成思维上的混乱,更会让其感到紧张和不安。如果患者的谈话内容不合适或者偏离主题,不要急着去否定、更正甚至去反驳,而是采用封闭式提问,对患者讲述的内容做个简短小结,帮助对方梳理思路,可以说:"对不起,我能打断一下吗?我非常理解您的心情,也明白您的意思"等。引导患者诉说重点信息,从各个方面去思考问题。

3)及时表扬与鼓励,情绪上与患者共鸣:接诊的患者没有明显的不适和痛苦,全科医生的微笑会让患者感到温暖和亲切。但当患者感觉很痛苦时,微笑会让患者感觉很不舒服,患者会感觉医生没有同情心。因此,全科医生不要一味地盲目微笑,注意在情绪或感情上与患者共鸣。患者高兴,医生微笑;患者悲伤时,医生要表现出严肃和同情。

在医患沟通中,来自医生的赞誉是对患者极大的鼓励,对患者取得的一点点进步,全科医生都要及时表扬,可以增加患者的信心和勇气。

二、RICE 问诊在医患沟通中的应用

下面设置 4 个医患沟通的情景,详细介绍 RICE 问诊在医患沟通中的应用。

病例 1 ⊠

失眠患者

视频 1-2-1

杨某,女,28 岁,银行职员,失眠 3 个多月。本次就诊,要求医生开 2 盒安眠药。

1. 医患沟通不良的情景再现。

医生:你哪里不舒服?

患者:我想开 2 盒安眠药。

医生:安眠药对身体不好的,长期服用会依赖的,你别吃那么多。

患者:我知道,但心烦睡不着,我就得吃点安眠药。

医生:多吃安眠药对身体不好的,今天我先开 7 天给你,可以服 1 周了。

患者:7 天?

医生:嗯。

患者:2 盒行吗?

医生:我都是为了你好,你能理解吗?

患者:我不会多吃的,上次张医生也开了 2 盒给我的。

医生:张医生是张医生,我不知道他为什么开那么多安眠药给你? 但我肯定不会,因为我全是为了你好。

患者:医生,我真的很忙,没有时间总是来配药的。

医生:你失眠有多长时间了?

患者:好久了。

医生:好久是多久? 是 1 年,还是 2 年?

患者:那倒没有那么夸张,3 个月多了。

医生:你总是失眠,是入睡难还是早醒呢?

患者:我每天躺在床上两三小时才能入睡的。

医生:是吗? 那身体上有什么不舒服的地方吗? 比如说有没有身体疼痛呀? 晚上要夜尿之类的?

患者:没有。

医生:睡觉的环境好吗? 比如说灯光亮吗? 有人吵醒你吗?

患者:我一个人睡,没有人吵我。

医生:那你的睡眠应该是心理因素,你有压力吗? 平常有喝咖啡和茶的习惯吗?

患者:有吧……

医生:咖啡和茶会影响睡眠的,你最好别喝,尤其是晚上 6 点以后。

患者:不喝的话,工作没有精神的。

医生:今天我先开 7 天给你,你别常吃,因为药物有副作用的,长期服用会依赖的。另外,你睡觉的时候别想那么多,就不会失眠啦。要是不行,我把你转诊到精神卫生科去看看。

患者:唉……

2. 医患沟通良好的情景模拟

(1)R(reason)——患者就诊的原因

医生:您好! 我是王医生,有什么可以帮您吗? (开放式提问)

患者:没有什么特别的,我想开 2 盒安眠药(患者提交之前配的艾司唑仑片药盒,规格 1mg×10 片 / 板 ×2 板)。

医生:听起来您睡不好? (医生没有强调安眠药一般开 1 周的规定,而是采用开放式的提问,把话题打开)

患者:是呀,我近段时间睡眠特别差。医生给我多开点安眠药吧,我工作很忙,没有时间总是来配药的,上次张医生也是开 2 盒给我的。

医生:喔,怪不得您的眼圈有点发黑,看上去比较疲倦。(没有去评论同事开 2 盒安眠药给患

者的问题,而是认同患者的症状)

患者:是呀,第二天上班都没有精神,只好喝点咖啡或者浓茶之类的提神。

医生:失眠有多长时间了? 是入睡困难还是醒得早?

患者:有 3 个多月了,躺着床上翻来覆去的,两三小时后才能睡着。

医生:安眠药长期服用会产生依赖的。

患者:我心烦睡不着,就要吃点安眠药。

医生:每天都睡不好吗?

患者:那倒没有那么夸张,隔三岔五地。

医生:身体上有什么不舒服的地方吗? 比如有没有身体疼痛或晚上有夜尿之类的?

患者:没有。

医生:睡觉的环境好吗? 有没有人吵醒您?

患者:我一个人睡,没有人吵我。

医生:档案显示,您结婚了,有孩子吗?

患者:和丈夫分居两地,没有考虑生孩子。

(2)I(idea)——患者对自己健康问题的看法

医生:这 3 个多月来,您的生活与之前有什么不一样吗? (开放式提问,了解患者的生活背景)

患者:(叹气)我老公去外地工作了。

医生:喔,你老公去外地工作了?

患者:嗯。我老公的老板说他表现特别好,升职调他去广州的总公司上班啦。

医生:他升职了,是好事,但您看上去并不开心啊?

(医生根据患者的非语言看出患者的心理变化,老公升职妻子应该高兴,但患者并不开心)

患者:他在广州有宿舍,很少回来的。

医生:您和老公团聚时,睡眠好吗?

患者:老公回来,我就睡得很好。

(3)C(concern)——患者的担心

医生:您有点担忧?

患者:怎么说呢? 我担心他在外面有人。医生,他这个人很老实的,我担心他上当受骗。

医生:原来您有这样的担心,怪不得您睡不好呀。那您的先生知道您在为他担忧吗?

患者:我不敢跟他说(患者带着哭腔),万一他真的外面有人,我一说开,那不是……医生,您知道吗? 我 19 岁就跟他在一起了,如果他外面真的有人了,我不知道该怎么办了? (患者开始哭泣……)

医生:您别哭,问题总是可以找到办法解决的。(医生递上纸巾,拍拍她的肩膀。等到患者快要哭出来时,递上纸巾比较合适。如果有时间就让她哭到停顿后 2、3 秒钟,医生再说话,效果会好一些。医生把话说得满满的,效果不一定好。)

患者:我一想起这些,特别害怕,就睡不着了。

医生:您的担心除了影响您睡眠之外,也会影响您白天的工作吗?

患者:白天还好,有时候工作忙起来就忘了,想不起这些事来。但一到晚上,我就会胡思乱想的。

医生:乱想? 您觉得是乱想吗?

患者:可能是吧。我妈妈也说我总往坏处想。

医生:您有没有想过,您老公少回家除了可能有人之外,还有没有其他的可能性? (亲人朋友的安慰常常是劝患者别往坏处想,不要想那么多,不想多就会睡好……她怀疑3个多月了,不可能因为医生的"不用担心"等几句话,她就真的不担心了。如果医生也这样讲,患者只会觉得连医生都不理解她,通常会马上关上心门,不想说也不想听,觉得"又是一个说我乱想的人"。所以医生最好引导患者开阔思路,往多方面去思考问题。)

患者:他每次回来路费很贵,他也想存点钱,否则也不会去广州工作,所以减少了回来的次数。

医生:原来是这样,那赚多了钱会怎么样呢? (引导患者开阔思路,往多方面去思考问题)

患者:如果赚多了钱,我们可以自己买房子,有自己的小天地。

医生:是这样啊。听您说起来,先生少回家,除了可能有人之外,也有其他的可能性,对吗? (多个可能性不是医生说出来的,是患者自己说出来的,这个分量比医生说强得多)

患者:那倒也是。

(4)E(expectation)——**患者的期望**

医生:您担心丈夫的问题,经受失眠的困扰确实是很辛苦的。您刚才提过想配点安眠药,安眠药确实可以帮助您早点入眠,但从长远来说,这安眠药还是解决不了您内心的困扰,对吗?

患者:那我该怎么办呀?

医生:今天我可以开少量的安眠药给您,您有需要的时候才用。吃多了,产生药物依赖就不好了。长远来说,解决内心的担忧才能帮助您睡得好。

患者:医生,我该如何做呢?

医生:您能否找个机会和老公谈谈,让他了解您的担忧? 让老公知道,您是非常非常想念他,牵挂他,期盼能早点结束两地分居的生活,并考虑生一个孩子。

患者:嗯。

医生:今天我先开7片安眠药给您,您回去看看这个改善睡眠的小单张,会对您有所帮助。以后有什么问题,您再来好吗?

患者:好,谢谢医生!

注:(1)医生诊桌上放一些健康教育的印刷品,接诊结束时亲手把小单张发给患者,跟他自己在医院大堂里取,有意义上的不同。因为患者觉得,这是医生选择后给我的,回家后会仔细阅读。

(2)这个案例有心理辅导的元素在里面,好多医生感觉自己没有接受过专业的心理治疗训练,就认为不能帮助失眠患者。事实上,睡眠改善方法有很多种。能改善患者睡眠的方法中,30%与医生的共情有关系,15%与医生的职业有关,患者感觉医生穿着白大褂代表着权威,15%是医生与患者的沟通有关。

病例 2 ⊠

胃痛患者

📹 **视频 1-2-2**

施某,男,26 岁,在读硕士生,因"胃痛半年"来就诊。已经在上级医院做过腹部 B 超、胃镜、纤维结肠镜和血液肿瘤系列,胃镜报告显示有"浅表性胃炎",其余正常。

1. 医患沟通不良的情景再现

患者:医生,打扰一下,我的报告怎么样啊?(患者递上之前做的一叠检查单子)

医生:没有问题的。

患者:不对呀,我的肚子经常痛,是不是还有什么其他的东西没有查出来呢?要不做个 B 超吧?

医生:B 超?根据医疗记录,你 3 个月前做过一个腹部的 B 超,报告很正常。

患者:B 超真的什么都能照到吗?

医生:B 超是我们专科医生做的,一般不会错的。(医生露出无奈、不屑的表情)

患者:我不是这个意思,我的意思是说,我拍 B 超是 3 个月前,现在已经过去 3 个月了,那报告……

医生:检查报告在半年内还是可以的,你不用照了。

患者:要不照个 CT 吧?

医生:CT 是一个高辐射量的检查,你不需要照了,不用浪费钱了。

患者:医生,我有钱的。

医生:我知道你不是为了钱,我完全是为了你好,你能理解吗?(医生露出严肃的表情)

患者:医生,那再验一次血吧?我听说有些癌症指数,通过验血就可以查到的。

医生:癌症指数?你是说哪些癌症指数呢?

患者:医生,我不知道才问你呀?我听说有一个叫甲胎蛋白?

医生:你的甲胎蛋白数值在正常值范围内呀!

患者:甲胎蛋白数值正常就能排除肝癌吗?

医生:你听说过灵敏度和特异度吗?

患者:……(患者呆呆看着医生,不知道该如何说)

医生:不好意思,这些你是很难明白的,说了你也不会知道的。总之,你听我说,你暂时不要再做化验了,你的胃痛跟你过分焦虑有关系。没有多大问题。记住,每天按时饮食,少喝咖啡和浓茶,吃得清淡一点。就这样,再见。

患者:唉……(患者失望地离开)

2. 医患沟通良好的情景模拟

(1)R(reason)——患者就诊的原因

医生:您好!我是王医生,请坐!(亲切地打招呼)

患者:医生,我的报告怎么样?(患者递上之前做的一叠检查单子)

医生:您带来的这些检查报告,仅仅胃镜提示"浅表性胃炎",幽门螺杆菌培养也是阴性,所以目前来看没什么大问题。

患者:不对呀,我的胃经常痛呀,是不是还有什么其他问题没有查出来呢? 要不再做个B超吧?

医生:根据医疗记录,你3个月前做过1次腹部B超,报告没发现异常。

患者:B超真的什么都能看到吗?

医生:喔,我看得出,您好像有点担心? (开放式反问,了解患者就诊目的)

患者:对呀,我想再查一下,有没有其他问题没有查出来。

医生:您说得对,胃痛确实可以有很多不同的因素。不如这样吧,您告诉我多一点关于胃痛的情况,我们一起来查一查原因。比如说,最初的时候,您的胃痛是从什么时候开始的呢? (先肯定患者的想法,让患者感觉医生很理解他)

患者:我的胃痛大概有半年左右了。医生,给我做个CT吧?

医生:做CT是比较容易的。但是,首先要了解一下您身体疼痛的情况,才可以选择适合您的检查,对吗? 刚才您说胃痛有半年了,是怎样的痛呢,是每天都痛,还是要很多天才痛呢? (了解胃痛的特点)

患者:是那种抽搐的痛,好像有很多胃气,很难受。不是每天,只是在我要考试、准备论文的时候,会痛得特别厉害。

医生:您赶论文的时候,生活上,比如饮食和平时不一样吗? (了解患者的饮食习惯)

患者:我会很忙,有的时候白天赶、夜里也赶,所以吃饭就不太正常。

(2)I(idea)——患者对自己健康问题的看法

医生:良好的饮食习惯与肠胃健康有很大关系,您知道怎么样的饮食才能够把您的胃保持在最佳状态吗? (了解患者对饮食问题的认识)

患者:我知道,我妈妈常常告诉我,要按时吃饭呀,但我还是会忘了吃饭。

医生:其实您妈妈说得很对,按时饮食是非常重要的,尤其是吃完饭之后,至少2小时内不要躺下,因为食物还在胃部消化,容易导致胃酸反流。(顺着患者的话,让患者认识到他存在饮食不规律的问题)

患者:怪不得,我常常半夜胃痛、返酸……

(3)C(concern)——患者的担心

医生:希望我怎样帮您?

患者:医生,有时候我的胃特别痛,我担心我的肝出现了问题,所以我去做了B超,但是说没有什么问题。

医生:您怎么会担心肝有问题呢? (开放式提问,引出患者担心的原因)

患者:因为我爸爸是得肝癌去世的,所以我很小的时候,就去接种了乙肝疫苗,我是比较小心的。

医生:原来您爸爸有这样的病史,怪不得您会特别关注。

患者:是呀,记得我爸爸去世的时候,全身发黄,瘦得非常厉害,通过检查和验血,很多指标都很高,所以……医生,那B超真的能照清楚肝脏的问题吗?

医生:您的 2 次 B 超报告都是正常的,肿瘤系列也是正常的,基本上可以排除肝脏的问题,请放心。

(4) E(expectation)——患者的期望

患者:那我到底得了什么病啊?

医生:您为了赶论文,有时候连饭都忘记吃了,看得出,您对学业非常重视呀!(同理性。当医生了解患者因为忙而不按时饮食的不良习惯时,医生先别否定,而是先认同,让患者觉得医生非常理解他。)

患者:是的,因为我很想读博士,我们家从来没有出过一位博士。

医生:那现在我们一块儿想想,在接下来的一年,怎样能够把您的身体保持在最佳状态,这样我们就可以写好论文啦。(当不良的生活方式对健康产生影响时,是健康教育的最佳时机,患者往往会愿意改变)

患者:医生,那我应该怎么做才能把身体弄好呢?

医生:您说呢?(开放式反问,了解患者对问题的认识,即 RICE 中的"I")

患者:要按时吃饭。

医生:您说得对,按时吃饭很重要。

患者:那我有什么需要忌口的吗?

医生:您吃哪些食物时会感觉胃不舒服?(了解患者的饮食喜好)

患者:我吃火锅的时候胃会很难受,有时候喝多了咖啡也会感觉非常不舒服。

医生:您说得对,吃火锅容易吃得过饱,也比较油腻,除了火锅,浓茶、咖啡等也是比较伤胃的。如果可以,尽量少喝。除了饮食之外,按时运动也是对身体有帮助的,您平常有运动吗?(开放式提问,了解患者的运动习惯)

患者:有的。以前和同学去打过乒乓球,但是现在大家都在赶论文,所以很久没有运动了(露出不好意思的笑容)。其实,我还是应该运动一下的。

医生:我相信,如果您能够改善饮食习惯,按时吃饭,再加上按时运动,就可以舒缓您学业上的压力。今天,我先给您开点胃药,您的肠胃应该可以改善的。当然,我们需要继续复诊观察,如果服药后仍然没有改善,我们再做一些检查,好吗?

患者:好的,医生,今天听您这样讲,我就放心了。以前的医生只知道开胃药给我吃。真的谢谢您!

医生:不客气,再见!

注:全科医生可以把医学仪器的检查报告作为诊断和制订治疗方案的依据,但不能对患者的身心问题视而不见。在医患沟通过程中,医生不能治愈所有的疾病,能做到的就是帮助和安慰患者,帮助患者树立战胜疾病的信心,帮助患者正确地认识自己的疾病。

病例 3 ☒

愤怒患者

📹 视频 1-2-3

刘某,男,38 岁,软件工程师,来开降糖药,因等待时间太长,非常愤怒。

1. 医患沟通不良的情境再现

(患者怒气冲冲地走进诊室,把病历"啪"地扔在诊桌上,眼睛瞪着接诊医生)

医生:你是刘海青吗? (表情严肃)

患者:让我等了那么久? 你知道大堂里有多少人吗? 看得那么慢。(患者大声叫喊)

医生:人多都要等的啊,我已经看得很快了,从早上看到现在都没有休息过,你想怎么样呀?

患者:怎么样? 你说我想怎么样? 要不是你看病那么慢,我就不会等如此长时间,是不是? (患者几乎是大喊大叫)

医生:(露出无奈的苦笑)所有患者都是要等的,又不是只有你一个?

患者:哼,要不是你看病那么慢,我不至于等那么长时间。(患者几乎愤怒到极点)

医生:现在你已经进来了,是看还是不看呢?

患者:我要开药,开 3 个月的药。

医生:你是说开降糖药?

患者:你不看病历呀? (患者继续在愤怒)

医生:我不可能开 3 个月的降糖药给你,医保有规定:最多只能开 1 个月。

患者:规定? 你现在跟我讲规定? 你还好意思跟我讲规定?

医生:这规定又不是我定的? 开不开由你?

患者:哼,我告诉你,反正我特别忙,我不可能每周到你这里来的。

医生:刘海青,我也告诉你,你今天是过来看医生的,是要我开药给你的,不是你去药店买药,不是想要多少就多少的?

患者:好了好了,算了算了,反正就算我求你也没什么用,我自己去药店买了。

患者一拍桌子,愤怒离开诊室……医生生气地把笔甩在诊桌上……

2. 医患沟通良好的情景模拟

(患者怒气冲冲地走进诊室,把病历"啪"地扔在诊桌上,眼睛瞪着接诊医生)

(1)R(reason)——患者就诊的原因

医生:刘先生,是不是发生了什么事情? 我可以帮助您吗? (医生立刻站起来,首先让患者感觉和医生是平等的;其次是出于安全考虑,医生站起来是保证自己处于安全位置,为了有危险时及时躲避;最后,医生没有说"看病都是要等的,我也没有办法"之类会引起患者更不舒服的话。)

患者:让我等了那么久? 你知道大堂里有多少人吗? 看得那么慢。(患者大声叫喊,愤怒地瞪着医生)

医生:喔,原来是这样,您在外面等了比较长的时间,怪不得您看上去比较难受。不如这样吧,您先坐下来,看看如何帮助您?（医生先肯定了患者的感受,但没有说患者是正确的,医生只是说:"喔,原来您在外面等了比较长的时间,怪不得您看上去那么生气",让患者感觉医生很理解他）

患者:药吃完了,给我开 3 个月药,时间越长越好。

医生:您是说,要开降糖药,对吗?

患者:你不看病历呀?（患者仍在愤怒）

医生:刘先生,根据病历,以前您都是开 1 个月的降糖药的,这次您想多开一点,能告诉我原因吗?（如果医生说医保有规定,只能开 1 个月的降糖药,会让患者感到难受,可能会让医患关系继续处于对抗中。医生采用开放式的提问,引出患者希望多开药的原因,会让患者更容易接受。）

患者:唉,我在 IT 创业公司上班,天天加班。本来 8 岁的女儿是我爸妈帮忙照顾的,前几天我爸中风了,我妈只好照顾我爸。我和老婆又要上班又要接送孩子,真的是没有时间总是来开药的。

医生:您爸爸中风了,那他老人家现在还好吗?

患者:在医院里躺着,生活不能自理,由我妈看着。叫我妈请护工,她说不放心,非得自己陪护。

医生:我看得出,您是非常关心您的父母,常常惦记着他们,但您自己也要照顾好身体呀!

患者:谢谢您,医生。（医生不仅关心患者,也去关心他的父亲,任何一个愤怒的患者,都不好意思再愤怒下去了。医生对患者表示理解和同情,从而使患者感受到医生对他的支持,患者会很感动。）

医生:您爸爸以前有没有什么疾病呢?

患者:唉,我也不太清楚。听我妈说,好像有高血压、糖尿病之类的。

医生:那您爸爸控制得怎么样呢? 他按时看医生、按时服药吗?

患者:我太忙了,真的不知道他控制得怎么样。

(2) I (idea) ——患者对自己健康问题的看法

医生:糖尿病、高血压等慢性病,如果没有控制好,就容易发生一些并发症,比如冠心病、中风等。刘先生,您在家里很重要,父母和女儿都需要您照顾,您的身体一定要保重啊!（开放式引导,让患者认识到自己在家庭中的重要性,也让患者意识到糖尿病不重视监测会引起严重的后果。）

患者:是的。谢谢您,医生!

(3) C (concern) ——患者的担心

医生:刘先生,您上次的身体检查已经超过 1 年,而且您的糖化血红蛋白为 8%,低于 7% 为正常;低密度脂蛋白胆固醇为 4.3mmol/L,糖尿病患者低于 1.8mmol/L 为正常。您下肢有没有麻木或感觉异常?（糖尿病患者可并发神经病变,病变早期会出现下肢麻木或感觉异常。）

患者:没有。医生,我会不会和我爸一样得中风?

医生:为了控制好您的糖尿病,降低将来中风、心脏病等并发症的风险,我安排您做糖尿病周年检查,包括验血、小便,还有脚部的皮肤和眼睛检查等,您看可以吗?

患者:好。(此时,医患之间已经没有对抗,从对抗关系转变成了同一战壕里的战友。此时,医患之间达成了共识——把糖尿病控制好。)

(4)E(expectation)——患者的期望

医生:糖尿病除了吃药之外,生活上的注意也是很重要的,您知道什么是要注意的吗?(这是 RICE 中的"I",了解患者对糖尿病的认识程度。)

患者:就是不要吃甜的。

医生:您说得对。饮食上确实有许多需要注意的地方,除了不吃甜食,还必须控制总热量;但运动也很重要呀。刘先生,您平时有运动吗?(在医患沟通中,来自医生的赞誉是对患者极大的鼓励,患者取得的一点点进步,医生都要及时表扬,可以增加患者的信心和勇气。)

患者:唉,天天加班,就算不加班,也是忙于接送孩子,辅导她功课,哪有时间运动呀。

医生:刘先生,糖尿病除了服降糖药物控制,生活方式的改变是很重要的,包括饮食、运动和体重控制等。您能不能抽一个空的时间,让我好好地给您解释一下?

患者:好。医生,我现在马上要去处理工作上的事,能不能下次?

医生:好。今天我先给您加一种降血脂的药,这样您的糖尿病会控制好一点。您回家后先看看这份关于糖尿病饮食和运动的宣传册,有什么不明白的地方,1 个月后来复诊的时候再说,好吗?

患者:好,好,谢谢您呀!医生。

医生:不客气,再见!

注:医患本是一对亲密伙伴,共同的目标就是对抗疾病。医生对于愤怒的患者,自然反应就是处于戒备状态,而不是去感同身受。出现医疗纠纷的原因中,常是患者对医生的医疗行为感到不满意而不是医疗质量问题,患者感觉被草率对待且没得到过任何解释,感到被忽视,感到医生没有很好地与自己沟通。所以,医生与患者的共情是化解愤怒的良方。

病例 4 ⊠

预后不良的患者

📹 **视频 1-2-4**

张小英,女,38 岁,银行职员,来咨询糖尿病检查报告,B 超显示肝癌。当得知患了"绝症",她一下子无法接受。

1. 医患沟通不良的情景再现

患者:医生,我的报告出来了吗?

医生:张小英,请坐。

患者:我这个报告……(此时,进来一个医生的同事:哎,今天阮医生约了一起吃饭,知道吗?五点半。医生:知道的。同事:那你等一下要准时下班噢。医生:好的。同事:那等一下见。

医生:等会儿见。)同事关上门走后,患者接着说。

患者:医生,我没事吧?

医生:上次你做了一次糖尿病的相关检查,发现你的肝功能有几个指数高了,所以我就安排你做了一个腹部的 B 超检查,发现你肝脏有不少的肿块。

患者:肿块? 是什么意思呢? 医生,你该不会说,我是得了癌症吧?

医生:你要有心理准备,报告上说明是癌症已经转移到肝脏了,我会立即帮你转诊,去看肿瘤科医生。

患者:怎么会呢? 我身上一点不舒服的感觉都没有呀? 医生,你肯定是拿错报告了吧?

医生:怎么会呢? 这么大的事情,我是不会弄错的,要不,你自己看 B 超报告吧(医生把电脑屏幕转向患者),你看,张小英,肝脏肿块。这报告是由我们经验丰富的 B 超医生照的,不会错的,你还是抓紧时间,快点去看肿瘤科医生吧。

患者:我得了肝癌是吗? 我怎么会得肝癌呢?

医生:其实原发的地方还没有找到呢,也就是说不知道哪来的癌细胞已经转移到肝脏了,所以肯定不是早期了,你还是快点去看肿瘤科医生吧。

患者:我每一次身体检查和验血,你都说身体好好的,现在问题出在哪里都不知道,你怎么当医生的?

医生:哎,你怎么能这样说呢? 身体有那么多的器官,有肺呀、肾呀等,你又没有拍 CT,我怎么能知道呢?

患者:你有给我验血呀?

医生:验血? 验血只是查糖尿病,是两回事,讲了你也不懂。

患者:我不懂? 你才不懂吧? 我看和你说什么话都是浪费我的时间,你什么都不知道,但我告诉你,我的身体要是出现什么问题,我肯定会告你的(患者拿起物品,气愤地离开)。

医生:……(表情很委屈)

2. 医患沟通良好的情景模拟

在接诊患者前,全科医生先打电话给前台:我是王医生,我下面有一位患者张小英,可能会多花一点时间,下面预约的患者需要稍等一下……请张小英进来吧,谢谢!

注:平常谈话,每位患者 5 分钟,而接待这样的患者会花比较多的时间。所以医生要计划好,否则会影响医生和特殊患者的沟通,并且谈话的技巧也会影响整个谈话的效果。

(1)R(reason)——患者就诊的原因

患者:王医生,我的检查结果怎么样呀? (患者走进门就迫不及待地问)

医生:小英,您来了! 快请坐。

医生:小英,今天我们是来看检查报告的,您还记得上次做了什么检查吗?

患者:记得,是 B 超,是那个糖尿病专门体检时,您说,好像什么指数高了点?

医生:对,是肝功能的指数高了点,所以我们安排了一个腹部的 B 超检查。小英,我们今天来是看检查报告的。

(2)I(idea)——患者对自己健康问题的看法

患者:喔,应该没有什么问题吧? 听人说,脂肪肝是很普遍的。

医生:小英,检查报告不是脂肪肝,我恐怕会有一些坏消息。

患者:不是脂肪肝?

医生:不是脂肪肝。

患者:医生,快告诉我,是什么?

医生:小英,别着急……腹部 B 超看见了您的肝脏有不少的肿块。

患者:是什么意思呢?

(患者停顿一会儿)

患者:怎么会这样呢? 不可能啊? 我身体一点不舒服的感觉都没有,医生,您肯定拿错报告了吧?

医生:小英,其实在您进来之前,我已经翻查过报告,不会错了。(医生停顿一下)小英,看了这个报告,我也很难受……虽然肿块已经出现,但只要我们尽快处理,是可以控制好的。(医生的同理心会让患者感到安慰)

(患者停顿了一会儿)

(3)C(concern)——**患者的担心**

患者:我的情况已经很严重了,是吗? (当患者暗伤、不出声时,医生如何接下去呢?)

医生:您现在有什么想法吗?

患者:医生,我女儿才 11 岁,不会照顾自己,连洗衣服都不会。我老公这个人,连袜子放哪儿都不知道,我要是不在了,怎么办呢? 我真不知道该怎么办了?

患者停顿了,叹着气,露出伤心的表情……这时候,医生该如何接下去呢?

医生:我知道,您现在生病了,第一时间想的不是自己的身体,而是想到了您的丈夫和女儿,看得出,您非常爱他们……(患者出事时,第一时间想的不是她自己的身体,而是她丈夫和女儿今后的生活状况。医生敏感到:她放心不下她的老公和女儿。同理心可分多个层次,比较高级的同理心,就是患者没有说出来,但医生看得出来。)

患者开始哭泣……医生递上纸巾……

医生:小英,为了您最爱的丈夫和女儿,那我们一块儿努力,尽快处理好您的身体,好吗? (这是从同情的角度,把患者引导到要谈话的方向……)

(4)E(expectation)——**患者的期望**

患者:医生,那您快告诉我,我现在应该怎么办啊? (患者带着哭腔说)

医生:我会尽快把您转诊去看肿瘤科医生,他会安排您做一些检查,包括验血、内镜或者是扫描等,确定一下肿瘤的原位在哪里? 再选择治疗的方案,比如化疗。

患者:化疗?

医生:您有担忧? (又用了 RICE 的 "C",有时候,医生对患者的话语、语调都要保持敏感。患者突然说 "化疗?",医生留意这个反应,患者肯定是有一些担忧,是担忧化疗的副作用呢? 还是担忧化疗的钱呢? 还是什么呢? 医生不问是不可能知道的。)

患者:听说化疗很毒的,又吐又掉头发?

医生:治疗期间肯定是会有一点副作用的,但是现在的化疗药与上一代已经不一样了,可能会好一点的。

患者:嗯(哭着点下头)。

医生:(停顿一下,拍拍患者的肩)和您的家人商量也很重要呀,小英,您有什么想法吗? (关于家属的约谈,先听听患者的想法,是 RICE 的"I"。)

患者:女儿要考试,先不要跟她讲。

医生:嗯,您的丈夫呢?

患者:我都不知道该怎么和他讲,等女儿睡了,晚上再跟他讲吧。(患者哭着说)

医生:如果您先生有什么问题的话,可以带他过来,我跟他解释一下的。

患者:谢谢您,医生!

医生:如果您以后有什么其他的问题,比如饮食、起居或者是工作上要请假等,在您复诊的时候,我们可以再讨论一下的。您现在立刻要做的,就是尽快去看肿瘤科医生跟进,做一些检查,好吗?

患者:好,谢谢医生!

与预后不良的患者沟通时,要让患者知道这个坏消息和讨论治疗的目标。沟通中应充分表达同情心及正向的态度,尽可能减轻患者身体的痛苦,给予患者心理上的支持。要充分认识到大多数不久于人世者都要经历从"不接受 - 与疾病抗争 - 沮丧 - 接受死亡"等痛苦的阶段,全科医生要持同情、热忱、支持和尊敬的态度对待患者经历的每一个阶段,并提供连续与综合性服务。

当前,医患关系紧张,暴力伤医事件频频上演,已成为严重的社会问题。那么,医患矛盾的症结在哪里? 如何化解日益紧张的医患关系呢? 焦虑和悲伤是比较难以应付的,但医生们发现使用移情或是同情的方法往往能使事情简单一些。共情是影响医患关系、治疗进程和效果的最关键因素。如果沟通不畅,就不能建立彼此信任,医患矛盾就由此而产生。而医者态度是建立医患关系的先决条件,它包括尊重、真诚、热情、积极关注和共情。尊重应以真诚为基础,无条件地接纳患者,无论身份、地位、贫富,均应一视同仁,让患者获得自我价值感,感到被接纳、被爱护。共情要设身处地、通情达理地站到患者的角度考虑问题,只有这样,才能引起患者强烈的共鸣。

常有学生问"如何成为优秀的全科医生?""如何成为好医生?"其实,当一位优秀全科医生的关键,在于同情心和责任感,医生的相关行为如礼貌、关注度、倾听和移情等也与患者满意度相关。那些被老百姓誉为最好的医生,多数是因为他们具备以上这些经典的品质。美国医生特鲁多说过:有时去治愈,常常去帮助,总是去安慰。在医患沟通过程中,医生不能治愈所有的疾病,能做的就是帮助和安慰患者,帮助患者树立战胜疾病的信心,帮助患者能正确地认识自己的疾病。医生的品德缘于他丰富的知识、谈话的机敏,以及对职业的热爱。一位个人品质能得到较高评价的医生,与患者会谈交流时,往往站在患者的角度,与患者共情,能够理解他(她)的痛苦及其患病后的体验,会从患者那里获取精确的信息,减少误判误诊。

(王　静)

第三节　整体性临床思维在全科医疗中的应用

在所有医学领域中，全科医学也许是最困难、最复杂和最具有挑战性的学科。全科医生是社区居民的首诊医生，是健康守门人，需要解决居民 80% ~ 90% 的健康问题，全程全生命周期地照顾居民。全科医生在每天的基层医疗中面对着千变万化的临床问题，需要处理更多的不典型、非特异的症状或体征。在有限的医疗资源下，担负着对许多非常严重，甚至危及生命疾病的早期诊断责任。全科医生要达到如此高标准的专业要求，成为居民信任的健康守护者，不仅需要丰富的医学知识、扎实的基本技能，还需要整体性临床思维。

澳大利亚著名全科专家约翰·莫塔（John Murtagh）提出的临床安全诊断策略，已经在澳大利亚、英国等发达国家普遍应用，我国也有推荐，广泛应用于指导全科医生诊断和治疗。随着现代医学的发展，科学技术使许多隐藏的疾病得到明确诊断。我们借鉴约翰·莫塔（John Murtagh）的临床安全诊断策略，提出整体性临床思维——临床 4 问，建议医生在接诊患者时问自己 4 个问题，该临床 4 问多用于初步诊断常见病，尽快识别急性的、危重的、危及生命的疾病，分析并判断是否可能有导致某种症状、体征的容易被忽略的疾病，也可以了解患者内心深处的担忧和期待。整体性临床思维适合用于指导全科医生诊断和治疗，这种方法简单又可靠，值得国内全科医生学习和借鉴。整体性临床思维包括以下 4 个结合病例的自问自答的问题。

1. **导致这种症状或体征的可能（或常见）病因有哪些？**

这个问题体现全科医生需要根据某病例的临床表现和查体，进行初步的判断。可能病因的判断依赖于医生对疾病的认识和经验。全科医生长期在社区工作，熟悉社区的流行病学情况和社区患者的病史，比综合医院的专科医生更了解导致这种症状或体征的常见疾病。

2. **哪些重要疾病不能被忽略？**

这个问题体现"严重疾病优先"的临床思维原则。全科医生在诊疗中第一要务是识别急危重症患者，寻找"红旗症状"。无论接诊什么样的患者，全科医生必须牢记首先排查严重疾病，尤其是那些容易被忽略的严重疾病。

3. **有哪些容易被遗漏的病因吗？**

是指医疗中容易被漏诊或者误诊的疾病。有的患者主诉症状或体征在多个系统或器官上体现，在临床上可能存在漏诊和误诊的疾病。需要医生有整体临床思维和丰富的医学知识及临床经验，防止漏诊或者误诊，确保医疗安全。

4. **是否有潜在的常被掩盖的病因？**

在全科诊疗中，有些疾患常被某些表现出来的症状或体征迷惑，如焦虑症（惊恐发作）、抑郁症、预激综合征、功能性胃肠病、药物滥用等，这些疾病往往没有生物学上的异常，全科医生的诊断思维不能仅局限于阳性体征和辅助检查，而是要根据整体性临床思维、结合病情、分析病例资料，寻找常被掩盖的病因。

另外，在临床上，患者在讲述病史时，常常有意或者无意地隐藏某些信息，没有表达出来，尤其是一些诊断不明确的处于未分化阶段的健康问题，或者与精神心理、性功能、药物滥用、毒品、家庭、朋友、工作背景等相关的问题。患者可能紧张、焦虑，或者医生给予的诊疗时间太短，来不及将患病经过全部说完。我们必须做一位善于倾听、富有同情心的医生,敏锐地感觉到患者的需求和感受,让患者自由地表述和交流。

例如咳嗽患者,过度担心恶性肿瘤要求做全身检查。有的中年男性常以腰痛为主诉就诊,掩饰性功能障碍。如果全科医生只关注到患者的腰痛,没有发现患者就诊的主要目的是性功能障碍,会导致患者不满意。

当全科医生问自己以上 4 个问题时,不能随意回答,一定要结合患者资料、检查检验结果得出答案。再追问自己"为什么?","为什么"是批判性思维的应用,包含诊断的依据、排除理由等。

为了帮助全科医生更好地理解整体性临床思维——临床 4 问,我们以临床中常见的胸痛患者为例,探讨其在全科诊疗中的应用。

病例 5 ▷

女性,40 岁,主诉反复胸痛 3 年

接诊胸痛患者时,为了较好地回答整体性临床思维中的 4 个问题,建议全科医生从胸痛的定义以及胸痛的发病机制出发,将所有可能的导致胸痛的疾病进行归纳汇总。

一、胸痛的定义和发病机制

胸痛是指位于胸前区的疼痛和不适感。其发病机制是各种刺激因子如缺氧、炎症、肌张力改变、肿瘤浸润、组织坏死以及化学、物理因素都可以刺激肋间神经感受纤维,刺激支配心脏及主动脉的交感神经纤维,刺激支配气管、支气管及食管的迷走神经纤维或膈神经的感觉纤维等,产生痛觉冲动,并上传至大脑皮质的痛觉中枢引起胸痛。

二、胸痛的定位诊断和定性诊断

全科医生从患者主诉症状或体征进行疾病诊断时,首先要进行相应的定位诊断和定性诊断。对于胸痛患者,我们可以列出每个解剖层次中可能引起胸痛的疾病,以从外到内的解剖结构进行思考,总结如下(图 1-3-1)。

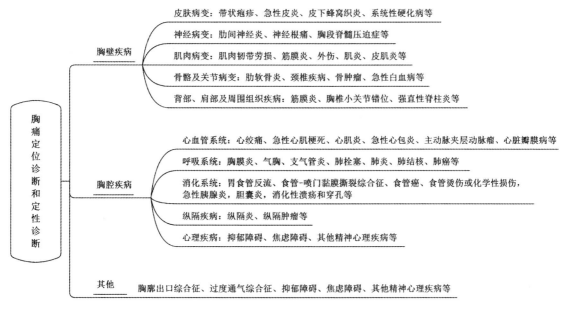

图 1-3-1　胸痛定位诊断和定性诊断

三、胸痛的原因

胸痛的病因很多,现按整体性临床思维——临床 4 问进行分析:

1. 导致胸痛的可能(或常见)病因有哪些?

导致胸痛的可能病因,各个专科有不同的研究结果,心内科、急诊科以心源性胸痛为主。基层医疗中胸痛的病因构成与急诊科有明显不同,英国研究文献提示,年龄 < 35 岁的胸痛患者中仅有 7% 被诊断为冠心病,胸痛的主要病因是肌肉骨骼疾病。另一项针对全科门诊中年龄 > 50 岁的胸痛患者的研究,所有诊断为胸痛的患者中,肌肉骨骼疾病导致的胸痛占 36%、心脏疾病占 16%。

全科与急诊科面临的患者不同,因此对于胸痛的诊断思维有不同之处。在整体性临床思维视角下,常见胸痛的疾病有:胸壁肌肉韧带劳损、筋膜炎、肋软骨炎、外伤、心绞痛、心肌炎、急性心包炎、心脏瓣膜病、肺炎、气胸、胸膜炎、反流性食管炎、食管烫伤等。

2. 哪些重要疾病不能被忽略?

胸痛患者可能是轻微疾病,也可能是严重疾病,全科医生接诊胸痛患者时,应该首先识别严重疾病,尤其是致命性胸痛,确保患者生命安全。导致胸痛急危、严重、不能忽略的疾病有:急性冠状动脉综合征、主动脉夹层、心脏挤压伤、急性肺栓塞、张力性气胸、肺动脉高压、肺炎、肺癌、纵隔肿瘤、食管癌、骨肿瘤、白血病等。全科医生一定要熟悉致命性胸痛的临床特点及抢救措施,应及时转诊,避免意外发生。

3. 有什么容易被遗漏的病因吗?

对于胸痛患者,常被医生遗漏的病因有带状疱疹、背部、肩部及周围组织疾病、皮下蜂窝织炎、心脏瓣膜病、心包炎、胆囊炎、消化性溃疡、胰腺炎、颈椎疾病、神经根痛等。仔细的查体可以减少漏诊或者误诊的发生。

4. 是否有潜在的常被掩盖的病因?

胸痛患者中,潜在的常被掩盖的病因有:过度通气综合征、焦虑症、抑郁症、不良生活方式、家庭矛盾、生活环境、工作压力等。全科医生要熟悉非心源性胸痛的特点。

大部分胸痛患者不是有意地隐藏,而是患者本人也没有意识到其他因素(如心理、社会、家庭因素)对胸痛的影响,全科医生要学会与患者深度交谈,了解胸痛患者内心的担忧、顾虑和精神心理状态,熟悉常见心理精神疾病的躯体症状,例如广泛性焦虑障碍、惊恐障碍等。

掌握胸痛的整体性临床思维后,将临床 4 个问题做出思维导图,在全科诊疗中思路清晰、目标明确,在诊断时避免走错方向和少走弯路(图 1-3-2)。

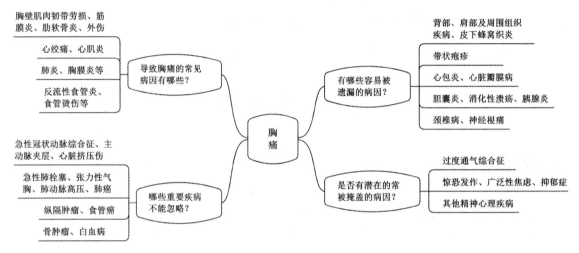

图 1-3-2　胸痛临床 4 问

四、以患者为中心的问诊

采集病史、辅助检查、作出诊断、治疗疾病是传统的"以疾病为中心"的诊疗模式。希波克拉底曾经说过:了解患者是怎样的一个人比了解患者得了什么病更重要。下面让我们聆听胸痛患者的患病过程,采取 RICE 问诊,结合整体性临床思维,寻找胸痛的病因。

R(reason)——患者就诊的原因

医生:您好!我是蔡医生,有什么可以帮您吗? (开放式提问)

患者:胸痛 3 年了。

医生:您能将生病过程详细地告诉我吗? (打开话题,让患者自己回忆患病经过)

患者:3 年前无缘无故地开始胸痛,到几家大医院看病,看了好多次,半年前住院 2 次,做了好多检查和化验,医生都说没有问题,一直没有找到病因。我好害怕。

医生:可以告诉我胸痛的感受吗? (了解患者的感觉和体验)

患者:我说不清楚,感觉胸前闷痛,很难受,好像快死了感觉。

医生:胸痛发生时,您怎么办?怎么消除疼痛? (了解患者自己处理问题的方法)

患者：我身上带有"救心丹"和"硝酸甘油片"，胸痛发作时，我先舌下含"救心丹"，过几分钟没有缓解，我再舌下含"硝酸甘油片"。但是，都没有作用，仍然胸痛。

医生：胸痛持续多长时间会缓解？

患者：10 ～ 20 分钟，吃药与不吃药都需要这么长时间才能缓解。有 2 次胸痛发作，我感觉自己快死了，叫救护车送到医院急诊科，心电图、心肌酶、肌钙蛋白等检查都没有问题。（多次就医的经历，患者能清楚回答各项相关检查指标）

医生：除胸痛之外，您还有其他不舒服吗？（了解伴随的症状）

患者：发作时心悸、气促、呼吸困难。（多次就医的经历，患者能使用医学术语表达感受）

医生：还有吗？例如咳嗽、发热、反酸、嗳气等。（排除呼吸、消化系统疾病）

患者：这些都没有。

医生：您最近在吃什么药吗？（了解患者的服药史）

患者：半个月前在心内科住院，全面检查都没有发现问题，医生说我没有病，不需要吃药。

I（idea）——患者对自己健康问题的看法

医生：医生说您没病，您认为是什么原因导致胸痛呢？（了解患者对自身问题的看法）

患者：我认为是心脏病，我心脏肯定有问题了。

医生：您认为自己心脏有问题的依据是什么呢？（看着患者双眼亲切地问）

患者：如果心脏没有问题，怎么会胸痛？

医生：胸痛的原因有很多，除了心脏疾病，还有肺脏、食管炎、胸部肌肉等疾病都会引起胸痛。您从哪里了解到心脏病会导致胸痛的？（患者看法的依据）

患者：我母亲有冠心病，经常心绞痛。3 年前母亲心肌梗死，没有抢救过来，去世了。（很伤心）

医生：很抱歉，令您伤心了。您担心什么？

患者：医生，每次发作时，我感觉自己快死了。我担心自己有心脏病，只是设备没有检查出来。

医生：您刚才将病史和患病过程说的很清楚，我记住了。我给您检查一下身体。

查体：胸廓对称，脊柱无侧弯，前胸后背皮肤未见皮疹。胸廓按压无固定疼痛点。心肺听诊未见异常。腹部平坦，全腹触软，未触及肿块，全腹无压痛及反跳痛。肠鸣音正常存在。体格检查未发现异常体征。

查看患者带来的病例资料，检查检验很详细，有当地三甲医院心内科多次检查报告和门诊病历及住院病历，患者 24 小时动态心电图、运动平板试验、心脏彩超、全腹彩超、胸部 CT 等检查都未见异常，血常规、肝肾功能、甲状腺功能、血糖、心肌酶、肌钙蛋白等实验室检验都无异常。

现将患者资料进行分析，总结出该病例特点：

女性，40 岁，病史 3 年。

胸痛性质：胸前闷痛，有濒死感，发作时伴心悸、气促、呼吸困难，胸痛持续 10 ～ 20 分钟会缓解，活动后胸痛无加重，休息及口服"硝酸甘油、救心丹"后疼痛无缓解。无胸闷、咳嗽、气喘、反酸等症状。

既往史：无高血压、心脏病、糖尿病病史。

体格检查：胸部无压痛点，心肺听诊未见异常，腹部无压痛等。

胸部 CT、心脏彩超、心电图、心肌酶、肝肾功能、腹部彩超等检查未见异常。

结合该患者的病史、查体及辅助检查，可以得出初步诊断。

(1) 可以排除急危重疾病。

(2) 该患者胸痛最可能的疾病是：惊恐发作？

(3) 依据：中年女性，胸痛性质闷痛，伴濒死感、呼吸困难；胸廓触诊没有压痛点；胸部 CT、心肌酶、肝肾功能及其他辅助检查检验未发异常；既往无高血压、冠心病、糖尿病及肺部疾病。

依据胸痛的整体性临床思维，我们已经排除了急危重症疾病，也没有找到器质性病因，初步考虑心理疾病，已经回答了临床 4 问的前面 3 个问题。但是，后面 1 个问题的答案还没有找到，是否有潜在被掩盖的疾病？

该患者所有的检查检验结果没有严重异常。3 年来因胸痛伴濒死感多次就医，为了找到答案，继续与患者进行深入交流，倾听她还没有说的话，寻找潜在的常被掩盖的病因。

C（concern）——患者的担心

医生：你睡眠好吗？（从睡觉入手，为了解患者的心理做铺垫）

患者：我睡眠很不好。躺着床上翻来覆去睡不着，有时整夜失眠。

医生：睡眠不好很令人烦躁的。你会烦躁吗？

患者：会。我很焦虑、紧张和害怕。总是担心自己得心肌梗死。（患者自动地说出了自己的心理状态）

医生：你们夫妻关系如何？（了解家庭背景，家庭与健康关系密切）

患者：夫妻感情不好，经常吵架，他不关心我，孩子也不理睬我。他们都说我是神经病。医生，我是神经病吗？

E（expectation）——患者的期望

医生：你不是神经病。可能是心理疾病——惊恐发作。（明确告诉患者最可能的诊断）

患者：惊恐发作是什么病？

医生：惊恐发作属于焦虑症的一种，惊恐发作不同的患者有不同的表现，有的表现为胸痛、有的头晕、有的心悸。这种胸痛起病急骤，终止迅速，但是不久可复发，发作时患者意识清晰，检查没有器质性疾病，患者往往伴有濒死感、焦虑、紧张、害怕等。（向患者解释惊恐发作的临床表现）

患者：我就是这样的，胸痛、焦虑、害怕。

医生：3 年中做了这么多检查，都证明你的心脏没有问题，不是心脏病。（用肯定的语气排除心脏疾病）

患者：医生，我很痛苦，你要帮我，治好我的病。（患者的期望）

医生：我会努力的，但是需要你的配合。这个病治疗需持续 6 ～ 12 个月，您要有信心。（医患共同努力，战胜疾病）

患者：好。我一定配合。医生，很感谢您倾听我的患病经历，帮我找到病因，还理解我内心的感受，真的谢谢您！（患者情真意切地说）

医生：这是我们全科医生应该做的，感谢您对我的信任。

整体性临床思维中第 4 个问题答案浮出水面，患者没有掩藏，也没有意识到焦虑对自己健康的影响,在全科医生的引导下,患者说出了睡眠、家庭关系等情况。

整体性临床思维,体现了以患者为中心的全科理念。我们不但要关注患者的躯体疾病,还要关注患者的心理、社会因素。从看躯体疾病,寻找疾病的根源转化为对患者的照顾和安抚,从看"病"到看"人",全科医生要在临床实践中运用"全人照顾"的全科核心理念。

做医生难,做全科医生更难,做一个优秀的全科医生难上加难。时代已经赋予全科医生承担重任的机会和责任,希望大家能毫不犹豫地选择全科医学。在全科的路上,携手同行!

(蔡飞跃 王 静)

第四节 全科医疗患者管理模式

全科医疗患者管理最基本亦是最重要的概念是：来看全科医生的是人，不是病。在讨论全科医疗患者管理模式之前，我们首先要明白什么是理想的全科医疗患者管理。在以人为本的前提下，全科医生与患者的相互了解是一切的关键。现今在全科医疗患者管理计划这课题上，主流的概念是医生与患者共同决策（shared decision making）（图 1-4-1）。要达到医患共识，沟通技巧是必须具备的核心能力。

图 1-4-1　医生与患者共同决策

全科医生在为患者设计一个管理方案的时候，可以参考 Brian McAvoy 在 *clinical methods*（2000 年）一书中的 RAPRIOP 英文助记符。

一、消除担忧和解释（reassurance and explanation，R）

解释的重要性在于能否消除患者的担忧，医生的解释是否让患者产生共同理解（shared understanding）。因为医生和患者对同一个健康问题的理解可能是南辕北辙的。所以，医生不能单以自己对问题的认知和看法作为标准，而认为患者也必然产生相同的看法。医生要用基于患者教育程度能够理解的用词（不能只用自己理解的医学专业词汇），患者才会容易明白。要注意的是，患者是否能真正理解医生所解释和建议的内容，对病情的整体管理，有着举足轻重的影响。

医生可以在解释之后再询问患者："您明白我所说的吗？"或"对于我所说的，您还有什么不清楚或是不明白的地方，需要我再解释一下吗？"没有建立共同理解的解释，"释除担忧"这一个措施便不存在。例如，患者患上早期癌症，但他误以为病情十分轻微而不及早医治，这种对"释除担忧"的误解，也许／可能会引起严重的后果。如医生能好好了解患者的 ICE（想法、关注和期望），便已经掌握了建立共同理解的关键点。

在患有严重疾病的情况下，患者自然会产生担忧，这是人之常情。医生要做到的，并非让患者盲目的宽心，而是要让患者明白，在往后可能会很漫长的治疗过程中，在医患共同决策的医疗管理计划里，医生会一直给予患者坚定不懈的支持。这才是医生希望患者可以放心的地方。

正如 Balint 所说，对于患者，医生本身已经可以是一种药物，有着治疗的作用，所以，不要轻视医生对患者的每一句解释。一个基于共同理解的病情解释，对患者的帮助是非常正面的。

二、建议（advice，A）

给患者提建议的时候，要注意以下几点：

(1)要令患者感受到和明白，这个方案是以患者为中心，而不是让人觉得医生是高高在上，或者以家长式的训示方法去"告诫"患者。这样做患者才会较乐意接受。

(2)医生要先全面了解患者的情况，再作出合适的建议。例如在生活方式的建议上，如果患者本身已经是一位运动员，那么再建议他多做运动就不切实际。

(3)所提出的建议，要在病情可容许的情况下配合患者的职业。

(4)要让患者明白，医生所提出的建议在哪一方面对患者的病情有帮助，并且符合患者的期望。

三、药物处方（prescription，P）

药物处方在疾病管理上不是必然的程序，因为不是每一位患者都需要或希望得到药物处方。在这方面，共同决策可以起到重要的作用。全科医生要清楚了解患者是否喜欢药物治疗。因为，就算在询问病历时的 ICE 当中，患者表示期望医生能治好他的病，但治好不一定等同于用药物治疗，治疗可以包括很多非药物方法。

在共同决策需要药物处方之后，全科医生在开处方时，要注意以下几点：

(1)避免过度开处方药物：即避免处方非必要的药物，尤其是对老年人和儿童。在这方面，循证医学（EBM）的指引十分重要。

(2)患者是否有药物过敏。

(3)医生要在处方上清楚列明该药物的名称、剂量、服用频率和方法。

(4)该药物需要服用多久。

(5)该药物会给患者带来什么好处。

(6)该药物会给患者带来什么坏处，如副作用。

(7)该药物和患者服用的其他药物是否有相互作用或影响。

(8)患者对药物形态的喜好，如不习惯吞服胶囊药物。

四、转诊（referral，R）

全科医生的一种核心职能是提供协调性服务。现今，治疗方案日益复杂化，很多时候会令患者感到无所适从。全科医生有责任为患者协调各种医疗照顾服务，从而使患者得到最适合的治疗。

全科医生要理解转诊是以患者为中心的治疗模式的其中一环。转诊的原因可以分为以下两点：

(1)患者所需要的治疗资源（如特别的药物或医疗器材），全科医生无法提供；

(2)患者所需要的基本管理方法超出全科医生的能力（如外科手术）。

转诊不代表全科医生对这个患者的照顾已经完结。全科医生与患者之间连续性医患关系的特点在这里便突显出来。

五、检验（investigation, I）

全科医生在决定为患者安排检验之前，要注意以下几点：

（1）这项检验是否需要？

1）这项检验可以解答诊断或治疗中的什么问题？

2）如结果是阴性或正常，对诊断或管理有什么影响？

3）如结果是阳性，对诊断或管理有什么影响？

（2）这项检验本身对患者的影响

1）这项检验是否具有侵入性？

2）患者是否明白该检验对他的健康所产生的影响，或可能产生的副作用？

3）患者是否明白该检验在他的健康管理中的角色？

4）患者在等待检验结果时所承受的心理负担。

5）该检验对患者可能构成的经济负担。

（3）对检验报告的处理

1）留意检验报告发出的时间，不要遗漏；

2）要把检验报告结果在病历中适当记录；

3）要向患者充分解释检验报告，让患者明白检验结果的含义。

六、观察（observation, O）

观察在患者管理上的重要性充分体现了全科医学中连续性治疗的特征。

（1）未分化的健康问题　全科医生经常要处理的健康问题都处于疾病的早期未分化阶段。观察病情的演进及变化，可以把握到"病向浅处医"的优势。很多无法解释的躯体症状（Medically unexplained physical symptoms, MUPS）也可以在中长期的观察中得到适合的诊断。

对于一些没有急性或危害生命的病症，在全科医学中，"静观其变"（Wait and see）很多时候也是一个有效的管理方法。

（2）已有诊断的疾病　对已诊断的疾病，需观察病情的变化及是否有并发症的出现。患者对治疗的理解和配合（依从性）、药物的效果或不良反应等信息，都可以在随访过程中获得，体现了随访在观察病情变化中的重要性。随访可分为两类：一是预约复诊；另一是随时就诊。须向患者指明在何种病证或情况出现时及时求诊。

七、预防（prevention, P）

预防医学是全科医生临床实践的重要组成部分。预防医学所带来的好处是长远的，而非仅限于眼前，例如排除可预见的疾病或并发症。传统上，预防可分三级，但近年来有第四级预防概念的出现。

第一级预防：在个人或群体的健康问题未产生前，避免或消除健康问题的根源所采取的措施，包括健康促进或特定的保护方法，例如免疫接种。

第二级预防：对处于疾病早期阶段的个人或群体健康问题所采取的检测或监测手段、方法，从而促进疾病痊愈，减少或防止它的进展和长期影响，例如，通过筛检对疾病进行早期发现和早期诊断。

第三级预防:尽量减少急性或慢性健康问题带来的躯体功能障碍(例如糖尿病并发症),以减少个人或群体受到健康问题影响所采取的行动措施,包括康复治疗。

第四级预防:确定患者是否有受到过度医疗化的影响所采取的行动,从而保护他免受新的医疗入侵,并给予一些在医学伦理上可接受的医疗干预的建议。

第四级预防体现了家庭医学中的一个原则,即预防性健康护理,及其"不伤害"的基本前提。

另外全科医生要留意 RAPRIOP 管理模式上的限制性:

(1) RAPRIOP 模式基本是以医生为出发点的医疗管理模式,所以如要达到全科医生以患者为中心的整体服务理念,必须贯彻医患共同决策的方针。

(2)其他治疗模式,如外科手术、其他干预治疗、物理治疗等,没有明确列入 RAPRIOP 之中。

(3)全科医生也必须要注意和照顾患者的家庭。

(4)患者赋权(patient empowerment)也没有在 RAPRIOP 之中列明。全科医生应主动促进患者的自我健康管理,从而提高患者参与医疗管理方案的兴趣和责任感。

(刘浩濂)

第五节 全科医生基本素养

"素养"一词,据《辞海》的解释为"经常修习涵养""亦指平日的修养"。"涵养"在《辞海》中则指的是"身心方面的修养"。至于"修养",儒家是指通过内心反省培养完善的人格。朱熹《近思录》卷二中:"修养之所以引年……皆工夫到这里,则有此应"。后亦指"逐渐养成的在待人处事方面的正确态度"或"指在政治、思想、道德品质和知识技能等方面经过锻炼和培养而达到的一定水平"。由此看来,"素养""涵养"和"修养"的意思十分接近,甚至是可以互通的。

一、全科医生的思想道德素质

医生的专业具其独有之处。从患者的角度来看,一位好医生,不但要掌握精良的专业知识和技能,而且要具有高尚的思想道德素质、健全的体魄和积极正向的心理。全科医生具备了以上的素养,才能取得患者的信任,得到患者的尊敬,从而达到医患共融的理想境界。

二、理论与实践

《孟子·告子下》有云:"有诸内必形诸外",可引申解释为"人的内在思想和素质,必然会在言行中体现出来"。套用到全科医生身上,就是他具备了怎样的素养,便会在他的工作表现和态度中体现出来,这也是患者可以观察到的。理论上具备的优良素养,也要在行为上实践出来。举例说,全科医生虽然具备了积极主动去解除患者病痛的心,也要学习良好的医患沟通技能,才能达到在行为上得到患者的理解。

三、全科医生的核心能力

不同的全科 / 家庭医学教学组织在制订教学大纲的时候,大家都认为全科 / 家庭医生应具备若干核心能力。现今英国及澳大利亚的家庭 / 全科医学学院都参考了 2002 年欧洲区世界家庭医生组织(WONCA Europe)制订的家庭医学的定义,此定义包括了家庭 / 全科医生的核心能力及特征。他们还把该定义以图像化的形式绘成了一棵"WONCA 树"。他们认为家庭 / 全科医生是基层医疗的核心,其特征可为基层医疗系统注入生命,就像大树长出绿叶并结出累累果实一样。

"WONCA 树"的树干是家庭 / 全科医生应具备的六种核心能力:

1. 基层医疗服务的管理(primary care management)
2. 以人为本的服务(person-centred care)
3. 解决具体临床问题的技能(specific problem solving skills)
4. 综合性服务(comprehensive approach)
5. 以社区为导向的服务(community orientation)
6. 全人服务模式(holistic modelling)

"WONCA 树"的根由三个基本因素组成:

1. 背景:代表着全科医生所处的社区状况、文化背景、经济、医疗系统及规管条例。

2. 科学:代表以严谨和探究的精神来行医,并不断进修和改善专业质素。

3. 态度:代表全科医生的素养。

由此可见,全科医生的素养是其核心能力的根,有坚实的根,才能支撑起一棵茂盛的 WONCA 大树。

四、医学人文

根据被誉为"西医之父"的古希腊医师希波克拉底的说法,医学有三个组成部分:疾病、患者和医生,他们的本质和相互作用就是医学人文探讨的领域。医学人文是一个丰富多彩的学术领域,借鉴了人文学科、艺术学科和社会科学。该学科除了对人类最基本和最普遍关注的问题提供有洞察力的见解外,还为医学的科学和实践提供有用的信息。尽管我们对疾病的了解和治疗已经有了极大的进步,但是对于何人或何时需要治疗,甚至如何预防疾病的问题,都不能仅仅单靠科学知识来决定。很多时候,我们还需要依靠医学伦理上的考虑,反映经济现实的判断,文化规范和在社会条件限制下对疾病风险的看法等。医学人文让全科医生从多方位、多角度去理解疾病、痛苦、残障、人性、灵魂、生命与死亡的意义。

作为一个包括学习和实践的独特学科,医学人文有两个重要的目标。首先,作为一个学术研究科目,医学人文支持对医学上人性进行深入的探索,从它最深邃的哲学品质,到它对文化和历史微妙而又复杂的影响都涉猎到。其次,作为关注人类互动和提供创造力的学科,我们希望医学人文能培养出更多有同理心和良好沟通能力的医生,从而为患者带来更好的治疗效果和更健康的生活。这亦是全科医生需要学习和掌握医学人文的原因。

五、医学专业精神 / 医师职业精神

在 2002 年,由美国内科学委员会基金会、美国内科医师学院和欧洲内科医学联盟共同制定并发表的《新世纪医师职业精神——医师宣言》中,明确提出了三个基本原则:①将患者利益放在首位;②患者自主;③社会公义。

《医师宣言》也列出了十种具体的专业承诺:①提高专业胜任;②对患者诚实;③保密患者的隐私;④和患者保持适当的关系;⑤提高医疗质素;⑥改善获得医疗服务的机会;⑦公平分配有限的资源;⑧坚守科学知识;⑨通过解决利益冲突而维护信任;⑩维持服务水平的专业责任。这个宣言已经得到了国际医学界的普遍共识,到目前为止,已有包括美国、英国、德国、法国、中国等国家,共计超过 300 个国际医学组织认可,并签署了该宣言。

2005 年,中国医师协会正式签署该宣言。2011 年 6 月 26 日,《中国医师宣言》在首届中国医师协会举办的"医师节"上正式向社会发布,重申医师应遵循患者利益至上的基本原则,弘扬人道主义的职业精神,恪守预防为主和救死扶伤的社会责任,并提出了六条承诺:①平等仁爱;②患者至上;③真诚守信;④精进审慎;⑤廉洁公正;⑥终生学习。

2015 年国家卫生计生委和国家中医药管理局联合颁布了《进一步改善医疗服务行动计划》。该计划向全国医务工作者们发出下列倡议:

1. 以维护人民群众健康为己任,坚持"以患者为中心"的服务理念,尊重患者、理解患者、关爱患者,把医学人文关怀融入医疗服务之中,营造良好的就医环境,构建和谐的医患关系。

2. 以刻苦钻研、精益求精、严谨求实的敬业态度,一丝不苟,精进审慎,敢于创新,不断提高诊疗质量和技术水准,以精湛的医术服务于广大患者。

3. 以廉洁行医、平等仁爱、真诚重义的高尚医德,严于律己,恪守职业道德,乐于奉献,敢于担当,救死扶伤,践行革命人道主义精神,捍卫医学的圣洁和尊严,维护职业的高尚与荣誉。

六、良好医疗行为守则

　　欧美各国的义务委员会或医疗专业组织都制订了《良好医疗行为守则》(*Code of good medical practice*),内容基本大同小异。以英国为例,英国医疗委员会在 2013 年重新修订了该守则,指明医生要在以下四个领域达到患者期望的标准:

(一)知识,技能和表现

　　1. 发展和维持你的专业表现。

　　2. 应用知识和经验去行医。

　　3. 清晰及准确记录你的工作。

(二)安全和素质

　　1. 开发及遵守保护患者的系统。

　　2. 应对影响安全的风险。

　　3. 保护患者和同事免受因你的健康状况带来的风险。

(三)沟通,合作伙伴关系和团队精神

　　1. 有效的沟通。

　　2. 与同事协同工作去维护或改善患者照顾。

　　3. 教学,培训,支援和评估。

　　4. 连续性和协调性的照顾。

　　5. 建立并维持和患者的合作伙伴关系。

(四)保持诚信

　　1. 显示对患者的尊重。

　　2. 公平地对待患者和同事,不存歧视。

　　3. 诚实及正直地处事。

　　这守则包括了一本详细的指南,内有 80 个段落,明确指出医生"必须"或"应该"遵守的原则和履行的责任,是一份很好的参考材料。

(刘浩濂)

思考题

1. 简述香港家庭医生专业培训制度。
2. 整体性临床思维的 4 个问题是什么？
3. 全科医疗中首要任务是什么？
4. 简述以人为中心的诊疗模式。
5. 良好医患沟通的策略有哪些？
6. 简述 RAPRIOP 模式。
7. 简述家庭 / 全科医生应具备的六种核心能力。

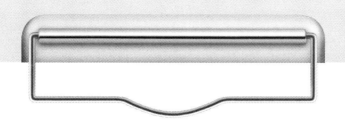

第二章

全科常见症状的临床思维和沟通技巧

02章

 学习目标

1. 明确全科常见症状的整体性临床思维、诊断、鉴别诊断及转诊指征。
2. 说出全科常见症状的沟通技巧。
3. 描述全科常见症状的病因、患者管理、治疗方案及知识拓展。

病例 1 ⊠

心悸 21 年,加重 1 年余

患者,男,58 岁,独自前来就诊。

患者口述:21 年来反复发作心悸,伴手发抖、出汗、喘不过气,感觉自己快死了,每次发作后感胸痛、乏力。多次到不同的三甲医院心内科门诊就诊和住院检查,都查不出问题。近一年多来发作频繁,住院两次。在老乡的推荐下来看全科医生。

患者带来一叠检查单和近一年两次住院记录,有各大三甲医院的检查报告和门诊病历,血常规、肝肾功能、甲状腺功能、血糖、心肌酶、肌钙蛋白等实验室检验都无异常。24 小时动态心电图、运动平板试验、心脏彩超、全腹彩超、胸部 CT 等检查,都未见异常。

请思考以下问题 →

1. 如何构建整体性临床思维?
2. 最可能的诊断是什么? 需要完善哪些辅助检查?
3. 诊断和诊断依据是什么?
4. 治疗方案和患者管理。
5. 病例总结。
6. 知识拓展。

1. 如何构建整体性临床思维?

(1)诊断思路:全科医生接诊心悸患者时,首要任务是识别致命性疾病,发现潜在急危重症患者,立即转专科诊治。排除致命性的病因后,全面分析病史、仔细查体、进行适当的辅助检查,从心悸的发生机制等多系统多器官寻找导致心悸的可能病因,不能仅局限于心血管疾病,还要考虑呼吸系统、内分泌系统等疾病,更不能忘记生理性因素和精神心理因素导致的心悸。

心悸(palpitation)是一种自觉心脏跳动的不适感或心慌感。当心率加快时感到心脏跳动不适,心率缓慢时则感到搏动有力。心悸时,心率可快、可慢,心律可齐可不齐,心率、心律也可以均正常。心悸发生机制尚未清楚,一般认为心脏活动过度是心悸发生的基础,常与心率、心律、心肌收缩力及心搏出量改变有关。

心悸可以是一个单一的主诉,也可能伴随胸闷或呼吸不畅等其他症状。根据心悸伴随的症状,见于以下疾病(图 2-1-1)。

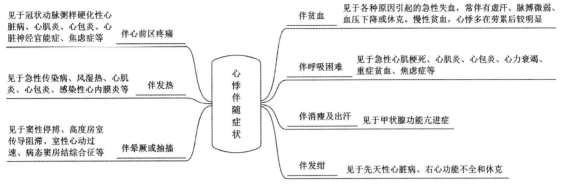

图 2-1-1 心悸伴随症状

当患者诉"心悸"时,病情可缓可急,可轻可重,除了心脏本身病变、某些全身性疾病可引起心悸外,还有生理性和功能性心悸。各种原因导致的心律失常、心力衰竭会引起心悸;生理性心脏搏动增强,如剧烈运动、精神过度紧张、饮酒、浓茶或咖啡后、妊娠晚期、使用某些药物(如甲状腺素片、氨茶碱、抗抑郁药物、抗心律失常药物、利尿剂、洋地黄、麻黄碱、咖啡因、阿托品、肾上腺素)等会引起心悸;病理性心脏搏动增强,如高血压性心脏病、主动脉瓣关闭不全、二尖瓣关闭不全、动脉导管未闭、室间隔缺损、脚气性心脏病、支气管哮喘、甲亢、贫血、发热、低血糖症、嗜铬细胞瘤、高原病、胆心综合征等会引起心悸;自主神经功能紊乱,如心脏神经官能症、β- 受体亢进综合征、更年期综合征、焦虑症也会引起心悸。

该患者,男,58 岁,21 年来反复发作心悸,伴手发抖、出汗、喘不过气,感觉自己快死了,每次发作后感胸痛、乏力。多次到不同的三甲医院心内科门诊就诊和住院检查,都查不出问题,基本排除心脏病变是什么原因导致患者经受 21 年的心悸痛苦呢? 患病的经历是否隐藏着什么? 现采用整体性临床思维——临床 4 问对该患者进行分析(图 2-1-2)。

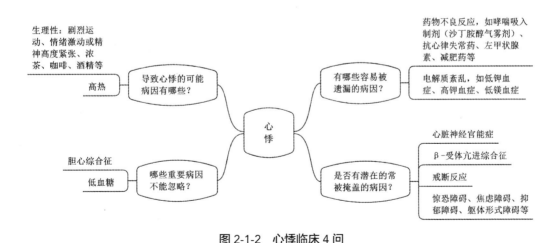

图 2-1-2 心悸临床 4 问

(2)鉴别思维:在全科医疗实践中,最重要、最基本的理念是:来看全科医生的是人,不是病。为了找到答案,我们不仅关注疾病,还要关注患者,结合以患者为中心的整体性临床思维原则,了解症状背后的故事,尤其要了解心悸的发生、发展,全方位探究患者的患病经历和他的想法、担忧和期望。下面采用以患者为中心的问诊——RICE 问诊进行深入访谈，寻找病因，达到诊断疾病的目的。

R（reason）——患者就诊的原因

医生：您好！我是王医生，有什么可以帮您吗？（开放式提问）

患者：王医生，我反复发作心跳快已经 21 年了。

医生：您能将生病过程详细地告诉我吗？（打开话题，让患者自己回忆患病经过和体验）

患者：1990 年，我在军队里应对一件严峻、复杂事件时，无缘无故地开始心慌、喘不过气、感觉快死了。部队卫生员把我送到医院检查，没有发现异常。之后一遇到紧张、激烈的竞争训练场合，容易发病。近 1 年多经常发作，很难受。

医生：可以告诉我心慌的感受吗？（了解患者的患病体验）

患者：感觉很紧张，手发抖，出汗，喘不过气，感觉自己快死了。好几次叫救护车送到医院急诊科，做了心电图等各项检查，结果都是正常的，医生说没问题。住院的几次，也查不出原因。

医生：这种感觉称心悸，确实令人难受。心悸一般在什么情况下发生？（认同患者的症状，了解患者发病的诱因）

患者：开会中或运动一下，比如爬楼梯、散步时都会发作。

医生：发作时您怎么处理？（了解患者自己处理问题的方法）

患者：大多数时候，我会反复告诉自己，冷静、冷静、冷静……

医生：发作的严重程度与什么因素有关？每次发作持续多长时间缓解？（了解发作时间和生活事件的关系）

患者：发病的严重程度、时间长短和面对的事情有关，一般半小时以内，有时候 1～2 小时，期间会反复发作多次，每次几分钟、十几分钟不等。

医生：有没有突然发作、突然消失的情况？（进一步询问症状特点）

患者：都是突然发作的，大多数发作几分钟就缓解了，但会突然再发。

医生：除了心悸、出汗、紧张、呼吸困难、濒死感，还有其他不舒服吗？比如头晕、胸闷、胸痛、无力等。（了解伴随症状，）

患者：有头晕、胸闷，事后感觉胸痛、极度疲惫、虚弱无力，很想睡觉，但告诉自己不能睡觉，担心一旦睡着，就醒不过来了。

医生：还有吗？例如咳嗽、发热等。（排除呼吸道感染）

患者：没有。

医生：有没有胆囊炎、胆石症、胆道炎？（排除胆道疾患导致的胆心综合征）

患者：没有。

医生：您在吃什么药物吗？（了解患服药史，排除药物使用或精神活性物质滥用及戒断引起的心悸）

患者：没有吃药。1 个月前在大医院心内科住院，各项检查都正常的，医生也没有开药给我。

医生：您有高血压、糖尿病、高血脂等疾病吗？（了解患者的心血管疾病史）

患者：我平时比较注重健身和养身，每年的体检指标都正常的。

I(idea)——患者对自己健康问题的想法

医生:我看了您之前的相关检查,根据您的病史、体征和检查,暂时可以排除一些严重的疾病。但是您的症状一直没有缓解,您怎么看待这个问题? (了解患者的想法)

患者:我认为是心脏病,我的心脏肯定有问题。

医生:您认为自己心脏有问题的依据是什么?

患者:只有心脏病才会心慌、胸闷的,事后还感觉胸痛。

医生:心悸的原因有很多,除了心脏疾病,还有甲状腺功能亢进、精神心理因素等都会引起心悸。您已经看了心内科专家,专家说您的心脏没有问题,为什么您还认为是心脏病? (了解患者想法的依据)

患者:我父亲有高血压冠心病,1989年因心肌梗死去世了。

C(concern)——患者的担心

医生:不好意思,令您伤心。您担心什么? (了解患者内心的担忧)

患者:每次发作时,我感觉自己快死了。看了心内科专家后,说检查结果没问题,尽管医生说没有心脏病,但我担心设备没有查出来。由于心悸经常突然发作,令我紧张、苦恼。

医生:您前面提到感觉疲惫、全身乏力,我想了解您的睡眠怎么样? (从睡眠切入,了解生活、工作压力情况,为了解患者的心理做铺垫)

患者:睡眠一般还好的。近期睡眠不太好。

医生:是入睡困难还是醒得早呢? (了解失眠的性质,鉴别焦虑症和抑郁症)

患者:是入睡困难。有时候躺着床上翻来覆去睡不着。入睡后一般一觉到天亮。

医生:有没有情绪低落、消沉、愉悦感下降或者缺失、丧失兴趣? (鉴别抑郁症)

患者:没有。

医生:没有恶心、反酸、呕吐、皮肤瘙痒或刺痛等? (鉴别躯体化障碍)

患者:没有。

医生:能说说您睡不着时,正在想的事情吗? (了解患者担心什么?)

患者:唉……我是从农村走出来的,当年大学没考上就到部队当兵。在部队里我非常努力,从排级干部到营级干部。转业后在省政府下面的单位工作。工作上,我一直对自己严格要求,压力很大。(患者先是迟疑,后消除顾虑,自动地敞开心扉)

医生:睡眠不好会令人烦躁,我能感受到您工作认真,也很有拼劲儿。您是做什么工作的? (进入共情)

患者:我是公务员,职务上竞争非常激烈,压力很大。去年朋友生意上需要资金周转,我把80万借给他,结果朋友生意做不好还不出来,我很着急。

医生:能听出来您很担心。您会感到焦虑吗? (同理心)

患者:会。经常会到没人的地方大喊大叫后,感觉舒服一些。常常莫名的紧张,心有余悸,担心在某种场合突然发病,不敢爬楼梯,生活中小心翼翼。(患者有预期焦虑和回避行为)

医生:你们夫妻关系如何? (了解家庭背景,家庭与健康关系密切)

患者:因原生家庭环境不同,好多观点不同,所以俩人经常吵架,我生病了也不关心我。

医生:我先给您检查一下身体。

体格检查:T 36.9℃,P 66 次 /min,R 18 次 /min,BP 136/82mmHg,身高 180cm,体重 77kg,IBM 23.7kg/m²,体型健壮。颈部未触及浅表淋巴结,甲状腺未触及肿大,心肺听诊未见异常。腹软,全腹无压痛,肝脾未触及,肠鸣音正常。双手平举时未见震颤,双下肢无水肿。

(3)是不是急危重症疾病?

结合患者既往的检查检验等病史资料和体格检查,排除心脏器质性疾病。那心悸的原因究竟是什么呢? 心内科医生为什么找不到病因? 是不是存在精神心理方面的问题? 对于该患者,列出以下鉴别诊断清单(图 2-1-3)。

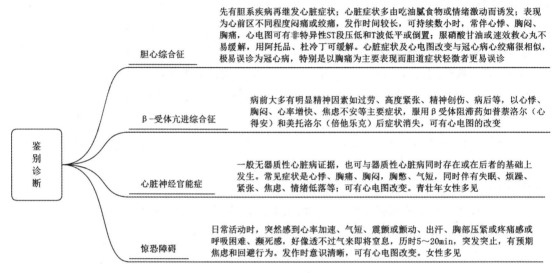

图 2-1-3　心悸鉴别诊断

E(expectation)——患者的期望

医生:聊了这么久,我对您的病情基本了解了,您今天来看全科有什么期望吗? （与患者建立良好医患关系后,可以直接问患者的期望）

患者:希望医生能帮我找到病因。

医生:您 21 年中断断续续做了各种检查,住院也查不出问题,都证明您的心脏没有问题。您不是心脏病,可能是心理方面的问题,比如惊恐发作。(用肯定的语气排除心脏疾病)

患者:惊恐发作是什么病? (患者迫不及待地说)

医生:惊恐发作是一种心理疾病,可表现为心悸、胸闷、头晕、头痛,常伴有紧张、呼吸困难、出汗、濒死感等。发作时间通常为几分钟到两个小时,期间会反复突然再发,每一次历时 5 ~ 20 分钟,发作时患者意识清晰。医疗仪器检查都正常。常常影响患者的工作与生活。(向患者解释惊恐发作的临床表现)

患者:我就是这样的,那我该怎么办? (患者对医生的期望)

医生:我先转诊您去精神卫生科进一步确诊,以后您可以继续来找我看病,好吗? (医患共同努力,战胜疾病,并体现协调性照顾)

患者:好。

医生：下次来时，能否带上你的妻子一起来，我和她交流一下？（需要家庭情感上的支持，体现以家庭为单位的健康照顾）

患者：好的。谢谢医生！

2. 最可能的诊断是什么？需要完善哪些辅助检查？

(1)最可能的诊断：惊恐障碍？

(2)辅助检查：相关检查已在外院做了全套，不必重复检查。全科医生没有诊断精神心理疾病的权限，需要转诊到精神卫生科做相关专科检查确诊。

3. 诊断和诊断依据是什么？

(1)诊断：惊恐障碍（panic disorder，PD）？

(2)诊断依据：①患者，男，58岁，心悸21年，加重1年余；②突如其来的紧张、害怕、恐惧感，甚至出现惊恐发作，伴有自主神经功能紊乱症状（心悸、出汗、胸闷、呼吸困难、头晕等），有预期焦虑（心有余悸，担心再发）和回避行为（上班时不敢爬楼梯，生活中小心翼翼）；③发病的严重程度、时间长短和面对的事件有关，一般半小时内，有时候历时1～2小时，其间会反复突然再发，数分钟至数十分钟不等；④无咳嗽、气喘、反酸等症状。既往无高血压、心脏病、糖尿病病史；⑤体格检查和辅助检查未见异常。

4. 治疗方案和患者管理

(1)向患者解释心悸的原因，给予心理疏导，解除他的恐慌心理。

(2)转诊精神卫生科进一步诊治。

(3)告知患者治疗时间至少1年，增加患者完成治疗的信心。

(4)观察患者的情绪变化、对心理治疗的反应情况及心悸发作的频率是否较前减少、伴随的症状是否改善。

(5)嘱咐一周后复诊，让妻子一同前来。

第2次就诊

第8天患者复诊。患者已经去看过1次心理医生，诊断惊恐障碍，给予服用苯二氮䓬类药物（BZD）。服药后焦虑明显缓解，1周内无心悸发作。继续给予心理疏导，化解患者的担忧与顾虑。交代患者妻子多关心、多沟通。嘱咐患者定期心理科复诊。

第3次就诊

通过4周的心理治疗、药物治疗和家庭治疗，患者情绪明显好转，无心悸发作。继续与患者深入交流，进行心理疏导。嘱咐患者定期心理科复诊，不定期全科复诊。

5. 病例总结

以人为中心的整体性临床思维，需要全科医生时刻保持清醒头脑，清晰把握问诊重点。在医患沟通过程中，医生不能治愈所有的疾病，能做到的就是帮助和安慰患者，帮助患者树立战胜疾病的信心，帮助患者能正确地认识自己的疾病。医生可以把医学仪器的检查报告作为诊断和制定治疗方案的依据，但不能对患者的身心问题视而不见，不能用一句冷冰冰地"你没病"，就让患者离开诊室。除了考虑最常见的诊断，时刻警惕重要疾病，减少漏诊和误诊，减少不必要的检查和治疗，有助于提高患者对医生的满意度，提高医疗系统的效率，促进患者康复。

惊恐障碍是一种慢性复发性疾病，伴随显著的社会功能损害。与其他焦虑障碍、抑郁障碍、物质滥用等共病率较高,这些疾病的临床表现部分重叠。一些惊恐障碍患者也属于冠心病高危人群。目前临床主要采用药物治疗及心理治疗,但复发率较高,治疗后需时刻监控病情。

6. 知识拓展

惊恐障碍又称急性焦虑障碍,病期短则数月,多则数年,终生患病率为 1% ~ 4%,女性是男性的 2 ~ 3 倍。其病因和发病机制与遗传、神经生物学、心理社会相关因素等有关。通过国内外的一些研究资料表明,惊恐障碍的患病率各国报道不同,美国精神病学协会 2010《惊恐障碍患者治疗指南(第二版)》中流行病学统计:惊恐障碍患病率为 1.6% ~ 2.2%,女性大约是男性的两倍,还不包括一些抑郁症的疾病所伴发的一些惊恐发作。2022 年有研究总结,在心脏专科接诊的患者中约 8% 的患者患有"惊恐障碍",通常主诉为:心悸、胸闷、头晕、呼吸困难等;在社区全科诊所中则更为普遍,在患有心脏、胃肠、耳鼻喉、神经系统疾病的患者中,惊恐障碍的发病率约为普通人群的 10 倍。惊恐障碍的临床表现主要有:惊恐发作(panic attack)、预期焦虑,部分患者有回避行为。

(1)惊恐发作:患者在无特殊的恐惧性处境时,突然感到一种突如其来的紧张、害怕、恐惧感,此时患者伴有濒死感、失控感、大难临头感;患者肌肉紧张,坐立不安,全身发抖或全身无力;常常有严重的自主神经功能紊乱症状,如出汗、胸痛、胸闷、呼吸困难或过度换气、心动过速、心律不齐、头痛、头晕、四肢麻木和感觉异常等。通常起病急骤,终止迅速,一般历时数分钟至数二分钟,但不久可突然再发。发作期间始终意识清晰。

(2)预期焦虑:患者发作后的间歇期仍心有余悸,担心再发生和/或担心发作的后果,不过此时焦虑的体验不再突出,而代之以虚弱无力,需数小时到数天才能恢复。

(3)回避行为:60% 的患者对再次发作有持续性的焦虑和关注,害怕发作产生不良后果。出现与发作相关的行为改变,如回避工作或学习场所等。部分患者置身某些场所或处境时,可能会诱发惊恐发作,这些地方或处境使患者感到一旦惊恐发作,则不易逃生或找不到帮助,如独自离家、排队、过桥或乘坐交通工具等,称为广场恐惧症。惊恐障碍又被分为伴有广场恐惧症或不伴有广场恐惧症。

评估惊恐障碍的严重程度可用惊恐障碍严重度量表(Panic Disorder Severity Scale,PDSS)。

(1)项目和评定标准:PDSS 有 7 个项目,分别为 DSM-IV 诊断惊恐障碍的 5 个核心症状,和工作、社交功能损害各 1 个条目。每个条目分 0 ~ 4 分 5 级评分:0 为没有;4 分为极度的、弥散的、近乎持续的症状,或残疾/失能。

(2)评定注意事项:完成该量表需要 10 ~ 15 分钟的时间。

评估时间范围一般为 1 个月,也可以自行规定,但每个项目的评定时间范围必须一致。

(3)结果分析:总分是 7 个条目的得分相加后的平均值,得分范围为 0 ~ 4 分。另一种计算总分的方法是 7 个条目的总和,但这种计算结果没有常模可供参考。

PDSS 的 7 个项目:

1. 惊恐发作的频率,包括有限症状的发作

0= 没有惊恐发作或有限症状的发作。

1= 轻度,平均 1 周少于 1 次完整的发作,且有限症状的发作最多每天 1 次。

2= 中度,1 周 1 次或 2 次完整发作,和 / 或每天多次有限症状的发作。

3= 严重,1 周 2 次以上完整发作,但平均不超过每天 1 次。

4= 极度,每天 1 次以上的惊恐发作,有发作的日子多于不发作的日子。

2. 惊恐发作时苦恼,包括有限症状发作

0= 无惊恐发作或有限症状的发作,或发作时无苦恼。

1= 轻度苦恼,但能继续活动,几乎没有或完全没有影响。

2= 中度苦恼,但仍能控制,能够继续活动,和 / 或能够维持注意力,但感到有困难。

3= 严重,显著的苦恼和影响,失去注意力,和 / 或必须停止活动,但仍能留在房间里或那个环境中。

4= 极度,严重和丧失能力的苦恼,必须停止活动,如有可能就会离开房间或那个环境,否则,不能集中注意力,极度苦恼。

3. 预期性焦虑的严重度(惊恐发作相关的害怕,恐惧或担心)

0= 不担心惊恐发作。

1= 轻度,对惊恐发作偶尔有害怕、担心或惶惶不安。

2= 中度,经常担心,害怕或惶惶不安,但有时候没有焦虑。生活方式有注意得到的改变,但焦虑仍然可控,总体功能不受影响。

3= 严重,对惊恐有持续的害怕,担心或惶惶不安,显著地干扰注意力,影响有效功能。

4= 极度,几乎持续和致残性的焦虑,因为对惊恐发作的害怕,担心或惶惶不安,不能执行重要的任务。

4. 场景害怕和 / 或回避

0= 无,无害怕或回避。

1= 轻度,偶尔的害怕和 / 或回避,但通常能面对或忍受。生活方式只有很小或没有改变。

2= 中度,注意得到的害怕和 / 或回避,但仍能控制,回避所害怕的场景,但有人陪伴就能面对,生活方式有些改变,但总的功能未受损。

3= 严重,广泛的回避;生活方式的实质性改变就是需要有人陪伴,一般活动有困难。

4= 极广泛的致残性的害怕和 / 或回避。不得不广泛改变生活方式,不执行重要任务。

5. 与惊恐相关感觉的害怕 / 回避

0= 没有害怕或回避会触发痛苦躯体感觉的场景或活动。

1= 轻度,偶尔害怕和 / 回避。通常会面对或很少苦恼地忍受这些会触发躯体感觉的活动和场景。生活方式很少改变。

2= 中度,可注意到的回避,但仍能控制;有明确的,但有限的生活方式改变,总体功能不受影响。

3= 严重,广泛的回避,造成生活方式的显著改变,或影响功能。

4= 极广泛的和致残性的回避,生活方式的广泛改变,不做重要的事情或活动。

6. 因为惊恐发作,工作能力受损 / 或受干扰

0= 没有因惊恐障碍的症状而受损。

1= 轻度,轻度干扰,感觉工作困难,但表现尚好。

2= 中度,症状导致规律的、明确的干扰,但仍能控制。工作表现可能受损,但其他人会说工作还可以。

3= 严重,导致显著的职业功能损害,其他人会注意到,可能会耽误工作或某些天完全不能工作。

4= 极度,失能症状,不能工作(不能上学或不能完成所承担的家务)。

7. 惊恐障碍损害或干扰社会功能

0= 无损害。

1= 轻度,轻度干扰,感到社交行为的质量有所影响,但社交功能尚好。

2= 中度,明确的干扰社交生活,但仍能控制,社交活动的频率和/或人际关系质量有所下降,但仍能参与绝大多数的常见社交活动。

3= 严重,造成显著的社会功能损害,社交活动显著减少,和/或与别人交往有显著困难,仍能强迫自己与他人交往,但不能享受,或不能在大多数社交或人际交往场合中良好表现。

4= 极度,致残性症状,几乎不外出或不与他人交往,可能会因为惊恐障碍而终止与他人的关系。

《精神障碍诊断与统计手册》CDSM-5-7R 中惊恐障碍诊断标准如下:

(1)反复出现不可预期的惊恐发作。一次惊恐发作是突然发生的强烈害怕或强烈的不适感,并在几分钟内达到高峰,发作期间出现下列 13 种全身症状中的 4 项及以上症状(这种突然发生的惊恐可以出现在平静状态或焦虑状态):

- 心悸、心慌或心率加速。
- 出汗。
- 震颤或发抖。
- 气短或窒息感。
- 哽噎感。
- 胸痛或胸部不适。
- 恶心或腹部不适。
- 感到头昏、脚步不稳、头重脚轻或昏厥。
- 发冷或发热感。
- 感觉异常(麻木或针刺感)。
- 现实解体(感觉不真实)或人格解体(感觉脱离了自己)。
- 害怕失去控制或"发疯"。
- 濒死感。

(2)至少在 1 次发作之后,出现下列症状中的 1 ~ 2 种,且持续 1 个月(或更长)时间:

- 持续的担忧或担心再次的惊恐发作或其结果(例如失去控制、心肌梗死、"发疯")。

- 在与惊恐发作相关的行为方面出现显著的不良变化试图减少或回避惊恐发作及其结果(例如回避锻炼或回避广场恐怖症类型的场合情况:离开家、使用公共交通工具或购物)。

(3)这种障碍不能归因于某种物质(例如滥用毒品、药物)的生理效应,或其他躯体疾病(例如甲状腺功能亢进、心肺疾病)。

(4)这种障碍不能用其他精神障碍来更好的解释。

（王　静　蔡飞跃）

思考题

1. 惊恐障碍的临床表现有哪些?
2. 心悸的病因中,需要排除哪些急危重症疾病?

病例 2 ⊠

咳嗽咳痰 2 年余,加重 3 个月

患者,女,30 岁,未婚,独自前来就诊。

患者口述:2 年多来,无明显诱因出现咳嗽,晨起较严重,咳少量黄白色黏液痰,伴咽痒、咽部异物感。气候变化时会有鼻塞、流涕,咳嗽稍加重。多次在外院就诊,拍了 X 线胸片,无见异常。3 个月前因咳嗽加重,在外院查胸部 CT 片,提示心肺未见异常,血常规、肝肾功能、支原体、衣原体检查阴性。

发病来,胃纳可,大小便无殊,睡眠欠佳,体重无明显改变。

17 岁时因下鼻甲肥大做了部分切除术。不吸烟、不饮酒,否认冶游史。无长期用药、服保健品。父亲 5 年前因食管癌去世,母亲体健。

> **请思考以下问题 →**

1. 如何构建整体性临床思维?
2. 最可能诊断是什么? 需要完善哪些辅助检查?
3. 诊断和诊断依据是什么?
4. 治疗方案和患者管理。
5. 病例总结。
6. 知识拓展。

1. 如何构建整体性临床思维?

(1)诊断思路:全科医生接诊咳嗽患者时,根据咳嗽症状持续时间,迅速区分急性、亚急性、慢性咳嗽,再根据不同类型的常见原因展开问诊。问诊时把握好具有鉴别意义的阳性、阴性症状,从最常见的病因展开,不仅能快速得出初步诊断、相关鉴别诊断,也有助于提示查体重点、选择何种辅助检查。首先考虑常见病,排除急危重症疾病,发现潜在的致命性因素,立即转专科诊治。不但要考虑呼吸系统的疾病,还要考虑消化系统、心血管系统等疾病,也不能忘记精神心理因素导致的咳嗽。

咳嗽(cough)与咳痰(expectoration)是临床最常见的症状之一。咳嗽是一种反射性防御动作,可以帮助呼吸道,尤其是下呼吸道清除外界侵入的异物或过多分泌物,起到清洁和保护呼吸道的作用,比如进食时,饭粒不小心进入气管会产生剧烈咳嗽,直至将饭粒咳出为止,属于保护性作用。因病原体和炎性分泌物,如肺泡内有分泌物、渗出物或漏出物等刺激咽喉、气管、支气管黏膜下神经末梢时产生咳嗽和咳痰,影响工作和休息,则为病理状态,需要寻求医疗帮助。

咳嗽的发生机制是由于延髓咳嗽中枢受刺激引起的。来自耳、鼻、咽、喉、支气管、胸膜等感受区的刺激传入延髓咳嗽中枢,该中枢再将冲动传向运动神经,即喉下神经、膈神经和脊髓神经,分别引起咽肌、膈肌和其他呼吸肌的运动来完成咳嗽动作,表现为深吸气后,声门关闭,继以突然剧烈的呼气,冲出狭窄的声门裂隙产生咳嗽动作和发出声音。当呼吸道发生炎症时,黏膜充血、水肿,黏液分泌增多,毛细血管壁通透性增加,浆液渗出,渗出物与黏液、吸入的尘埃和某些组织破坏物等混合而成痰,随咳嗽动作排出。

　　引起咳嗽和咳痰的原因很多,其中呼吸道感染是最常见原因(图 2-2-1)。

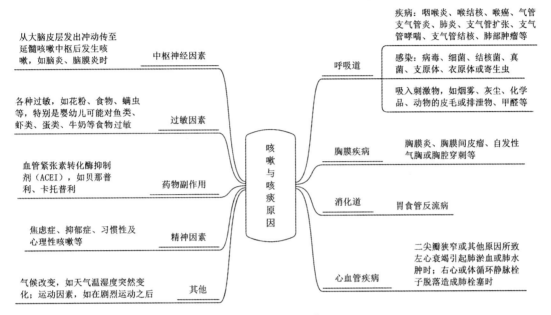

图 2-2-1　咳嗽与咳痰原因

　　临床上根据咳嗽症状的持续时间,分为急性咳嗽(<3 周)、亚急性咳嗽(3～8 周)和慢性咳嗽(>8 周)。该患者咳嗽 2 年余,加重 3 个月,属于慢性咳嗽。慢性咳嗽的病因较为复杂,往往需要结合患者的病史、职业、旅行史、体格检查、辅助检查等综合判断。现采用整体性临床思维——临床 4 问对患者进行分析(图 2-2-2)。

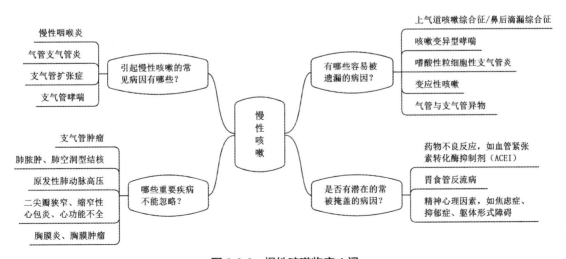

图 2-2-2　慢性咳嗽临床 4 问

（2）鉴别思维：全科医学的核心理念是以人为中心，采集病史时，全科医生需要科学精神和人文精神结合，既要从生物学角度根据临床症状、体征和实验室检查进行诊断和鉴别诊断，还要从人的角度，了解患者的想法、担忧和期望，疾病对患者生活的影响以及患病经历。问诊要点包括：性别、年龄、有无前期呼吸道感染、咳嗽的临床表现（发作时间、持续时间、咳嗽的性质、加重/缓解因素，如有咳痰需询问咳痰的量、性状和特点）、伴随症状（如发热、胸痛、呼吸困难、咯血、大量脓痰、吞咽困难、声音嘶哑等）、既往史、过敏史、用药史、吸烟史、可吸入颗粒及放射性/化学物质接触史等。

R（reason）——患者就诊的原因

医生：您好！我是王医生，有什么可以帮您吗？（开放式提问）

患者：医生，我咳嗽二年多，最近3个月加重了。

医生：能详细描述一下吗？（让患者讲自己的患病经历，抓取关键信息）

患者：2年多来，我常常咳嗽、清嗓、吸鼻子、吞口水，但仍然觉得咽喉部有异物，有东西黏着，几次去附近的医院看病，拍了胸部的X线片，医生说是正常的，给我配了一些抗生素和止咳药，服了稍有好转。3个月前，我的咳嗽逐渐加重，就去大医院拍了胸部CT片，医生说没问题，也配了一些抗生素和止咳药，服了效果不明显，咳嗽一直存在，有时严重，有时好些。

医生：最初咳嗽时，有什么诱因吗？比如气温改变、闻到刺激性气体、吃了某些食物等。（询问诱发因素）

患者：气温下降会有鼻塞、流鼻涕。工作的酒店是2年前新装修的，管理人员的办公室都在地下一层，空气流通相对差一些。难得来我办公室的客户，都说异味蛮重的。医生，我就是到酒店工作后开始咳嗽的，反复发作，是不是与室内新装修有关？

医生：有可能的，室内装修气味可能是诱因之一。有没有出现喘息或者呼吸困难的情况？（了解是否存在哮喘）

患者：没有。

医生：鼻涕的性状是怎样的？（进一步询问症状特点）

患者：鼻涕一般是白色或黄色的，严重时，黏脓性鼻涕，擤不出来。

医生：咳痰多吗？痰是什么颜色的？（了解痰量和性状）

患者：咳痰不多，清晨起床有时咳少量白色黏液痰，有时夹有黄色的黏液痰。

医生：一天中，哪个时间段咳嗽会严重些？（进一步询问症状特点）

患者：清晨严重，起床时总感觉咽痒、有痰，有东西黏着，想咳，但咳不出来。

医生：除了咽痒、总觉得咽部有痰，还有其他不舒服吗？如乏力、食欲减退、盗汗、消瘦的情况？（鉴别肺结核）

患者：没有。

医生：有没有发热、胸闷、呼吸困难、胸痛等。（警惕"红旗征"）

患者：没有。

医生：有没有恶心、呕吐、反酸、胃灼热、吞咽困难、腹泻等消化道症状？（鉴别胃-食管反流病）

患者：也没有。

医生:哪些东西会过敏?（了解过敏史）

患者:好像对花粉过敏,每年到桂花飘香的时候,会出现打喷嚏、流鼻涕。

医生:能描述一下过敏的症状吗?（询问过敏细节）

患者:主要是打喷嚏、流鼻涕。

医生:您吸烟、喝酒吗?或者家里人有吸烟的?（了解个人嗜好）

患者:没有。

医生:有没有接触肺结核的患者?或者您周围也有跟您类似情况的人?（肺结核接触史）

患者:没有。

I(idea)——患者对自己健康问题的看法

医生:您多次就医治疗,但咳嗽一直存在,您怎么看待这个问题?（了解患者的看法）

患者:咳嗽 2 年多了,医生反复让我服抗生素和止咳药,一直没有好,是不是"慢性支气管炎"?或者是肺炎?

C(concern)——患者的担心

医生:您的胸片检查正常的。支原体、衣原体检查也是阴性的。(消除患者顾虑)

患者:医生,我看网上的新闻,年轻人也会得肺癌,我咳了这么久,一直没好,会不会得肺癌?

医生:2 个月前,你做过肺部 CT,没有发现异常,您得肺癌的可能性很小,请放心。(给予肯定答复,消除患者的担忧)

患者:那到底是什么病?

医生:我明白您的苦恼,经常咳嗽的感觉很难受?（开始进入同理心）

患者:是呀!真的很难受,咳嗽虽然不影响工作,但工作中咳嗽、吸鼻子、频繁清嗓令人烦恼。

医生:睡眠好吗?晚上会因咳嗽而影响睡眠吗?（从睡眠入手,为了解患者的心理做好铺垫）

患者:睡眠不太好。我一般工作到 11 点多,常常 12 点上床,有时候半夜里酒店发生状况会打电话给我,睡眠比较浅。

医生:工作压力大吗?（了解精神因素与咳嗽的关系）

患者:压力很大,因新冠疫情对酒店行业冲击很大,一直在亏本运营。

医生:当压力大时,咳嗽会加重吗?（鉴别心理性咳嗽）

患者:每当疫情管控,酒店无法营业,完不成指标时,我非常焦虑,咳嗽也会加重。之前医生配给我止咳药,服用后有点效果,现在一点效果都没有。

医生:每当您压力大时,您会寻找家人和朋友倾诉吗?（了解患者宣泄负面情绪的方式）

患者:爸爸去世了,妈妈一个人在老家,平时和妈妈通电话都是报喜不报忧的。在异地工作,还没有找到知心朋友。

医生:很抱歉,提起您的伤心事了。

患者:没关系,我已经接受了爸爸去世的事情。

医生:您的病情基本了解了,我给您体检一下。

查体:T 36.8℃,P 80 次 /min,R 16 次 /min,BP 110/70mmHg,BMI 21.0kg/m^2。精神可、自主

体位、查体合作。全身皮肤无黄染、未见皮疹,浅表淋巴结未触及肿大。无睑结膜苍白,嘴唇无发绀。咽后壁可见滤泡样增生,双侧扁桃体无肿大。心肺听诊未见异常,腹部查体未见异常,双下肢无水肿。

(3)是不是急危重症疾病?

结合问诊和查体及外院的辅助检查,可以初步排除急危重疾病。那慢性咳嗽的原因是什么?外院查胸部CT片,提示心肺未见异常,血常规、肝肾功能、支原体、衣原体检查阴性。会不会是耳鼻喉科、消化道的疾病或精神心理疾病?对于该患者,列出以下鉴别诊断(图2-2-3)。

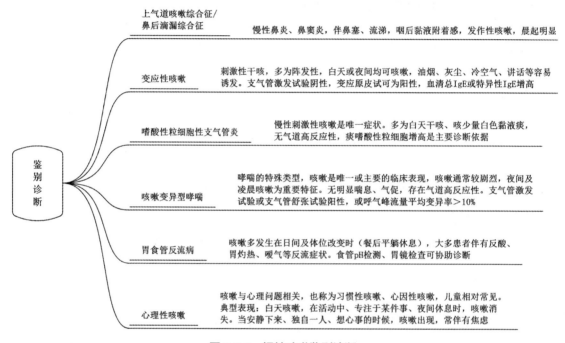

图 2-2-3　慢性咳嗽鉴别诊断

E(expectation)——患者的期望

医生:您反复咳嗽2年多,近3个月加重,咽后壁有滤泡样增生,17岁时做过下鼻甲手术,结合您的病史,目前考虑上气道咳嗽综合征,即鼻后滴漏综合征。咳嗽加重可能与您的焦虑情绪有关。(告诉患者最可能的诊断)

患者:这是什么病?

医生:上气道咳嗽综合征主要是由于鼻部疾病引起分泌物倒流鼻后、咽喉等部位,引起的刺激性咳嗽,咳嗽往往在晨起较为严重,尽管频繁清嗓,仍有咽后黏液附着感。而心理性咳嗽,常因焦虑或者心理紧张,咳嗽会加重。(向患者解释鼻后滴漏综合征和心理性咳嗽的临床表现)

患者:我就是这样的,早晨总觉得咽部有痰,白天经常会吸鼻子、吞口水、咳嗽、清嗓,时常影响工作。每当压力大时,咳嗽会加重。这种情况吃药能好吗?

医生:鼻后滴漏综合征通过洗鼻子,大多数人咳嗽会明显改善,而焦虑引起咳嗽加重,需要给自己减压。您之前用过洗鼻子的方法吗?(了解患者治疗史)

患者:没有。怎么洗鼻子?

医生:您先去取生理盐水洗鼻器和喷鼻腔的药,回来找我,我教您怎么使用。(教会患者正确使用鼻腔护理器)

患者:好。

医生:另外,我想给您做个焦虑筛查量表,您根据自己情况评估一下,可以吗? 这对您后续治疗有帮助(让患者明白做焦虑筛查量表的重要性)

患者:好。

GAD-7 焦虑筛查量表得分 9 分(详见病案后的附表)

医生:量表得分 9 分,可能有轻度的焦虑症,我把您转诊给精神卫生科医生,进一步确诊,可以帮助您睡得好。(体现协调性服务)

患者:我先使用您的治疗方法,如果效果不好,我再去看精神卫生科医生,可以吗?

医生:好。我先把您转到上级医院耳鼻咽喉科做鼻部的相关检查。

2. 最可能的诊断是什么? 需要完善哪些辅助检查?

(1)最可能的诊断:上气道咳嗽综合征? 焦虑状态? 因没有反酸、烧心、胸骨后不适、嗳气等症状,不考虑胃 - 食管反流病?

(2)需要完善的辅助检查:①支气管激发试验或支气管舒张试验、呼气峰流量、血清总 IgE 或特异性 IgE;②转上级医院耳鼻咽喉科做专科检查、鼻内镜、咽喉镜、鼻 CT;③转精神卫生科(患者拒绝)。

检查回报:支气管激发试验阴性,变应原皮试阴性,血清总 IgE 或特异性 IgE 正常。

耳鼻咽喉科专科检查回报:鼻黏膜苍白、水肿,下鼻甲黏膜增生肥厚,黏膜表面不平,鼻道、鼻腔底或咽后壁可见黄白相间的黏涕。鼻内镜、咽喉镜、鼻 CT 检查提示:慢性鼻炎、鼻窦炎。

3. 诊断和诊断依据是什么?

(1)诊断:

1)上气道咳嗽综合征(upper airway cough syndrome,UACS)。

2)慢性鼻炎(chronic rhinitis)。

3)慢性鼻窦炎(chronic sinusitis)。

4)焦虑状态?

(2)诊断依据:① 2 年多来无明显诱因出现咳嗽,起床后较严重,咳少量白色或黄色黏液痰。有咽痒、咽部异物感,清晨及气温下降时有鼻塞、流涕,咳嗽也会加重,会经常吸鼻子、做吞咽动作、清嗓,仍觉咽部有痰,严重时,黏脓性鼻涕,不易擤出。对花粉过敏,工作环境装修材料气味较重,没有喘息或呼吸困难。体检咽后壁可见滤泡样增生。外院查胸部 CT 片无异常。血常规、肝肾功能、支原体、衣原体检查阴性。②患者有鼻炎、鼻窦炎等基础疾病,咳嗽晨起较为严重,频繁清嗓、咽后黏液附着感。③耳鼻咽喉科专科检查和鼻内镜、咽喉镜、鼻 CT 检查,符合上气道咳嗽综合征的诊断。④因焦虑或心理紧张时,咳嗽会加重。

4. 治疗方案和患者管理

(1)药物治疗:鼻腔护理器,外用,每天 3 次;布地奈德鼻喷雾剂 1 瓶,每天喷鼻 1 次。

(2)患者教育:适当运动,减轻精神压力,改善睡眠习惯。避免接触螨虫、花粉,办公室经常开窗通风。注意咳嗽卫生(咳嗽时,采用餐巾纸、手绢遮挡口鼻,或用衣服袖管的内侧遮住口鼻部,防止病菌扩散)。

(3)向患者解释病情,给予心理疏导。如果治疗效果达不到预期,转精神卫生科筛查(患者拒绝)。

(4)转诊指征:全科医生在接诊慢性咳嗽患者时,无论考虑哪种原因引起的慢性咳嗽,一旦发现"红旗征",立即转诊到上级医院进一步筛查,争取早期发现、早期诊断和早期治疗。"红旗征"包括:①年龄 > 50 岁;②吸烟史;③石棉暴露史、肺结核暴露史;④持续性咳嗽、咯血;⑤呼吸困难,特别是在休息或夜晚时;⑥全身症状,包括发热、非意愿性体重减轻、外周水肿伴体重增加、吞咽困难;⑦反复发作的肺炎。

(5)预约 1 周后复诊。

第 2 次就诊

第 8 天患者复诊,咳嗽较之前好转,咽部异物感减轻,睡眠欠佳。建议转精神卫生科,但患者拒绝转诊,要求全科医生继续治疗。全科医生与患者建立了良好的医患关系,相互信任,有利于疾病康复。嘱患者停用布地奈德鼻喷雾剂,继续鼻腔冲洗。征得患者同意后,给予抗焦虑药物治疗,嘱 1 周后复诊。

第 3 次就诊

第 13 天,患者通过洗鼻和服抗焦虑药物后,睡眠改善,情绪稳定,咳嗽明显好转。建议患者看心理医生,患者答应到心理门诊看心理医生,全科医生开转诊单。

第 4 次就诊

患者 1 周后来复诊,已经看过 1 次心理医生,诊断为焦虑状态。患者通过洗鼻和抗焦虑治疗,基本上不咳了,睡眠明显改善,精神状态好。继续与患者深入交流,进行心理疏导。交代和母亲或朋友多沟通,释放压力。

5. 病例总结

慢性咳嗽可引起心血管、消化、神经、肌肉骨骼等多个系统的并发症,如尿失禁、睡眠障碍、焦虑等,给患者的生活造成一定困扰。以人为中心的问诊,不仅有助于建立亲密的医患关系,而且全面、细致的问诊可以帮助全科医生得出 80% 的诊断。通过仔细询问病史和体格检查能缩小咳嗽的诊断范围,提供病因诊断线索,甚至能得出初步诊断,并进行经验性治疗。多数慢性咳嗽与感染无关,要避免滥用抗菌药物治疗。

上气道咳嗽综合征 / 鼻后滴漏综合征是引起慢性咳嗽的最常见原因之一,容易被漏诊。全科医生是居民健康的守门人,常常是咳嗽患者的第一接诊人,在接诊慢性咳嗽患者时,要运用整体性临床思维,清晰把握问诊重点,围绕患者主诉,耐心倾听与主诉相关的细节内容,警惕"红旗征"。该患者有鼻部的基础疾病,工作环境的装修材料气味可能是咳嗽的诱发因素,咳嗽加重的原因是工作压力大和负面情绪,需要全科医生从生物 - 心理 - 社会层面去考虑患者的健康问题,治疗方案既要考虑鼻部的基础疾病,又要考虑患者工作生活的环境因素和精神心理因素。

6. 知识拓展

（1）下鼻甲肥大是因各种慢性炎症长期刺激下鼻甲黏膜，引起鼻黏膜水肿、鼻甲骨肥大或黏膜下组织增生肥厚，多不具备可逆性，以持续鼻塞为特征性表现。鼻塞一般是单侧或双侧鼻塞，无交替性，严重后多需张口呼吸，加之鼻腔的分泌物长期刺激咽喉，进而导致咽喉部的慢性炎症改变及咳嗽，同时可出现闭塞性鼻音、嗅觉减退。可有黏液性或黏脓性鼻涕，不易擤出。当肥大的下鼻甲后端压迫咽鼓管咽口，可出现耳鸣和听力下降。可影响患者的日常生活和工作。未及时治疗可呈持续发展，早期药物治疗，无效后行理疗或下鼻甲切除。

（2）慢性咳嗽的 5 种常见疾病的治疗方法（表 2-2-1）。

表 2-2-1　慢性咳嗽的 5 种常见疾病的治疗方法

疾　病	治疗方法
上气道咳嗽综合征（upper airway cough syndrome，UACS）/鼻后滴漏综合征（postnasal drip syndrome，PNDS）	UACS,亦有指南称 PNDS。主要针对原发病,如慢性鼻窦炎,规律抗感染治疗十分重要,常用药物为阿莫西林克拉维酸钾、头孢类或喹诺酮类。慢性鼻炎者,可口服抗组胺药(马来酸氯苯那敏、氯雷他定、西替利嗪等)减少鼻腔分泌物;使用鼻腔护理器清洁鼻腔、保持鼻腔湿润、促进鼻腔排泄、恢复鼻腔免疫功能;必要时可短期（<2 周）使用鼻吸入激素(糠酸莫米松鼻喷雾剂、布地奈德鼻喷雾剂)缓解鼻塞、流涕等症状。
咳嗽变异型哮喘（cough variant asthma，CVA）	CVA 治疗原则与典型哮喘相同,吸入性糖皮质激素(inhaled corticosteroid,ICS)联合支气管舒张剂治疗能快速、有效缓解咳嗽症状,建议治疗时间至少 8 周以上。此外,白三烯受体拮抗剂(如孟鲁司特)对治疗 CVA 疗效确切,能够减轻气道炎症,缓解咳嗽症状,改善生活质量。
嗜酸粒细胞性支气管炎（eosinophilic bronchitis，EB）	EB 对糖皮质激素治疗反应良好,治疗后咳嗽明显减轻或很快消失,首选 ICS 治疗,持续运用 8 周以上。
胃食管反流病（gastroesophageal reflux disease，GERD）	可以抗酸治疗(奥美拉唑、兰索拉唑)、促进胃动力(多潘立酮、莫沙必利),观察咳嗽缓解情况;生活方面,建议患者管理体重,避免肥胖,避免过饱和睡前进食,避免进食酸性、辛辣和油腻食物,避免餐后剧烈活动。
变应性咳嗽（atopic cough，AC）	使用糖皮质激素或抗组胺药物治疗有效。

（3）咳嗽与咳痰的临床表现与相关的疾病（图 2-2-4）。

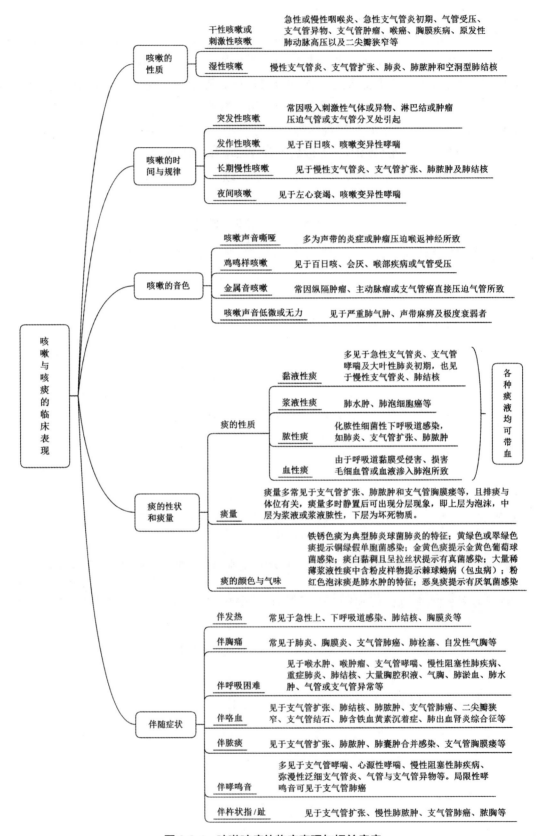

图 2-2-4　咳嗽咳痰的临床表现与相关疾病

附表

GAD-7焦虑筛查量表

GAD-7 焦虑筛查量表				
在过去2周,您是否经常被以下问题困扰? 请在答案对应的位置打"√"。	没有	有几天	一半以上时间	几乎每天
1. 感觉紧张、焦虑或烦躁	0	1	2	3
2. 不能停止或无法控制担心	0	1	2	3
3. 对各种各样的事情担忧过多	0	1	2	3
4. 很紧张,很难放松下来	0	1	2	3
5. 非常焦躁,以至于无法静坐	0	1	2	3
6. 变得容易烦恼或易被激怒	0	1	2	3
7. 感觉好像有什么可怕的事情会发生	0	1	2	3
总得分	=	+	+	+

0 ~ 4分:没有焦虑症;5 ~ 9分:可能有轻度焦虑症;10 ~ 13分:可能有中度焦虑症; 14 ~ 18分:可能有中重度焦虑症;19 ~ 21分:可能有重度焦虑症。

（王　静　陈嘉林）

思考题

1. 常见慢性咳嗽有哪几种疾病?

2. 接诊慢性咳嗽患者时,需要警惕哪些"红旗征"?

病例 3 ⊠

反复腰背痛 4 年

患者,女,26 岁,在丈夫陪同下前来就诊。

患者口述:4 年来腰背部反复疼痛,多家医院频繁专科就诊,治疗后疼痛无明显缓解。患者长期被疼痛折磨,精神憔悴、失眠、烦躁、情绪低落。

患者递上之前的检查:脊柱 X 线、磁共振 MRI 等影像学检查未见异常,血红细胞沉降率、C 反应蛋白、HLA-B27、血常规、类风湿因子、风湿免疫全套、肝肾功能等实验室检验都正常,Schober 试验(−)。

2013 年 3 月,患者在丈夫的陪伴下,背着一大包看病资料到全科门诊就诊,也开启了一段历时 5 年的医患携手、与疼痛抗争的艰难历程。这是一个历经曲折、迷茫,最终战胜疼痛的病案,也是一个温暖的全科故事。

请思考以下问题 →

1. 如何构建整体性临床思维?
2. 最可能的诊断是什么? 需要完善哪些辅助检查?
3. 诊断和诊断依据是什么?
4. 治疗方案和患者管理。
5. 病例总结。
6. 知识拓展。

1. 如何构建整体性临床思维?

(1)诊断思路:腰背痛指腰背、腰骶和骶髂部的疼痛,有时伴有下肢感应痛或放射痛。腰背痛绝大多数表现在下腰椎和腰骶、骶髂部。腰背部的解剖学结构包括皮肤、皮下组织、筋膜、肌肉、韧带、椎骨、椎间盘、硬膜、脊髓和神经、大血管(主动脉和下腔静脉)、腹膜后组织或器官(肾脏、肾上腺、胰腺和淋巴结)以及腹腔或盆腔内脏。这些组织和器官的病变均可引起腰背痛,因而腰背痛的病因可能非常复杂,有时不容易鉴别诊断。为了更好地进行定位诊断,可以将腰背痛按照以下分类(图 2-3-1)。

熟悉腰背痛的发生机制后,全科医生接诊时视野更广阔、思维更灵活,更容易做出准确诊断和科学治疗。该女性患者腰背部反复疼痛 4 年,属于慢性腰背痛,多家医院频繁专科就诊,治疗后疼痛无明显缓解,一直找不到病因。现采用整体性临床思维——临床 4 问对该患者进行分析(图 2-3-2)。

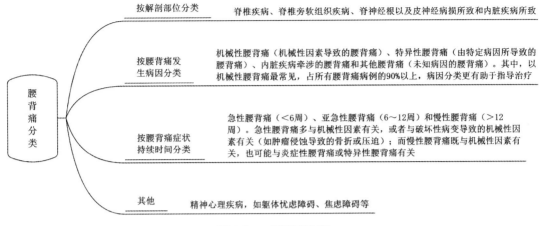

图 2-3-1　腰背痛分类

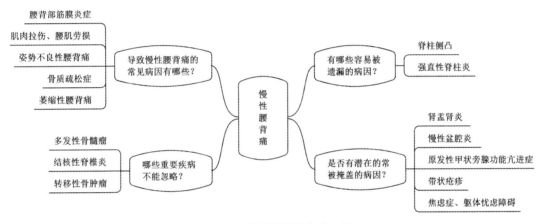

图 2-3-2　慢性腰背痛临床 4 问

（2）鉴别思维：全科医生接诊以腰背痛为主诉的患者时，病史问诊一定要详细，尤其要仔细询问疼痛的特征、有无严重疾病的危险因素、有无伴发神经受累的症状；全面而有针对性地进行体格检查，以便对腰背痛进行定位和病因分析；根据医疗机构设备开展必要的辅助检查，如 X 线、CT 等检查。如果病情严重或诊断困难时，及时转诊到专科就诊。

第 1 次就诊

病史：患者，女性，26 岁，初中文化，反复腰背痛 4 年。患者大约从 2009 年（22 岁）春季起背部、腰部出现隐痛，疼痛呈酸胀痛，部位不固定，休息后疼痛缓解。初期，疼痛程度不是很难受，患者不以为然，疼痛发作时自己热敷、外擦"活络油"（一种外用舒筋止痛药），或者到药店购买止痛药。半年后，疼痛发作频率越来越高，疼痛程度越来越重，患者逐渐去当地基层医疗机构和综合医院骨科看诊，脊柱 X 线片未见异常改变，骨科医生诊断"肌肉劳损"，给予布洛芬口服，交代患者要多运动，避免背部受凉。患者遵医嘱，按时服药，坚持运动，但停药后疼痛又发作，逐渐持续性加重。患者当时在某商场做售货员，以为是商场中央空调太冷导致腰背痛，遂辞职休养，坚持锻炼身体。

然而,腰背痛并没有缓解,仍间断性发作,发作频率不固定,有时 1 个月 1 ~ 2 次,有时几个月都不发作。但是发作时疼痛逐渐加重,疼痛范围越来越宽,扩展到上下肢疼痛。患者逐渐出现烦躁、焦虑、失眠、胸闷、出汗等症状。为此,患者长期轮流在当地大医院骨科、疼痛科、风湿科求治,医生诊断"筋膜炎""肌肉劳损""肌肉疼痛"等,曾到康复科做针灸、推拿、热敷等治疗,治疗时疼痛有所缓解,1 ~ 2 天后疼痛又发作,服用止痛药,效果仍不佳。

4 年来,疼痛持续加重,发作频率逐渐增加,最严重时腰背部疼痛难忍,只能侧睡或者趴着睡觉。由于长期被疼痛折磨、失眠,年轻的她憔悴不堪,青春靓丽黯然消失。患者腰背痛的病因是什么?什么疾病导致患者承受了 4 年的痛苦?为什么止痛药止不住她的疼痛?问题很复杂,迷雾重重,揭开谜底的重任落在了接诊的全科医生肩上。

全科医学的核心理念是"全人照顾",全科医生的目光不能局限于疾病,更要关注患者,了解疾患背后的故事。应以患者为中心,详细了解患者的患病经历,倾听她内心的声音,知道她的看法、顾虑和期望。

全科医生关上诊室门,听不到外面的嘈杂干扰,诊室安静又温暖。夫妻俩坐下后,全科医生开始采用 RICE 问诊,进行深入访谈。

R(reason)——患者就诊的原因

医生:你好!有什么可以帮你吗?(开放式提问)

患者:我腰背痛 4 年了。

医生:能说得更具体一些吗?

患者:4 年前开始是背痛,逐渐扩展到腰部疼痛。疼痛逐渐加重,看了好多医生,都没有找到病因。

医生:你能将疼痛的感受详细地告诉我吗?(了解患者的患病体验)

患者:刚开始是酸胀感,隐痛,疼痛越来越加重,有时出现刺痛、剧痛,现在痛得我不能睡觉。(患者双眼流泪)

医生:疼痛很难受?(递给患者两张纸巾)

患者:很难受,说不清楚的难受。

医生:能告诉我具体的疼痛部位吗?

患者:整个腰背部都痛,具体部位说不清楚。

医生:将你的看病过程再说说,可以吗?

患者:4 年前我开始看医生,每年至少看 30 多次医生,三甲医院都看了,做了很多检查检验,医生都说没有问题,吃了医生开的药也没有用。我还看了中医,吃了中药,也没效。去康复科做了无数次的理疗、拔火罐、针灸、按摩,做完理疗当时确实有效,过 1 ~ 2 天后疼痛又发作。总是断不了根。

医生:你看了哪些专科?

患者:骨科、疼痛科、风湿科、中医科、康复理疗科,好多的科室。

医生:专科医生说是什么病?

患者:诊断筋膜炎、肌肉劳损,中医说"湿气太重""身体有寒气"。医生说我检查没有问题,不用看医生了。我认为那些医生没有认真给我看病,我经常与他们争吵。

医生:月经正常吗? 是否有下腹痛? 妇科方面检查吗?

患者:月经正常的,有点痛经。妇科检查没做过。

I(idea)——患者对自己健康问题的看法

医生:医生说你没有问题,你自己认为疼痛的原因是什么呢? (了解患者对自身问题的看法)

患者:第一年发病的时候,我在商场卖衣服,以为是商场空调太冷,寒气太重导致疼痛。后来辞职了,不敢吹空调,还是疼痛。

医生:还可能有其他原因吗?

患者:有的医生说是运动太少,我天天坚持运动,运动过程中不痛,休息1～3小时后又开始疼痛。

C(concern)——患者的担心

医生:疼痛4年了,确实很难受的。你担心什么吗? (开始进入同理心)

患者:会不会是癌症?

医生:做了这么多检查,没有发现癌症的迹象,你这个年龄得癌症的可能性不大。

患者:那是什么原因?

医生:还有其他不舒服吗?

患者:还有头晕、胸闷、心悸、腹胀、尿频,全身都是病,这种难受感说不清楚。

医生:我可以问你几个比较隐私的问题吗?

患者:可以。

医生:你睡眠如何? (从睡眠入手)

患者:没有生病以前睡眠特别好,现在睡眠很差很差,腰背痛得我不能睡觉,只有侧着睡觉或者趴着睡觉才能入睡,还早醒,睡眠质量很差。

医生:你老公对你好吗?

患者:不好,我们经常吵架,还打架。

医生:爸爸妈妈呢?

患者:我爸妈重男轻女,我家4个姐妹,我是老大,小时候爸妈总骂我,我与他们不说话,像陌生人。

医生:你与老公的爸妈相处和谐吗?

患者:与他们关系也不好。他们埋怨我不上班,不赚钱还喜好打扮,我们经常吵。

医生:你自己的情绪如何?

患者:我急躁、焦虑、过度担心自己的身体有问题……

医生:你曾经有过自杀的想法吗? (评估自杀风险)

患者:没有。

医生:你躺到检查台上,我给您查一下。

查体:患者发育正常、思维清晰、交流顺畅,但面容憔悴、体型消瘦。脊柱无侧弯,颈后、腰背部皮肤未见皮疹和出血点。双侧斜方肌、脊柱两旁肌肉按压痛,压痛点超过16处。直腿抬高试验阴性,神经功能检查未见异常,心肺腹体格检查未发现异常体征。

（3）是不是急危重症疾病？

患者4年来腰背部反复疼痛，多家医院频繁专科就诊，脊柱X线、磁共振MRI等影像学检查未见异常，血红细胞沉降率、C反应蛋白、HLA-B27、血常规、类风湿因子、风湿免疫全套、肝肾功能等实验室检验都正常，Schober试验（-）。结合之前检查和本次检查，可以排除急危重症疾病。

通过RICE问诊，答案离我们越来越近……根据女性患者的病史、体检和之前的辅助检查，列出以下鉴别诊断（图2-3-3）。

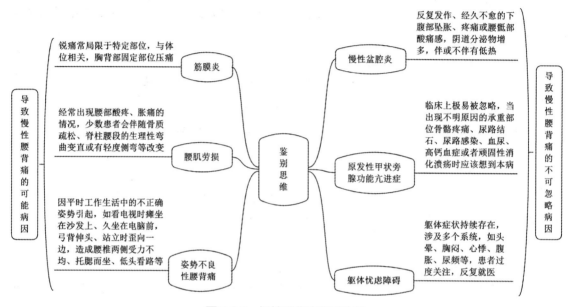

图2-3-3　慢性腰背痛鉴别诊断

E（expectation）——患者的期望

医生：聊了这么久，我对你的病情基本了解了，你今天来看全科对我有什么期望吗？（与患者建立良好医患关系后，可以直接问患者的期望）

患者：当然希望你能帮我找到病因。

医生：你很像一种病……

患者：什么病？（患者迫不及待地说）

医生：躯体化障碍……（目前告诉患者）

患者：这是种什么病？从来没有听说过。

医生：躯体化障碍属于心理疾病。通俗地说，就是心理疾病在躯体上的表现，身体有很多不舒服，如肌肉疼痛、腰背痛、心悸、胸闷、呼吸困难、腹痛、失眠等，而且检查检验都找不到器质性疾病的依据……

患者：心理病？我不相信。（患者态度很坚决）

医生：这确实是一个不好理解的病。

2. 最可能的诊断是什么? 需要完善哪些辅助检查?

(1)最可能的诊断:

1)慢性盆腔炎?

2)原发性甲状旁腺功能亢进症?

3)躯体忧虑障碍?

(2)需要完善辅助检查:妇科检查和阴道 B 超、甲状腺功能、甲状腺 B 超。

检查结果:妇科检查、子宫和双侧附件、甲状腺功能、甲状腺 B 超均无殊。

3. 诊断和诊断依据是什么?

(1)诊断:躯体忧虑障碍(bodily distress disorder,BDD)?

(2)诊断依据:①年轻女性,26 岁;②背部腰部反复间断性持续性疼痛 4 年,伴随心悸、胸闷、胸痛、腹胀、失眠等多种症状;③体格检查只有肌肉按压痛阳性体征,未发现其他异常体征;多次多家医院专科检查未发现严重疾病,也无急危重症危险因素。影像学检查和实验室检测及妇科检查都无异常发现。④符合躯体忧虑障碍的诊断标准;⑤基本可以排除抑郁症、焦虑症、疑病障碍等疾病。

4. 治疗方案和患者管理

初步诊断躯体忧虑障碍。向患者解释躯体形式障碍的基本知识,让患者了解该疾病的特点,共同制定治疗方案。

(1)建议转临床心理门诊,专科就诊。

(2)给予心理疏导,帮助患者树立战胜疾病的信心。

(3)对症治疗,给予塞来昔布,嘱咐餐后服。

躯体忧虑障碍是一种慢性疾病,需要长期治疗。患者诊断明确后,定期到心理专科门诊复诊。全科医生要主动与患者及专科医生联系,运用全科核心理念对患者"全人照顾",做好患者管理。

转诊指征:

(1)首次就诊患者需要转诊到专科,做进一步检查。

(2)治疗效果不佳者。

(3)不愿意接受全科医生的治疗。

(4)需要特殊药物治疗者。

(5)超越全科医生诊疗能力的患者。

第 2 次就诊:

2 周后患者在丈夫的陪同下复诊。

患者腰背疼痛程度有所缓解,不愿意接受躯体形式障碍的诊断。但是,患者认为全科医生很靠谱、很理解她,"是看了几十个医生中最负责任的医生"。因为信任,尽管有顾虑仍然来复诊。虽然患者不愿意接纳心理疾病的诊断,全科医生没有放弃,告诉患者随时可以来复诊。反复提醒患者,注意情绪和心理健康,自信、愉快的心情可以缓解躯体疼痛。

第 3 次就诊:

又过了 2 周,患者复诊。疼痛无明显缓解,要求看专科医生。征求全科医生建议,看哪个专科比较合适,希望推荐专家。全科医生建议患者看风湿免疫科,并帮她联系了一位风湿科专家,全科医生在患者面前直接打电话给专家,简单介绍了患者的病情,专家同意接受转诊。患者看到全科医生主动帮忙联系专家,很感激。

患者到风湿免疫专科就诊,专家诊断"纤维肌痛综合征",给予"阿米替林"口服。患者在风湿专科看诊期间,仍来全科复诊,将病情变化和专科治疗情况告知全科医生,全科医生也经常与该专家交流该患者病情。1 年半后,患者疼痛明显减少,因要求生育小孩,逐渐减量停药。

停药半年后,患者病情复发,腰背痛频率更加频繁、疼痛程度加重,更加烦躁、焦虑、抑郁、失眠,又来全科复诊。全科医生建议患者看心理科医生,患者仍犹豫,全科医生不放弃,依然反复解释,并愿意帮她联系一位优秀的心理医生。在丈夫的劝说下,患者勉强答应转心理科就诊。全科医生写好转介信,并打电话给心理医生,简单介绍了患者的病情以及治疗经过。

患者遵守承诺到心理科就诊,心理专科医生诊断"躯体忧虑障碍",给予心理治疗和药物治疗,口服艾司西酞普兰。患者定期心理科复诊,也不定期来全科复诊,全科医生与心理科医生联合治疗患者。2 年后,患者疼痛消失,情绪好转。停药 6 个月后,患者妊娠。全科医生联系本院产科进行产检,10 个月后,患者在该院生一位男孩,全家喜气洋洋。小孩满月之日,患者父母抱着小孩到医院感谢全科医生,并合影留念,赠送两面锦旗,一面给全科医生,另一面送给心理科医生。

经过 5 年努力,患者终于告别腰背痛。但是,考虑到该患者的心理特质,为避免产后抑郁,全科医生提醒患者如果出现抑郁,要及时去心理科就诊,有其他疾病请回全科复诊。在整个治疗过程中,全科医生发挥家庭医生作用,长期对患者进行跟踪管理。

5. 病例总结

腰背痛是临床上最常见的症状之一。研究显示,约 80% 的人一生中至少出现一次腰背痛。病因除腰背部肌肉、筋膜、韧带骨骼的疾病外,还涉及内脏疾病(如肾结石、急性胆囊炎等主动脉瘤破裂等)、皮肤疾病(带状疱疹)以及肿瘤。大部分患者的腰背痛是由机械性因素所致,最常见的病因是随着年龄增长,出现退行性变(椎间盘、椎骨)或反复的轻微损伤(包括肌肉、筋膜、韧带和神经)。90% 的腰背痛是一过性的,无须治疗,在短期内可以缓解,具有自限性;或通过一般的物理治疗,在 6 周内缓解。部分腰背痛呈慢性反复发作过程,甚至可以影响患者生活和工作。临床上,多数腰背痛呈良性过程,但少数可以是躯体严重疾病的表现之一,包括感染、恶性肿瘤和其他系统性疾病。一般而言,严重破坏性病变引起的腰背痛并不常见。恶性肿瘤、感染、强直性脊柱炎和硬膜外脓肿引起的腰背痛,占基层医疗机构就诊的全部腰背痛病例比例不到 1%,但这些病因所致的腰背痛如果延误诊治,就会出现严重后果。因此全科医生首先要排除这些急危重症疾病,确保全科诊疗的安全。

几乎每个全科医生都接诊过腰背痛的患者,虽然 90% 的腰背痛是轻微的,甚至不需要治疗。但是,极个别患者却被腰背痛所困扰,正如本病例中的年轻女性。全科诊疗安全策略要求首先排除急危重症,再进一步寻找最可能的疾病。要做到这点,全科医生务必努力学习医学知识,积累临床经验,在实践中不断总结提高。当详细地了解该患者病史,查阅既往检查资料,进行体格检查后,全科医生会考虑到功能性疾病或心理疾病,进一步梳理,发现该病例符合躯体忧虑障碍的诊断,排除器质性疾病、抑郁症、焦虑症后,初步考虑躯体忧虑障碍是符合诊断逻辑的。

然而,4年来,患者反复就医,逐渐对医生失去信心,甚至对医生产生埋怨等不良情绪。在没有信任的医患关系前提下,患者第一次就诊时对心理疾病的诊断产生怀疑,拒绝接受该诊断,也是情理之中。全科医生不能放弃,一定要发挥全科医学优势,将全科理论在临床中实践,持续地关心照顾患者,获得患者的认可和信任,在此基础上,管理患者、共同战胜疾病。

全科医生不仅是临床医生,还是医疗资源的协调者。本病例中,全科医生全面了解病情后,根据病情需要,及时转诊给专科医生。转诊前主动联系专科医生,介绍病情,写转介信,让患者更加信任全科医生,而且可以节省专科医生的接诊时间。尤其在转诊心理科前,全科与心理科医生电话沟通,明确告诉心理医生该病例已经排除器质性疾病,有利于心理医生专注于心理治疗。全科医生与心理医生共同管理该患者长达2年时间,心理医生负责心理治疗和药物治疗,全科医生整体管理该患者,全科与专科联手,终于帮助患者战胜疼痛。疼痛消失后半年后,患者妊娠、生育,全科医生依然管理该患者,还提供照顾其婴儿和整个家庭的医疗服务,承担家庭医生的职责。从患者第一次看全科医生到疼痛痊愈、再到生小孩,历时5年,整个过程曲折、也有烦恼,但是充满温暖,全科医生的价值得到最好体现!

6. 知识拓展

躯体忧虑障碍是ICD-11提出的新疾病名称,不仅包括ICD-10的躯体形式障碍,还包括纤维肌痛综合征、慢性疲劳综合征、过度换气综合征、肠易激惹综合征、非心脏性胸痛、疼痛综合征等。这些疾病常被称为功能性躯体综合征,医学无法解释的躯体症状。

躯体形式障碍在《国际疾病分类第十一次修订本(ICD-11)中文版》中归类到躯体忧虑障碍,是一种持续存在躯体症状为特征的精神障碍。这些躯体症状给患者造成了痛苦,使患者过度关注,产生反复就医行为,并引起个人、家庭、社交、教育、职业及其他重要领域的功能损害。经多方检查,不能肯定这些主诉的器质性基础,或者对疾病的关注程度明显超过躯体疾病本身及其进展。患者的过度关注不能被适宜的医学检查、以及来自医学方面的解释所缓解。通常躯体忧虑障碍涉及多种躯体症状,且可能随时间的推移而发生变化。在个别情况下,患者可能存在单个症状,通常是疼痛或者疲劳。

躯体忧虑障碍患者的共同临床特点:所诉症状复杂、多样,但未能找到明确的器质性依据;反复检查和治疗、疗效不好;获得的诊断名称含糊、多样,强化患者疾病感;患者病前常有应激相关问题,病后的应激又加重了疾病感。

躯体忧虑障碍的诊断要点:

(1)主诉痛苦的躯体症状,且躯体症状涉及较多系统,且随时间变化而不断变化,偶尔有单个症状,如疼痛或疲劳。

(2)对症状的过分关注或者不成比例的过分关注。患者坚信症状会带来健康影响,或将带来严重后果,到处反复就医。

(3)恰当的医学检查及医生的保证均不能缓解患者对躯体症状的过分关注。

(4)躯体症状持续存在,即症状(不一定是相同症状)在一段时间(如至少3个月)的大部分时间均存在。

(5)症状导致个人、家庭、社会、教育、职业或其他重要功能方面的损害。

躯体忧虑障碍的治疗比较困难,通常采用心理治疗、药物治疗及物理治疗等综合性治疗方法。心理治疗的目的在于让患者逐渐了解疾病性质,改变其错误观念,解除或减轻精神因素的影响,使患者对自己的身体状况与健康状态有一个相对正确的评估,逐渐建立起对躯体不适的合理性解释。目前,常用的心理治疗方法有认知疗法、认知行为疗法、精神分析、支持性心理治疗等。药物治疗主要是针对患者的抑郁、焦虑等情绪症状,选择抗抑郁或抗焦虑治疗。频谱治疗、按摩治疗、中医中药也有一定的疗效。

(吴 疆 何月妃 王 静 蔡飞跃)

 思考题

　　1. 在腰背痛的病因中,常见的急危重症有哪些疾病?

　　2. 躯体忧虑障碍的特点是什么?

病例 4 ⊠

反复眩晕 7 天

患者,女,56 岁,经商,丧偶。

患者口述:患者 7 天前起床时突发头晕,伴视物旋转、恶心,被迫平躺,静止不动约 1 分钟,可缓解,类似情况每天发生 2 ~ 3 次,发作时无呕吐,无口齿不清,无肢体活动障碍,无耳鸣,无听力下降,无头痛。5 年前有类似情况,根据既往经验,患者自服"倍他司汀片"治疗,无明显好转,故来院诊治。

发病以来,二便无殊,胃纳一般,睡眠可,体重无明显改变。

既往无外伤和手术史,无重大脏器疾病史,无传染病、家族性肿瘤史和遗传病史。否认高血压病、冠心病、糖尿病、慢性肝病、肾病等病史,无烟酒嗜好。

25 岁结婚,育有 1 子,10 年前丧偶。母亲及哥哥患有"高血压病、糖尿病",母亲 2 年前发生"脑梗死",现左侧肢体偏瘫,生活不能自理。

请思考以下问题 →

1. 如何构建整体性临床思维?

2. 最可能的诊断是什么? 需要完善哪些辅助检查?

3. 诊断和诊断依据是什么?

4. 治疗方案和患者管理。

5. 病例总结。

6. 知识拓展。

1. 如何构建整体性临床思维?

(1)诊断思路:头晕和眩晕是从属关系,既往大家常采用 Drachman DA 和 Hart CW 于 1972 年提出的定义,即头晕是这一类症状的总称,包括眩晕(vertigo)、晕厥前(pre-syncope)、头重脚轻感(lightheadedness)和平衡失调感(disequilibrium)四个类型(图 2-4-1)。从引起眩晕的原因占比来看,虽然大部分是周围性病变,但需要与中枢性眩晕进行有效识别,因为一旦漏诊,往往会危及患者生命,风险巨大。该患者突发头晕 7 天,伴视物旋转、恶心,属于眩晕。全科医生接诊眩晕患者时,首先要排除中枢性眩晕。

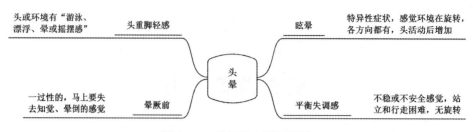

图 2-4-1　头晕四个类型区别

眩晕经常与头晕相混淆,2009 年 Bárány 学会前庭疾患分类委员会颁布了《国际前庭疾患分类 1(ICVD-I)》,对眩晕和头晕进行了重新定义,规范了全球医学界对两者模糊不清的表述。眩晕是在静止时感到自身运动或在头部作某种运动时感受到异常的自身运动,是人体对自我空间定位发生障碍的一种症状,是一种运动性或位置性的错觉,一般无意识障碍。头晕(dizzy)的定义是:指空间定向能力受损或障碍的感觉,没有运动的虚假或扭曲的感觉,通常患者表述为自身不稳定的感受。

眩晕是全科门诊中常见的主诉。眩晕原因分为:周围性眩晕(前庭核以下的病变)、中枢性眩晕(前庭核以上通路病变)、全身疾病性眩晕、眼源性眩晕以及神经精神性眩晕(图 2-4-2)。

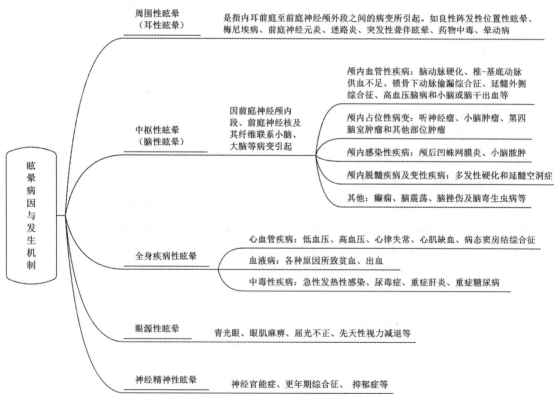

图 2-4-2　眩晕病因与发病机制

该患者7天前起床时突发头晕,伴视物旋转、恶心,被迫平躺,静止不动约1分钟,可缓解,类似情况每天发生2～3次,发作时无呕吐,无口齿不清,无肢体活动障碍,无耳鸣,无听力下降,无头痛。5年前有类似情况。现采用整体性临床思维——临床4问进行分析(图2-4-3)。

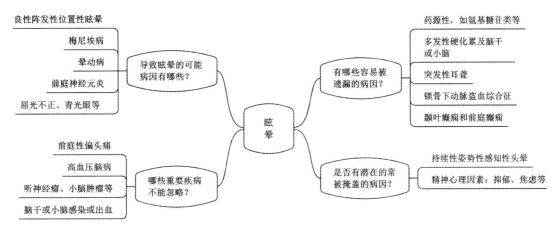

图 2-4-3　眩晕临床 4 问

(2)鉴别思维:在全科医生接诊眩晕患者时,能明显感受到患者的担忧,要弄清患者系"全身性疾病""周围性""中枢性"抑或是"心理疾患"引起的眩晕,就需要通过良好的医患沟通,获取可靠的病例资料。RICE问诊法体现了医学人文精神,从生理、心理、家庭、社会等多个层面全面地评价患者的健康问题,更好地了解患者就诊的需求。

R(reason)——患者就诊的原因

医生:您好! 哪里不舒服? (以"开放式提问"开始问诊)

患者:医生,最近这个礼拜,我反复地出现头晕(患者往往不能区分头晕与眩晕,需要医生鉴别),上周三晚上我在擦桌子时突然头晕发作,感觉整个人在旋转,眼睛都不敢睁,差点摔倒,赶紧躺下,一动都不敢动,大概1分钟左右才好,但是类似情况反复发生,这个星期基本都躺在床上,东西也没怎么吃。

医生:听您描述,属于眩晕,一般在什么情况下容易发? (了解眩晕的诱因)

患者:晚上多,躺下或者坐起来时容易发作。

医生:发作频繁吗? (了解发作频度)

患者:不动还好,一动就发,所以非常害怕别人碰我,每天总要发5～6次。

医生:除了眩晕,还有什么症状? (了解伴随症状)

患者:有点恶心,没有吐。

医生:有耳鸣、耳胀、听力下降吗? (鉴别"梅尼埃病",采用适当的封闭式提问)

患者:没有。

医生:有高血压、糖尿病、心脏病和癫痫吗? (了解既往健康状况)

患者:没有。

I(idea)——患者对自己健康问题的想法

医生：您觉得是什么原因引起的眩晕呢？（了解患者对自身问题的看法）

患者：会不会是"小中风"？

医生：为什么这样认为呢？

患者：因为我妈妈2年前中风了，当时就是表现为头晕摔倒的。

C(concern)——患者的担心

患者：医生，我最怕"中风"，我妈中风后，一边的手脚不会动了，完全靠我哥照顾，我是独居的，万一中风了，该怎么办？

医生：中风确实很麻烦，所以要注意防控各种危险因素，您平时注意健康维护吗？（移情，机会性预防）

患者：我在饮食方面比较注意的，平时还去爬山锻炼。

医生：睡眠好吗？（鉴别焦虑、抑郁状态）

患者：一直好的。

医生：我先给您检查一下。

查体：诊室 BP 130/80mmHg，神清，对答切题，检查配合，神情略担忧，双侧瞳孔等大等圆，视力初测无异常，直接、间接对光反射均灵敏，角膜反射敏感，眼球运动自如，肉眼观察未见自发性眼震，双侧耳道无流液无牵拉痛，听力初测无异常，颈软无抵抗，甲状腺无肿大，Brudzinski 征阴性，指鼻试验无异常，闭目难立征阴性，心肺听诊无殊，腹平软，无压痛，肝脾肋下未及，双下肢无水肿，四肢肌力 V 级，肌张力不高，双膝反射（++），双侧 Babinski 征阴性。

（3）是不是急危重症疾病？

根据病史、常规查体，初步排除危及生命的疾病。列出以下鉴别诊断（图 2-4-4）。

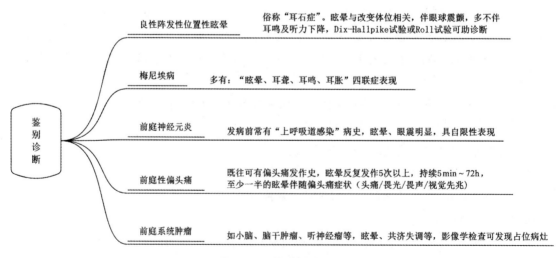

鉴别诊断	良性阵发性位置性眩晕	俗称"耳石症"。眩晕与改变体位相关，伴眼球震颤，多不伴耳鸣及听力下降，Dix-Hallpike试验或Roll试验可助诊断
	梅尼埃病	多有："眩晕、耳聋、耳鸣、耳胀"四联症表现
	前庭神经元炎	发病前常有"上呼吸道感染"病史，眩晕、眼震明显，具自限性表现
	前庭性偏头痛	既往可有偏头痛发作史，眩晕反复发作5次以上，持续5min～72h，至少一半的眩晕伴随偏头痛症状（头痛/畏光/畏声/视觉先兆）
	前庭系统肿瘤	如小脑、脑干肿瘤、听神经瘤等，眩晕、共济失调等，影像学检查可发现占位病灶

图 2-4-4　眩晕鉴别诊断

E(expectation)——患者的期望

医生：您的情况我基本了解了，您有什么需求吗？

患者:就想头晕早一点好起来,否则吃不进,动不来。

医生:目前来看,您的情况并不算太严重,等一下我帮您做一个试验,明确一下诊断,有些病可以马上解决的。(帮助患者树立战胜疾病的信心)

经患者同意,予查"变位性眼震试验(Dix-Hallpike test)",结果:右侧阳性。

2. 最可能的诊断是什么? 需要完善哪些辅助检查?

(1)最可能的诊断:良性阵发性位置性眩晕?

(2)辅助检查:肝肾功能、血糖、甲状腺功能、血尿粪、颈动脉彩超、心电图。

检查回报:肝肾功能、血糖、甲状腺功能、血尿粪三大常规均处正常范围,查颈动脉彩超示颈动脉内中膜层增厚。心电图示正常范围。

结合患者病史、常规体检以及辅助检查结果,无神经定位症状,暂不考虑"中枢源性眩晕"。患者既往基本体健,无长期服用药物,故可排除药物及严重肝肾功能不全等情况,发病前既无感染征象又无外伤病史,故排除"全身性疾病引起的眩晕"。

3. 诊断和诊断依据是什么?

(1)诊断:良性阵发性位置性眩晕(benign paroxysmal positional vertigo,BPPV)

(2)诊断依据:①中年女性,虽急性发病,但总体症状较轻;②虽有眩晕症状,但无"定位"症状及体征;③既往无高血压、糖尿病等卒中的高危因素;④病情无加重表现;⑤眩晕与改变体位相关,静止后能自行缓解,无耳鸣、听力下降;⑥体检,右侧 Dix-Hallpike 试验阳性。故首先考虑"周围性眩晕",诊断:良性阵发性位置性眩晕(右后半规管)。

4. 治疗方案和患者管理

(1)心理疏导,安慰患者,告知良性病程,让患者平和心态,积极配合治疗。

(2)签署知情同意书后,采用 Epley 手法或 Semont 手法复位,依靠重力作用使半规管中耳石复位,患者眩晕症状立刻消失,也佐证了良性阵发性位置性眩晕(BPPV)。

(3)监测头晕症状是否残留,告知如出现听力下降、步态异常、恶心呕吐等症,及时随诊。

(4)调整生活方式,注意休息,养成规律的生活节律,保持良好情绪,改善睡眠,低脂低盐饮食,戒烟限酒(该患者无此问题),避免浓茶过量咖啡及辛辣食物摄入,监测血压血糖,适当运动。

(5)基于复发的风险,对患者进行防跌倒宣教。

(6)如频繁复发或复发后有眩晕残余,可考虑使用前庭抑制剂如倍他司汀(片、注射液)治疗。

(7)转诊指征:当患者出现顽固的恶心、呕吐(一般的止吐治疗无效)、突发的肢体活动障碍、深浅感觉障碍、吞咽困难、饮水呛咳、共济失调、颅神经麻痹、视野缺损、认知功能障碍甚至意识障碍时,应考虑中枢性眩晕可能,需要进一步检查(如 CT、核磁共振等),发现病变部位,及时处理。

第 2 次就诊

2 天后患者复诊。患者眩晕未再复发。

后续随访

定期随访患者血压、血糖、血脂,预防心脑血管危险因素。治疗眩晕症状好转后,尚需观察患者有无头晕症状残留,以排除是否合并中枢病变,必要时查头颅核磁共振、血常规、大便隐血试验、动态血压、心电图、生化等。

5. 病例总结

从引起眩晕的原因占比来看,虽然大部分是周围性病变,但需要对中枢性眩晕进行有效识别,因为一旦漏诊,往往会危及患者生命,风险巨大。当患者出现顽固的恶心、呕吐(一般的止吐治疗无效)、突发的肢体活动障碍、深浅感觉障碍、吞咽困难、饮水呛咳、共济失调、颅神经麻痹、视野缺损、认知功能障碍甚至意识障碍时,应考虑急危重症,需要进一步检查(如 CT、核磁共振等),发现病变部位,及时处理。

接诊眩晕患者时,初步判断眩晕的病因,特别是"非良性眩晕"(即中枢性或全身性眩晕)应及时识别,进一步检查(如影像学检查)并转专科救治。

在"周围性眩晕"中,以"良性阵发性位置性眩晕"多见。BPPV 常见诱因有劳累、情绪波动、心理压力、脑力劳动、内耳疾病、感染等全身疾病影响等等。BPPV 临床表现为阵发的视物旋转或自身旋转,头部或身体位置改变可诱发,大部分在眩晕发作时同步出现眼球震颤。BPPV 诊断:临床表现加"Dix-Hallpike test"可用于诊断后半规管和前半规管耳石,"Head-Roll test"可用于诊断水平半规管耳石。大型综合性医院多引进了"良性阵发性位置性眩晕诊疗系统(耳石症诊疗仪)",该设备不仅能迅速准确诊断 BPPV,同时大大提高了复位的成功率,特别适合行动不便、体弱患者的治疗,如耳石复位成功,效果立竿见影。

该患者经商,近期工作压力大,自觉较劳累,而离异造成家庭支持相对不足。全科医生在诊治眩晕患者时,应重视"机会性预防",做好重点人群的筛查,积极健康宣教,努力调整患者可能存在的不良生活方式,防止心脑血管疾病的发生。

6. 知识拓展

(1)良性阵发性位置性眩晕(BPPV):是最常见的周围性眩晕,好发于中老年人,其发病机制可能与迷路退行性变、颅脑损伤、耳部疾患及动脉硬化导致内耳血供不足有关,引起耳石脱落进入半规管,故俗称"管石症、耳石症"。其中后半规管管石症(PC-BPPV)占 80% ~ 90%,水平半规管管石症(HC-BPPV)占 5% ~ 30%,前半规管管石症(AC-BPPV)占 1% ~ 2% 以下,在这三个半规管中还可能发生耳石粘附于半规管壶腹嵴帽处,我们称为"嵴帽结石症",其发生相对较少。

(2)BPPV 的治疗:首选手法复位耳石,后半规管耳石可采用 Epley 手法或 Semont 手法,水平半规管常采用 Barbecue 手法和 Gufoni 手法。常用的 Epley 手法简介:①患者取坐位于检查床上,迅速取仰卧头悬位(头超出床沿并下垂 30°),向患侧扭转 45°;②头部转正,向健侧转动 45°;③将患者头部连同身体向健侧翻转,使其侧卧于治疗台,头部偏离仰卧位 135°;④坐起,头前倾 20°。完成上述 4 个步骤为 1 个治疗循环,每个步骤保持 0.5 ~ 60 分钟,待症状减轻,眼震消失。

需要指出的是 BPPV 有一定的复发概率(约 50% 患者可能复发),临床上应积极治疗相关疾病,如控制血压,稳定血糖(糖尿病患者),规律生活,注意劳逸结合。存在明显心理因素应注意压力管理、放松心情,合并精神疾患,应给予积极的治疗,如抗焦虑抑郁治疗。

(3)根据以下要点初步判断周围性还是中枢性眩晕(表 2-4-1)。

表2-4-1 周围性眩晕与中枢性眩晕的鉴别

鉴别要点	周围性眩晕	中枢性眩晕
发病时间	突发性,程度较剧烈	多呈慢性过程
耳部症状	常伴有耳胀、耳鸣、耳聋	多不伴
前庭反应	协调(姿势调节、眼震、自主神经功能)	不协调
头部或体位变动	相关性强	相关性不强
意识障碍	一般不伴	伴有
中枢神经症状	不伴	伴有,如肢体活动障碍、感觉障碍、构音障碍、共济失调等
诱发性眼震	常呈水平或与眩晕方向一致	眼震粗大,多垂直或斜行、方向多变
冷热试验	反应正常	无反应或反应减弱
是否自行缓解	有自限性,可自行缓解	不能

(柴栖晨 王 静)

 思考题

1. 周围性与中枢性眩晕的主要鉴别点?
2. 眩晕的转诊指征有哪些?

病例 5 ⊠

突发头晕、气促、手足痉挛十余分钟

📹 **视频 2-5**

患者,女,19 岁,在校大学生,由同学用担架抬到军训医疗点。

同学口述:我们正在军训,教官发现她站不稳,让她休息一下。后来她想站起来走,但站不起来,她的手和脚在发抖,手指都变硬了,张着嘴,大口大口地喘气。

患者口述:感觉头晕,身体发麻,脸和嘴巴边上特别厉害,像针刺一样。

追问病史:读中学时,发作过好多次,每次都是送到医院吸氧,头颅 CT 未见异常。

> **请思考以下问题 →**

1. 如何构建整体性临床思维?
2. 最可能的诊断是什么? 需要完善哪些辅助检查?
3. 诊断和诊断依据是什么?
4. 治疗方案和患者管理。
5. 病例总结。
6. 知识拓展。

1. 如何构建整体性临床思维?

(1)诊断思路:人体在空间的平衡由视觉、本体感受器及前庭分析器的相互配合来维持,而前庭系统起主导作用,以上 3 个系统中任何一个系统的器质性或功能性改变均可引起头晕。头晕是一种头昏、头沉、头重脚轻、头脑不清醒、甚至晃晃悠悠、要摔倒的感觉,但没有真的摔倒,无旋转感,自觉疲乏无力,平卧后症状迅速缓解。头晕与眩晕在患者的主诉中常常混杂,两者一般都无意识障碍,不同点在于后者常有运动的幻觉或扭曲,但两者可同时、先后或交叉存在。故我们分析原因时,一并加以讨论。

该患者除了头晕,还有气促、身体发麻、手足痉挛等表现。"气促"是指呼吸急促,频率加快,气短而不均匀。气促常见的原因有:①各种心血管疾病导致心功能不全;②呼吸系统疾病如慢性阻塞性肺病、肺动脉栓塞、肺气肿等影响肺功能;③全身性疾病如贫血发热甲亢等。躯体发麻常见于神经受损或血清电解质紊乱(如低钾)引起的神经末梢感觉异常。"手足痉挛"是一种代谢失调所致的综合征,以腕、踝关节剧烈屈曲、肌肉痉挛为特征,可伴喉痉挛、惊厥。

头晕和眩晕的原因非常多,常见的原因可以分为前庭性、中枢性、全身性、眼源性及精神心理性五种情况(图 2-4-2)。该年青女性患者,突发头晕、手足痉挛、身体发麻,既往有类似发作史,查头颅 CT 未见异常。是什么病因导致这些症状多次发作? 是器质性病变(如哮喘、心脏疾病、血管迷走性晕厥早期表现),还是功能性疾患? 现采用整体性临床思维——临床 4 问对该患者进行分析。(图 2-5-1)。

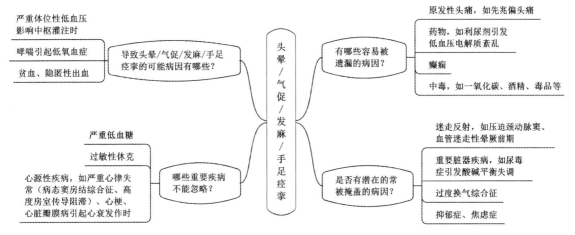

图 2-5-1　头晕 / 气促 / 发麻 / 手足痉挛临床 4 问

(2) 鉴别思维：全科医生在接诊青少年头晕、气促、身体发麻、手足痉挛患者的时候，一定要重视病史的采集，特别是伴随症状的询问。如眼源性疾病引起的头晕在青少年中比较常见，因用眼不卫生、佩戴不合适的眼镜、屈光不正等引起；精神性头晕较隐匿，患者有精神紧张、情绪不稳、睡眠不足等情况。如果缺乏良好的医患关系，很难发现患者发病的真正原因。

针对该患者，病因还是要从病史着手。首先要进行急诊问诊和查体，排除急危重症疾病。采用封闭式问诊，重点问患者的临床表现和可能的诱因。

抬担架学生：医生，她晕倒了，还抽筋。

陪同老师：可能是羊癫风发作。

医生：当时她在做什么？（了解疾病发生的诱因）

抬担架学生：我们早上跑步、站队列，操练了两个多小时，教官发现她站不稳，让她休息一下。后来她想站起来走，但站不起来，她的手和脚在发抖，手指都变硬了，张着嘴，大口大口地喘气。

医生：手、脚有麻木的感觉吗？（了解伴随的症状）

患者：针刺一样……（喘气）……嘴唇明显。

医生：有胸闷、胸痛、头晕、头痛吗？

患者：有……（喘气）透不过气来……头晕……

医生：有感觉周围物体旋转、摇摆吗？（鉴别头晕和眩晕，眩晕常有运动的幻觉或扭曲）

患者：没有。

查体：查体需注意患者的意识、言语及其动作的协调性。

迅速查看患者，看上去她在"抽搐"，但神志清楚，呼吸急促，浅而快，P 100 次 /min，BP 116/72mmHg。她的双手在不停颤抖，像在抽搐。检查她的手，手腕关节呈扭曲状态，手指像鸡爪一样，手指向外张开(不包括掌骨指骨关节)，拇指强有力地内收，呈"爪样痉挛"。

(3) 是不是急危重症疾病？

根据病史、查体和之前的头颅 CT 检查，初步排除器质性疾病，可能是换气过度。

待患者呼吸平稳后,追问病史,得知读中学时,发作过好多次,每次都是送到医院吸氧,头颅 CT 未见异常。列出以下鉴别诊断(图 2-5-2)。

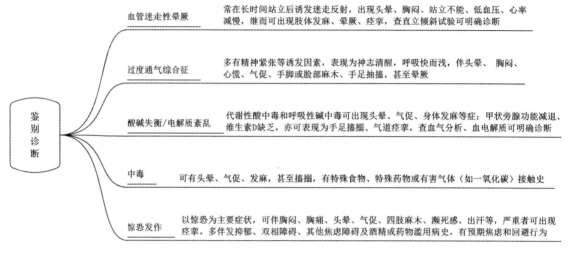

图 2-5-2 头晕 / 气促 / 发麻 / 手足痉挛鉴别诊断

2. 最可能的诊断是什么? 需要完善哪些辅助检查?

(1)最可能的诊断:换气过度。

(2)辅助检查:必要时做血气分析,包括动脉血氧分压(PaO_2)、动脉血二氧化碳分压($PaCO_2$)和酸碱度(pH)。

(3)应急措施:就地取材,用纸袋或将纸张卷成空杯状,指导患者放慢呼吸速度,由旁边同学协助,罩住其口鼻缓慢呼吸,也可以把手掌弯成杯形后对着手掌呼吸。5 分钟后,患者呼吸逐渐平稳,手腕关节和手指开始变柔软,手、足、面部和口周的麻木感消失。

全科医学的核心理念是"全人照顾",全科医生目光不能局限于疾病,更要关注患者,了解疾病背后的故事。该患者读中学时,反复发作头晕、呼吸困难、肢体痉挛等情况,病因是什么? 什么疾病导致患者承受多年的痛苦? 谜底还是需要通过良好的医患沟通,获取可靠的病史资料。

为了寻找答案,军训结束一周后,通过辅导员通知学生来办公室,进一步了解情况。学生进门后,露出不好意思的表情,我上前给她一个拥抱,取出香蕉给她吃,学生很开心。

采用 RICE 问诊,详细了解患者的患病体验,倾听她内心的声音,涉及患者的躯体 - 心理 - 家庭 - 环境等层面。

R(reason)——患者就诊的原因

医生:思儿,最近身体还好吗? (开放式提问)

患者:好多了,谢谢医生。后来又发了一次手脚发麻,我马上采用您教的方法,用手对着嘴巴,放慢呼吸速度,后来慢慢就好了。(患者露出愉快的表情)

医生:上次在军训时,听你说起之前也发生过类似的事情,能和我具体讲一下吗? (了解患者患病的经过)

患者:之前有 3 次发生在学校里,好多次在家里。

医生:一般在什么情况下会发生? 当时你在做什么? (了解发病的诱因)

患者:感觉很孤独,心情不好的时候就会发病。

医生:你每次发病,是如何处理的? (了解处理的方法)

患者:中学老师和父母把我送到医院里。

医生:到医院后,医生为你做了什么? (了解之前接诊医生处理的方法)

患者:医生给我吸氧气、抽血化验、用机器检查心脏和脑袋。

医生:查出问题了吗?

患者:正常的,已经检查好多遍了,CT也做过好几次,都没有发现问题。医生说要在发作时做脑部检查,才会发现问题。

医生:在医院里吸氧后,会感觉好一些吗? (了解吸氧能否缓解症状)

患者:没有好,有时会更难受。当我难受时,医生就把吸氧面罩拿掉了。

医生:你有兄弟姐妹吗? 爸爸妈妈平时关心你吗? (了解家庭背景)

患者:有一个姐姐,大我11岁。爸爸妈妈从来不管我的,从小到大都是姐姐管我的。

I(idea)——患者对自己健康问题的看法

医生:按常理,爸妈应该喜欢小女儿呀? (了解父母不关心女儿的原因)

患者:他们希望生个儿子,结果是女儿,所以很失望。

医生:你认为,你的问题是什么原因呢? (让患者自己说出对问题的看法)

患者:可能与过度劳累和心情有关吧。第一次是体育测试,身体不舒服,但老师说我装病,从此我运动量大一些就会发病。他们(爸妈)无视我的存在,我的心情非常不好。医生,我感觉得的是富贵病,人不能太劳累。

C(concern)——患者的担心

医生:您还记得第一次发病的情况吗? (了解问题发生的过程和深层次的原因)

患者:记得。初三时,有一次体育测试,我感觉不舒服,但老师说我装病(说这事时,患者的眼泪溢满眼眶,开始哭泣,医生递上纸巾)。从此以后,我再也不想上体育课。中考时,我申请免考体育,但班主任故意拖延,到最后一天上午才给我审批表,导致我来不及审批免修。班主任说,你随便去考考吧。结果只考了12分,影响了中考成绩。

医生:当时你肯定很难过吧? (医生的同理心会让患者感动)

患者:是的,我感觉中学老师不理解我,还用异样的眼光看我,好像我故意装病。

医生:爸爸妈妈知道你不开心吗? 事情发生后,你寻求过爸爸妈妈的帮助吗?

患者:他们从来不关心我。

医生:告诉姐姐吗?

患者:讲了,但她也不知道怎么办?

医生:思儿,能把你心里的担忧告诉我吗? 也许我能帮到你? (拍拍她的手,按按她的肩,适当的肌肤接触,会给患者安全感。)

患者:医生,我的父母从来不管我,他们不关心我的时候,我的心情很不好。

医生:姐姐结婚了吗? 你们俩的关系怎样?

患者:她结婚了,招个姐夫做上门女婿。姐姐对我特别好,比爸爸妈妈还要好。

医生：姐夫呢？

患者：姐夫也很好，我常常把心里的烦恼事告诉姐夫，姐夫会去和爸妈讲，现在爸妈比以前好一点了。

E（expectation）——患者的期望

医生：得病了，对您意味着什么？（了解疾患对患者的特殊意义）

患者：只有生病了，他们（父母）才会管我。

医生：你有没有告诉爸爸妈妈，希望他们关心你？

患者：没有。我有什么事情都是和姐姐讲的，他们从来不管我的。

医生：你有没有想过，爸爸妈妈忽略你，除了你不是他们所盼望的儿子，还有没有别的原因呢？（引导患者开阔思路，从多方面去想父母忽略她的原因）

患者：他们总是忙生意上的事，只想着赚钱。

医生：爸爸妈妈赚钱了，你应该开心啊？

患者：我希望他们关心我，不要总是想着赚钱。

医生：爸爸妈妈赚多了钱，会怎么样呢？（引导患者开阔思路）

患者：爸妈说，赚了钱，可以让我和姐姐生活得好一些，可以买大房子，买高级汽车。

医生：是这样啊。那听你说起来，爸爸妈妈平时少关心你，不仅仅因为你不是他们渴望想要的儿子，还有忙着生意赚钱，对吗？（引导患者往多方面去思考问题。）

患者：那倒是的。我从小到大，上的都是高级私立学校，学费很贵的。

医生：嗯，思儿，如果爸爸妈妈不做生意，不赚钱，你和姐姐的生活会怎么样呢？

患者：那我们的生活条件肯定比现在差，没有大房子住，我也上不了私立学校。（这些话让患者自己讲出来，比医生或者旁人对她讲，效果会更好）

医生：思儿，你很希望受到爸爸妈妈的重视，对吗？（患者内心的渴望）

患者：嗯。

医生：那现在我们一块儿来想想，接下来，怎样才能让爸爸妈妈重视你，你就可以在大学里开心地学习，好吗？（站在患者的角度，同理心）

患者：医生，那我应该怎样做才能让爸爸妈妈喜欢我？

医生：可不可以这样，你先试着和爸爸妈妈通一次电话，沟通一次，表达你在大学里，非常想念他们，希望他们平时保重身体，可以吗？

患者：嗯。

医生：另外，叫你爸爸妈妈抽个时间来大学看你，看看你的学习和生活的环境，让爸爸妈妈看到自己的女儿在大学里各方面都很好，让爸爸妈妈放心，好吗？

患者：好。

医生：爸爸妈妈来时，你把他们介绍给我，我也和他们谈谈，好吗？

患者：好。谢谢医生！

医生：思儿，我这儿有一张帮助我们分析您存在的问题的量表，您愿意做一下吗？

患者：好的。

经患者自评，Nijmegen 症状学问卷总分 25 分。

3. 诊断和诊断依据是什么?

(1)诊断:过度换气综合征(hyperventilation syndrome,HVS)

(2)依据:①常因心理受伤、紧张、心理压力大、疲劳等心因性因素诱发;②有特殊典型的临床表现:呼吸急促、头晕、口唇发麻、手足搐搦等;③没有其他器质性或严重精神疾病史;④头颅 CT 无异常;⑤ Nijmegen 症状学问卷总分 25 分。

4. 治疗方案和患者管理

(1)治疗方案

1)指导患者呼吸:告诉学生,以后感觉紧张焦虑、呼吸加快、手脚发麻时,立即放慢呼吸速度,对着纸袋呼吸,或者把手掌弯成杯形后对着手掌呼吸,以减少二氧化碳呼出,纠正呼吸性碱中毒。给她联系方式,告诉她有什么担忧或想法随时联系。

2)情绪放松疗法:对于各种有焦虑、恐惧情绪的患者,给予情绪释放的机会,常常有较好的疗效。针对这个案例,当全科医生发现患者的眼泪在眼眶里转时,适时递上纸巾,就会让患者哭出来。患者哭时,医生可以拍拍她的肩,按按她的手,她会慢慢停止哭泣。对于焦虑恐慌症患者,哭能释放情绪,减轻压力,有一定的治疗效果。

3)如患者手足搐搦症状持续时间长,短时间通过呼吸指导未能纠正的,或心电图出现低钾血症表现,可适当补充电解质(补钙、补钾等)治疗。

4)必要时,可使用抗焦虑药、抗忧郁药、镇静剂等,改善患者的精神状况。

(2)患者管理

1)针对学生父母:应向其解释孩子发病的原因,要求父母改变与女儿的交往方式,经常主动关心女儿,增加父母女之间的感情交流,直接表达感情,满足女儿潜在的感情需要。同时,当女儿出现气促、头晕症状时,对其作出适当的反应,避免负面情绪带来不良影响。

2)针对学生:医生应接受其症状和痛苦体验的真实性,通过交往取得患者的信任,与患者成为朋友,对患者进行教育,让其明白精神紧张影响躯体功能,只有解除了精神紧张,才能缓解躯体症状。而要解除精神紧张,必须改变自己的个性,培养阳光开朗的性格,改变与父母的交往方式,学会直接表达感情需要。并学会与人积极地交往,平时生活要有规律,要积极参加各类活动,改善情绪,提高调控自我情绪的能力。

后来全科医生多次联系患者进行心理疏导,并和她的辅导员、班主任保持联系。目前患者几乎不发病,各大方面表现良好。

5. 病例总结

(1)过度通气:器质性或心因性因素均可引起过度通气,我们将单纯心理因素引起的过度换气称之为"过度通气综合征(HVS)"。在诊断过度通气综合征时,应排除器质性疾病引起的过度通气,以免延误病情处理。常见的器质性疾病引发的过度通气情况有:重症肺炎、低氧血症、代谢性酸中毒、急性心衰、肺栓塞、甲亢、中毒等等。HVS 发病女性多于男性,尤其多见于容易紧张、恐惧等性格的女性,年龄多在 15 ～ 55 岁之间。发作的时候,患者呼吸加快,排出过多二氧化碳,引发呼吸性碱中毒,碱中毒导致脑血管收缩,脑供血下降,组织缺氧,故出现头晕症状。血 PH 升高,导致游离钙向结合钙转化,血清游离钙降低,神经肌肉兴奋性增加,出现手足搐搦。另外,血镁过低、血钠过高亦可引起手足痉挛。"呼吸性碱中毒"导致细胞内外钾离子与氢离子交换增加,大量钾离子被转移到细胞内,从而引起短时间内转移性低钾血症,患者会出现口周和四肢的麻木及针刺感、四肢无力、站立不稳等症状。

(2)纠正呼吸性碱中毒:全科医生在接诊过度换气的患者时,首先指导患者呼吸,对着纸袋呼吸,可增加二氧化碳吸入,逐步纠正呼吸性碱中毒。同时告知患者及家属(或陪同人员)症状与高通气之间的关系,放松患者和家属的心情,提高患者的依从性,从而在医生的呼吸指导下尽快缓解症状。

(3)谨慎吸氧:在遇到紧急情况的时候,医务人员应该具有快速识别和正确处理紧急情况的能力。所谓的紧急情况并非都是复杂的或难以处理的,有时候紧急情况的诊断很简单,而且处置方法也很简单,了解和把握这些症状的含义非常关键。全科医生以"人"为中心的整体诊治原则,恰好适合这种紧急情况。

这个案例提示我们,给急症患者吸氧似乎是医学常识,但并非真理。换气过度或腕足痉挛的患者,是因为二氧化碳排出过多,不是吸入氧气不够,患者通过过度换气,氧分压通常已处于饱和状态,过度吸氧可能会加重症状甚至导致患者失去知觉。如若吸氧,一定要注意"低流量面罩"吸氧,这个"低流量"说明患者其实并不需要吸氧,仅仅起到一定的心理安慰作用。

(4)可以采用 Nijmegen 症状学问卷或过度通气激发试验来帮助诊断。我们在临床诊断中,要注意辨识精神疾患导致的过度通气(如焦虑障碍伴发的过度通气),必要时请精神心理科医生会诊。

(5)功能性躯体综合征(functional somatic syndromes):功能性躯体症状在临床中比较常见,在不同的专科常有不同的表现,如消化系统的肠易激综合征、呼吸系统的过度通气综合征等。临床表现的特点往往存在着精神因素,无相应的躯体疾病可以解释症状的原因。躯体化症状虽然没有医学上的器质性病变基础,但患者确实因为身体症状而感到难受。所以对患者的症状不能采取否认的态度,否则得不到患者的认同并导致患者产生抵触情绪。躯体化患者的特点是敏感、脆弱、多疑、内向、人际交往困难,常有人格缺陷、有得不到满足的感情需要、有潜在的精神紧张和不良的应付方式等。如果一个人被确定为患者,便可以得到许多额外的利益,比如得到家庭成员的关心、爱护和同情;缺勤或逃避上学;躲避责任或劳动;得到医生的关心和帮助;得到心理上产生依赖的药物;为能力缺乏找到借口等,那么患者常常从病患角色中获益并因此而得到强化。

过度通气综合征是功能性躯体综合征中一个的类型,因为它有特殊的表现、有效的控制方法,所以需要我们全科医生熟悉和掌握。当你遇到患者的症状难以用生物医学的理论去解释时;当你用常规的方法难以解决患者的"慢性问题"时;或患者的"慢性问题"难以控制时;当患者对医生表现出依赖时;当患者因轻微的躯体症状或非特异性的躯体问题而反复就诊时;你就应该对患者的生活问题保持高度敏感。本病例中的学生,同时伴有躯体化症状,她在家里的每次发病,主要原因是父母忽略她,使其恋母或恋父情结没有得到释放,不能认同自己的父亲或母亲,亲密关系没有建立起来。她在家里的发病,实际上就是感情交往的一种手段,代表她要求得到父母关心的一种语言。

6. 知识拓展

(1)躯体忧虑障碍(bodily distress disorder,BDD):是以持续存在躯体症状为特征的精神障碍。其临床特点有:躯体症状通常为多个,复杂可变,不能用器质性病变解释;这些症状造成了患者痛苦的感受,还导致患者对这些症状过度关注、反复就医,严重影响了患者社会功能(家庭、社交、工作、学习等);患者对这些器质问题的关注明显超过其本身的严重性,也不能通过适当的医学检查或医学解释所缓解,患者有明显的"疾病感";病前多有心理事件诱发。ICD-10 中的"躯体形式障碍"和"功能性躯体综合征(如心因性咳嗽、肌纤维痛、慢性疲劳综合征等)"在 ICD-11中被统一命名为"躯体忧虑障碍"。

(2)过度通气综合征还应与惊恐发作相鉴别:过度通气综合征常常有一定的诱因(如本案患者军训劳累),发作的频率不高,间隙期无持续担心症状再发,往往在家人和同学陪伴下就诊,有一定的心理上求"关注"情况,无强烈的濒死感。而惊恐发作常常无明显诱因,具有不可预测性,发作时有严重的濒死感,患者往往有强烈的求救欲望,主动就诊,发作间期有持续的担心,常常持续担心、焦虑达 1 个月以上。惊恐发作具体见本章病例 1——惊恐障碍。

Nijmengen 症状学问卷 16 项常见症状:胸痛、精神紧张、视物模糊、头晕、精神混乱或对周围的情况完全不加注意、呼吸深快、气短、胸部发紧或不适、腹胀、手指麻木或针刺感、呼吸困难、手指或上肢强直、口唇周围发紧、手脚冰冷、心悸或心慌、焦虑不安。(1 分 =0 ~ 3 次 / 月;2 分 =1 ~ 2 次 /每周;3 分 =3 ~ 6 次 / 周;4 分 = 每天 1 次或更频繁。总分≥ 23 分为阳性)

(王　静　柴栖晨　林锦春)

 思考题

1. 简述过度通气综合征的临床表现和处理措施。
2. 简述常见头晕的发病机制。

病例 6 ⊠

间断乏力 6 个月，加重伴头晕 2 个月

患者，女，62 岁，已婚，退休。

病史：半年多以前无明显诱因出现乏力，四肢酸软、不喜活动，没有发热、胸闷。外院查心电图：窦性心律，T 波低平；行冠脉 CTA 诊断"冠状动脉粥样硬化症"，心脏超声未见明显异常，予拜阿司匹林、匹伐他汀、单硝酸异山梨酯治疗，乏力症状仍波动反复。近 2 个月来患者乏力明显加重，全身酸软无法行走，伴头晕、黑矇，否认意识丧失、肢体活动不能，否认腹痛、黑便。精神、食欲、睡眠可，体重无明显变化。

> **请思考以下问题 →**
>
> 1. 如何构建整体性临床思维？
> 2. 最可能的诊断是什么？需要完善哪些辅助检查？
> 3. 诊断和诊断依据是什么？
> 4. 治疗方案和患者管理
> 5. 病例总结。
> 6. 知识拓展。

1. 如何构建整体性临床思维？

（1）诊断思路：乏力是临床上常见的症状，涉及到多个系统多种疾病。全科医生接诊乏力患者时，要打开思维空间，避免思维局限性，结合患者的具体情况多维度思考，寻找乏力原因，识别潜在的严重疾病，做出准确诊断和科学治疗。需要注意的是，大多数乏力的患者都可能存在睡眠紊乱和生活压力，在考虑心理问题或精神疾病前需除外相关器质性疾病。

乏力，又称疲劳，多数表现为日常活动后感觉疲劳，或感觉没有足够力量去进行日常活动。临床上可分为有肌力下降的客观乏力和主观感觉上的乏力，前者需要注意有无神经、肌肉系统的疾病，如重症肌无力、多肌炎等，后者是指自身感觉乏力，但实际上肌力并没有下降。乏力可分为生理性乏力和病理性乏力。生理性乏力通常在充分休息、劳逸结合、改善睡眠、调整饮食后症状消失，病理性乏力休息后常常不能缓解。

乏力是临床上常见的症状，涉及到多个系统多种疾病，同时又与心理因素，包括焦虑、抑郁及躯体化症状密切相关。根据症状持续时间，病程在 1 个月内为急性乏力，6 个月以上为慢性乏力。急性乏力多与急性疾病或心理压力相关，并且要注意排除中毒、药物因素等；而慢性乏力多见于贫血、慢性肾病、甲状腺功能减退症等疾病。乏力可分为全身乏力和局部乏力，全身乏力可出现于剧烈运动、睡眠不足、服用安眠药或贫血等疾病时，而局部乏力多见于卒中或神经、肌肉损伤后等疾病。

该患者间断乏力 6 个月,近 2 个月来乏力明显加重,全身酸软无法行走,伴头晕、黑矇,外院查心电图:窦性心律,T 波低平;行冠脉 CTA 诊断"冠状动脉粥样硬化症",心脏超声未见明显异常。现采用整体性临床思维——临床 4 问对该患者进行分析(图 2-6-1)。

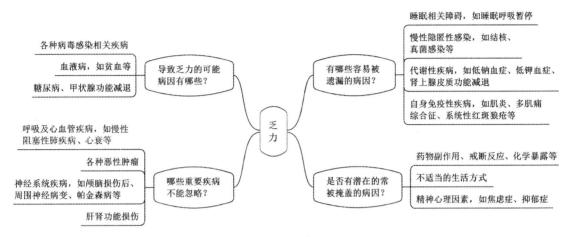

图 2-6-1　乏力临床 4 问

(2)鉴别思维:引起乏力的原因很多,临床上不易明确,需结合患者发病的特点、持续时间、伴随症状、既往病史、体格检查和辅助检查共同判断。体格检查如体温、血压、心率和呼吸均可提供病因线索,神经系统和肌力的查体可以判断患者是否存在客观上的乏力。辅助检查如血常规可评估有无贫血和感染,血生化可排查电解质紊乱、低血糖、肝肾功能异常;甲状腺功能、肌酶谱及 N- 末端脑钠肽前体的检查可提示甲状腺功能减退、肌炎或心力衰竭等相关疾病;心电图可提示有无心肌缺血、心律失常等。

全科医生接诊乏力患者时注意以下几点:①乏力最常见的原因是心理问题,包括焦虑、抑郁状态以及躯体化形式障碍;但诊断心理因素造成的乏力前,必须首先除外器质性病变,这是基本原则。②日间乏力的一个重要原因是睡眠障碍,如阻塞性睡眠呼吸暂停,肥胖和打鼾是其标志性特征。③可能造成长期乏力的潜在疾病有很多,包括内分泌和代谢疾病、恶性肿瘤、慢性感染、自身免疫性疾病、原发性精神障碍、神经肌肉疾病、贫血、药物和心血管疾病。④谨慎诊断慢性疲劳综合征,它是一种临床除外性诊断,指一种以不明原因的、长期(往往大于 6 个月)、复发性或持续性疲劳为特征的常见疾病,常伴有肌肉疼痛、睡眠紊乱甚至食欲减低等。

全科医学的核心理念是全人照顾,不能局限于疾病,还要关注患者。下面进行以人为中心的问诊,全面地了解患者乏力的发生、发展,同时了解患者内心的看法、顾虑和期望。

R(reason)——患者就诊的原因

医生:您好! 我是陈医生,有什么可以帮您吗? (开放式问诊)

患者:医生,我最近觉得浑身没劲,胃口也不太好。

医生:这种感觉称为"乏力",您身体哪个部位觉得乏力呢? (了解是局部乏力还是全身乏力,是否存在客观上的肌力下降)

患者:也说不上哪没劲,就觉得整个人没劲。

医生:乏力的症状持续有多长时间了? (了解乏力持续时间)

患者:大概半年多时间了,最近 2 个月感觉特别没劲。

医生:除了乏力,还有其他的不舒服吗? (了解乏力的伴随症状)

患者:经常会头晕、心慌,晚上睡眠也不太好。

医生:以前有些什么疾病呢? 比如有没有长期服用的药物? 有没有药物、食物过敏? (了解既往史、用药史、过敏史)

患者:以前做过直肠癌手术,后来规律复查 3 年,肠镜也都正常,医生告诉我没事了,未再检查。原来有冠心病,长期吃着阿司匹林、匹伐他汀、单硝酸异山梨酯治疗。磺胺药过敏。

医生:家里人身体都好吗? 平时喜欢喝酒、抽烟吗? (了解家族史、烟酒嗜好)

患者:家里人身体都没问题,不抽烟也不喝酒。

I(idea)——患者对自己健康问题的想法

医生:这次怎么想到来全科看病呢? (了解患者的想法或关注)

患者:当地医院的治疗没有效果,家里人不放心,非要让我来全科再看看。

医生:您觉得可能是什么原因引起的乏力呢?

患者:可能和休息不好有关系。

C(concern)——患者的担心

医生:能告诉我休息不好的原因吗? (了解患者担心什么?)

患者:我总担心心脏病越来越严重。

E(expectation)——患者的期望

医生:别担心。您感觉乏力,还经常性头晕、心慌,需要做一些相关检查明确一下原因。(解释,取得患者配合)

患者:好的,医生,帮我好好检查一下,治好我的病。

医生:我会努力的。在检查前我先给您做个查体,看看有没有什么异常,好吗?

查体注意事项:关注体温、营养状况,皮肤黏膜有无黄染,是否有肝掌、蜘蛛痣、淋巴结是否肿大,甲状腺是否肿大,心肺查体有无异常,肝、脾是否肿大,腹部有无压痛、包块,有无下肢水肿等。

查体:BP 130/83mmHg,P 96 次/min,SpO$_2$ 97%,R 18 次/min,营养状况良好,皮肤黏膜苍白,巩膜未见黄染,无肝掌、蜘蛛痣,浅表淋巴结未触及肿大,甲状腺无肿大、压痛。双肺呼吸音清,未闻及干湿性啰音。HR 96 次/min,心律齐,各瓣膜听诊区未闻及病理性杂音。腹平软,无压痛及反跳痛,肠鸣音正常。四肢肌力正常,巴氏征阴性,直肠指诊未及肿物。

(3)是不是急危重症疾病?

根据患者的病史、查体,需要考虑严重疾病,如直肠癌复发、消化道出血等。列出以下鉴别诊断(图 2-6-2)。

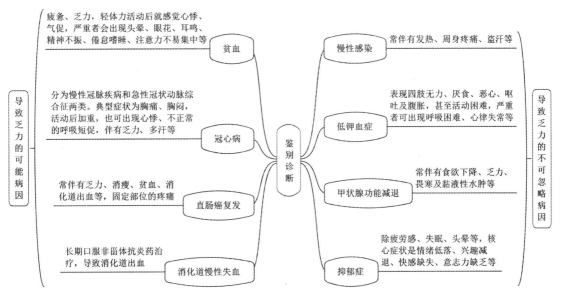

图 2-6-2　乏力鉴别诊断

2. 最可能的诊断是什么？需要完善哪些辅助检查？

(1) 最可能的诊断：贫血相关性疾病。需鉴别：直肠癌术后要除外复发或转移；冠状动脉粥样硬化导致的冠心病、心功能下降；慢性感染等。

(2) 完善辅助检查：血常规、便潜血、肝肾功、电解质、肿瘤标记物、甲功、结核菌素试验、心电图、胸腹盆 CT 平扫。

检查回报：血常规示 RBC 2.76×10^9/L，HGB 76g/L，MCV 68fl，HCT 16.6%，WBC 3.3×10^9/L，PLT 114×10^9/L。粪便 OB(+)×2。肝肾功、电解质、血清肿瘤标记物、PPD 试验、甲状腺功能均正常。心电图：窦性心律，大致正常心电图。胸腹盆 CT 平扫：双肺多发淡片索条影；双侧胸膜略增厚；主动脉管壁可见多发钙化；肝多发囊肿；腹主动脉粥样硬化改变；直肠术后改变，吻合口周围肠壁略增厚。

3. 诊断和诊断依据是什么？

(1) 初步诊断：

1) 中度贫血

2) 直肠癌术后

3) 冠状动脉粥样硬化性心脏病

(2) 诊断依据：①老年女性，反复乏力半年余，伴头晕、黑矇 2 个月；②有直肠癌术后病史，因冠状动脉粥样硬化症长期服用阿司匹林治疗；③查体示血压 130/83mmHg，皮肤黏膜苍白；④辅助检查：RBC 2.76×10^9/L，HGB 76g/L，MCV 68fl，粪便 OB(+)×2。

本例患者无急性失血表现，考虑慢性贫血。治疗前应当首先明确病因，治疗原发病并及时处理贫血并发症。

本例患者为小细胞性贫血(MCV 68fl)，便潜血阳性，需要进一步完善网织红细胞，血涂片、铁 4 项，生化等检查。

化验结果回报:网织红细胞百分比 1.8%;血清铁 21μg/dl(50 ~ 170),总铁结合力 318μg/dl (250 ~ 450),转铁蛋白饱和度 6.6%(25 ~ 50),铁蛋白 5ng/ml(14 ~ 307);TBil 7.5μmol/L,DBil 1.8μmol/L,LDH 179U/L,血涂片示红细胞大小不等,部分形态不规则,WBC、PLT 形态大致正常。

患者明确是小细胞性贫血,一般根据下面列表(表 2-6-1),对小细胞性贫血进行进一步鉴别。

表 2-6-1　小细胞性贫血的鉴别

	缺铁性贫血	慢性病贫血	铁粒幼细胞贫血
机制	铁缺乏	铁利用障碍	铁参与合成血红素障碍
病因	失血或铁摄入减少	慢性炎症性疾病	MDS、铁螯合酶缺陷
血清铁蛋白	↓	↑ / →	↑
血清铁	↓	↓ / →	↑
总铁结合力	↑	↓ / →	
转铁蛋白饱和度	↓	↑ / →	↑
骨髓铁染色	细胞内外铁减少、缺如	细胞外铁正常 / 增加,内铁减少 / 缺如	环铁粒幼细胞
治疗	原发病,补铁	原发病,必要时 EPO	试用 VitB6,输血 + 去铁

患者血清铁降低、铁蛋白降低、转铁蛋白饱和度降低,非常明确体内缺铁,结合临床特点及患者本人意愿,未行骨髓穿刺检查,但不影响患者的治疗决策。

缺铁性贫血是机体对铁的需求与供给失衡,导致体内缺乏铁。对于确诊缺铁性贫血的患者,均应积极寻找病因。铁摄入不足、需求过多、丢失过多、吸收和利用障碍都会导致缺铁(图 2-6-3)。

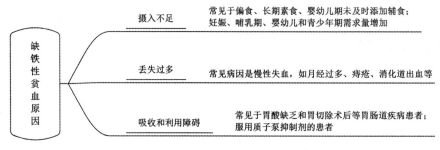

图 2-6-3　缺铁性贫血的病因

追问病史,平素食肉偏少,查粪便常规,OB(+)×2,考虑直肠癌病史,要完善胃肠镜、腹盆增强 CT 及骨扫描检查。

胃镜示慢性浅表性胃炎,胃底及十二指肠有糜烂,出血,胃体可见 2 ~ 3 枚息肉,直径 0.3cm,活检病理为腺息肉,HP-RUT(-)。结肠镜示直肠癌术后,吻合口光滑;所见末段回肠、结肠、余直肠黏膜未见明显异常。胸腹盆增强 CT 示全身未见明确占位性病变。骨扫描示未见骨转移。

结合患者素食为主,长期口服阿司匹林治疗,粪便潜血曾两次阳性,及胃肠镜结果,考虑摄入不足可能,同时又有非甾体抗炎药(NSAIDs)后消化道失血。

最后诊断:1)缺铁性贫血(Iron deficiency anemia)

2)慢性浅表性胃炎伴糜烂(Chronic superficial gastritis)

3)消化道慢性失血(Chronic gastrointestinal bleeding)

4. 治疗方案和患者管理

(1)治疗方案:纠正病因,补铁治疗。

1)纠正病因:嘱均衡饮食,停用阿司匹林。

2)补铁治疗:首选口服铁剂,无机铁以硫酸亚铁为代表,有机铁包括多糖铁复合物、蛋白琥珀酸铁口服溶液、琥珀酸亚铁等。不良反应为恶心、腹泻等胃肠道反应,避免与牛奶、茶水、咖啡同服,以免影响吸收,维生素 C 可促进铁吸收。服用期间可能大便变黑,无需紧张,属正常现象。网织红细胞首先上升(7 ～ 10 天后达峰),可用于早期疗效判断,血红蛋白 2 周后升高,1 ～ 2 个月恢复正常,正常后仍应继续口服铁剂 3 个月以补足铁储备。

患者铁缺乏严重,期望快速补充;不耐受口服铁剂;原有消化道疾病严重或铁吸收障碍等可考虑注射或静脉输注铁剂。

3)给予胃黏膜保护剂及质子泵抑制剂治疗慢性胃炎及消化道出血。

(2)转诊指征:乏力伴有以下情况需要及时向上级医院转诊。①乏力伴生命体征不平稳;②肌力、肌张力异常等神经系统阳性体征;③伴情绪低落,有轻生想法;④出现重要脏器功能衰竭等情况;⑤病情复杂,诊断困难;⑥辅助检查存在明显异常。

(3)患者管理:①患者教育,嘱均衡饮食,食用含铁丰富的食物,如动物肝脏、蛋、肉类、豆类、海带、紫菜等,每日应保证充足的蛋白质和丰富的维生素 C,合理安排饮食,保证摄取足够的营养;②随访要点,贫血相关症状有无改善,定期复查血常规等评估病情好转情况;③停用阿司匹林后定期监测便潜血,如有心前区不适,及时心内科就诊。

5. 病例总结

(1)乏力是常见的主诉症状之一,临床上引起乏力的原因众多,可分为生理性和病理性两大类。以病理性原因更为多见,各个系统或器官病变都可引起乏力,乏力的特点以及伴随症状对于明确病因有重要意义。有些乏力可能是由危及生命的疾病引起的,例如肿瘤、肾上腺皮质功能减退症、心力衰竭等;也有可能是一些常见疾病的首发症状,例如贫血、甲状腺功能减退、睡眠呼吸暂停等;还有些容易被忽略的疾病也会导致乏力,例如慢性疲劳综合征、焦虑抑郁等。

(2)乏力的伴随症状,可为明确病因提供线索。伴有头晕、面色苍白,常提示贫血,如缺铁性贫血、再生障碍性贫血;伴咳嗽、咳痰,常提示呼吸系统的感染性疾病;伴水肿、少尿、气短,常提示心力衰竭、慢性肾功能不全等疾病;伴畏寒、便秘、反应迟钝,常提示内分泌系统疾病,如甲状腺功能减退症;伴消瘦、低热、食欲缺乏,常提示恶性肿瘤;伴精神萎靡、情绪低落,常提示精神疾病,如抑郁症。当乏力症状持续存在时,应首先排查急危重症,尤其注意是否存在重要脏器功能异常以及恶性肿瘤的征象。

(3)贫血不是一个独立的疾病,而是一种症候群;贫血的临床症状无明显特异性,可表现为乏力或其他系统症状,包括心悸、气短、头晕等,皮肤黏膜苍白的体征具有特征性,要特别重视查体。贫血发生时要及时确定背后的病因。根据病因,可将贫血分为三类:①红细胞生成减少,包括造血物质缺乏、骨髓衰竭、造血微环境异常等,会引起缺铁性贫血、再生障碍性贫血等;②红细胞丢失过多,包括急性和慢性失血,急性失血如外伤后大量出血,慢性失血如女性月经量过大等;③红细胞破坏过多,各种原因导致红细胞破坏,会出现溶血性贫血等。

6. 知识拓展

(1)贫血是一种常见的临床症状,许多疾病或因素均可以引起贫血。贫血的原因很复杂,根据红细胞形态可分为以下三大类(图 2-6-4)。

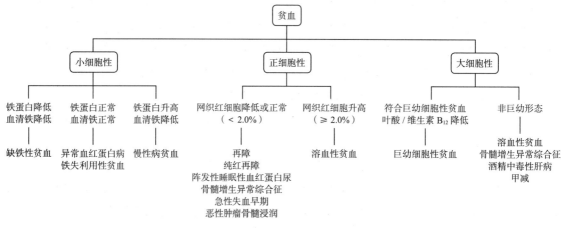

图 2-6-4　贫血分类

(2)贫血患者占世界人口的 1/4 以上,其中约有一半由缺铁造成。缺铁的预防和治疗已成为一个重要的公共卫生目标,尤其是对于女性、儿童以及低收入国家的群体。缺铁的治疗难点在于发现并纠正基础病因以及选择一种能够满足患者需求的铁补充剂。铁缺乏的主要原因包括膳食铁摄入减少、吸收减少(乳糜泻、幽门螺杆菌感染、胃炎、减肥手术)和失血(月经、消化道)。铁补充剂包括口服铁剂和静脉铁剂,选择主要取决于贫血是急性还是慢性、不同铁剂的可用性及费用,以及患者对于口服铁剂的耐受能力。

(3)补铁治疗后患者的血红蛋白水平和铁储备如果不能恢复正常,需要考虑以下潜在因素:口服铁剂的吸收减少、补铁的摄入量不足、诊断有误、炎症状态阻碍了肠道对铁的调节、治疗有效但病因未去除等。必要时可筛查乳糜泻、自身免疫性胃炎和 / 或幽门螺杆菌感染,据报道,超过一半的不明原因的缺铁性贫血患者存在幽门螺杆菌感染,可能与口服铁剂的吸收减少有关。病因明确的缺铁性贫血患者,多数情况应该在基层和社区卫生机构持续治疗与管理。

(陈嘉林)

💡 **思考题**

1. 乏力的概念是什么?

2. 缺铁性贫血的常见病因有哪些?

3. 贫血相关疾病的鉴别思路?

病例 7 ⊠

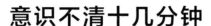

意识不清十几分钟

患者,男,32 岁,软件程序员,上午 10:00 由同事抬进全科诊室。

同事口述:患者上班时突然晕倒在地,面色苍白,手颤抖,出冷汗,呼之不应,急忙把他抬到最近的医院。

请思考以下问题 →

1. 如何构建整体性临床思维?
2. 最可能的诊断是什么? 应急措施有哪些?
3. 诊断和诊断依据是什么?
4. 治疗方案和患者管理。
5. 病例总结。
6. 知识拓展。

1. 如何构建整体性临床思维?

(1)诊断思路:在全科临床中,意识不清是一种不容易判断的症状,因为患者的描述会有很多种,例如"晕厥""昏倒""头晕""突然摔倒"。晕厥(syncope)是一种突然的、短暂的意识丧失和自发的姿势张力的症状,源于短暂性脑血流灌注不足。晕厥常要与头晕、眩晕鉴别,头晕、眩晕不会存在意识丧失。晕厥的终生患病率大约为 20%。而低血糖、癫痫、脑震荡引起的意识不清则不会源于临时全脑灌注不足。

全科医生接诊意识不清患者时,首要任务是识别致命性的意识不清,如心源性晕厥、严重、长时间的低血糖状态等,发现潜在急危重症患者,立即转专科诊治。

导致意识不清的原因较多,其中常见的原因有血管迷走神经性晕厥、直立性低血压、心源性疾病、脑血管疾病以及心理疾病;癫痫患者在发作时有特征性的临床表现,如强直、抽搐、失神等神经功能障碍和精神障碍;脑震荡引起的意识不清患者有明确脑部受伤病史;低血糖症可通过发作时症状表现及快速血糖测定来判断,常见于糖尿病患者。根据临床伴随症状,可以初步判断可能的疾病(图 2-7-1)。

该青年男性患者,上班时突然晕倒在地,面色苍白,手颤抖,出冷汗,呼之不应,是致命性疾病吗? 现采用整体性临床思维——临床 4 问对该患者进行分析(图 2-7-2)。

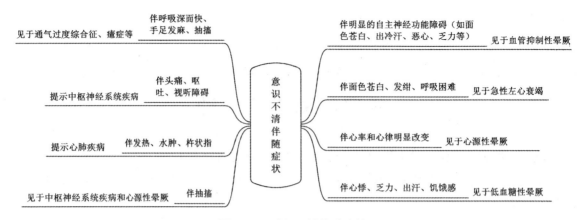

图 2-7-1　意识不清伴随症状

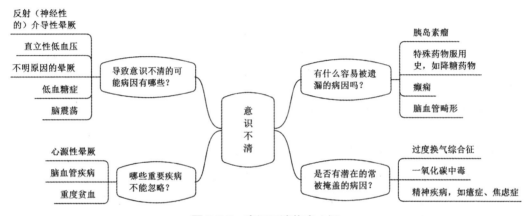

图 2-7-2　意识不清临床 4 问

（2）鉴别思维：全科医生在接诊意识不清患者时，整体性临床思维尤为重要。一般而言，最常见的意识不清是血管迷走性晕厥，常为良性。最危险的意识不清是心源性晕厥，对于有心脏病家族史的患者更应注意，一旦确诊，应尽快转诊心内科。而低血糖症发作可通过快速血糖测定确诊，严重、长时间的低血糖状态对神经系统造成严重损伤，是急危重症，全科医生应及时识别并予以正确处理。癫痫发作的患者在意识不清的同时伴有运动、植物神经功能紊乱和精神障碍（按发作类型区分）。脑震荡患者有明确外伤史。同时，全科医生不能遗漏隐蔽的不易发现的疾病，如精神性疾病、过度通气综合征等，这些需要全科医生在问诊过程中仔细询问分析鉴别（图 2-7-3）。

（3）是不是急危重疾病？

该男性患者是一名 32 岁的程序员，15 分钟前，他在上班时突然晕倒在地，伴有面色苍白，手发抖，出冷汗，呼之不应。初步判断属于急危重症，需要积极救治。

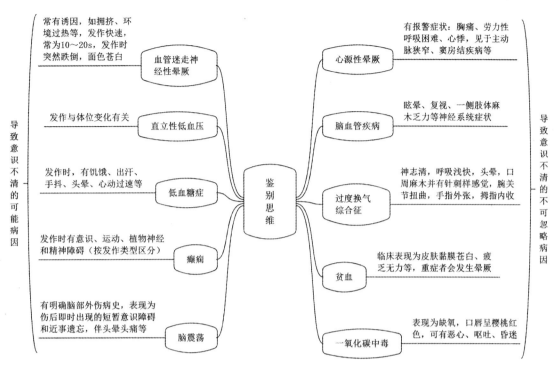

图 2-7-3 意识不清鉴别诊断

2. 最可能的诊断是什么？应急措施有哪些？

急诊病史:患者,男,32岁,意识消失约15分钟。工作中起身取饮用水时突然晕倒,面色苍白,手部发抖,晕倒时没有头部的磕碰等。当时无口吐白沫、无四肢抽搐、无过度换气等表现。其陪同的同事告知有服用不明药物史,经查看药品后确认为"消渴丸"。

查体:T 37.1℃,P 96次/min,R 18次/min,BP 90/60mmHg,面色苍白,呼吸平稳,皮肤略潮湿。意识不清,精神软,双侧瞳孔等大等圆,对光反射灵敏。肌张力无增高减退。辅助检查:快速法测指尖周围血糖为2.5mmol/L。

结合病史和体检及指尖周围血糖,判断为低血糖昏迷,属于急危重症疾病。

(1)最可能的诊断:低血糖症

(2)依据:指尖法周围血糖2.5mmol/L;意识不清、面色苍白、出汗等低血糖"报警症状"。

(3)应急措施:50%左旋葡萄糖25ml静脉注射,患者逐渐恢复意识。

全科医学的核心理念是"全人照顾",全科医生目光不能局限于疾病,更要关注患者,了解疾病背后的故事。等到患者意识逐渐恢复后,让我们以患者为中心,倾听他内心的声音,详细了解患者的生活背景、看法、顾虑和期望。

R(reason)——患者就诊的原因

医生:张先生,现在感觉好些了吗? (开放式提问)

患者:好多了。

医生:您晕倒前,在做什么? (了解诱因)

患者:我想去接点热水喝,感到心慌、出冷汗,后面就不知道了。

医生:站起来时候着急吗?耳朵听起来有没有什么不一样吗?有没有天旋地转的感觉?(鉴别直立性低血压、眩晕、梅尼埃病、脑血管疾病)

患者:没有。

医生:您身边带着消渴丸,是有什么问题吗?(鉴别糖尿病低血糖症)

患者:最近一次健康体检,查出来说我血糖偏高了,我就向家里患糖尿病的亲戚要了点降血糖的药,打算有空了再去看医生。

I(idea)——患者对自己健康问题的看法

医生:我很好奇,您还没有看过病,自己吃药的理由是什么呢?(了解患者自行用药背后的原因,还有什么话没有说?)

患者:唉,公司里面最近比较忙,要是让公司知道自己生病了不太好的。我家里亲戚也有得糖尿病的,我看他一边吃药一边工作、生活,没有什么大碍,所以就问他要了点降糖药。想先把血糖降下来,等到空一点再去看医生。

C(concern)——患者的担心

医生:根据您刚才所说,我初步判断您是因为没有正确服用降糖药从而导致的低血糖。低血糖是很危险的,您了解低血糖发作吗?(了解患者对病情的理解程度)

患者:我在吃药之前看了说明书,上面确实提到过会出现低血糖。医生,我的病情严重吗?低血糖发作是不是很危险?家里就我一个人赚钱养家,万一我的身体不行了,那家里人怎么办呀?

医生:糖尿病患者发生低血糖是很危险的,甚至会威胁生命。降糖药物一定要在医生的指导下服用,才比较安全。为了自己和家人,您一定要保重身体呀!(同理心,让患者意识到医生是站在他的角度考虑)

E(expectation)——患者的期望

患者:医生,那我接下去应该怎样做,才能不耽误工作,又治好我的病呢?

医生:我先把您转诊到上级医院的内分泌专科全面检查一下,了解病情后制订治疗方案。后续的复查和监测,可以到我这里来。糖尿病经过正规的治疗,是可以控制得跟正常人一样生活和工作的。(给予患者治疗的信心)

患者:好的。医生,我平时应该注意什么?

医生:饮食和运动很重要,您知道饮食和运动应注意哪些方面吗?(了解患者对糖尿病治疗的了解程度)

患者:就是不要吃太多,尤其是含糖量高的食物,然后加强锻炼。

医生:您说得对。我相信,您只要养成良好的生活方式,糖尿病会控制好的。我这里有糖尿病的生活指导小单张,您先拿回去看看,如果有不清楚的地方,下次来复诊时,我给您好好解释一下,好吗?(适当鼓励患者,表现出负责到底的态度,增强患者的安全感)

患者:好。要不是这次晕倒了,我可能还不重视呢。谢谢医生!

患者 2 天后到上级医院内分泌科就诊,结果如下:

内分泌专科体检:T 36.2℃;R 19 次/min;P 82 次/min,律齐;BP 134/82mmHg;身高 174cm,体重 78kg,BMI 25.8kg/m²;双侧足背动脉搏动良好;双下肢皮温正常;双上肢双下肢触觉正常;

双侧足趾位置觉震动觉正常。

　　辅助检查结果：葡萄糖耐量试验：空腹血糖 9.2mmol/L，餐后 2 小时血糖 12.1mmol/L；空腹胰岛素 2.03μIU/mL，餐后 0.5、1、2、3 小时胰岛素分别为 4.62、7.51、10.14、7.81μIU/mL；空腹 C 肽 0.61ng/mL，餐后 0.5、1、2、3 小时 C 肽分别为 1.12、2.13、2.81、1.95ng/mL；胰岛素抗体、胰岛细胞抗体、谷氨酸脱羧酶抗体均阴性。糖化血红蛋白 HbA1c：9%。肝肾功能正常。尿常规：白蛋白（-），葡萄糖（++），尿酮体（-）。心电图：窦性心律，正常范围心电图。

　　3. 诊断和诊断依据是什么？

　　（1）诊断：

　　1）药源性低血糖昏迷（pharmacogenic hypoglycemic coma）。

　　2）2 型糖尿病（type 2 diabetes）。

　　（2）诊断依据：①结合患者的病史、血糖检测结果和携带的药物等，支持药源性低血糖的诊断；②经内分泌专科检查，空腹血糖、餐后 2 小时血糖偏高，糖化血红蛋白偏高，胰岛功能检查提示胰岛素、C 肽高峰延迟出现，支持 2 型糖尿病的诊断。

　　4. 治疗方案和患者管理

　　（1）嘱患者停用消渴丸（含格列本脲，易诱发低血糖）。

　　（2）与糖尿病专科医生保持联系，根据血糖控制情况，调整用药。

　　（3）建立患者健康档案，按时随访，进行追踪管理。

　　患者 2 周后复诊，已经完善胰岛功能检查和并发症评估，现使用二甲双胍片和阿卡波糖片治疗，空腹血糖控制在 6mmol/L，餐后 2 小时血糖控制在 7mmol/L 左右。继续向患者进行糖尿病健康教育，叮嘱患者配备血糖仪自测血糖，进行饮食和运动治疗宣教。

　　5. 病例总结

　　（1）全科医生接诊意识不清患者时，获取有效的信息非常重要。低血糖症是指血葡萄糖水平低于 2.8mmol/L（糖尿病患者为 3.9mmol/L），并出现自主神经系统和神经低糖症状，如出汗、心悸、乏力、头晕、认知障碍等。如没有经过血糖纠正，低血糖发作往往时间较长，不会自行恢复，称低血糖昏迷。本例患者在抢救阶段问诊得知有服用降糖药物史，因此首先考虑低血糖问题，速查血糖，证实诊断，为抢救低血糖患者赢得宝贵的时间。当患者恢复血糖水平后，运用临床 5 问思维法和 RICE 问诊，可以避免遗漏一些重要的疾病和容易被掩盖的疾病。

　　（2）意识不清的紧急处理方法：意识不清发生现场，应将患者置于平卧位，取头低脚高位，松开腰带，促使血液流向脑部；有条件可立即测量血压和血糖；同时可适当通过疼痛刺激使患者清醒；患者清醒后不要急于起身，以避免引起再次发作；如考虑患者有器质性疾病，在进行现场处理如低血糖患者给予补充糖后，要及时到医院针对引起意识不清的病因进行治疗。

　　6. 知识拓展

　　全科医生在接诊意识不清为主要症状的患者时，可参考以下流程图进行接诊和处置（图 2-7-4）。

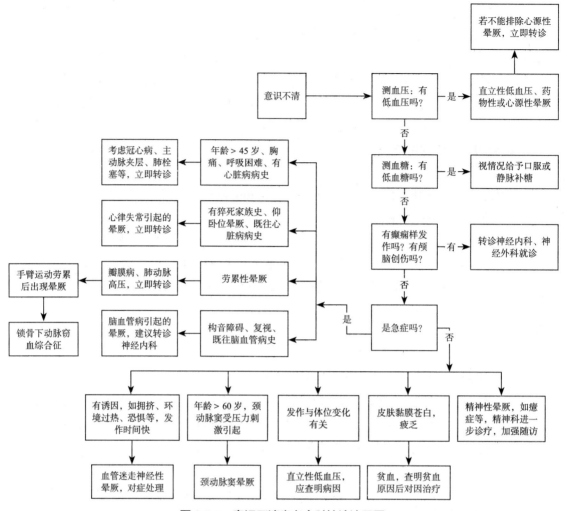

图 2-7-4　意识不清患者全科接诊流程图

（王　力　王　静）

 思考题

1. 意识不清的鉴别诊断？
2. 低血糖症的抢救措施？

病例 8 ⊠

反复腹部隐痛 1 年,再发 1 个月

视频 2-8

患者,女,49岁,阵发腹痛1年。抱着试试看的心态来全科门诊就诊。

患者口述:近1年来自觉无明显诱因下出现反复腹痛,为隐痛,程度不剧,部位不定,不放射,呈阵发性,每次持续0.5～2小时,喜热敷,可自行缓解,基本每周均会发生,不伴腹泻,无黑便,无恶心、呕吐,无反酸、嗳气,无胸闷、胸痛,无心悸、气促。曾2次入住当地医院,查胃肠镜及腹部CT,均无明显异常发现,诊断为"肠易激综合征",予"匹维溴铵片"等治疗,无明显好转。近1个月大便较干,服"乳果糖液"治疗,但服药后腹痛加重,患者认为全科医生考虑问题比较全面,故找来全科门诊。

发病来胃纳一般,小便无殊,体重无明显改变。末次月经半月前,量和颜色正常,干净1周,无痛经。无手术、重大外伤史,否认高血压病、冠心病、糖尿病等病史,无烟酒嗜好。

请思考以下问题 ➔

1. 如何构建整体性临床思维?
2. 最可能的诊断是什么? 需要完善哪些辅助检查?
3. 诊断和诊断依据是什么?
4. 治疗方案和患者管理。
5. 病例总结。
6. 知识拓展。

1. 如何构建整体性临床思维?

(1)诊断思路:在接诊不明原因腹痛患者时,病史和体格检查对诊断疾病最重要,其次是相关辅助检查结果。对于急性腹痛,特别是病程在1周之内的,应重视"红旗征"的识别;1周到6个月之间的亚急性腹痛和6个月以上慢性腹痛,不能忽视隐藏的疾病。在排除器质性病变后,还应考虑功能性疾患如功能性消化不良、肠易激综合征、中枢介导的腹痛综合征等。耐心倾听患者的诉说,也许能帮助我们发现隐匿的因素。

腹痛(abdominal pain)指剑突向下与耻骨联合之间的疼痛,多数由腹部脏器疾病引起,腹腔外疾病及全身性疾病也可引起。疼痛性质多种,包括绞痛、胀痛、隐痛、钝痛等。腹痛性质和程度既受病变性质和病变严重程度影响,也受神经和心理因素。腹痛发生机制可分为3种,即内脏性腹痛、躯体性腹痛和牵涉痛(图2-8-1)。

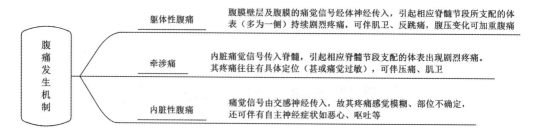

图 2-8-1　腹痛发生机制

临床上一般将腹痛按起病缓急、病程长短,分为急性腹痛和慢性腹痛,腹痛原因(图 2-8-2)。

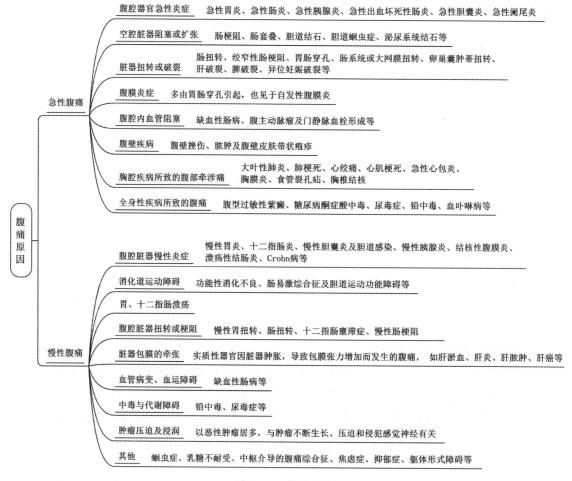

图 2-8-2　腹痛原因

该患者反复腹部隐痛 1 年,界定为慢性腹痛。患者曾 2 次入住当地医院,查胃肠镜及腹部 CT,均无明显异常发现,诊断为"肠易激综合征"。近 1 个月大便较干,服"乳果糖液"治疗,但服药后腹痛加重。是什么原因导致患者经受腹痛的困扰? 现采用整体性临床思维——临床 4 问对该慢性腹痛患者进行分析(图 2-8-3)。

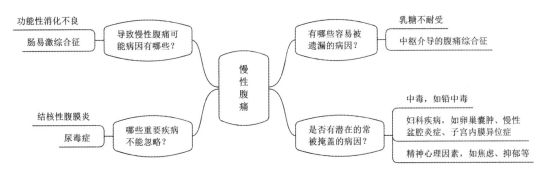

图 2-8-3 慢性腹痛临床 4 问

(2)鉴别思维:全科医生接诊腹痛患者时,首先要注意"危重腹痛"的预警,如疼痛突然发生且剧烈,需警惕空腔脏器穿孔(胃溃疡穿孔、小肠穿孔)、梗阻扭转(肠梗阻、疝嵌顿、附件囊肿蒂扭转)、肠系膜动脉栓塞、炎症刺激(胆囊炎、胆管炎、阑尾炎、胰腺炎、空腔脏器穿孔后继发腹膜炎、附件炎、盆腔炎等);如伴有心率加快、血压下降,需警惕消化道出血、宫外孕破裂、腹主动脉瘤破裂、肝脾破裂的可能。发现这些情况应及时转诊,进一步检查明确诊断。

该患者反复腹痛 1 年半,为隐痛,程度不剧,部位不定,不放射,呈阵发性,每次持续 0.5 ~ 2 小时,喜热敷,可自行缓解,基本每周均会发生,不伴腹泻,无黑便,无恶心、呕吐,无反酸、嗳气,无胸闷、胸痛,无心悸、气促。2 次住院查胃肠镜及腹部 CT,均无明显异常发现。是"功能性疾患"还是"器质性疾病"?患者是不是还有话没有说呢?下面采用 RICE 问诊,了解患者的所思所想以及患病经历。

R(reason)——患者就诊的原因

医生:您好!我是柴医生,想对您的病史再核实一下,能具体描述一下您的感受吗?(亲切地称呼,营造轻松舒适的环境,开始"开放式问诊")

患者:医生,我肚子痛已经有 1 年了,隐隐地胀痛,位置不太固定,几乎每周都有发生。

医生:腹痛与吃饭、排便有关系吗?(了解腹痛可能的诱因)

患者:感觉没什么关系。

医生:疼痛严重吗?比如 0 分无痛,10 分最痛,你的腹痛大概有几分?(NRS 数字评分法,了解患者疼痛严重程度)

患者:1 ~ 2 分。

医生:除了腹痛,还有什么不舒服吗?比如发热、返酸、嗳气、腹泻、体重下降吗?(了解伴随症状,适当使用"封闭式提问",与全身感染性疾病、胃炎、肠炎、肿瘤等鉴别)

患者:没有。

医生:您大便怎么样?有没有发黑?(鉴别消化道出血)

患者:最近 1 个月大便较干,颜色是黄的,现在服用"乳果糖液"通大便,但腹痛好像比之前更重了。

医生:您月经周期正常吗?之前有没有得过盆腔炎?月经前后有没有疼痛或性交痛?(鉴别慢性盆腔炎)

患者:月经正常的,月经来潮时会感到轻微的下腹下坠感和腰酸痛。

I(idea)——患者对自己健康问题的想法

医生:您觉得是什么原因引起的腹痛呢?(了解患者对自身问题的看法)

患者:老是肚子痛,会不会长了肿瘤?

医生:您怎么会有这样的想法?

患者:我邻居去年因为"结肠癌"去世了,现在我肚子老是痛,会不会也长了肿瘤?

医生:您的想法有自己的道理,但您做过腹部 CT 和胃肠镜,并没有发现异常。(移情、安慰表达)

C(concern)——患者的担心

患者:医生,CT 真的什么都能看到吗?

医生:我看得出来,您有担忧?

患者:怎么说呢?我还想问一下,金属的东西会不会致癌?

医生:我很好奇,您怎么会有这样的想法?

患者:1 年半前,我修眼镜时,将镜脚上那颗很小很小的金属螺丝含在嘴里,一不小心咽了下去,吓得我不知道怎么办。自从吞下这颗小螺丝后,我就一直感觉腹痛。(患者流露出不好意思的表情)

医生:原来是这样。您做过腹部 CT 的,如果还没有排出体外,金属的东西会被发现的。胃肠镜也能看清楚肠子里问题。

患者:是吗?如果那颗小螺丝真的排出了,我也放心了。

医生:我可以问你几个比较隐私的问题吗?

患者:可以。

医生:您睡眠怎样?(了解患者生活方式)

患者:以前睡眠好的,自从得了腹痛病,睡眠质量比较差,常常会凌晨 4、5 点左右就醒了。

医生:您跟家人的关系如何?(了解家庭生活背景)

患者:以前挺好的,最近这几年不太好。我老公是个民间黄梅戏班子里面拉二胡的,我是"旦角",以前我和他经常一起排练、演出,我唱戏,他拉琴,挺开心的。一年前,戏班子里来了一个年轻的女孩子,现在排练都不叫我。我觉得他变了,儿子还在读大学没工作呢。唉!现在经常和我吵架,我肚子痛了,会来管我一下,我稍微好一点,人又没影了,完全把家当旅馆。医生,我非常担心自己得"肠癌",要是我得了重病,谁来管这个家?医生,您知道吗?我和他青梅竹马,风风雨雨过了那么多年,之前他非常关心我体贴我的,现在却变了。(患者的眼泪在眼眶里转)

医生:我非常理解您,别难过,总会找到解决问题方法的。您老公知道您的想法吗?(医生递上纸巾)

患者:他总是说我疑神疑鬼的,不搭理我。

医生:您曾经有过自杀的想法吗?(鉴别抑郁症)

患者:没有。

医生:为了更好地了解您目前的状态,我们想让您做一下焦虑、抑郁自评量表,您愿意吗?(健康宣教,建立联系)

患者:好,谢谢!(签署书面同意书)

医生:做完量表,您躺到检查床上,我给您检查一下。

患者焦虑自评量表(Self-Rating Anxiety Scale,SAS)结果:标准分48分(50 ~ 59分为轻度焦虑,60 ~ 69分为中度焦虑,70以上为重度焦虑),抑郁自评量表(Self-rating depression scale,SDS):标准分49分(53 ~ 62分为轻度抑郁,63 ~ 72分为中度抑郁,72以上为重度抑郁)。

查体:情绪低落,巩膜未见黄染,浅表淋巴结未及肿大,心肺听诊无殊,腹饱满,听诊肠鸣音约6次/min,未闻及腹部异常血管杂音,叩诊鼓音,移动性浊音阴性。肝脾肋下未及,腹部无压痛,未及包块,无肌卫及反跳痛。

(3)是不是急危重症疾病?

根据病史、查体、评估和带来的辅助检查结果,初步排除严重的器质性疾病。列出以下鉴别诊断(图2-8-4)。

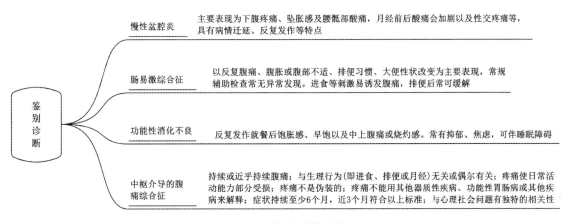

图 2-8-4 慢性腹痛鉴别诊断

E(expectation)——患者的期望

医生:我对您的病情基本了解了,希望我怎样帮助您?

患者:医生,我就想着腹痛能早一点好起来,这样也可以出去唱唱黄梅戏,老是呆在家里实在太没意思。

医生:您这么长时间腹痛确实非常痛苦,我会帮您调整治疗方案,我相信您一定会好起来的!(肯定患者感受、移情、鼓励患者)

患者:如果能治好,真是太好了! 我平时要注意什么吗?

医生:腹痛的诱因很多,您要注意饮食规律,不吃生冷食物,适当多饮水,保持大便通畅,如果出现突然疼痛加重,恶心、呕吐、黑便、头晕、晕厥、胸闷等,及时就诊,这是我的电话,您可以随时和我联系咨询。

患者:好。谢谢!

2. 最可能的诊断是什么? 需要完善哪些辅助检查?

(1)最可能的诊断:中枢介导的腹痛综合征?

(2)完善辅助检查:生化全套、肿瘤标志物、大便隐血、心电图、阴道B超。

检查回报:生化全套、肿瘤标志物均处正常范围;大便隐血阴性;心电图未发现心脏结构功能供血方面异常;阴道 B 超提示子宫附件正常,盆腔无积液。

3. 诊断和诊断依据是什么?

(1)诊断:中枢介导的腹痛综合征(centrally mediated abdominal pain syndrome)

(2)诊断依据:患者女性,49 岁,腹痛呈慢性过程,伴失眠等症;反复检查,未见明确器质性病变;症状持续 1 年,按"肠易激综合征"治疗,疗效不佳;反复就诊,有诱发因素(误吞金属异物、丈夫外出),有目的性(丈夫关心)等特点;腹痛与进食或排便无关,符合中枢介导的腹痛综合征的诊断标准。经过量表自评,基本可以排除抑郁症、焦虑症等疾病。

4. 治疗方案和患者管理

(1)建立良好的医患关系,同时开展心理治疗。

(2)告知"乳果糖液"可能导致腹胀加重,建议停服,改"双歧杆菌三联活菌胶囊",随访评估腹痛、腹胀症状变化。

(3)适当运动,改变饮食习惯,适当增加开水、蔬菜纤维素摄入。

(4)必要时行针灸、理疗等治疗方法。

(5)建议近期复诊,嘱需其丈夫陪同。

第 2 次就诊

3 天后患者复诊,全科医生单独与其丈夫进行了沟通,希望其多关心患者,尽量带妻子一同前往剧团,建议排演一些有"母亲"角色的戏段,满足患者的愿望。另一方面,和患者一同仔细阅读并讲解了 CT 片和胃肠镜报告,让患者确信小螺丝已经排出体外,解除了患者的心理顾虑。患者停服"乳果糖"后,腹部胀痛有所好转。

第 3 次就诊

1 个月后患者笑容满面地见全科医生,表示现在"肚子一点也不痛了,人也比以前轻松多了,现在又跟丈夫去剧社唱戏了"。

随访半年腹痛未再发生。

5. 病例总结

中枢介导的腹痛综合征曾被称为慢性特发性腹痛、功能性腹痛综合征,持续腹痛是其突出表现。本病临床并不少见,诊疗有一定的难度。其发病机制与中枢性疼痛调节障碍密切相关,常合并焦虑、抑郁等心理疾患。全科医生接诊慢性腹痛患者时,要从腹痛的机制入手,发散思维,结合病史和体格检查给予针对性的评估,避免过度检查。良好的医患关系是成功诊治本病的基础,充分的医患沟通对诊断有重要的提示意义。基于多学科协作的药物治疗、认知行为治疗及心理治疗对本病有效。

全科医学的核心是遵循生物 - 心理 - 社会医学模式,不但要关注腹痛,更要关注经受腹痛煎熬的"人",广泛地寻找腹痛的原因,务必排除"红旗征"。本案例中的患者担心误吞服的金属小螺丝没有排出体外会致癌,也担心丈夫有外遇会抛弃家庭。全科医生通过 RICE 问诊,揭开了引起患者腹痛的心理原因以及某些药物导致的不良反应。综合病史,排除器质性疾病后,找出了该患者腹痛的病因。

CAPS 患者常常有心理因素的影响,对于这一类慢性腹痛患者,全科医生要用平等、尊重的态度,通过认真倾听、理解患者的病痛并分析产生病痛的原因,用"移情"获取患者的信任,通过建立良好的医患关系,引导患者解开心结,帮助患者正确认识自己的疾病,消除患者顾虑。同时,全科医生要善于运用家庭、社会资源,增加患者的支持,提高患者应对各种生活压力事件的能力。当然,对于那些伴有焦虑、抑郁情况明显的患者,在心理治疗、认知行为治疗、针灸、理疗等方法的基础上,可选用三环类抗抑郁药或选择性 5- 羟色胺去甲肾上腺素再摄取抑制剂进行综合治疗,往往能取得意想不到的效果。

6. 知识拓展

既往我们常常将经过反复检查未发现器质性病变的腹痛称之为功能性腹痛综合征(functional abdominal pain syndrome),随着对其发病机制的深入研究,发现肠 - 脑互动异常是造成这类疾病的核心原因,故《功能性胃肠病:罗马Ⅳ》将"功能性腹痛综合征"的诊断更改为"中枢介导的腹痛综合征(centrally mediated abdominal pain syndrome,CAPS)"。

(1)CAPS 是一种持续性的、频发(近乎持续)的腹痛,严重程度足以影响生活和工作,与消化功能是否正常无关,不能用现行的检查手段发现能够解释腹痛的结构和代谢异常。

(2)肠易激综合征(irritable bowel syndrome,IBS)是一种功能性肠病,以腹痛或腹部不适为主要症状,排便后症状多改善,常伴有排便习惯及大便性状改变,但无器质性病变,常规辅助检查常无异常发现。可表现为腹泻型 IBS、便秘型 IBS、混合型 IBS,大便可混有黏液,一般无脓血,查体亦常无明显异常发现。但对于伴"红旗征"的患者,不能轻易诊断为"IBS",应警惕器质性病变,需仔细检查后方能考虑该诊断。肠易激综合征多发生于中青年,女性多见,病程较长,主要通过药物治疗改善,症状易反复,但预后一般较好。

(3)CAPS 与 IBS 的区别:

1)CAPS 患者的腹痛往往是持续性的,大多与进食、排便无关,而 IBS 更多的是阵发,多与进食、排便有关。

2)CAPS 的腹痛往往与心理 - 社会因素的关系更密切,心理因素是发病的主要原因,而 IBS 对生理刺激(如进食)表现为高反应性,易诱发腹痛,排便后常可缓解。

3)"脑肠互动异常"参与了 CAPS 患者腹痛的发病,中枢对肠道信号的处理异常是其发病的主因,主要是中枢敏化,而 IBS 主要是外周敏化,会因肠道内轻微的刺激就可引起腹痛的发生。

4)常用于治疗 IBS 的胃肠动力紊乱药物可能对 CAPS 患者效果不佳。

(柴栖晨　王　静)

 思考题

1. 简述中枢介导的腹痛综合征的特点。

2. 腹痛的转诊指征有哪些?

病例 9 ⊠

间断腹痛 2 年，加重伴尿色加深 1 个月

患者，女，30 岁，转诊而来。

转诊病史：患者 2 年前无明显诱因出现发热，T_{max} 38℃，不伴畏寒寒战、咳嗽咳痰、尿路刺激、腹泻等症状，自服布洛芬后体温恢复正常。次日夜间睡眠中出现持续性脐周绞痛，否认放射痛，初为 NRS 4 分，逐渐加重至 8 分，排便 1 次，为黄色不成形便，持续 1 天无好转，与体位、进食无关，否认尿色异常；后逐渐停止自主排便、排气，不伴呕吐；当地医院就诊查腹部 CT 示肠管轻度扩张，血常规示 WBC $8.26×10^9$/L，淀粉酶，脂肪酶正常，考虑"不全性肠梗阻"原因未明，予补液、止痛、灌肠等对症治疗 1 周后腹痛好转出院，其间症状完全缓解。1 年前再次出现脐周腹痛，性质、程度同前，伴自主排气、排便消失，当地医院禁食，补液 3 天治疗后完全缓解，当时做胃肠镜：慢性非萎缩性胃炎，结肠未见异常；肝胆胰脾超声无异常，子宫双附件无异常，此后 1 年未再发作腹痛。1 个月前患者出现发热，T_{max} 38℃，流涕及咽痛，不伴畏寒、寒战，咳少量黄痰，外院予静脉输注"退热针"后体温恢复正常（具体不详）；3 天后再次于夜间出现脐周绞痛，NRS 10 分，排便 1 次后仍无缓解，此后排气、排便再次减少，同期出现晨起尿色加深，无尿频尿急尿痛、尿中泡沫增多等症状，因腹痛不能忍受到医院就诊。

当地医院查 ECG：HR 68 次/min，窦性心律，大致正常心电图；血常规：WBC $3.18×10^9$/L，中性粒细胞 $1.44×10^9$/L，HGB 102g/L，PLT 140 $×10^9$/L；CRP 1.47mg/L；血生化：ALT 15U/L，AST 30.0U/L，LDH 199U/L，Alb 33.1g/L，Cr 82μmol/L，K 4.4mmol/L，Na 138mmol/L；输血八项：HBsAg、HBcAg(+)。腹部 CT：胆囊内密度欠均匀、可疑不完全性肠梗阻（小肠肠管轻度扩张）。当地医院禁食，补液等对症治疗效果不佳，于 20 天前转当地上级医院就诊；复查血常规、肝肾功能大致正常（未见报告）；血尿重金属检测(−)。胸腹盆 CT：左肺炎症、右肺中叶微小结节；肝右叶血管瘤；右侧附件饱满，左侧附件混杂密度灶；部分结肠扩张积气。予胃肠减压、灌肠、肠外营养支持，治疗当天早 8 点（月经期）患者于剧烈腹痛后出现一过性意识丧失、双眼向上凝视、四肢抽搐，伴小便失禁，肢体抽搐 1 分钟后自行停止，5 分钟后意识恢复，事后不能回忆。意识恢复后否认心悸、肢体障碍。当时完善颅脑 MRI：双侧额顶叶及双侧枕叶皮层形态及信号失常，考虑癫痫发作后脑损伤。脑断层代谢显像：双侧额顶颞叶代谢减低；脑电图：未记录到典型癫痫发作事件（清醒、睡眠）；腰穿结果回报：无异常；予静脉泵入"瑞芬太尼"止痛、咪达唑仑、左乙拉西坦预防抽搐、抗癫痫，静脉输注头孢曲松钠抗感染（具体不详）；再次胃肠镜检查：慢性非萎缩性胃炎，结肠未见异常；在医院治疗 1 周后腹痛减轻出院，出院诊断"腹型癫痫"，嘱继续口服托吡酯 1 片/晚，抗癫痫治疗。患者出院后进少量流食，每日仍有腹痛，NRS 5～6 分，影响睡眠，未再癫痫发作。1 周前患者再次出现恶心、呕吐 1 次，此后逐渐增加至 5～6 次/d，为隔夜胃内容物，同时发现晨起尿色加深，有时淡红色尿液。当地医院复查肝肾功：ALT 47U/L，AST 45U/L，LDH 334U/L，TBil 19U/L，Alb 46g/L，Cr 134μmol/L，BUN 11.9mmol/L Na 134mmol/L；AMY 334U/L。考虑患者诊断未明，症状加重，建议转上级医院治疗。

23 岁结婚,孕 2 产 2,顺产,平时月经正常。

请思考以下问题 →

1. 如何构建整体性临床思维?
2. 最可能的诊断是什么? 需要完善哪些辅助检查?
3. 诊断和诊断依据是什么?
4. 治疗方案和患者管理。
5. 病例总结。
6. 知识拓展。

1. 如何构建整体性临床思维?

(1)诊断思路:对于腹痛起病,急性发作性疼痛,伴有不完全肠梗阻表现,对症治疗可以缓解,常规血生化、尿便检查及多种影像学检查均发现异常,就需要考虑胃肠道以外疾病在消化道的表现,包括自身免疫病、代谢性疾病、神经系统疾病、重金属中毒及卟啉病等。女性患者还需要考虑盆腔疾病,如子宫双附件疾病导致的腹痛和/或肠粘连。而整体性临床思维可以帮助全科医生尽快找到病因。

腹痛(abdominal pain)是全科门诊最常见的临床症状之一,表现多种多样,多数由腹部脏器疾病引起,腹腔外疾病及全身性疾病也可出现腹部症状。腹痛性质和程度既受病变性质和病变严重程度影响,也受神经和心理因素影响。腹痛的机制可分为三种,即内脏性腹痛、躯体性腹痛和牵涉痛(图 2-8-1)。

(2)鉴别思维:详实的病史和全面的体格检查对疾病诊断非常重要,根据病史及体格检查,医生要有初步的疾病判断,并做相应的辅助检查证实或除外相关诊断与鉴别诊断。接诊不明原因慢性腹痛患者,在耐心倾听患者描述的同时,要进行不断分析与思考,善于捕捉临床表现的细节与疾病发展过程中的要点,这对我们判断病因及病情严重程度非常有帮助。该患者腹痛 2 年,再发 1 个月持续不缓解,说明病情明显加重,曾多次就诊当地医院,甚至在当地三甲医院住院治疗,查胃肠镜及腹部 CT,均无明显异常发现,是什么原因导致病人腹痛加重? 是"功能性疾患"还是"器质性疾病"? 从临床逻辑思维出发,首先考虑消化道本身疾病,其次要考虑消化道以外疾病的腹部表现,最后考虑精神因素。下面采用以人为中心的问诊,了解患者患病经历。

医生:您好! 我是陈医生,想对您的病史再核实一下,能具体描述一下您的感受吗? (亲切地称呼,营造轻松舒适的环境,开始"开放式问诊")

患者:医生,我肚子痛已经有 2 年多了,每次发作特别严重。以前输液几天就缓解,这次持续快 1 个月了,住院输液,药物治疗一直没好。

医生:腹痛与吃饭、排便有关系吗? (了解腹痛可能的诱因)

患者:感觉没什么关系。

医生:疼痛严重吗? 比如 0 分无痛,10 分最痛,你的腹痛大概有几分? (NRS 数字评分法,了解患者疼痛严重程度)

患者:最严重的 8 ~ 10 分,现在也有 5 ~ 6 分。

医生:除了腹痛,还有什么不舒服吗? 比如有发热、返酸、嗳气、腹泻、体重下降吗? (了解伴随症状,适当使用"封闭式提问",与全身感染性疾病、胃炎、肠炎、肿瘤等鉴别)

患者:没有。

医生:您大便怎么样? 有没有发黑? (鉴别消化道出血)

患者:每次发病大便都会减少或不排便,从来没有黑便。

医生:您觉得是什么原因引起的腹痛呢? (了解患者对自身问题的看法)

患者:当地什么检查都做了,也没发现问题,开始有医生说我是心理问题,后来又说癫痫,可是按癫痫治疗还是发病,没管用。现在病情越来越重。我担心有严重的疾病没被发现。

医生:您的想法有道理,我们会尽力帮助你明确诊断和治疗。您结婚了吗? 有没有孩子? (安慰表达)

患者:23 岁结婚了,有 2 个孩子。

医生:孩子好吗? 是剖宫产还是顺产? (排除剖宫产术后导致的肠粘连和 / 或肠梗阻)

患者:1 子 1 女都健康的,2 个孩子都是顺产的。

医生:是否有妇科方面的疾病,比如是否得过盆腔炎? (排除慢性盆腔炎)

患者:没有。

医生:睡眠好吗? 家庭关系如何? (从睡眠入手,了解患者的精神心理状态)

患者:不发病的时候,睡眠好的。家庭也和睦。

医生:家族中有没有和你得一样病的人? 有没有肿瘤、遗传病或精神病的人?

患者:我的表姐有过反复发作的肠梗阻,原因不清楚,别的没有了。

医生:为了找到病因,您躺到检查床上,我给您检查一下。

体格检查:T 36.9℃,P 118 次 /min,R 20 次 /min,BP 121/95mmHg,SpO$_2$ 98%,体重 48kg,身高 160cm,BMI 18.75kg/m^2。消瘦,神清,对答可,自主体位;全身皮肤黏膜未见黄染、全身浅表淋巴结未触及肿大;眼睑无水肿、下垂,睑结膜无充血、出血、苍白、水肿,巩膜无黄染,双侧瞳孔等大正圆,对光反射灵敏。颈软无抵抗,颈静脉无怒张,气管居中,双侧甲状腺无肿大,双侧颈部未闻及血管性杂音。胸廓正常,双肺呼吸音清,未闻及干湿啰音及胸膜摩擦音,心前区无隆起及凹陷,心界正常,心率 118 次 /min,心律齐,各瓣膜听诊区未闻及病理性杂音。周围血管征(-)。腹软,上腹压痛、无反跳痛,肝脾不大,肠鸣音弱,脐周可及血管搏动音,麦氏点、双输尿管点无压痛。Murphy 征 (-),移动性浊音 (-),Babinski 征 (-)。

(3)是不是急危重症疾病?

根据病史、查体、评估和带来的辅助检查结果,患者存在不全性肠梗阻,需要科学诊治。结合慢性腹痛鉴别诊断导图(图 2-8-4),鉴别以下可能的病因(图 2-9-1)。

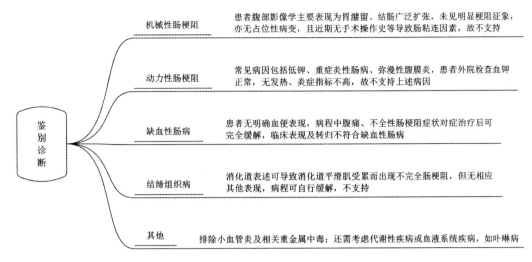

机械性肠梗阻　患者腹部影像学主要表现为胃潴留、结肠广泛扩张,未见明显梗阻征象,亦无占位性病变,且近期无手术操作史等导致肠粘连因素,故不支持

动力性肠梗阻　常见病因包括低钾、重症炎性肠病、弥漫性腹膜炎,患者外院检查血钾正常,无发热、炎症指标不高,故不支持上述病因

缺血性肠病　患者无明确血便表现,病程中腹痛、不全性肠梗阻症状对症治疗后可完全缓解,临床表现及转归不符合缺血性肠病

结缔组织病　消化道累述可导致消化道平滑肌受累而出现不完全肠梗阻,但无相应其他表现,病程可自行缓解,不支持

其他　排除小血管炎及相关重金属中毒;还需考虑代谢性疾病或血液系统疾病,如卟啉病

图 2-9-1　不全性肠梗阻鉴别诊断

2. 最可能的诊断是什么? 需要完善哪些辅助检查?

(1)最可能的诊断:急性间歇性卟啉病?

患者间断发作性腹痛,伴有呕吐,肠鸣音减弱,影像学显示肠管扩张,麻痹性不完全肠梗阻表现,同时伴有神经系统症状,癫痫样发作;晨起有过尿色加深,要考虑卟啉病可能。另外,患者目前不完全肠梗阻诊断明确,属于急症,应该立刻胃肠减压,同时液体及营养支持。

(2)需要完善的辅助检查:

患者入院后检查:血常规示 HGB 125g/L;尿常规示 WBC 15 个 /μl,UBG 33μmol/L;肝肾功:ALT 47U/L,AST 45U/L,ALP 124U/L,Alb 41g/L,TBil 11.7μmol/L,Cr(E)125μmol/L,K 3.6mmol/L,Na 133mmol/L,Mg 0.71mmol/L;hsCRP、ESR、PCT、免疫球蛋白 3 项、补体水平等血液检查均正常;甲功、ANA-17 项(−);尿卟胆原(+);红细胞游离原卟啉 10.9μg/g;尿卟啉(−)。

患者晨尿经阳光照射试验:转为砖红色。

血液和尿液重金属检测结果无异常。

胸部 CT:未见异常。

腹盆 CT:肠管轻度扩张,双附件饱满(生理性改变)。

头颅 MR:未见明显异常。

腹部血管超声:肠系膜血管未见狭窄及血栓形成。

3. 诊断和诊断依据是什么?

(1)诊断:急性间歇性卟啉病(acute intermittent porphyria)

(2)诊断依据:间断发作严重腹痛伴有不完全肠梗阻表现;合并有神经系统受累(癫痫样症状),尿色在阳光下加深,血红细胞游离原卟啉明显升高,尿卟胆原(+);同时除外重金属中毒,消化道占位性病变,炎性肠病等常见疾病。结合该患者的临床表现,实验室检查诊断为神经内脏型中的急性间歇性卟啉病。

4. 治疗方案和患者管理

（1）禁食水，给与持续胃肠减压。

（2）静脉补充葡萄糖氯化钠，每日入量计划为1 500ml，给与高糖缓解腹部症状。

（3）避免诱发因素，药物因素，如布洛芬等。

（4）继续对症抗癫痫治疗，注意药物副作用。

5. 病例总结

急性间歇性卟啉病属于常染色体显性遗传疾病，PBGD基因突变导致其编码的酶活性下降所致，临床表现复杂多样，缺乏特异性，基因检测是诊断急性间歇性卟啉病的金标准。对于反复发作且不明原因的腹部绞痛，伴有神经精神症状，尿放置后成咖啡色者应考虑本病。取新鲜尿做二甲氨基苯甲醛定性试验可确诊。

患者腹痛起病，急性发作性疼痛，伴有不完全肠梗阻表现，对症治疗可以缓解，常规血生化、尿便检查及多种影像学检查均为发现异常，我们就要考虑胃肠道以外疾病在消化道的表现，包括自身免疫病、代谢性疾病、神经系统疾病、重金属中毒及卟啉病，结合病人间歇性发作特点，近期合并有神经系统表现，卟啉病的诊断可能性就很大了。

患者经过高浓度葡萄糖治疗后症状完全缓解，但这种治疗只能缓解症状，病人随后管理也非常重要，比如开始2次发病都是在发热后应用解热镇痛药物诱发，所以治疗方面除了对症治疗，还需要去除诱发因素。针对原发病的治疗首选输注氯高铁血红素以及补充葡萄糖以抑制ALA合成酶（ALAS1），但目前氯高铁血红素可及性较低，治疗仍以高浓度葡萄糖缓解症状及补液，禁食等对症治疗为主。此外避免避免应用可以增强ALA合成酶作用的药物，如巴比妥、磺胺药、灰黄霉素、氯喹、雌性激素等。

6. 知识拓展

卟啉病（porphyria）是由于血红素生物合成途径当中特异性酶缺乏造成卟啉或其前体和卟胆原浓度异常升高，蓄积于组织导致细胞损伤而引发的代谢性疾病。卟啉病主要临床表现为光敏性皮肤损伤，腹痛和神经系统症状三大特征；根据代谢紊乱发生临床表现，实验室检查分为皮肤光敏型、神经内脏型、混合型。

急性间歇性卟啉病是卟啉病中较多见且最重的一种。本病是常染色体显性遗传病，青春期很少出现症状，大多数20～40岁发病，女性多于男性。常有较长无症状期，发作时间数日或数月，然后有间歇期，发作频度和严重度不一致。临床特征为腹部绞痛、顽固性便秘、精神症状和尿中排泄大量ALA及卟胆原。

（陈嘉林　王　静）

 思考题

1. 不完全肠梗阻的主要病因有哪些？

2. 什么是卟啉病？临床分型有哪些？

3. 卟啉病的主要治疗有什么方法？

病例 10 ⊠

___

排便困难 9 年余

___

患者,女,37 岁,已婚,中学教师。因"排便困难 9 年余"前来就诊。

患者口述:9 年前出现排便困难,排便次数减少,排便费时费力,大便干硬。平均每周排便 2 次,小而硬的球形便为主,有排便不尽感,常需手法辅助排便。无明显腹痛腹胀。曾多次就诊,诊断为"功能性便秘",使用"乳果糖液"、"莫沙必利片"等,效果不明显。当多日无便意时,会使用"开塞露"辅助。9 个月前当地医院查大便隐血阴性,血常规、肝肾功能、甲状腺功能、血糖等实验室检验都无异常;腹部 CT 提示结肠多发积气积粪,乙状结肠冗长。

无其他药物长期应用史。无外伤和腹部手术史,无重大脏器疾病史,无传染病史,无便秘、消化道肿瘤或其他胃肠道疾病家族史。否认高血压病、冠心病、糖尿病等病史;无烟酒嗜好;月经量中等,持续 4 ~ 5 天;育有 2 子,均为自然分娩。否认抑郁,有活跃的社交生活。

> **请思考以下问题 →**
>
> 1. 如何构建整体性临床思维?
> 2. 最可能的诊断是什么? 需要完善哪些辅助检查?
> 3. 诊断和诊断依据是什么?
> 4. 治疗方案和患者管理。
> 5. 病例总结。
> 6. 知识拓展。

1. 如何构建整体性临床思维?

(1)诊断思路:便秘是一般人群中最常见的消化道主诉之一,患者性别、年龄、经济状况、文化程度、生活方式、饮食习惯和精神心理因素等均是慢性便秘的危险因素。临床大多数慢性便秘患者为功能性便秘。全科医生接诊便秘患者时,要从便秘的病理生理机制入手,运用"全人"理念、以"人"为中心和整体性思维,时刻警惕"红旗征",全面排除急危重疾病。

便秘(constipation)表现为排便次数减少,粪便干硬和 / 或排便困难。便秘的病理生理机制与结肠运动的形式、神经控制及排便动作的形成有关。正常结肠运动以节段性和推进性蠕动收缩活动为特征,由交感神经和副交感神经系统支配。直肠一般是没有粪便的,当粪便推进至直肠时,对直肠肠壁的机械感受器产生刺激,当充胀压力达到一定程度时,冲动经由骨盆神经和下腹神经的传入纤维传至腰部脊髓的初级排便中枢,造成直肠、腹肌收缩和肛门内括约肌松弛,完成排便动作。任何可能影响结肠运动、神经控制及排便机制的因素均可导致便秘。

排便次数减少指每周排便少于 3 次。排便困难包括排便费力、排出困难、排便不尽感、排便费时及需要手法辅助排便。慢性便秘的病程至少为 6 个月。该患者属于慢性便秘,慢性便秘可由多种疾病引起,包括功能性疾病和器质性疾病,很多药物也可引发便秘。引起便秘的原因如下(图 2-10-1)。

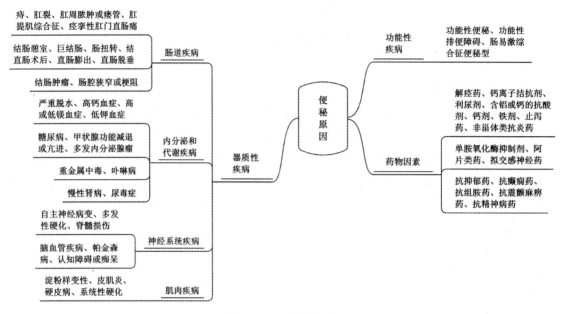

图 2-10-1　便秘原因

该女性患者 9 年前出现排便困难,排便次数减少,排便费时费力,大便干硬。9 个月前当地医院查大便隐血阴性,血常规、肝肾功能、甲状腺功能、血糖等实验室检验都无异常;腹部 CT 提示结肠多发积气积粪,乙状结肠冗长。现采用整体性临床思维——临床 4 问对该患者进行分析(图 2-10-2)。

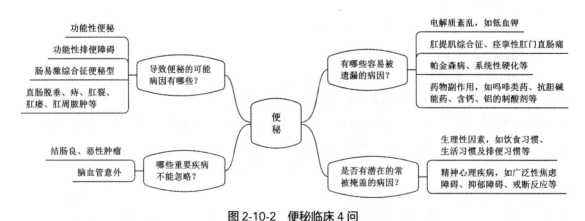

图 2-10-2　便秘临床 4 问

(2)鉴别思维:病史的采集可以获得患者排便模式的细节描述,比如排便的频率、大便的性状、排便耗时、施力。另外,有无排便不尽感及是否存在需手法辅助排便的情况对诊断亦有重要价值。腹痛不是诊断慢性便秘的必需表现,但如果存在,应考虑到肠易激综合征便秘型的诊断。详尽的病史还应包含症状的始动因素,如任何新的药物(包括治疗便秘的药物)应用、运动方式或生活习惯的改变等。病史采集时需要警惕潜在"红旗征"的患者,而 RICE 问诊可以全面地了解患者的诉求、关注和期望。

R(reason)——患者就诊的原因

医生:您好!有什么可以帮您吗?(开放式提问)

患者:我便秘好多年了,一直没有好转,想配点开塞露。

医生:可以和我详细说一下患病的经历吗?比如您平均 1 周能排便几次?(了解排便的频率)

患者:有时候 1 次,有时候 2 次。

医生:排出的大便一般是什么样子的呢?您看,这张图上的哪些形状比较符合您的大便样子?(出示 Bristol 粪便性状量表彩图,了解患者大便的性状)

患者:大多数是第 1 排的样子,有时候也会有第 2 排的。

医生:有没有大便带血或黏液之类?(了解伴大便出血的情况)

患者:没有。

医生:每次排便大约要花多长时间?很费力气吗?(询问排便细节)

患者:每次排便都要花很长时间,有时候要半小时;费力也解不多,解出来经常是一颗颗的。

医生:会不会感觉排不干净,有时甚至要用手辅助呢?(了解细节)

患者:是的,有时候觉得大便就在肛门口了,就是排不出,我就会戴上手套帮忙……这个事情以前从没对人讲过……(患者感到不好意思)

医生:大便前有没有觉得肚子胀或者痛呢?(鉴别肠易激综合征)

患者:没有。有时候 1 周不大便都没有什么感觉。我担心影响健康,就用开塞露,用开塞露就能解出来。

医生:您这种情况有多久了呢?(询问病程)

患者:应该有 9 年了。

医生:我很好奇,您为什么记得是 9 年呢?

患者:唉,我的便秘似乎和我大儿子同岁的,他今年 9 岁了。(患者笑了)

医生:您有几个孩子?是顺产还是剖宫产的?(探寻可能的始动因素)

患者:两个儿子,大的 9 岁,小的今年 5 岁,都是顺产的。

医生:9 年来,您觉得便秘的情况是越来越严重了还是变化不大?(了解病程进展)

患者:应该是越来越严重了。生小儿子之前,虽然大便干,但没觉得有多大影响。最近几年觉得比以前要严重,用手帮助排便的次数多了。

医生:您是做什么工作的呢?平时忙不忙?运动多吗?(便秘相关生活习惯)

患者:我是老师,比较忙,讲课、备课、批作业等,运动不多。

医生:平时饮食蔬菜水果多还是荤菜多?喝水多吗?(便秘相关生活习惯)

患者:我吃的比较清淡。喝水不多,每天给学生上课,怕上厕所。

医生:您平时工作、生活上压力大不大?有没有经常不开心?(了解便秘与压力、情绪的关系)

患者:压力有一些的,没有不开心,周末也经常和朋友一起玩的。

医生:平时睡眠好吗?(从睡眠入手,排除焦虑、抑郁等因素)

患者:睡眠还好的,偶尔半夜会醒,然后就睡不着,但是很少。

医生:体重有没有变化? (了解红旗征)

患者:没有变化,这几年保持的还好。

医生:您家里父母或兄弟姐妹,有没有类似的情况或者有没有得胃肠道肿瘤的?

患者:没有。

医生:除了便秘,您还有其他什么不舒服的吗? 有没有什么一直在吃的药物? (排除药物性致便秘因素)

患者:没有。

I(idea)——患者对自己健康问题的想法

医生:您觉得是什么原因引起的便秘呢? (了解患者对自身问题的看法)

患者:会不会是我生孩子后坐月子的时候吃得太好,活动又少,那时候大便就少,然后就落下了病根?

医生:我赞同您的想法。您的便秘在生宝宝之前是没有的,生了宝宝之后才出现,而且小儿子出生后您的便秘也较之前更严重了。但是否真的存在因果关系,我们还需要进一步检查来判断。(对患者的认知表示认同,"共情",增加医患信任)

患者:医生,需要做什么检查?

医生:您躺到检查床上,我先给您检查一下。

查体注意事项:腹部检查要明确有无腹部膨胀、结肠可触及的硬结粪便、炎症或肿瘤形成的肿块等。直肠检查对评估便秘患者非常重要(注意保护患者隐私),可以排除肛周疼痛和直肠黏膜病变,同时评估排便功能,在静息状态和模拟排便时观察会阴部的情况。直肠指诊可发现是否有粪便嵌顿、狭窄和直肠肿物的存在,对评估耻骨直肠肌和肛门括约肌的收缩也非常重要。

查体:T 36.5℃,P 84次/min,BP 122/73mmHg,R 18次/min,HR84次/min,律齐,双肺未闻及干湿啰音,腹平软,全腹无明显压痛,肝脾未及肿大,未及包块。移动性浊音阴性,双肾区无叩击痛,双下肢无水肿。直肠指诊未及新生物,肛门括约肌张力正常,模拟排便动作未引出耻骨直肠肌松弛及正常的会阴下降。

(3)是不是急危重症疾病?

根据患者病史、查体和之前外院的辅助检查结果,初步排除严重疾病。列出以下鉴别诊断(图2-10-3)。

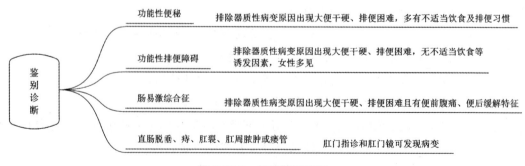

图2-10-3 便秘鉴别诊断

C(concern)——患者的担心

医生:查体发现您在模拟排便的过程中,直肠和肛门括约肌的运动不太协调,这个的确和您生孩子的过程中有可能出现的产道损伤有关。这么多年了,您去医院看过吗?

患者:看过很多次! 医生说我是慢性便秘,功能性的,给我开过"乳果糖"和"莫沙必利",我也吃过一两个月,不但没解决问题,反而还肚子胀得难受,就没有继续吃。还不如用"开塞露"来的直接……医生,去年担心得肠癌,到医院化验了大便,做了一个腹部CT,都没查出癌症,会不会没有查清楚?

医生:从目前的情况看,您还年轻,没有肿瘤的家族史,虽然便秘9年了,大便干,但没有大便带血,腹部CT提示结肠多发积气积粪,乙状结肠冗长,所以这个不用太担心。

患者:那我究竟得了什么病呢? 我周围的同事也有便秘,可没有像我这样的,吃什么药都不管用。说真的,我现在每次上厕所解大便前都很恐惧,好多天不去,又担心"毒素"排不出,面部长斑,影响容颜。

医生:根据您的症状和目前的检查,功能性排便障碍可能性大,不过您这种情况的确比较少,应该属于难治性便秘了。

E(expectation)——患者的期望

患者:那能不能治好啊?

医生:您配合做一些检查,找找病因,有些检查需要到我们上级医院去做,我会帮您预约好检查时间。您放心,现在治疗便秘的措施有很多,相信您一定会好起来的。

患者:听您这样说,我感觉有希望了。我一定配合检查。

2. 最可能的诊断是什么? 需要完善哪些辅助检查?

(1)最可能的诊断:功能性排便障碍? 不协调性排便? 直肠前突?

(2)需要完善的辅助检查:血常规、肿瘤标志物、甲状腺功能化验及血钙、大便隐血、肠镜、肛门直肠测压、磁共振排粪造影。

回报如下:肛门直肠测压提示不协调性排便 III 型(用力排便时直肠内压力增高,而肛门括约肌松弛不充分);磁共振排粪造影提示存在直肠前突 3cm,直肠排空能力下降。其余未见异常。

第2次就诊

医生:根据您的病史和上次的查体以及目前的检查检验结果,考虑您患的是功能性排便障碍。从您的病史看,您在分娩时直肠阴道隔有损伤未能及时修复,导致直肠前突从而引起不协调性排便,造成您排便感觉费力、排便不尽感和肛门堵塞感;排便周期的延长加重了这些表现并出现了结肠传输的障碍以及结肠冗长等,所以您以前使用通便的药物效果不理想。不过您也不要担心,您的直肠前突还是中度,通过生活方式尤其是饮食和排便习惯的调整,加上生物反馈的训练,您的便秘情况得到改善的概率较大。

患者:如何调整生活方式?

医生:饮食上适当增加纤维含量高的水果和蔬菜,平时注意多饮水;适当增加运动量,快步走就是一种很好的运动方式;我们结肠的运动存在明显的昼夜节律,觉醒时和餐后最为活跃,所以无论是否有便意,尽可能每日定时在这样的时机去排便,慢慢培养排便的习惯,另外就是不能"憋"大便,因为故意的抑制排便会反馈性地诱发并加重便秘的症状。最后,要放松心情,尤其是排便前,一定要有信心,相信经过一段时间的治疗,您的便秘一定会好转。

患者:好的,医生,谢谢您的指导,我一定按照您说的去做。

3. 诊断和诊断依据是什么?

(1)诊断:

1)功能性排便障碍(functional defecation disorders)

2)不协调性排便(dyssynergic defecation)

3)直肠前突(rectocele)(中度)。

(2)依据:①患者青年女性,排便困难9年,有2次自然分娩史,分别为9年前及5年前;②症状符合功能性便秘的诊断标准;③常规泻药疗效不佳;④查体示腹平软,全腹无压痛,未及包块;直肠指诊未及新生物,肛门括约肌张力正常,模拟排便动作未引出耻骨直肠肌松弛及正常的会阴下降;⑤血清带些化验无异常,肛门直肠测压提示不协调性排便 III 型;磁共振排粪造影提示存在直肠前突 3cm,直肠排空能力下降。

4. 治疗方案和患者管理

(1)解释便秘的原因,给予鼓励和支持,指导患者改善生活方式,帮助患者认识自己的疾病,提高患者战胜疾病的信心。

(2)对患者作定期随访。口服聚乙二醇 4000 散辅助通便。

(3)协助患者转诊至上级医院行生物反馈治疗,每周 1 次,每次 30 分钟。

(4)出现"红旗征"立即转诊排查危重症疾病,如近期出现的排便习惯改变、非意愿的体重减轻(3 个月内减轻 > 10%)、结肠癌家族史、非痔疮或肛裂引起的便血、发热以及年龄 > 50 岁。

3 个月后患者复诊,便秘情况得到显著改善,解大便较之前顺畅很多,每周有 2 ~ 3 次排便,且排便时间多在 10 分钟内,继续给予鼓励和支持,嘱咐继续保持良好的饮食与排便习惯,每次排便都按照生物反馈训练时的用力方式等。继续随访。

5. 病例总结

随着饮食结构改变、生活节奏加快和心理社会因素影响,慢性便秘患病率有上升趋势,且随年龄增长而升高,女性多于男性。低纤维素饮食、液体摄入减少以及滥用泻药等可加重便秘。本例患者长期便秘,常规泻药治疗效果不佳,全科医生接诊时通过 RICE 问诊,发现患者便秘的表现更可能源于出口梗阻,且患者便秘的病程与患者分娩的时间上有相关。查体中肛门指检进一步证实患者存在出口功能障碍。在除外代谢性因素等之后,安排患者进行病理生理学诊断试验,通过肛门直肠测压和磁共振排粪造影,揭开了引起患者便秘的病因。

全科医生通过建立良好的医患关系,帮助患者正确认识自己的疾病,消除顾虑,转诊患者到上级医院进行生物反馈治疗,最终取得满意效果。本病例提示我们,在接诊慢性便秘患者时,患者排便细节的沟通以及体检中的肛门指检不可忽视。

6. 知识拓展

(1)直肠前突:直肠前突是女性常见病,多见于已婚产后妇女,偶见未婚女性。女性的直肠阴道隔一般厚度为 0.5cm,由盆内筋膜构成,主要是由肛提肌、耻骨直肠肌的前中线交叉纤维及会阴体与盆内筋膜相融合。直肠前突多见于女性便秘者,尤其是中老年女性,少数男性患者也存在直肠前突的情况,严重者可明显影响患者的生活质量。

根据排粪造影检查结果,直肠前突可分为三度:轻度(前突深度为 0.6 ~ 1.5cm)、中度(前突深度为 1.6 ~ 3cm)和重度(前突深度 > 3.1cm)。直肠前突的病因主要是由于直肠前壁薄弱,排便过程中粪便对直肠前壁的过度挤压所致。包括直肠阴道隔发育不良、分娩期直肠阴道隔损伤未及时修复,还有诸多因素导致的慢性长期便秘造成直肠受压迫所致。直肠前突发生后,由于排便压力作用方向改变且被部分耗散,直肠后壁受压减少,造成排便困难,最终导致便秘、排便不尽感、排便间隔时间长、肛门下坠感、阻塞感甚至便血等不适。详细的问诊,直肠指诊、排粪造影及肛门直肠测压等是诊断直肠前突的主要方法。

治疗包括保守治疗和手术治疗,生物反馈训练应作为中重度直肠前突伴排便障碍患者的首选治疗方法。经保守治疗无效的患者,或者有手术意愿患者建议推荐手术治疗,但是手术治疗只能改善临床症状,缓解不适感,极有可能会复发。

(2)生物反馈训练:生物反馈治疗是通过生物反馈仪把肌电或压力感受器置于肛门内或其附近进行监测,为患者提供横纹肌活动的反馈信息,以视觉或听觉信号的形式反馈给人体,然后人再通过训练和意念来主动控制这些生理信号的变化达到治疗的目的。主要包括以下步骤:

1)患者教育:当患者用力排便时肛门不自主地缩紧或不能松弛时,向患者解释这样会导致粪便滞留在直肠。

2)用力排便训练:教会患者有效地用力,适当增加腹内压力:通过直肠球囊压力的反馈,让患者学习收紧腹壁肌肉,降低膈肌,并将球囊排出。

3)训练患者用力排便时放松盆底肌肉:对于用力排便时盆底肌肉不能放松的患者,教会他们如何放松这些肌肉。给患者提供肛管压力的视觉反馈,使患者学会这一技巧。

4)模拟排便训练:让患者练习排出润滑的充盈的球囊,治疗师同时缓慢牵拉导管辅助患者最终自行排出球囊。

附表 Bristol 粪便性状量表

1 型 分散的干球状便,如坚果,很难排出

2 型 腊肠状,但很硬

3 型 腊肠样,表面有裂缝

4 型 腊肠样或蛇状,光滑而柔软

5 型 柔软团块,切缘清楚(容易排出)

6 型 松散的碎片,边缘破糟,或糊状便

7 型 水样便,没有固形部分

(丛衍群 王 静)

思考题

1. 试述慢性便秘的病理生理机制及临床分型。
2. 慢性便秘特定的报警征象有哪些?
3. 慢性便秘的常见病因有哪些? 相关疾病如何鉴别?

病例 11 ⊠

大便次数增加，带血 3 个月

患者，女，49 岁，已婚，环卫工人。因"大便次数增加、带血 3 个月"前来就诊。

患者口述：3 个月前无明显诱因出现排便次数增多，3～6 次/d，不成形，间断带暗红色血迹。有中、下腹痛，无明显腹胀及恶心呕吐。无发热，进食可。近来明显乏力，3 个月来体重下降约 5kg。

无外伤和手术史，无重大脏器疾病史，无传染病、家族性肿瘤史和遗传病史。否认高血压病、冠心病、糖尿病等病史，无烟酒嗜好。

> **请思考以下问题 →**

1. 如何构建整体性临床思维？
2. 最可能的诊断是什么？需要完善哪些辅助检查？
3. 诊断和诊断依据是什么？
4. 治疗方案和患者管理。
5. 病例总结。
6. 知识拓展。

1. 如何构建整体性临床思维？

（1）诊断思路：便血症状的出现大多源自病理性原因，患者对疾病的认知缺乏以及疾病并发症等带给患者的不适会加重患者对自身健康问题的担忧与恐慌。患者因疾病需要面对的生活改变影响到方方面面，这些影响甚至比疾病带给患者的不适更为重要。全科医生接诊便血患者时，要构建整体性临床思维，把患者对疾病和医疗的感受作为医疗实践的核心，这种感受不仅仅是生理上的不适，还有社会适应和心理上的体验不佳。

便血（hematochezia）是指消化道出血，血液由肛门排出。便血颜色因出血部位不同、出血量多少以及血液在肠腔内停留时间的长短而异，可呈鲜红、暗红或柏油样黑色。少量出血不造成粪便颜色改变，需经隐血试验才能确定者，称为隐血（occult blood）。便血多为下消化道出血，可表现为急性大出血、慢性少量出血及间歇性出血。

便血多由疾病因素导致，一般而言，幼儿、青少年便血以结肠息肉、肠套叠、美克尔憩室及炎症性疾病为常见病因；中、老年患者则以肠道炎症性病变、结直肠癌、肠道血管性病变为多见病因；肛周病变如痔、肛裂或瘘管在成人亦不应忽视。便血原因如下（图 2-11-1）。

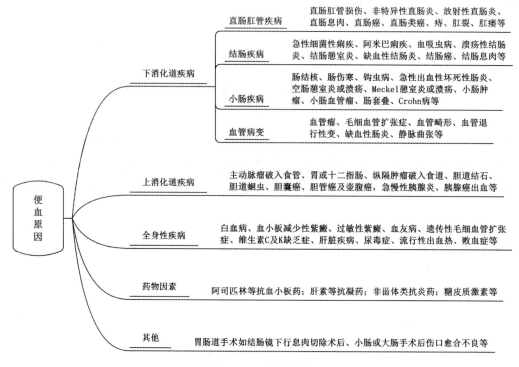

图 2-11-1 便血原因

根据病史、症状和体征以及粪便中血液的色泽以及是否伴有呕血,一般可初步估计出血的部位。对呕血病人均应进行急诊胃镜检查,最好达十二指肠乳头,以排除上消化道出血。便血的特征取决于出血的部位、出血量以及血液在肠道内停留的时间。便后滴血提示为肛管或肛门附近部位出血;鲜红血便或血液附着在成形粪便的表面常提示肛门、直肠下段、左半结肠出血;右半结肠出血时,血液常和粪便均匀混合,呈酱红色;小肠出血如血液在肠道内停留时间长,可排出柏油样大便,若出血量多,排出较快,也可排出暗红色或鲜红色血便。有黑便病史的病人应除外服用铋剂、铁剂、活性炭及甘草等。若上消化道出血量较大,如食管-胃底静脉曲张出血,肠蠕动增快,排出粪便颜色也可呈鲜红色。

该女患者,49 岁,3 个月前无明显诱因出现排便次数增多,3 ~ 6 次 /d,不成形,间断带暗红色血迹。有中、下腹痛,无明显腹胀及恶心呕吐。无发热,进食可。近来明显乏力,体重下降约5kg。是危重症吗?现采用整体性临床思维——临床 4 问对该患者进行分析(图 2-11-2)。

(2)鉴别思维:临床上的便血患者除了重要的不能被忽略的疾病,如上、下消化道炎症、溃疡、肿瘤性疾病及血管病变引发的出血外,还需考虑到容易被遗漏的病因,如全身性疾病或药物性因素导致的消化道出血。对全科医生来说,在诊治疾病的基础上还需要了解患者的临床背景,诱导并获得患者的感受及预期,让患者在就医中感受到医生的共情与认同,建立起良好的医患关系,增加患者的依从性,从而改善患者的预后。RICE 问诊的流程可以很好地帮助全科医生掌握有效的沟通技能并付诸实践,更为重要的是,在不增加接诊时间的同时,有效的医患沟通能使诊断和评估过程更有效,同时医患的满意度也随之增强。下面采用以患者为中心的问诊——RICE 问诊进行深入访谈,了解患者的背景,包括想法、关注和期望,寻找病因,达到诊断疾病的目的。

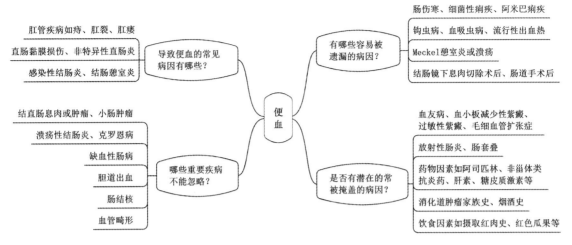

图 2-11-2 便血临床 4 问

R（reason）——患者就诊的原因

医生：您好！有什么可以帮您吗？（开放式提问）

患者：医生，我这段时间大便不好，身上没力气。

医生：这个情况有多久了？能详细地描述一下吗？（开放式问诊）

患者：有 3 个多月了。总是拉肚子，每天少的时候 3 次或 4 次，多的时候有 5 次或 6 次。

医生：大便是什么样子的呢？成形吗？颜色是黄色的吗？（进一步封闭式询问大便的颜色、性状）

患者：大便大多数是糊的，不太成形，颜色不是黄色，比较深，有时候看起来像是果酱的颜色，黑褐色，有时候带些暗红色的血丝，马桶里冲完水看到有浅红色。

医生：根据您所说，可能大便中带血了。每次大便量多吗？（进一步询问大便的量，评估出血量）

患者：量和以前差不多。

医生：大便带血的时候，血和大便是混在一起的还是只粘在大便表面？大便里有没有黏液，就是像鼻涕一样的东西？（进一步了解便血的性状）

患者：看着应该是混在一起的，没有你说的黏液样的东西。

医生：您没力气的感觉也有 3 个月了吗？（询问伴随症状）

患者：那倒不是，前面两个月没多大感觉，我还正常上班，就是这个月，感觉没力气，干活总觉得累，还头晕，不想动。

医生：除了没力气，您还有什么其他不舒服的吗，比如发热、肚子痛？（询问伴随症状）

患者：没有发热，有时有肚子痛。

医生：能具体描述一下肚子哪里痛吗？（开放式问诊）

患者：主要是在肚子的右下部位，隐隐地胀痛，几乎每天都会痛。

医生：腹痛与吃饭、排便有关系吗？（了解腹痛的规律性）

患者：感觉没什么关系。

医生:疼痛严重吗? 比如 0 分无痛,10 分最痛,你觉得你的腹痛大概有几分? (NRS 数字评分法,了解患者疼痛严重程度)

患者:2 ~ 3 分。

医生:身上有没有其他地方出血? 比如皮肤有发青,鼻子、牙齿出血等等? (询问伴随症状,判断有无出血倾向)

患者:没有。

医生:最近小便有没有变化? (询问小便以了解全身血容量情况)

患者:小便和原来差不多。

医生:以前有没有胃病或者肝病? 平时有没有恶心、呕吐、反酸、烧心的感觉? (了解既往胃肠道疾病史)

患者:没有。

医生:平时有没有在吃什么药? (了解用药史)

患者:以前身体蛮好的,几乎没来过医院。

医生:最近 3 个月来,体重有没有变化?

患者:体重轻了 10 斤,以前的衣服现在穿都觉得宽松了,同事也说我比以前瘦了。

I(idea)——患者对自己健康问题的想法

医生:您觉得是什么原因引起的拉肚子、大便带血呢? (了解患者对自身问题的看法)

患者:会不会吃坏肚子? 肠子发炎?

医生:您觉得是什么食物吃坏了呢? 这 3 个月饮食上和以前相比有什么变化吗?

患者:我记得 3 个月前刚开始的时候是吃了顿火锅,然后有 2 天拉肚子,后来就一直没好。

C(concern)——患者的担心

医生:这 3 个月里,您有没有看过医生?

患者:没有。最近总觉得没力气,同事都说我瘦了,我不放心,才来看看。

医生:请您躺到检查床上,我给您做查体。

查体注意事项:全身体检,观察皮肤黏膜有无皮疹、紫癜、毛细血管扩张,浅表淋巴结有无肿大;观察患者腹部是否有膨隆,是否有腹壁静脉曲张;腹部触诊腹肌紧张度,是否有腹块、压痛、反跳痛,注意肝脾触诊;叩诊是否有移动性浊音;听诊肠鸣音活跃度;常规检查肛门直肠,观察有无肛裂、痔、瘘管,直肠指检有无肿物。

查体结果:T 37.2℃,P 78 次 /min,R 18 次 /min,BP 120/80mmHg。一般状况稍差,皮肤无黄染,结膜苍白,浅表淋巴结未及肿大。心肺无明确病变。腹平坦,未见胃肠型及蠕动波,腹软,无压痛,无肌紧张,肝脾未及。右上腹可触及直径约 3cm 包块,边界欠清,质偏硬,无压痛,可推动。移动性浊音(−),肠鸣音大致正常,直肠指诊未及异常。

(3)是不是急危重症疾病?

结合患者的病史、查体和之前的辅助检查,初步判断结肠肿瘤,需要完善相关检查确诊。列出以下鉴别诊断(图 2-11-3)。

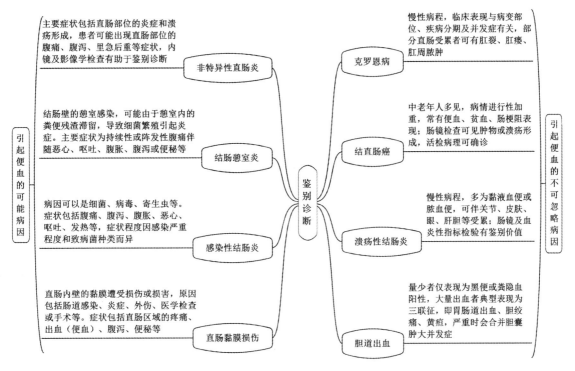

图 2-11-3　便血鉴别诊断

E(expectation)——患者的期望

医生:刚才给您做了查体,结合您目前的症状,我们还需要进一步做些化验和检查来明确您到底是不是得了什么病。您看怎么样?(医患协商处理方案)

患者:医生,我一切都听您的。

医生:您接下来要注意饮食规律,不吃生冷、油腻食物,适当多饮水。如果出现便血加重或恶心、呕吐、晕厥、胸闷、胸痛等,要及时就诊,这是我的电话,您可以随时和我联系咨询。

患者:好的,谢谢医生。

2. 最可能的诊断是什么?需要完善哪些辅助检查?

(1)最可能的诊断:结肠肿瘤?

(2)需要完善的辅助检查:血常规、粪常规及隐血试验、血癌胚抗原化验;可能是急危重症疾病,开具转诊单转上级医院胃镜及全结肠镜检查申请。

(3)依据:

1)患者,女,49岁。3个月前无明显诱因出现排便次数增多,3～6次/d,不成形,间断带暗红色血迹。有中、下腹痛,无明显腹胀及恶心呕吐。无发热,进食可。近来明显乏力,体重下降约5kg。

2)体检:一般状况稍差,皮肤无黄染,结膜苍白,浅表淋巴结未及肿大。右上腹可触及直径约3cm包块,边界欠清,质偏硬,无压痛,可推动。

检验结果回报:大便潜血(+),血 WBC 4.6×10^9/L,Hb86g/L,红细胞压积(HCT)26.6%,平均红细胞体积(MCV)68.4fl,红细胞平均血红蛋白浓度(MCHC)286g/L,PLT 376×10^9/L;血 CEA

42ng/ml。胃镜提示慢性非萎缩性胃炎。结肠镜检提示横结肠近肝曲处肿物,分叶状,长 6 ~ 7cm,似有蒂,表面尚光滑,无糜烂及溃疡,肠腔狭窄,内镜勉强通过。病理提示结肠管状绒毛状腺瘤伴高级别上皮内瘤变(tubulovillous adenoma with high grade intraepithelial neoplasia)。

3. 诊断和诊断依据是什么?

(1)诊断:结肠管状绒毛状腺瘤伴高级别上皮内瘤变。

(2)诊断依据:①大便次数增加、带血 3 个月,伴有乏力、体重减轻;②体格检查右上腹可触及直径约 3cm 包块,边界欠清,质偏硬,无压痛,可推动;③结肠镜检提示横结肠近肝曲处肿物,分叶状,长 6 ~ 7cm,似有蒂,表面尚光滑,无糜烂及溃疡,肠腔狭窄,内镜勉强通过;④病理提示结肠管状绒毛状腺瘤伴高级别上皮内瘤变。

4. 治疗方案和患者管理

(1)给予患者适当的教育和安慰,帮助患者认识、理解病情,提高患者应对疾病以及治愈的信心和能力。

(2)转诊上级医院进一步诊治。

第 2 次就诊

患者转上级医院时,全科医生应向专科医生交待患者诊治经过及其个人家庭社会背景资料,便于专科医生更好地开展诊疗。专科诊疗结束来复诊,全科医生应及时了解患者诊疗经过、后续的治疗方案(主要用药)、目前的病情、主要体征以及各项主要指标的情况等,以实现连续性医疗服务。

第 3 次就诊

患者转上级医院普外科接受手术治疗。患者的结肠腺瘤性息肉表面虽然没有糜烂、出血和溃疡,但是腺瘤性息肉的体积大且存在高级别上皮内瘤变,其潜在的恶性程度高,已经有发生癌变的可能,同时由于内镜下活检组织小,有时不能反映病变的全貌,而且该息肉体积较大,已经引起了肠腔狭窄并发症,因此有手术切除的指征。患者在上级医院行右半结肠切除术,术中见横结肠肝曲肿瘤,呈肿块型,约 4cm×5cm,未侵犯出浆膜,肝脏、大网膜、腹膜未见转移。手术病理提示:结肠高分化腺癌,侵入肠壁全层达浆膜层,切缘未见癌细胞,淋巴结未见转移癌。术后分期:横结肠高分化腺癌(T3N0M0,Ⅱ B 期)。术后患者一般情况较好,目前仍在随访中。

5. 病例总结

患者为中年女性,以腹泻、乏力、贫血为主要表现,病史并不复杂。起病初期有明显腹泻,并有便中带血,但未引起患者注意。后因乏力、体重减轻,患者就诊于全科门诊,进一步查体发现轻度贫血貌,右上腹包块。全科医生考虑到患者消化道出血,慢性消化道失血致贫血,结合查体,推测患者肠道病变可能,内镜检查应作为病因诊断首选的检查方法。进一步检查,血常规提示小细胞低色素性贫血,化验大便潜血阳性,血 CEA 升高;结肠镜检查基本明确诊断。回顾患者起病初期,就已存在结肠病变,如早期行相关内镜检查可提早发现病变,因此对居民的健康教育提高对相关症状的认识以及粪隐血试验筛查对及早发现结直肠癌有重要意义。

通过手术后病理切片,患者被诊断为结肠高分化腺癌。该患者病变体积大,结肠镜下难以暴露基底部,在其表面取活检得到的病理为高级别上皮内瘤变,但手术病理证实已经发生癌变。说明内镜下的组织病理与手术病理会存在一定的差别,临床上应引起重视。内镜下活检应尽量选择在基底部或者有糜烂、溃疡处进行,有助于提高癌变诊断的阳性率。

结肠肿瘤在我国呈上升的趋势,随着结肠镜技术的普及、操作结肠镜者技术日益娴熟以及无痛内镜的开展,诊断结肠癌并不困难,因此,能够捕捉临床表现中的蛛丝马迹,尽早诊断是关键,这直接影响到患者的预后。

6. 知识拓展

(1)一般人群结直肠癌筛检

在不同人群中筛检方案有所不同,《中国结直肠癌筛查与早诊早治指南》(2020,北京)发布针对我国一般人群的结直肠癌筛检起止年龄推荐意见:中国人群结直肠癌发病率自 40 岁开始上升,并在 50 岁起呈现显著上升趋势。考虑到我国实际国情,建议 40 岁起接受结直肠癌风险评估,对于评估结果为高风险人群建议在 40 岁起接受结直肠癌筛查;对于评估为中低风险人群建议在 50 岁起接受结直肠癌筛查。考虑到筛查获益以及预期寿命,对 75 岁以上人群是否继续进行筛查尚存争议。因此,暂不推荐对 75 岁以上人群进行筛查。筛检手段首选全结肠镜。强推荐每 5 ~ 10 年进行 1 次高质量结肠镜检查,每年进行 1 次免疫法粪便潜血试验(fecal immunochemical test,FIT)检查,FIT 阳性者需要进行结肠镜检查以明确诊断。

(2)结直肠癌相关危险因素和保护因素

1)危险因素:①结直肠癌家族史;②炎症性肠病;③红肉和加工肉类摄入;④糖尿病;⑤肥胖是结直肠癌的危险因素;⑥吸烟;⑦大量饮酒。

2)保护因素:①服用阿司匹林;②膳食纤维、全谷物、乳制品的摄入;③合理的体育锻炼。

(丛衍群　王　静)

 思考题

1. 对消化道出血患者如何判断出血量和周围循环状态?

2. 对消化道出血患者如何判断出血是否停止?

3. 临床上引发便血的常见原因有哪些?

病例 12 ⊠

反复腹胀 4 年余,加重 2 个月

患者,男,50 岁,已婚,厨师。因"反复腹胀 4 年余,加重 2 个月"来诊。

患者口述:4 年来反复出现腹胀,伴有早饱、嗳气、大便稀溏,影响夜眠。曾多次到当地医院消化内科门诊就诊,诊断为"慢性胃炎,消化不良",给予口服质子泵抑制剂(PPI)、消化酶制剂及胃肠促动力剂治疗,初始有效,但停药后症状反复。近 2 个月来发作频繁,且自觉腹胀较前加重,午餐后至睡前持续发生。

查看病历,显示:既往 1 年内血常规、大便常规加隐血试验、肝肾功能及血清电解质、肿瘤标志物均处正常范围;腹部 CT 未见明显异常;胃镜提示:慢性非萎缩性胃炎,幽门螺杆菌(-),肠镜未见明显异常。

请思考以下问题 →

1. 如何构建整体性临床思维?
2. 最可能的诊断是什么? 需要完善哪些辅助检查?
3. 诊断和诊断依据是什么?
4. 治疗方案和患者管理。
5. 病例总结。
6. 知识拓展。

1. 如何构建整体性临床思维?

(1)诊断思路:腹胀是临床常见的症状,严重程度不同,女性较男性多见。昼夜节律的变更是腹胀的共同特征,大多数患者的腹胀感在日常活动期间进行性地发展,而在夜间休息后减轻或消失。腹胀可以是生理性的,比如晚期妊娠;也可以是病理性的,如腹水、胃肠道胀气、腹腔内肿物等。消化系统功能性或器质性疾病如吞气症、糖类吸收不良、便秘、腹泻、肠易激综合征、消化不良、腹腔肿瘤等以及其他非消化系统疾病如肠系膜上动脉压迫综合征等均可以引发腹胀症状。腹胀的发生和多种因素相关,除了临床疾病以外,还和社会、经济、精神心理等多方面因素相关。全科医生接诊腹胀患者时,需要构建整体性临床思维,既要考虑消化系统疾病,也要考虑消化系统以外的疾病。

腹胀(abdominal bloating)是指患者主观上感觉腹部的一部分或全腹部胀满,也可以是一种客观检查所见,查体发现腹部一部分或全腹部膨隆。引起腹胀的原因主要有以下三个方面(图 2-12-1)。

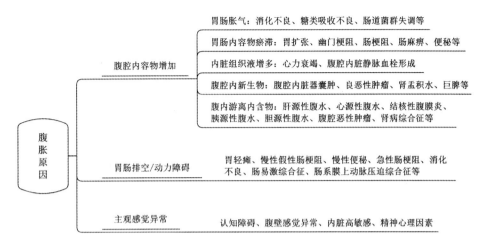

图 2-12-1　腹胀原因

该男性患者 4 年来反复出现腹胀,伴有早饱、嗳气、大便稀溏,影响夜眠。1 年内血常规、大便常规加隐血试验、肝肾功能及血清电解质、肿瘤标志物均处正常范围;腹部 CT 未见明显异常;胃镜提示:慢性非萎缩性胃炎,幽门螺杆菌(−),肠镜未见明显异常。现采用整体性临床思维——临床 4 问对该患者进行分析(图 2-12-2)。

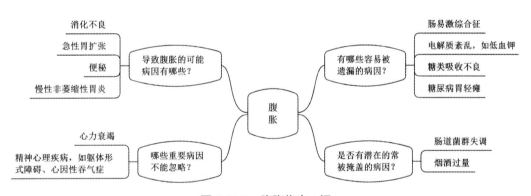

图 2-12-2　腹胀临床 4 问

(2)鉴别思维:对疾病的诊断常常有赖于特征性的症状,而消化道慢性健康问题常缺乏临床体征。以症状为基础的疾病诊断,了解问题发生的过程尤为重要,即患者症状与其他有类似症状疾病之间的关系,包括器质性疾病与功能性疾病。例如,什么时候应该考虑消化性溃疡或消化道肿瘤而不是功能性消化不良? 以人为中心的问诊可以很好地帮助全科医生从症状入手,做出具有鉴别诊断意义的病史采集,而且能够充分地了解患者,关注患者的就医背景,用生物 - 心理 - 社会医学模式确认现存问题,体现全人照顾。下面我们采用以患者为中心的问诊——RICE问诊,了解患者的就医背景、想法、关注和期望。

R(reason)——患者就诊的原因

医生:您好! 有什么可以帮您吗? (开放式提问)

患者:医生,我这 4 年总是肚子胀,一吃东西就发胀,好难受,近 2 个月因肚子胀,都睡不好觉。

医生:详细说一下您腹胀发生的频率是怎样的？一天里面什么时间腹胀明显？一般会持续多久？（了解腹胀的规律性）

患者:几乎每天都有,一般是午饭后开始胀,延续到晚上,睡觉前最严重。

医生:您觉得腹胀和您吃的食物种类或量有关系吗？比如吃太饱？又比如喝牛奶、吃某些水果蔬菜或者肉类后明显？（了解腹胀与 FODMAPs 饮食的关系,是否存在消化吸收不良或食物不耐受）

患者:感觉关系不大,经常是吃一点就感觉饱了。我从不喝牛奶,水果像苹果香蕉之类的每天会吃一点儿。我在餐馆打工,午餐都在下午 3 点多才吃,晚上客人走了,肉菜挺多的,会喝点儿酒。

医生:喝什么酒？多少量？平时吸烟吗？

患者:半斤多白酒吧,吸烟 30 多年了,一天约 1 包半。

医生:平时有没有经常肚子痛？会不会经常感觉反酸烧心、打嗝嗳气？（了解伴随症状,适当使用“封闭式提问”鉴别食管炎、胃炎、消化性溃疡等）

患者:打嗝有的,肚子不痛,没有反酸烧心。

医生:有没有发冷发热、睡觉醒来时觉得身上出汗？（了解伴随症状,鉴别感染性疾病）

患者:没有发冷发热,睡觉不会出汗,白天活动后会出很多汗,感觉身体很虚。

医生:大便好吗？形状和颜色是什么样子的？腹胀在排便后会不会好转？（鉴别腹泻、便秘、吸收不良、消化道出血、功能性肠病如肠易激综合征等）

患者:大便每天 2 ~ 3 次,颜色是黄色的,有时候不太成形,糊糊的。大便之后感觉肚子胀会好了一点儿,但是过会儿又开始了。

医生:除了肚子胀,还有其他不舒服吗？（开放式询问其他伴随症状）

患者:最近感觉头晕晕的,总觉得累,一干活就会出虚汗。

医生:小便怎么样？每天的次数和小便量多吗？

患者:小便感觉正常的。

医生:刚才您说腹胀影响您的睡眠,能详细地描述一下吗？（了解夜间症状变化及睡眠质量）

患者:最近 2 个月因肚子胀,睡不着,有时候凌晨四五点钟会醒,醒了就睡不着了。睡着了就感觉不到肚子胀了,早上起来肚子不觉得胀。

医生:最近 4 年来,体重有没有变化？（了解伴随的症状,排除慢性消耗性疾病;观察体型——体型瘦长者易患肠系膜上动脉压迫综合征）

患者:没有变化。

医生:您有高血压、冠心病、糖尿病等疾病吗？有没有长期服用的药物？（了解患者的基础疾病史,排除心衰、胃轻瘫以及药物不良反应等原因）

患者:都没有。

I(idea)——患者对自己健康问题的想法

医生:您的症状 4 年来一直没有缓解,近期还有加重趋势,您觉得可能是什么原因引起的腹胀呢？（了解患者的想法）

患者:我觉得胃肠道得了什么严重的疾病。

医生:我看了您之前的相关检查,根据您的病史和检查结果,暂时可以排除一些严重的疾病。

患者:医生,我肚子胀的很厉害,肯定是胃肠道出了问题,只是我家乡的小医院没有查出来。

C(concern)——患者的担心

医生:您认为得了什么病?（了解患者内心的担忧）

患者:我担心得胃癌！去年在老家医院找医生看过,当时做了胃镜,还抽了血,说我得了胃炎、消化不良,给我配了奥美拉唑和吗丁啉,可吃了2个月的药,没效果。上个月我肚子胀得越发厉害,去医院想再做个胃镜,但医生给我做了腹部CT,说我胃肠没得什么病。医生,您一定帮我好好看看,是不是有什么病没有查出来?

医生:我看得出来,您有担忧?

患者:是的,一家老小全靠我。我离开老家在外打工赚钱,无法照顾家里老小,老婆很辛苦。我上个月回趟老家,儿子没有考上大学,想让他出去打工,可是他没什么技术,我都愁死了。

医生:您近几个月有没有情绪低落、消沉、总是开心不起来?（鉴别抑郁症）

患者:是有一些。

医生:您曾经有过自杀的想法吗?

患者:怎么会,我要是死了,一家人就没法生活了。

医生:您躺到检查台上,我先给您做个查体。

查体注意事项:观察患者腹部是否有膨隆,是否有腹壁静脉曲张;腹部触诊腹肌紧张度,是否有腹块、压痛、反跳痛,注意肝脾触诊;叩诊是否有移动性浊音;听诊肠鸣音活跃度。

查体结果:未见明显阳性体征。

(3)是不是急危重症疾病?

根据患者的临床表现、体检和相关检查,初步排除严重疾病。列出以下鉴别诊断(图2-12-3)。

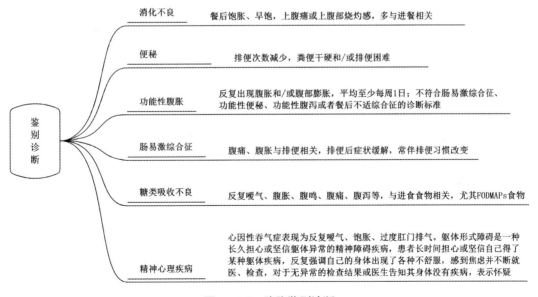

图 2-12-3 腹胀鉴别诊断

E(expectation)——患者的期望

医生:聊了这么多,我对您的病情基本了解了,今天来看全科有什么期望吗? (探寻患者的期望)

患者:医生,我就希望您能给我好好看看,查查我有没有得癌,要不要再做个胃肠镜什么的,我就想着能早一点好起来,肚子胀得难受,都快没法上班了。

医生:您这么长时间腹胀确实非常痛苦,我刚给您做了查体,也看了您以前的检查检验报告,血液常规、生化指标和肿瘤指标都在正常范围,大便化验正常;胃镜做了还不到 1 年,当时提示是慢性胃炎,肠镜检查大致正常;1 个月前的腹部 CT 也没发现异常的现象,目前没有胃肠道肿瘤的证据。我认为您的腹胀和您的生活习惯、生活压力等有关,比如您每天吸烟较多,会导致吞咽的气体增多,喝酒、吃油腻的食物不好消化,会导致消化吸收不良,这些因素都会导致腹胀。另外,生活压力大,心情不好也会加重腹胀的感觉。我建议您生活上戒烟限酒,低脂饮食,适当运动,尽量舒缓压力。今天我先给您配些药物调节胃肠神经的敏感性并改善您的睡眠,先用药治疗 2 周看疗效,如果还是没有好转,我会再帮您安排进一步检查,您看怎么样?

患者:老家的医生也说我胃肠没什么病,可我总是担心,听您这么说,好像也有些道理,那我听您的,先这样试试看。

医生:您接下来 2 周里要注意饮食规律,尽可能戒烟,少喝酒,不吃生冷、油腻食物,适当多饮水,保持大便通畅,并按时吃药。如果有条件的话,可以在每次餐后做 15 ~ 30 分钟的膝胸卧位,有利于胃内容物排出(针对可能存在的肠系膜上动脉压迫问题)。如果出现恶心、呕吐、黑便、晕厥、胸闷、胸痛等,要及时就诊,这是我的电话,您可以随时和我联系咨询。

患者:好的,谢谢医生。

2. 最可能的诊断是什么? 需要完善哪些辅助检查?

(1)最可能的诊断:功能性腹胀。

(2)需要完善的辅助检查:患者带来的辅助检查比较全面,初步可以排除急危重症疾病,暂时不需要做相关检查。

3. 诊断和诊断依据是什么?

(1)诊断:功能性腹胀(functional abdominal bloating,FAB)

(2)诊断依据:①患者中年男性,反复腹胀 4 年,加重 2 个月;②慢性病程,脐周及中上腹明显,伴有早饱、嗳气,近 2 个月加重,有诱发因素(经济压力大,儿子高考失利,待就业未果),并出现睡眠障碍等症;③无明显胸闷、胸痛、心悸,无恶心、呕吐,无反酸、烧心,无腹痛,无肩背部不适;④小便正常,大便每日 2 ~ 3 次,黄色,多半成形,无黑便、便血,无里急后重;⑤无体重变化;⑥既往无高血压、心脏病、糖尿病病史,有饮白酒和吸烟嗜好;⑦辅助检查,血常规、大便常规加隐血、肝肾功能及血清电解质、肿瘤标志物均处正常范围,腹部 CT 未见明显异常,胃镜示慢性非萎缩性胃炎,HP (-),肠镜未见明显异常;⑧质子泵抑制剂及胃肠促动力剂疗效不佳。

查体及辅助检查结果无明确的器质性疾病依据(胃镜虽提示非萎缩性胃炎,但无法解释患者腹胀等情况),也不符合肠易激综合征、功能性便秘、功能性腹泻及功能性消化不良的诊断标准。

4. 治疗方案和患者管理

(1)给予患者适当的教育和安慰,帮助患者认识自己的疾病、提高战胜疾病的信心。

(2)调节饮食与生活方式。不易吸收的、高度酵解的食物常与肠道气体的增多和腹胀有关,低FODMAPs饮食可缓解部分腹胀患者的症状。另外,戒烟、不嚼口香糖、避免过度吞入空气以及适度的体育运动均有益于腹胀症状的改善。

(3)对于功能性腹胀的患者,临床上常用的治疗药物主要有:消化酶制剂、减少气体的药物如二甲硅油等消泡剂、解痉剂、促动力剂、益生菌以及针对小肠细菌过度生长(small intestinal bacterial overgrowth, SIBO)可使用的抗生素如利福昔明。

(4)精神心理治疗:使用抗抑郁药以及行为治疗、认知治疗及心理干预等。

回顾患者病史,患者曾使用过消化酶、促动力剂等多种药物,疗效不佳。结合患者明显的睡眠障碍及焦虑表现,给予该患者抗抑郁药物"黛力新"治疗。

(5)嘱患者用药后每2周门诊复诊。如果出现腹胀、腹泻加重,或出现黑便等症状,应立即就医。

2周后患者复诊,自觉腹胀症状改善,睡眠质量明显提高,精神状态较前好转。嘱患者继续口服药物,2周复诊。

5. 病例总结

腹胀是一种复杂的临床表现,可源于多种不同的病理生理过程,但最终都表现为相同的症状。全科医生接诊慢性腹胀患者时,要发散思维,广泛地寻找腹胀的原因,采集病史时警惕"红旗征",鉴别排除器质性病因。同时要关注患者症状的发展演化,探寻病情加重的诱因,对于长病程的患者,尤其注意患者的精神心理状态。本例患者常年离家在外打工,除了经济上的支持,对家人少有直接的照顾,责任的缺位引发患者内疚感,潜在地认为自己的原因导致儿子不争气,越来越重的生活压力引发患者躯体症状的加重。全科医生通过 RICE 问诊,引出患者腹胀的诱因以及某些不良的生活习惯对症状的影响。综合病史,排除器质性疾病后,向患者解释引发症状的原因,帮助患者正确认识自己的疾病,消除患者顾虑,获得患者的认同,通过建立良好的医患关系,调整药物,指导改善生活方式,最终取得满意效果。

6. 知识拓展

(1)功能性腹胀/腹部膨胀(functional abdominal bloating/distension, FAB/D)的概念:《功能性胃肠病:脑-肠互动异常》(罗马Ⅳ)中将功能性腹胀/腹部膨胀定义为反复发作的腹部胀满感、压迫感或者气体堵胀感(功能性腹胀),和/或可观测到(客观的)腹围增大(功能性腹部膨胀)。诊断功能性腹胀/腹部膨胀应不符合其他功能性肠病诊断的标准,尽管本病患者可能与其他功能性肠病共存,但较少发生排便习惯异常(便秘或者腹泻),偶有轻度的腹痛(通常是在腹部膨胀最为严重时发生),但是后面这些症状在频率和程度上均较主要症状为轻。诊断本病要求症状出现至少6个月,近3个月内有主要症状(腹胀或腹部膨胀)。

(2)FAB/D 的诊断标准必须包括下列2项:

1)反复出现的腹胀和/或腹部膨胀,平均至少每周1日;腹胀和/或腹部膨胀较其他症状突出。

2)不符合肠易激综合征、功能性便秘、功能性腹泻或者餐后不适综合征的诊断标准。且诊断前症状出现至少 6 个月,近 3 个月符合诊断标准。腹胀可伴有轻度腹痛以及轻微的排便异常。FAB/D 的诊断基于以下 3 方面:①临床病史;②体格检查;③尽量少的 / 有限的诊断性检查。

(3)腹胀的病理生理机制:腹胀的病理生理机制目前仍未得到很好地阐释,原因是:①腹胀在不同的功能性胃肠病中潜在的病理生理过程有所不同;②即使是在相同的 FGID 同一亚型,不同患者之间其与腹胀病因相应的病理生理机制也不尽相同;③腹胀是一种复杂的表现,其代表多种不同的病理生理过程但最终都表现为相同的症状。引起功能性腹胀的可能病理生理机制包括:内脏高敏感、肠道气体传输异常、经肛门排气减少、食物在结肠内酵解产生不同产物、SIBO、腹部 - 膈肌反射异常、肠道微生态异常。

FODMAPs(fermentable oligo-, di-, mono-saccharides, and polyols):是指可发酵的短链碳水化合物,主要包括发酵低聚糖(短链果糖 - 果聚糖)、双糖(乳糖)、单糖(果糖、半乳糖)和多元醇(山梨醇、木糖醇)。这类食物在小肠内不易被吸收,其中具有渗透活性的小分子物质可以引起水的分泌,加快传输,为结肠的细菌提供更多的水分和快速发酵的底物,继而产生气体和短链脂肪酸,随之肠腔扩张刺激结肠收缩,在高敏感性的个体会引发腹胀、腹痛和排便频率增加。FODMAPs 进入机体后还可导致细菌移位及肠道菌群失衡,最后导致过度免疫应答并引起一系列炎症反应,予以规避后可减少症状发作。

(丛衍群　王　静)

💡 **思考题**

1. 简述可能引起腹胀的病理生理机制。
2. 如何指导功能性腹胀的患者调节饮食与生活方式?
3. 腹胀的常见病因有哪些? 相关疾病如何鉴别?

病例 13 ⊠

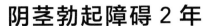

阴茎勃起障碍 2 年

患者,男,37 岁,独自一人来就诊。

患者口述:患者 30 岁结婚,32 岁生育 1 女,34 岁生二胎(女儿)。2 年前,患者无明显诱因出现腰痛、腰部酸胀、阴茎勃起障碍,给个人生活和家庭,尤其是夫妻感情生活带来巨大痛苦。曾反复到骨科、泌尿外科就诊,腰背 MRI 检查、肾输尿管膀胱和睾丸附睾彩超检查未见异常,血常规、尿常规、肝肾功能、甲状腺功能、血糖、血脂、黄体生成素(LH)、催乳素(PRL)、睾酮(T)及雌二醇(E2)等检验结果都在正常参考范围内。

骨科诊断为腰肌劳损,建议物理治疗和镇痛药物治疗。患者反复于中医科和康复理疗科就诊,间断服用中药。患者经常在社区健康服务中心做红外线、针灸、按摩等物理治疗,治疗后腰部酸痛缓解。

泌尿外科医生给患者做了全面检查,诊断阴茎勃起功能障碍,考虑为心理性 ED。建议患者心理治疗,服用西地那非。患者认为西药副作用大,拒绝西药治疗。同时患者不接受心理因素导致 ED 的结论,认为自己没有心理疾病。

> **请思考以下问题 →**
>
> 1. 如何构建整体性临床思维?
> 2. 最可能的诊断是什么? 需要完善哪些辅助检查?
> 3. 诊断和诊断依据是什么?
> 4. 治疗方案和患者管理。
> 5. 病例总结。
> 6. 知识拓展。

1. 如何构建整体性临床思维?

(1)诊断思路:阴茎勃起是一个由神经、内分泌、血管和海绵体组织共同参与、相互协调完成的复杂生理过程,包括神经递质释放、阴茎动脉充盈、海绵体平滑肌舒张、阴茎静脉闭塞等,精神心理因素对勃起也有重要影响。全科医生要熟悉勃起功能障碍(erectile dysfunction,ED)的发病机制,接诊时从 ED 的病理生理学出发,科学地寻找 ED 的病因,避免凌乱无序的诊疗过程。

ED 是一种常见的性功能障碍,是指男性不能持续获得并维持足够的阴茎勃起以完成满意的性生活。ED 是种对身心健康产生严重影响的慢性疾病,对患者及其伴侣的生活质量都有极大的影响。正常性刺激神经信号从下丘脑勃起中枢下传至海绵体神经,并通过非肾上腺非胆碱能神经传导至阴茎组织,促使神经末梢和内皮细胞释放生物活性因子,诱发海绵体平滑肌松弛,阴茎海绵体充血膨胀。同时,增大的阴茎压迫白膜下静脉,阻止海绵体血液的回流,最终,使阴茎达到并维持足够的硬度,产生勃起。而神经、血管、内分泌、药物、解剖和心理等多种因素所导致以上任何一个环节的异常,都可能诱发 ED。

ED 的病因错综复杂,通常是多因素所导致的结果,分为器质性、心理性和混合性。器质性 ED 可以分为血管性、神经性、解剖性、内分泌性;心理性 ED 可以分为完全性和境遇性。然而,大多数 ED 为混合性,因此在临床中重点区分"器质性为主"和"心理性为主"的 ED(图 2-13-1)。

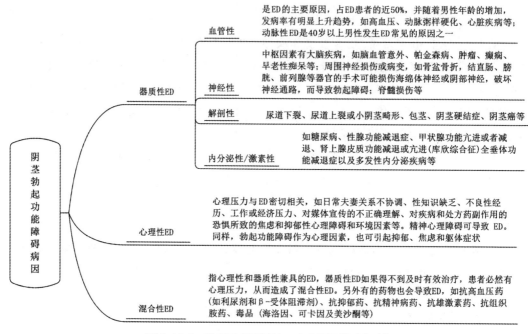

图 2-13-1　勃起功能障碍(ED)病因及发病机制

该患者,37 岁,2 年前无明显诱因出现阴茎不能勃起,曾反复到骨科、泌尿外科就诊,腰背 MRI 检查、肾输尿管膀胱和睾丸附睾彩超检查未见异常,血常规、尿常规、肝肾功能、甲状腺功能、血糖、血脂、黄体生成素(LH)、催乳素(PRL)、睾酮(T)及雌二醇(E2)等检验结果都在正常参考范围内。泌尿外科医生给患者做了全面检查,诊断阴茎勃起功能障碍,考虑为心理性 ED,但患者不接受心理因素导致 ED 的结论,认为自己没有心理疾病。现采用整体性临床思维—临床 4 问对该患者进行分析(图 2-13-2)。

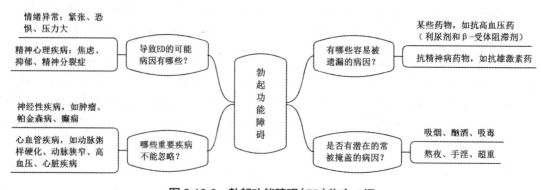

图 2-13-2　勃起功能障碍(ED)临床 4 问

(2)鉴别思维:ED是成年男人的一种常见病,也是一种羞于开口的疾病。全科医生接诊时一定要关注患者的自尊和隐私,结合病史、查体及必要的辅助检查,仔细认真地帮助患者寻找病因。建议全科医生养成自己画思维导图的习惯,将复杂疾病进行梳理,便于记忆和提高个人诊疗能力。

该患者之前反复就诊,已经做了必要的辅助检查,都无异常。那ED最可能的病因是什么?ED的病因复杂,有血管、内分泌、代谢、药物、外伤、神经以及精神心理因素,如何从庞杂的病因中找到该患者最可能的病因呢?

全科医学以人为中心的整体服务模式决定了全科诊疗思维的基本出发点,全科医生要将全人照顾的核心理念贯彻于疾病诊疗和健康服务整个过程。全科医生不能局限于器质性疾病的诊断和治疗,更要密切关心患者的情感、社会和心理方面的需求,了解患者对疾病的看法、担忧、顾虑和期望,尤其是接诊性功能障碍的患者,更应该顾及患者的隐私和自尊心。以患者为中心的问诊(RICE)方法体现全科诊疗思维,可以达到全科诊疗的目的,解决患者的健康问题。

关上门后,在温馨又私密的诊室,全科医生开始采用RICE问诊,与患者进行深入访谈。

R(reason)——**患者就诊的原因**

医生:你好!有什么可以帮你吗?（开放式提问）

患者:我腰部酸胀2年了,看了不少医生,都没有效果。(患者以腰痛为"敲门砖")

医生:能说得具体一些吗?

患者:2年前莫名其妙地开始腰痛,去做了好多次针灸、按摩等理疗,效果不好。后来又看了几次骨科医生,做了腰部MRI检查和抽血化验,都没有问题,医生说是腰肌劳损,腰椎没问题,不用总是看医生。

医生:骨科专家已经说了不用看医生,你为什么来看全科?（了解就诊的原因）

患者:医生说腰椎没问题,但是反复腰痛,我担心有其他问题。我朋友说医生很厉害,会看很多病,我就来看全科了。

医生:哦。那你还有什么不舒服?（仍开放式提问）

患者:还有……(患者吞吞吐吐)

医生:门已经关上了,这里只有我们两个人,两个男人,有什么问题尽管说出来。(解除患者顾虑)

患者:我……我性生活不行。(患者犹豫地说)

医生:性生活哪里不行,可以说具体一些吗?（医生用柔和的语气问）

患者:阳痿。

医生:阴茎勃起功能障碍?

患者:是的。(患者真正的就诊原因是ED)

医生:你能说得更详细些吗?（鼓励患者）

患者:2年前无缘无故地出现夫妻房事不行,硬不起来。刚开始我以为是太疲劳,休息一段时间会好起来的,过了半年后仍不能硬起来。

医生:继续往下说,我是医生,不要顾忌。(继续鼓励患者)

患者:下面硬不起来,我不好意思去医院。后来实在不行了,老婆要求我看医生,我去泌尿

外科看了几次,做了好多检查,检查都没有问题。(患者将既往检查报告和门诊病历递给了医生)

医生:你在我院泌尿科的检查很全面,血常规、尿常规、肝肾功能、甲状腺功能、血糖、血脂和性激素等血液检测都没有问题,生殖器彩超和肾输尿管膀胱彩超检查也没有问题。(复述患者的就诊结果,给患者留有思考的空间)

患者:后来我去看了中医,中医说我肾亏,给我开了很多中药。我曾经连续吃了 3 个月的中药,也没有好转。(患者露出失望的表情)

医生:为了了解你的阴茎勃起功能,需要填写问卷,你愿意吗? [请患者填写国际勃起功能问卷(IIEF-5)、抑郁症自评量表(PHQ-9)、广泛性焦虑障碍量表(GAD-7)]

患者:可以,我愿意填写。

患者填完问卷后,全科医生开始给患者做体格检查。患者表达清晰,沟通顺畅,心肺腹部体格检查未见异常。背部、腰部皮肤未见疱疹,腰部肌肉无压痛,双肾区无叩击痛。阴茎未见畸形,发育正常,睾丸、附睾无触痛,发育正常,会阴部神经感觉、提睾反射未见异常,BP 130/80mmHg。

I(idea)——患者对自己健康问题的看法

医生:之前的抽血检验没有问题,刚才给你身体检查也没有发现异常。检查只是排除了导致 ED 常见疾病,但是 ED 的病因很多,你自己认为是什么原因呢?(了解患者对自身问题的看法)

患者:我不知道,我身体很好,没发现哪里有问题。

医生:我能问你一些问题吗?

患者:好的。

医生:你以前有糖尿病、高血压、甲状腺疾病、高脂血症吗? (了解慢性病史)

患者:都没有。

医生:你以前生殖器有外伤吗? (了解外伤史)

患者:没有。

医生:你目前有吃什么药吗? (了解服药情况)

患者:没有。

医生:你吸烟、酗酒吗? (了解个人嗜好)

患者:没有。

C(concern)——患者的担心

医生:这些都没有问题。你介意我继续问一些个人隐秘的问题吗?

患者:可以。

医生:你睡眠如何?

患者:2 年前开始睡眠不好,早醒,早上 5 点左右醒,醒来后再也睡不着。

医生:你做什么工作?

患者:IT 工程师。

医生:工作压力大吗?

患者:IT 压力很大,经常加班、熬夜、一日三餐不规律……

医生:嗯。你情绪如何?

患者:我以前脾气很温和,情绪也没有波动。最近 2 年感觉开心不起来,情绪低落,是不是抑郁症?

医生:你担心抑郁症吗?

患者:是的,我听说抑郁症是不能治愈的。(患者内心的担忧)

医生:只要规范治疗,抑郁症是可以治愈的。(语气坚决地回答)

(3)是不是急危重症疾病?

结合该患者的病史、查体、辅助检查,初步排除急危重症疾病。列出以下鉴别诊断(图2-13-3)。

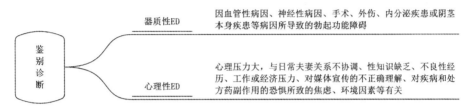

图2-13-3　勃起功能障碍(ED)鉴别诊断

E(expectation)——患者的期望

医生:你今日来看全科,希望我可以帮你什么?

患者:帮我找到病因,治愈ED。(患者有点害羞地说)

医生:好的,我会尽力帮你。我可以再问几个更隐私性的问题吗?　(给患者自信,继续深入沟通)

患者:好的。(患者开始放松。)

医生:你夫妻感情好吗?

患者:不好,我们是别人介绍结婚的,婚前相处的还好,生第一个女儿后夫妻关系开始紧张,2年后生了二胎关系更加紧张,经常在家里为了孩子喂养、生活开支等琐事争吵不休。

医生:夫妻性生活呢?

患者:生二胎后,夫妻性生活次数很少、也不和谐,2年前我硬不起来后,夫妻生活基本没有。(患者惭愧地说)

医生:你夜间或者早晨阴茎有勃起吗?

患者:有。

医生:你认为夫妻生活不和谐是什么原因导致的?

患者:原因好多,家里住房小,一厅两室的房子,父母住一间,两个孩子与我们住一间,夫妻生活不方便。而且,老婆脾气急躁,经常骂孩子,对我不理不睬的,我们之间缺乏交流。

医生:我们已经聊了30分钟,我对你的情况基本了解了。你刚才填写的是"国际勃起功能问卷",你的得分是10分,提示中度ED。ED的原因很多,简单地分成两类:器质性疾病导致的ED,还有一种非器质性也就是心理性的ED。结合你的具体情况分析,初步考虑是精神心理性导致的。

患者:我ED是心理因素导致的? 男科医生也说我是心理性ED,我不相信。(患者半信半疑)

医生:是的。你做了很多检查没有异常,排除了器质性疾病。你今天填写了心理评估量表提示你有中度抑郁症状、轻度焦虑。

患者:可以治好吗?

医生:心理性 ED 与患者的情绪、压力、家庭因素等有关。大部分患者是可以治好的。

患者:怎么治疗?

医生:ED 的治疗有药物治疗和心理治疗,像你这种心理性 ED 最主要的是心理治疗,当然也可以药物治疗。同房前吃 1 片西地那非,俗称"伟哥",药物治疗见效快,但有的人会出现一些副作用。心理治疗没有药物副作用,效果好,但治疗时间较长,也可以两种治疗方法相结合。你思考一下,愿意选择哪种治疗方法?

患者:我在网络上看到药物治疗有不少副作用的。我选择心理治疗。需要看心理医生吗?

医生:我是全科医生,会看心理疾病,也会做心理咨询,如果你相信我,可以先找我做心理咨询。

患者:你是我看过的医生中最有亲和力的医生,在你这里看病感觉很放松,我相信你,愿意找你做心理治疗。

医生:我们先心理咨询,如果效果不好再转心理门诊,好吗?

患者:好的,我尽量配合。

医生:性心理知识提示每个成年男人的坚硬勃起需要足够的自信,而工作压力、抑郁、失眠、糟糕的夫妻关系都是打击男人自信的无形武器,伤害我们的性健康,无形中影响阴茎的勃起功能。为了治愈 ED,首先应该将这些负性情绪从我们心里清除。为了达到治疗目标,从今天开始、从现在开始你需要做一些改变,例如锻炼身体,运动不但增强我们躯体功能,还促进心理健康。请你回家后,根据自己情况做一个健康计划,主要内容包括如何减轻工作压力、改善夫妻关系、运动和饮食等。

患者:我以前忽略了心理,回家后我会按照医生的要求做计划、开始行动。

医生:好,有计划、有行动,一定会有效果,相信我! (让患者树立自信,首先医生要自信)

患者:好的。

医生:ED 治疗需要太太的配合,你可以将今日的诊疗情况告诉你太太。如果她不反对的话,建议下次复诊时带上太太一起来。

患者:好的,我会与太太商量。

 2. **最可能的诊断是什么? 需要完善哪些辅助检查?**

(1)最可能的诊断:心因性阴茎勃起功能障碍?

(2)需要完善的辅助检查:之前已经做了相关检查,本次就诊请患者填写国际勃起功能问卷(IIEF-5)、抑郁症自评量表(PHQ-9)、广泛性焦虑障碍量表(GAD-7)。

 3. **诊断和诊断依据是什么?**

(1)诊断:心因性阴茎勃起功能障碍(psychogenic erectile dysfunction)(中度)。

(2)诊断依据:

1)病史:阴茎勃起功能障碍 2 年。夜间、晨起有阴茎勃起。患者存在影响勃起功能的心理因素:压力、紧张的夫妻关系、抑郁情绪、家庭环境、缺乏锻炼等。

2) 体格检查:一般生命体征、心肺腹等查体未见明显异常。专科检查中生殖系统及神经系统检查未见明显异常。

3) 辅助检查:患者三甲医院就诊时专科做了全面的检查,血常规、尿常规、肝肾功能、甲状腺功能、血糖、血脂和性激素等血液检验都未见异常,生殖器彩超和肾输尿管膀胱彩超检查也无异常。

4) 患者"国际勃起功能问卷",你的得分是 10 分,提示中度 ED;伴有抑郁、焦虑,工作压抑。综合以上临床资料,考虑该患者为心理原因导致的阴茎勃起功能障碍。

4. 治疗方案和患者管理

(1) 治疗方案:让患者参与治疗方案的制订,与患者共同商讨治疗方案。

1) 向患者解释 ED 的病因、临床表现和治疗方法,让患者科学地了解 ED,有助于患者治愈 ED。

2) 心理咨询:给予心理疏导,缓解患者的抑郁、焦虑,释放压力等。

3) 与患者沟通后,共同制订治疗策略,但患者拒绝药物治疗。

4) 安排复诊:与患者协商好,下周六患者携太太来全科复诊。

(2) 转诊指征:

1) 首次接诊 ED 患者都建议转诊男性专科。ED 的病因复杂,需要专科检查和较多的辅助检查,全科医生更多在基层工作,检查设备有限,检验项目有限,不能全面地排查 ED 病因。

2) 治疗效果不佳的患者。

3) 伴有严重器质性疾病或严重心理疾病的 ED 患者。

4) 超越全科医生诊疗能力者。

(3) 患者管理:患者管理是全科医生治疗 ED 的专业优势,全科医生与患者建立互相信任的医患关系,有利于提高 ED 治疗效果。健康管理可以预防和控制 ED 及相关疾病的发生与发展,降低医疗负担,提高生命质量。针对个体及群体进行健康教育,提高自我管理意识和水平。

ED 健康管理的方法和过程主要包括信息采集、检测、评估、个性化管理方案及干预等。全科医生为患者建立健康档案,ED 的健康档案需纳入的内容应该包括个人基本资料(年龄、身高、体重及腰围等)、生活方式(吸烟、饮酒、运动、饮食及睡眠等)、性生活状况(性生活频率、勃起功能和早泄评分等)、精神心理状况(焦虑及抑郁评分)、健康体检资料(血液生化检测、心电图及超声检查等)、疾病史资料(高血压、糖尿病、高血脂及 CVD 等慢性疾病)。给 ED 患者进行风险评估,熟悉 ED 患者的健康状况及其相关慢性病的危险性。

全科医生帮助患者生活方式管理,建立良好的健康的生活方式和行为,从而达到预防和改善 ED,增进整体健康。ED 的生活方式管理措施主要包括戒烟、体育锻炼和减轻体重以及保持规律的性生活。此外适量运动、合理膳食、良好睡眠、控制体重等除可以直接改善血管功能和勃起功能。全科医生也可以指导 ED 患者性生活管理。适度频率的性生活既可以满足夫妻双方的生理需求,也可以维护夫妻双方的感情,有助于家庭的和睦和稳定。

第 2 次就诊

周六中午下班前,患者与太太来到全科诊室。

全科医生先单独与患者访谈。患者告诉全科医生，回家后将病情与看病经历毫无保留地告诉了太太，自己制订了健康计划，内容包括缓解压力、运动、家庭生活等，做了这些后，整个人感觉轻松了不少，有自信治愈 ED，这几天没有房事。

与患者交谈后，全科医生单独与患者太太沟通。患者太太表示对丈夫的疾病有所了解，愿意配合治疗，让丈夫恢复健康。医生将治疗方案告诉患者太太，建议给予心理咨询和家庭治疗。同时，提醒太太与患者多沟通，改善夫妻关系，恢复和谐的家庭氛围。

5. 病例总结

在中国文化中，ED 患者经常以腰痛为名看医生。如果全科医生仅局限于诊治"腰痛"，不深入了解患者真正的就诊原因，可能会被表象蒙蔽。ED 是一种性功能疾病，患者往往不会直接主诉"自己 ED"。在与患者沟通时，应该照顾到患者的自尊心，尽量建立互相信任和良好的关系，使患者能够坦诚地陈述病情。同时，要善于发现患者的情绪症状，对存在明显情绪异常，怀疑有严重精神疾患时，应该安抚患者，并建议患者到精神科就诊。

在本病例中，全科医生详细倾听患者的看病"故事"，仔细查体，查看既往检查资料，排除了器质性 ED，结合心理状态和心理评估工具，分析患者 ED 的病因来自心理因素。帮助患者接纳心理性 ED，与患者及家属运用共同策略制订了治疗方案，开展医学心理咨询，实现全科诊疗的目的。

医学心理咨询是指运用心理知识，处理医学领域的心理问题，帮助患者恢复身心健康。它与整个医学的目标一致，是贯彻生物 - 心理 - 社会医学模式的临床实践。只要具备相当的心理学知识和技能的临床医生，都可以开展心理咨询服务。全科医生是居民的健康守门人，在开展心理咨询，尤其是开展性健康咨询方面具有得天独厚的优势。在性健康咨询中，全科医生必备的咨询技巧：消除患者顾虑、保持良好沟通、许可患者开放性地谈论性问题、消除性的神秘感等，应该让 ED 患者理解性生活是生活质量的重要组成部分，并且应该和其伴侣共同面对这一问题。适当调动患者及其伴侣对性生活的兴趣，并鼓励他们在心理治疗或药物等治疗下适当增加性生活频率，逐步学习性生活技巧等。

在临床实践中，有的全科医生在心理咨询方面缺乏自信。全科医学遵循于生物 - 心理 - 社会医学模式，全科医生服务的对象是整个人，以人为中心的"全人照顾"，不仅治疗器质性疾病，还要关心患者的心理，一个合格的全科医生应该具备开展心理咨询的能力。世界上最好的药物是医生，医生适当的言语是一种安慰，可以消除患者的焦虑，对患者都有正向治疗作用。心理疾病患者忌惮看心理科医生，躯体疾病患者往往伴有各种心理反应，随着医疗改革的不断发展，知识宽广的全科医生必将成为居民的首诊医生，获得居民的尊重和认可。因此，全科医生一定要有自信！

6. 知识拓展

ED 是成年男性的常见病。美国马萨诸塞州男性老龄化研究（Massachusetts male aging study，MMAS）中 1 290 名 40 ~ 70 岁男性的 ED 患病率为 52%。随着社会人口老龄化趋势及人们对生活质量要求的不断提高，最新的流行病学数据显示，我国的 ED 患病率较高。2000 年，在上海市 1 582 名中老年男性（年龄 62.1 岁 ± 9.21 岁）中，ED 患病率为 73.1%。同年，北京市社区调查 1 247 名已婚男性，其中，40 岁以上男性中，ED 患病率为 54.5%。以上 ED 的流行病学报告结果波动较大,主要与研究设计和方法,以及被调查者的年龄分布和社会经济地位有关。综合国内现有报道资料,ED 的患病率随年龄增加而升高。

ED 的诊断主要依据患者的主诉,因此,获得客观而准确的病史是该病诊断的关键。全科医生接诊时,应设法消除患者的羞涩、尴尬和难以启齿的心理状态,还应鼓励患者的配偶参与。问诊时需要重点注意以下几点:

(1)发病与病程:发病是突然,还是缓慢;程度是否逐渐加重;是否与性生活情境相关;有无夜间勃起及晨勃。

(2)婚姻及性生活状况:是否已婚,有无固定性伴侣,性欲如何;性刺激下,阴茎能否勃起,硬度是否足以插入;阴茎勃起能否维持到性交完成;有无早泄等射精功能障碍;有无性高潮异常等。偶尔出现性交失败,不能轻易诊断为勃起功能障碍。

(3)精神、心理、社会及家庭等因素:发育过程中有无消极影响与精神创伤;成年后有无婚姻矛盾、性伴侣不和或缺乏交流;有无意外坎坷、工作压力大、经济窘迫、人际关系紧张、性交时外界干扰等情况存在;是否存在自身不良感受、怀疑自己的性能力、自卑、性无知或错误的性知识、宗教和传统观念影响等因素。

(4)非性交时阴茎勃起状况:过去有无夜间勃起及晨勃;性幻想或视、听、嗅和触觉刺激有无阴茎勃起。

(5)伴随疾病:心血管病、高血压、高脂血症、糖尿病和肝肾功能不全,以及是否有损伤、服用药物及不良习惯等。

体格检查的重点为生殖系统、第二性征及局部神经感觉。50 岁以上男性应常规行直肠指诊。

(1)第二性征发育:注意患者皮肤、体型、骨骼及肌肉发育情况、有无喉结,胡须和体毛分布与疏密程度,有无男性乳腺发育等。

(2)生殖系统检查:注意阴茎大小、有无畸形和硬结、睾丸是否正常。

(3)局部神经感觉:会阴部感觉、提睾肌反射等。

性是人类的基本需要。1970 年世界卫生组织规定了性健康权,并将其纳入基本人权范围。性关系是影响婚姻幸福的重要因素,性健康很重要,人们想获得更多的性健康知识。然而,性健康涉及多门学科,医学教育中很少有学校开展性健康教学,专科医生也很少提供性健康方面的知识。希望深受居民信任的全科医生更多地学习、传播性健康知识,成为居民真正的健康守门人!

附表　国际勃起功能问卷 -5(IIEF-5)

您在过去 3 个月中

	0	1	2	3	4	5	得分
1. 您在性交过程中,对阴茎勃起和维持勃起的信心如何?	无性生活	很低	低	中	高	很高	
2. 受到性刺激后,有多少次阴茎能坚挺地进入阴道?	无性生活	几乎没有或完全没有	只有几次	有时或者大约一半时候	大多数时候	几乎每次或每次	

续表

	0	1	2	3	4	5	得分
3. 阴茎进入阴道以后多少次能维持阴茎勃起?	无性生活	几乎没有或完全没有	只有几次	有时或者大约一半时候	大多数时候	几乎每次或每次	
4. 性交时保持阴茎勃起至性交完毕有多大困难?	无性生活	非常困难	很困难	困难	有点困难	不困难	
5. 尝试性交有多少时候感到满足?	无性生活	几乎没有或完全没有	只有几次	有时或者大约一半时候	大多数时候	几乎每次或每次	

备注:

正常值:各项得分相加,≥ 22 分为勃起功能正常;12 ~ 21 分为轻度 ED;8 ~ 11 分为中度 ED;5 ~ 7 分为重度 ED。

(蔡飞跃　王　静)

 思考题

1. 阴茎勃起功能障碍的病因有哪些疾病?

2. 影响阴茎勃起功能的心理因素有哪些?

病例 14 ⊠

进行性排尿困难 2 年，下腹胀痛 10 小时

患者，男，72 岁，早上 8 点由家属陪同前来就诊。

患者口述：近两年来出现尿频、排尿费力、小便次数增多、尿不尽、尿等待、尿线变细，并不断加重。不能自行排尿 10 小时，伴下腹部胀痛。患者否认尿道外伤史。既往高血压病史 10 余年，血压最高 185/110mmHg，规律口服硝苯地平控释片 30mg，次 /d，血压控制可。

体格检查：T 36.9℃，P 88 次 /min，R 19 次 /min，BP 145/85mmHg。身高 170cm，体重 75kg，BMI 25.95kg/m^2。颈部未触及浅表淋巴结，甲状腺未触及肿大，心肺听诊未见异常。腹软，骨盆上方至肚脐之间隆起，全腹无压痛，肝脾未触及，肠鸣音正常。双下肢无水肿。

> **请思考以下问题 →**

1. 如何构建整体性临床思维？
2. 最可能的诊断是什么？需要完善哪些辅助检查？
3. 诊断和诊断依据是什么？
4. 治疗方案和患者管理。
5. 病例总结。
6. 知识拓展。

1. 如何构建整体性临床思维？

（1）诊断思路：各种因素导致尿液排出道机械性阻塞或膀胱收缩能力缺乏均可引起排尿困难。全科医生接诊尿潴留患者时，对于任何不能排空膀胱的患者，无论其病史和检查如何，应急处置均是排除各项导尿禁忌证后，予以导尿并留置导尿管，引流膀胱尿液，尽快缓解患者的痛苦。

排尿困难是指排尿时须增加腹压才能排出，病情严重时增加腹压也不能将膀胱内的尿排出体外，而形成尿潴留（urine retention）的状态。根据起病急缓可分为急性尿潴留和慢性尿潴留。急性尿潴留是指既往无排尿困难的病史，突然短时间内发生膀胱充盈，膀胱迅速膨胀，病人常感下腹胀痛并膨隆，尿意急迫，而不能自行排尿。慢性尿潴留是由膀胱颈以下梗阻性病变引起的排尿困难发展而来。排尿困难的分类和发生机制（图 2-14-1）。

该老年男性患者排尿困难 2 年，并进行性加重，10 小时来不能自行排尿，伴下腹部胀痛前来就诊。体格检查发现腹软，骨盆上方至肚脐之间隆起，全腹无压痛，肝脾未触及，肠鸣音正常，初步诊断急性尿潴留。现采用整体性临床思维——临床 4 问对该患者进行分析（图 2-14-2）。

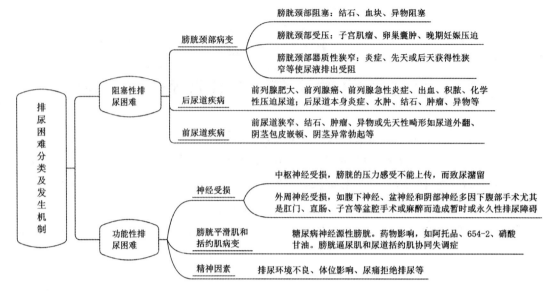

图 2-14-1 排尿困难分类及发生机制

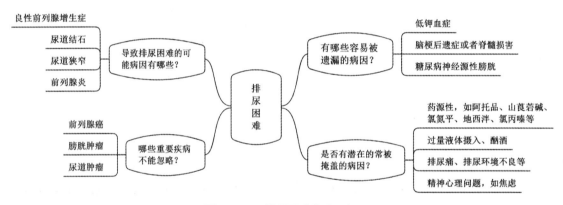

图 2-14-2 排尿困难临床 4 问

(2)鉴别思维:给予留置导尿后,详细的问诊和仔细的体格检查对疾病的诊断至关重要。问诊重点围绕患者的下尿路症状展开。问诊要点包括:下尿路症状的特点、持续时间及其伴随症状;手术史、外伤史,尤其是下腹部、盆腔、会阴、直肠、尿道、脊柱等外伤、手术史;经尿道检查及治疗史;既往史和用药情况,了解患者是否服用了影响膀胱及其出口功能的药物;以期快速判断急性尿潴留的病因并给予准确及时的处置。下面采用以患者为中心的问诊——RICE 问诊进行深入访谈,寻找病因,达到诊断疾病的目的。

R(reason)——患者就诊的原因

医生:大爷,尿导出后感觉好点了吗? (尊敬的称呼,简单的一句慰问,会让患者感觉很亲切,有利于建立良好的医患关系)

患者:感觉轻松多了。

医生:现在咱们说说这次发病的情况吧,您大概多长时间没有排尿了? (打开话题,让患者

自己回忆患病经过和体验)

患者:晚上 10 点多排过一次尿后,没有尿过,差不多有 10 个小时了,很想解小便但是一点都解不出,肚脐下面这个位置也胀痛的越来越厉害,现在排尿后胀痛减轻了。

医生:以前有过类似的情况发生吗?(了解患者发病的过程)

患者:我一直有前列腺肥大,平时排尿不利索,近两年症状比原来有加重,通常要站几分钟才能排出尿,感觉尿不尽,排尿后仍然有少量尿液流出,常弄湿裤子。

医生:小便颜色怎么样?有没有发红?(鉴别膀胱颈结石)

患者:是淡黄色的,没有看到红色。

医生:排尿的时候急不急?尿道口的地方疼不疼,有没有发热或腰痛的情况?(鉴别泌尿系感染)

患者:这些症状都没有。

医生:有受过外伤吗?尤其是腰部以下的部位?(鉴别后尿道损伤)

患者:没有。

医生:平时除了小便不利索,还有别的不舒服吗?比如腰痛?(鉴别前列腺癌伴骨转移)

患者:没有。

医生:最近吃过什么特别的食物和药物吗?(排除食物、药物等因素影响)

患者:吃饭和平时一样,药物除了每天 1 片左旋氨氯地平降压,别的没吃。

医生:最近胃口怎么样?有没有呕吐?感觉乏力吗?(除外低钾血症)

患者:胃口很好,没有吐,也没有乏力。

医生:平时有吸烟、喝酒的习惯吗?(了解疾病相关不良嗜好)

患者:不吸烟,有时会喝点酒。昨晚因朋友来做客,喝了近半斤高度白酒。

医生:除了高血压,有糖尿病、高血脂等疾病吗?(了解患者的心血管疾病史)

患者:没有。

医生:高血压最高时达到多少?感觉头晕、头痛吗?(评估高血压危险等级)

患者:高血压最高时,高压 185mmHg,低压 110mmHg,会感到头痛。大部分时间的血压是正常稳定的。

I(idea)——患者对自己健康问题的想法

医生:大爷,您排尿困难已经有一段时间了,自己怎么看待这个问题?(了解患者的想法)

患者:可能是前列腺肥大吧,老年人挺常见的。我身边有许多朋友都有点类似的情况,也都没太当回事儿。

C(concern)——患者的担心

患者:医生,我是前列腺肥大吗?现在越来越严重了,晚上睡觉也不踏实,一晚上得去卫生间 3~4 次,特别麻烦,我非常苦恼。

医生:我给您检查一下,可能有些难受,我尽量动作轻柔些。(告知患者直肠指检中引起的不适感)

直肠指检:肛门括约肌不松弛,前列腺Ⅲ度增大,质地较硬、表面有凹凸不平的结节,中央沟消失、固定,与周围组织界限不清。神经系统检查:会阴部及双下肢感觉正常,提睾反射、腹壁反射、肛提肌反射及球海绵肌反射正常。

（3）是不是急危重症疾病？

结合患者的病史、体格检查和直肠指检等资料，初步考虑前列腺肿瘤。列出以下鉴别诊断（图 2-14-3）。

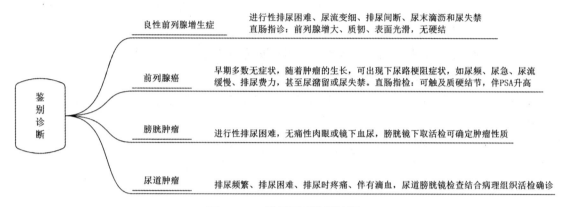

图 2-14-3　排尿困难鉴别诊断

E（expectation）——患者的期望

医生：根据您的症状和体格检查情况，目前考虑前列腺的问题。我们还需要完善一些检查来明确。

患者：希望医生能帮我找到病因，治好我的病。

医生：我会努力的。您先转诊去泌尿外科进一步确诊，以后您可以继续来找我看病，好吗？（医患共同努力，战胜疾病，并体现协调性照顾）

患者：好。谢谢！

2. 最可能的诊断是什么？需要完善哪些辅助检查？

（1）最可能的诊断：急性尿潴留。需要查找病因，排除泌尿系统和前列腺肿瘤。

（2）需要完善的辅助检查：前列腺症状评分 I-PSS 评分、生活质量评分 QOL、电解质、肾功能、尿常规、血清前列腺特异性抗原（PSA）、肾脏超声、输尿管超声、膀胱超声和男前列腺超声。

检查回报：

1）症状评估：等患者尿潴留缓解、情绪平复后，指导患者完成前列腺症状评分 I-PSS 评分（表 2-14-1）及生活质量评分 QOL（表 2-14-2），用于评估下尿路症状的严重程度。

表 2-14-1　国际前列腺症状评分表（I-PSS）

在过去一个月,您是否有以下症状?	无	少于1次	少于半数	大约半数	多于半数	几乎每次
				在 5 次中		
1. 是否经常有尿不尽感?	0	1	2	3 √	4	5
2. 两次排尿时间是否经常小于 2 小时?	0	1	2 √	3	4	5
3. 是否曾经有间断性排尿?	0	1	2 √	3	4	5

在过去一个月,您是否有以下症状?	在5次中					
	无	少于1次	少于半数	大约半数	多于半数	几乎每次
4. 是否有排尿不能等待现象?	0	1	2	3√	4	5
5. 是否有尿线变细现象?	0	1	2	3√	4	5
6. 是否需要用力及使劲才能开始排尿?	0	1	2	3√	4	5
7. 从入睡到早晨一般需要起来排尿几次?	没有	1次	2次	3次	4次	5次或以上
	0	1	2	3	4√	5
症状评分(S)=20						

评分标准:轻度症状 0 ~ 7 分、中度症状 8 ~ 19、重度症状 20 ~ 35 分(重度),8 分以上者应引起注意。

表 2-14-2 生活质量指数(QOL)评分表

	高兴	满意	大致满意	还可以	不太满意	苦恼	很糟
如果在您的后半生始终伴有现在的排尿症状,您认为如何?	0	1	2	3√	4	5	6
生活质量评分(L)=5							

2)实验室检查回报:电解质、肾功能:(−);尿常规:白细胞 2 个 /HP,红细胞 2 个 /HP;血清前列腺特异性抗原(PSA)检查:t-PSA 15.63ng/ml,f-PSA 1.20ng/ml。

3)B 超:前列腺呈现不对称性肿大,其表面凹凸不平,回声不规则,边界不清。彩色血流图见结节内血流丰富。双肾、输尿管、膀胱未见明显异常。

3. 诊断和诊断依据是什么?

(1)诊断:

1)前列腺癌(prostatic cancer)。

2)急性尿潴留(acute urinary retention,AUR)。

3)前列腺增生

4)高血压 3 级 很高危。

(2)诊断依据:①排尿困难 2 年,并进行性加重,10 小时来不能自行排尿,伴下腹部胀痛;②体格检查发现腹软,骨盆上方至肚脐之间隆起,全腹无压痛,肝脾未触及,肠鸣音正常;③直肠指检,肛门括约肌不松弛,前列腺Ⅲ度增大,质地较硬、表面有凹凸不平的结节,中央沟消失、固定,与周围组织连界限不清;④前列腺症状评分(I-PSS)20 分,生活质量评分(QOL)5 分;⑤血清前列腺特异性抗原(PSA)检查示 t-PSA15.63ng/ml,f-PSA 1.20ng/ml;⑥ B 超前列腺呈现不对称性肿大,其表面凹凸不平,内部有低回声结节,回声不规则,边界不清。彩色血流图见结节内血流丰富;⑦血压最高达到收缩压 185mmHg,舒张压 110mmHg,感到头痛。

4. 治疗方案和患者管理

(1)解释:告知患者排尿困难的可能原因,帮助患者正确认识疾病,并给予适当安慰,有助于增强医患沟通的效果,建立良好的医患关系。定期随诊。

(2)健康指导:嘱患者留置导尿管期间,保持导尿管通畅以及尿道口清洁,多饮水,保持一定尿量,有助于预防尿路感染;若出现长时间没有尿液引流出、下腹部胀痛、严重的血尿等情况,及时就诊。

(3)生活方式指导:减少酒精、咖啡因、辛辣食物的摄入,合理的液体摄入(每日不少于1 500ml),注意劳逸结合。

(4)高血压随访。

(5)转诊上级医院泌尿外科进一步完善专科检查,如前列腺穿刺活检、CT 或 MRI、骨扫描等,根据检查结果,选择适合患者的治疗方案。全科医生与泌尿专科医生共同合作为该患者提供连续性服务。

第 2 次就诊

第 30 天患者复诊。患者于泌尿外科完善前列腺穿刺活检等相关检查,最终确诊前列腺癌,已顺利完成前列腺切除术。患者术后恢复可,进行生活方式指导,给予心理安慰,增强患者战胜疾病信心。嘱咐患者定期泌尿外科复诊,不定期全科复诊。

第 3 次就诊

第 60 天患者复诊。患者术后无明显不良反应,饮食、睡眠可。嘱咐患者定期泌尿外科复诊,不定期全科复诊。

5. 病例总结

长期以来,男性的健康问题并没有得到足够的重视,甚至很多人对“男病科”存在误解,认为它只与性病或不育有关。事实说明,男性生活方式问题(酗酒、吸毒、暴力、压力)多于女性,被喻为“再染色体问题”。以人为中心的整体性临床思维,需要全科医生不仅要关注疾病,也要关注患者。除了考虑最常见的疾病,时刻警惕重要疾病,减少漏诊和误诊,减少不必要的检查和治疗。对于老年男性患者出现排尿困难、尿潴留的症状,首先应考虑良性前列腺增生症,同时需警惕前列腺癌的可能。鼓励 50 岁以上有下尿路症状的男性每年行常规体检,从而有助于我们早期发现疾病并及时进行干预。

全科医生在接诊急性尿潴留患者时,应立即予以留置导尿,引流尿液,缓解患者的不适。留置导尿时注意尿液缓慢排出,第一次放尿不超过 500ml,防止膀胱内压下降过快而致膀胱内出血。留置导尿后,嘱患者多饮水,保持一定尿量,有助于预防尿路感染。如长时间没有尿液引流出、下腹部胀痛、严重的血尿等,应及时就诊。对于发生急性尿潴留的患者要转到专科医院治疗。

区分是精神因素还是器质性疾病引起的排尿困难。前者多源于精神紧张,处理上以心理治疗为主,必要时可临时导尿。后者则要鉴别是功能性还是梗阻性排尿困难。对于功能性排尿困难,主要针对原发病治疗,结合膀胱训练,部分患者需要长期留置导尿。对于梗阻性排尿困难,应明确具体发病部位,大部分患者需外科治疗。在诊疗过程中,全科医生通过与患者的深入沟通、健康宣教和正面引导,帮助患者正确认识疾病,改变不良的生活习惯,消除对疾病的恐慌和焦虑,从而增加患者战胜疾病的信心。

6. 知识拓展

前列腺癌(prostate cancer,PCa)是老年男性最常见的恶性肿瘤之一,世界范围内,前列腺癌发病率在男性所有恶性肿瘤中排名第二。随着人口老龄化和饮食结构的变化,我国前列腺癌发病率近年来迅速攀升。国家癌症中心和全国肿瘤防治研究办公室的数据显示,2008 年起,前列腺癌已超过膀胱癌,成为泌尿系统发病率最高的恶性肿瘤,2009 年发病率达到 9.92/10 万人口(1988—1992 年为 1.96/10 万,1993—1997 年为 3.09/10 万,1998—2002 年为 4.36/10 万),在男性恶性肿瘤发病率中排名第 6 位,死亡率达到 4.19/10 万,在所有男性恶性肿瘤中排名第 9。中国的多中心研究资料显示,仅 1/3 的初诊前列腺癌患者属于临床局限性前列腺癌,初诊时多数患者已处于中晚期,导致中国前列腺癌患者的总体预后远差于西方发达国家。"早筛、早诊、早治"是提高肿瘤患者 5 年生存率行之有效的方法之一。前列腺癌筛查运用快速、简便、廉价的检查方法将健康人群中前列腺癌高危人群和低危人群鉴别开来,是从健康人群中早期发现可疑前列腺癌人群的一种措施,并非对疾病做出诊断。

(1)前列腺癌筛查的方法:① 直肠指检(digital rectal examination,DRE)联合前列腺特异性抗原(prostate-specific antigen,PSA)检查是目前公认的早期发现前列腺癌的最佳筛检方法;② 不推荐将 PCA3 检测、p2PSA 检测、4Kscore、前列腺健康指数、MRI 检查等作为前列腺癌筛查的常规手段;③ 开展筛查活动时,可集中收集并保存受试者血清样本后带回医院统一进行 PSA 检测,或采用便携式 PSA 检测仪器进行快速检测(微流控技术、荧光免疫层析法等)。需注意的是,快速 PSA 检测的结果仅作为初筛时的参考,而不作为疾病诊断的依据,受试者需转诊至医院进行 PSA 的复测确认。

(2)前列腺癌筛查的人群:① 对身体状况良好,且预期寿命 10 年以上的男性开展基于血清 PSA 检测的前列腺癌筛查;② 血清 PSA 检测每 2 年进行 1 次,根据受试者的年龄和身体状况决定 PSA 检测的终止时间;③ 对前列腺癌高危人群要尽早开展血清 PSA 检测,高危人群包括年龄 >50 岁的男性,年龄 >45 岁且有前列腺癌家族史的男性,年龄 >40 岁时 PSA >1μg/L 的男性,携带 *BRCA2* 基因突变且年龄 >40 岁的男性。

(3)PSA 筛查后的随访:将 PSA ≥ 4μg/L 定义为异常值。当受试者 PSA <4μg/L 时,建议进行每 2 年 1 次的随访;当受试者 PSA ≥ 4μg/L 时,应及时通知到受试者本人或家属,并建议受试者转诊至医院进行进一步诊断、治疗和随访。

(4)良性前列腺增生症筛查:对于 45 岁以上男性,应每年行 1 次前列腺检查,包括直肠指检及前列腺超声检查;对于良性前列腺增生家族史的人年龄应提前至 40 岁。对于确诊良性前列腺增生的患者,建立健康档案并进行定期随访(图 2-14-4)。

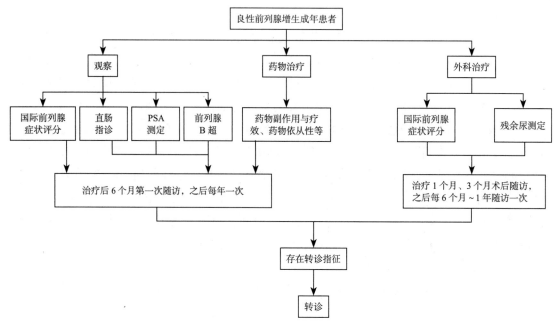

图 2-14-4 良性前列腺增生者社区随访管理流程

（张雅丽　王　静　陈嘉林　王荣英）

 思考题

1. 排尿困难常见于哪些疾病？
2. 如何进行前列腺癌的筛查？

病例 15 ⊠

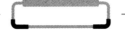

反复尿频 1 年余

患者,女,56 岁,由儿子陪同前来就诊。

患者口述:1 年来反复出现尿频,无尿急、尿痛,无发热、腰痛,无血尿、泡沫尿。多次到当地不同的社区卫生服务中心及三甲医院肾内科、泌尿外科门诊就诊,效果不佳。在朋友的推荐下来看全科医生。

患者带来既往病历和一叠检查单,检验、检查很详细。血常规、肝肾功能、甲状腺功能、血糖、糖化血红蛋白、尿常规、尿培养等实验室检验报告未见异常。心电图、泌尿系彩超、全腹部 CT 等检查,也未见异常。

请思考以下问题 →

1. 如何构建整体性临床思维?
2. 最可能的诊断是什么? 需要完善哪些辅助检查?
3. 诊断和诊断依据是什么?
4. 治疗方案和患者管理。
5. 病例总结。
6. 知识拓展。

1. 如何构建整体性临床思维?

(1)诊断思路:排尿是受到中枢神经系统控制的复杂反射活动,由膀胱、尿道及周围支持组织,在排尿相关的外周神经(腹下神经、盆神经和阴部神经)及中枢神经的共同支配下完成,在该神经反射通路或解剖结构及心理因素出现异常,均可引起尿频。全科医生接诊尿频患者时,要结合以患者为中心临床思维原则,了解尿频发生的诱因、发病机制、加重缓解因素,以及患者潜在的话语。

尿频(Frequent micturition)是指单位时间内排尿次数增多,24 小时内大于 8 次,夜尿大于 2 次,且每次尿量小于 200ml,总量不超过 3L/d。正常成人白天排尿 4 ~ 6 次,夜间 0 ~ 2 次。女性尿频的原因如下(图 2-15-1)。

该女患者,56 岁,1 年来反复出现尿频,无尿急、尿痛,无发热、腰痛,无血尿、泡沫尿。血常规、肝肾功能、甲状腺功能、血糖、糖化血红蛋白、尿常规、尿培养等实验室检验报告未见异常。心电图、泌尿系彩超、全腹部 CT 等检查,也未见异常。是什么原因导致患者经受一年多的尿频痛苦?现采用整体性临床思维——临床 4 问对该患者进行分析(图 2-15-2)。

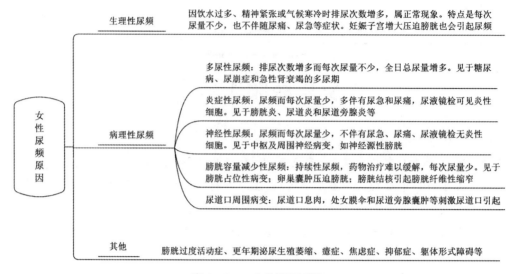

图 2-15-1 女性尿频原因

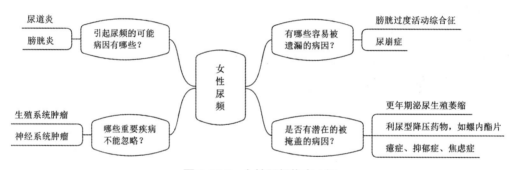

图 2-15-2 女性尿频临床 4 问

（2）鉴别思维：尿频可以是单独的主诉，也可以伴随尿急、尿痛、多饮等其他症状。在临床上，由于医学发展的局限性，医生们有很多无奈，只有一部分能够治愈。美国第一家专门的结核病疗养院创建者——Edward Trudeau 的墓碑上刻着他的座右铭：To Cure Sometimes, To Relieve Often, To Comfort Always。作为一个医生，尽管有些时候我们没有能力让患者痊愈，甚至使病情缓解都做不到，但是我们总是能够去安慰和帮助病人，尽可能使患者从身体上、心理上舒适一些。我们不能只关心检查结果，而忽略了人，我们不仅关注器质性疾病，还要关注患者的心理。下面采用以患者为中心的问诊——RICE 问诊进行深入访谈，寻找病因，达到诊断疾病的目的。

R（reason）——患者就诊的原因

医生：您好！有什么可以帮您吗？（开放式提问）

患者：医生，1 年来，我总想上厕所。

医生：您的情况属于尿频，能将情况详细地告诉我吗？（打开话题，让患者自己回忆患病经过和体验）

患者：1 年前开始出现尿频，每天要上十多次厕所，睡觉时也要上 3 ~ 4 次，影响睡眠。之前去其他医院看过，看过肾内科、泌尿外科医生，做了很多检查，都说检查结果没有问题。医生，你帮我看看检查是不是真的没有问题,我看有些指标高高低低的。

医生:好的,总是上厕所会影响生活质量,确实很让人烦恼。我再多了解一些信息,你每次小便量多吗? 尿什么颜色? 有没有泡沫? (接过检查报告单,认同患者,安慰患者的情绪,了解小便基本情况。)

患者:每次小便的量不多,浅黄色,也没有泡沫,但总想排尿,排出来之后感觉好一点,有时很快又想再次上厕所,一直重复。

医生:有没有伴有发热、尿急、尿痛? (鉴别炎症性尿频)

患者:没有发热、尿急、尿痛。

医生:有外阴阴道烧灼感、瘙痒、分泌物增多和异味的情况吗? (鉴别更年期泌尿生殖萎缩)

患者:这些都没有。

医生:伴有乏力、口渴或其他不舒服的情况吗? (了解伴随症状)

患者:口渴没有。我会经常都觉得很累,肩膀、颈部都经常觉得酸痛。

医生:尿频一般在什么情况下会严重或者好一些呢? (认同患者的症状,了解患者发病的诱因)

患者:这种情况几乎每天都有,紧张或睡觉前更严重,我自己尝试吃点头孢好像会好一点,但是我不能总是吃药啊。

医生:您既往的检查都没有发现尿路感染,您为什么吃头孢呢? (进一步了解患者自己想法)

患者:以前得过尿道炎,吃了头孢就好了。目前我的症状虽然不严重,但是吃了头孢会好一些。可总是反反复复的,担心多吃头孢对身体不好。

医生:头孢类抗生素确实不能随便吃。您以前有什么其他疾病吗? 比如高血压、糖尿病等。(了解患者既往病史)

患者:没有。

医生:您生育了几个孩子? 多大年龄绝经的? 有没有做过妇科检查? (女性患者必须了解月经史和生育史)

患者:生了 1 儿 1 女,51 岁绝经,妇科检查半年前在老家做过,没说我有问题。

I(idea)——患者对自己健康问题的想法

医生:您觉得自己可能是什么病呢? (了解患者的想法)

患者:我觉得应该是尿路感染,但是没有查出来。又或者……(患者迟疑了一下),会不会是肿瘤啊?

医生:您认为得肿瘤的依据是什么?

患者:上网查都说尿路肿瘤会引起尿频。另外我们单位有个同事去年就因为膀胱癌去世的,年纪也不大。

医生:您的尿常规、尿培养、性传染病、结核菌素试验等相关检验做过几次,都没有问题,可以排除尿路感染。泌尿系统彩超、腹部 CT 检查没有问题,目前不考虑肿瘤。(给予患者肯定的答复)

患者:这些检查都是可以排除肿瘤的对吧? 那我就放心了。

C(concern)——患者的担心

医生:你常会因小事过度担心吗?

患者:是的。

医生：您的睡眠情况怎么样？（从睡眠切入）

患者：不好。经常失眠，睡不着、睡着有一点点声响就会醒来，醒了以后就睡不着。

医生：有早醒的情况吗？（了解失眠的性质，鉴别焦虑症和抑郁症）

患者：很少。

医生：能告诉我睡不着在想什么事情吗？（了解失眠的原因）

患者：（忍不住眼眶湿润、眼泪掉下来）想着孩子，孩子在这里生活压力太大了，我很担心他们。我以前在四川做会计，生活平平淡淡也还可以，我丈夫去世得早，一个人把两个儿女拉扯大，都上了重点大学找到好工作，现在一个在上海，一个在深圳。我刚退休，儿子说接我过来享福，可是一来深圳我才知道这个房价多高、物价多贵啊，儿子一个月要还两万多的房贷，怪我自己没能力，帮不了他……（患者忍不住哭泣）不好意思，医生，我控制不住自己的情绪，以前的我不是这样的，我可乐观了。

医生：阿姨，您真的很了不起，自己带大两个小孩，而且都培养得这么优秀。他们肯定特别孝顺，所以接您来享福。深圳生活节奏快，您可能不适应。这些担忧您得跟孩子说说，不能憋在心里。（轻拍患者肩旁，递上纸巾，肢体语言表达共情，提出家人参与解决的办法）

患者（嘴角露出微笑）：谢谢您啊，医生，您是第一个愿意听我说这么多话的医生，别的医生都是开了检查让我做，做完就说我没病，不用吃药。我来到这边人生地不熟，这些话我也不敢跟别人说，更不敢跟孩子说，怕他们担心，说出来我就感觉舒服多了。

医生：我也感谢您的信任。我想了解一下，您有没有感到情绪低落或兴趣缺乏？或者觉得活着没意思？（鉴别抑郁症）

患者：没有。

医生：您躺到检查床上，我给您体检一下。

查体：患者生命体征平稳，心肺腹部体格检查未见异常，妇科未检。颈肩部肌肉僵硬、压痛。

（3）是不是急危重症疾病？

结合患者的病史、查体和之前的辅助检查，需要排除妇科良、恶肿瘤压迫尿道、膀胱导致的尿频和更年期泌尿生殖萎缩引起的尿频。列出以下鉴别诊断（图 2-15-3）

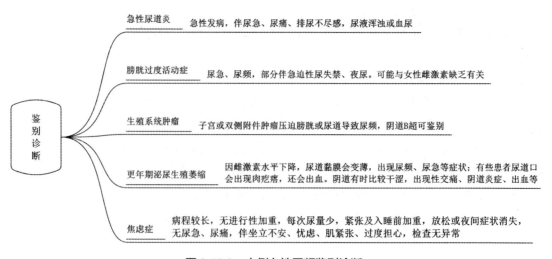

图 2-15-3　本例女性尿频鉴别诊断

E(expectation)——患者的期望

医生:您的病情我基本了解了,您方便做一个焦虑和抑郁筛查量表吗? 有助于我们对病情进一步评估。(让患者填写 PHQ-9 及 GAD-7 量表)

患者:好的。

筛查结果显示,PHQ-9 得分 7 分,GAD-7 得分 13 分。

医生:您的筛查结果提示中度焦虑状态。您既往做了很多检查都没有问题,除了器质性疾病以外,还要考虑心理方面疾病,比如焦虑也会引起尿频。

患者:这个问题严重吗? (患者迫不及待地说)

医生:焦虑是难以控制的过度担心,伴有躯体症状如肌肉紧张、失眠、情绪不稳定,检查没有问题,也不是药物导致的,会让人感到痛苦,影响生活和工作。(向患者解释焦虑症的临床表现)

患者:我就是这样的,医生,该怎么办呢? (患者对医生的期望)

医生:这个治疗需要您的配合。我需要先转诊您去精神心理科进一步评估,以后您也可以来找我复诊,好吗? (医患共同努力,体现协调性照顾)

患者:好。

医生:能否让您的儿子进来,我和他交流一下? (需要家庭情感上的支持,体现以家庭为单位的照顾)

患者:好的。谢谢医生!

告知家属患者的想法、目前可能诊断,焦虑症引起的尿频,无尿急、尿痛,伴随坐立不安、忧虑、肌紧张等症状。建议给予陪伴、关心和支持,解除患者的担忧,并让患者及其家属理解病情、配合治疗。

2. 最可能的诊断是什么? 需要完善哪些辅助检查?

(1)最可能的诊断:焦虑症? 需要做妇科相关检查,排除生殖系统肿瘤,比如子宫和附件肿瘤和宫颈病变。

(2)需要完善的检查:妇科超声、子宫颈 TCT 及 HPV 病毒检查。

检查回报:

1)细胞病理学检查:子宫颈 TCT 提示未见上皮内病变或恶性病变(NILM),HPV 阴性。

2)影像学检查:妇科 B 超提示子宫萎缩,双侧附件阴性。

3. 诊断和诊断依据是什么?

(1)诊断:广泛性焦虑障碍(generalized anxiety disorder,GAD)?

(2)诊断依据:

1)反复尿频 1 年余,伴疲乏、睡眠障碍、肌肉疼痛,无尿急、尿痛,无发热、腰痛,无血尿、泡沫尿,过度担心、焦虑情绪等。既往体健。

2)心肺腹部及体格检查未发现异常。

3)三大常规、肝肾功能、甲状腺功能、血糖、糖化血红蛋白、尿培养等实验室检查未见异常。心电图、泌尿系彩超、全腹部 CT 等检查未见异常。盆腔与妇科相关检查无异常。

4)患者有明显焦虑情绪。PHQ-9 得分 7 分,GAD-7 得分 13 分。

5)全科医生没有诊断精神心理疾病的权限,需要转诊精神心理科进一步确诊。

4. 治疗方案和患者管理

(1)给予心理疏导,解释症状的原因。

(2)给予阿普唑仑片 0.4mg qn 助眠。

(3)建议转诊精神心理科并预约心理治疗。

(4)转诊指征

1)紧急转诊:具有以下情况需立即转诊至精神专科机构。①伴有自杀和自伤风险;②出现精神病性症状;③合并严重的抑郁、双相情感障碍;④伴有物质依赖。

2)紧急处置:伴有急性焦虑发作时,有条件的机构可临时给予劳拉西泮 0.5 ~ 1.0mg 或者阿普唑仑片 0.4 ~ 0.8mg 口服,必要时可予地西泮 5 ~ 10mg 肌内注射。伴有明显抑郁情绪,甚至存在强烈自杀观念者,应告知家人加强看护。紧急处置后,应建议立即转诊至精神卫生专科。

3)普通转诊:出现焦虑症状,需转诊至精神卫生科或综合医院精神科明确诊断;诊断为广泛性焦虑障碍(GAD),一般处理后效果不佳,或出现难以耐受的药物不良反应,或治疗依从性差等,应建议患者至精神专科机构就诊。

(5)患者管理

GAD 是最常见的精神心理疾患,复发率高,需要综合、全程、个体化、规范治疗。患者诊断明确后,定期到心理专科门诊复诊。全科医生要主动与患者及专科医生联系,做好病情的沟通,对患者定期追踪随访,帮助患者进行生活方式管理,增加患者治愈的信心。当患者出现病情复发时,建议及时到医院心理科就诊。

第 2 次就诊

2 周后患者复诊。患者已经去看过 1 次心理医生,诊断广泛性焦虑障碍,给予草酸艾司西酞普兰片 10mg,q.d. 口服。服药后焦虑症状明显缓解,小便次数减少,睡眠较前好转,继续给予心理疏导。建议患者的家庭成员参与到治疗过程中。向患者和家属阐明药物起效时间、疗程和可能发生的不良反应及对策。药物减量、停药前均需至专科医生评估,避免擅自调整用药。嘱咐患者定期心理科复诊。

第 3 次就诊

通过 8 周的心理治疗、药物治疗,患者情绪明显好转、尿频症状消失、肩颈部疼痛等症状也缓解。并且找了一份工作,交了新的朋友。继续给予心理疏导,告知保持乐观的心态。继续规律用药,指导处理不良反应和其他相关问题,提高用药依从性,嘱咐患者定期心理科复诊,巩固治疗,如果病情稳定,3 ~ 6 个月至专科评估 1 次。不定期全科复诊。

5. 病例总结

患者因"尿频"辗转就诊于多个医疗机构,未能解决问题。接诊病人时,耐心安抚、用心倾听,从发病机制、系统解剖入手,运用约翰·莫塔的思维方法,收集资料,抽丝剥茧,快速排除危重症。除了常见疾病外,还要考虑哪些容易遗漏和被掩盖的疾病,看看患者有什么话没有说,了解患者的想法、担忧和期望,倾听患者疾患背后的故事。在接诊患者时,除评估躯体症状,还要关注患者的情绪、行为、表情、语气、用词等,不能单看检查结果就直接否认患病的可能。

"尿频"是门诊接诊的常见症状,常见于泌尿系炎症性疾病,女性患者需要注意排除妇科肿瘤压迫膀胱,生育期妇女还需要排除妊娠子宫压迫膀胱。本病例病程长、就诊次数多,多家医疗机构的辅助检查排除炎症、肿瘤等器质性疾病。全科医生在接诊中以病人为中心,不仅考虑器质性疾病、也关注患者心理。该患者1年来反复尿频,还伴有失眠、疼痛、焦虑等症状,从整体性临床思维思考本病例,结合病史、辅助检查、心理评估等,得出尿频是患者广泛性焦虑障碍的自主神经功能紊乱的临床表现。

6. 知识拓展

焦虑是一种内心紧张不安,担心或者预感到将要发生某种不利情况同时又感到难以应对的不愉快情绪体验,是防御性情绪,激励我们向上。病理性焦虑指持续的紧张不安、无充分现实依据地感到将要大难临头。焦虑障碍(anxiety disorder,AD)是一组以病理性焦虑症状为主要临床表现的精神障碍的总称,包括GAD、恐怖性焦虑障碍、惊恐障碍等。

GAD的焦虑没有明确的客观对象,不局限于任何特定的外部环境,症状泛化、持续、波动。病程多慢性,常反复发作,又被称为慢性焦虑。患者常有一定人格基础,起病时常和生活应激事件相关,特别是有威胁性的事件,如人际关系、躯体疾病以及工作问题等。GAD临床表现分为精神性、躯体性、自主神经紊乱及其他症状四类(表2-15-1)。

表2-15-1 GAD的临床表现分类

分类	临床表现
精神性焦虑	过度担心、提心吊胆、惶恐不安、警觉性增高、惊跳反应、注意力难以集中、入睡困难、易醒、易激惹
躯体性焦虑	搓手顿足、不能静坐、来回走动、小动作多、肌肉紧张、肌肉酸痛、肢体震颤、语音发颤
自主神经紊乱	心动过速、胸闷气短、头晕头痛、皮肤潮红、出汗或苍白、口干、吞咽梗阻感、胃部不适、恶心、腹痛、腹胀、便秘或腹泻、尿频、早泄、勃起功能障碍、月经紊乱、性欲缺乏等
其他症状	疲劳、抑郁、强迫、恐惧、惊恐发作、人格解体

焦虑障碍是否存在及严重程度可通过焦虑评估量表评定。常用的焦虑症状评估量表包括:广泛性焦虑障碍量表(GAD-7)(表2-15-2)、焦虑自评量表(SAS)、汉密尔顿焦虑量表(HAMA)。超过50%的AD患者伴有抑郁症状,故对AD患者需要同时进行抑郁症状评估。

GAD诊断要点:

(1)一次发作中,患者必须在至少数周(通常为数月)内的大多数时间存在焦虑的原发症状,这些症状通常应包含以下要素:①恐慌,为将来的不幸烦恼,感到忐忑不安、注意困难等;②运动性紧张:坐卧不宁、紧张性头痛、颤抖、无法放松等;③自主神经活动亢进,头重脚轻、出汗、心动过速或呼吸急促、上腹不适、头晕、口干等。

(2)儿童突出的表现可能是经常需要抚慰和一再出现躯体不适主诉。

(3)出现短暂的(一次数日)其他症状,特别是抑郁,并不排斥广泛性焦虑障碍作为主要诊断,但患者不得完全符合抑郁障碍、恐怖性焦虑障碍、惊恐障碍、强迫障碍的标准。

(4)患病时间持续6个月以上。

此外,体格检查及相关实验室检查排除器质性疾病等。

GAD是一种慢性、高复发性精神障碍,根据对严重程度、痛苦或损害的程度及患者意愿进行评估,确定是否需要治疗。药物治疗和心理治疗对 GAD 均有效。对于轻中度的焦虑障碍、存在明显心理社会因素、药物治疗依从性差、或躯体状况不适宜药物治疗的 GAD 患者可优先考虑心理治疗。对于无明显诱因起病、病程持久、焦虑障碍程度较重,或伴有失眠、药物滥用、与其他疾病共病的 GAD 患者可优先考虑药物治疗。治疗倡导全病程治疗,包括急性期、巩固期和维持三个时期。急性期治疗主要是控制焦虑症状,应尽量达到临床痊愈,时间一般为 3 个月。巩固期治疗主要是预防复燃,一般至少 2 ~ 6 个月,在此期间患者病情容易波动,复燃风险较大。维持期治疗主要是防止复发,一般 6 ~ 12 个月。维持期治疗结束后,如果病情稳定,可以缓慢减少药物剂量,直至终止治疗。治疗 GAD 的主要药物有苯二氮䓬类抗焦虑药(BZDs)、选择性5-HT 再摄取抑制剂(SSRIs)、5-HT 和去甲肾上腺素再摄取抑制剂(SNRIs)及其他药物。初始药物治疗首选采用 SSRIs 和 SNRIs 类药物,无成瘾性且整体不良反应较轻。为快速控制焦虑症状,早期可短暂(< 4 周)合并使用 BZDs。GAD 的补充和替代治疗包括躯体、认知和精神干预。有氧运动治疗、正念减压和瑜伽也可能有帮助。

GAD 需要全程、综合性治疗。精神科医生的专业指导,心理治疗师的协助,综合医院医务人员、社区卫生人员、社会工作者的帮助,对 GAD 患者的康复有非常重要的作用。很多精神障碍患者家属认为患者的管理治疗都是医院、医生的事,与自己无关,只要把患者送到医院就行了。其实不然,对于精神障碍患者的管理治疗,家庭全力支持和社区积极配合也同样重要,能有效促进患者尽快稳定病情,早日康复,回归家庭、回归社会。

表 2-15-2　广泛性焦虑障碍量表(GAD-7)

最近 2 周,您有多少天被下列问题所困扰? (单选,请在对应答案的位置内打"√")	没有	有≤ 7 天	有> 7 天	几乎天天有
1. 感到不安、担心及烦躁	0	1	2	3
2. 不能停止担心或控制不了担心	0	1	2	3
3. 对各种各样的事情过度担心	0	1	2	3
4. 很紧张,很难放松下来	0	1	2	3
5. 非常焦躁,一直无法静坐	0	1	2	3
6. 变得容易烦恼或被激怒	0	1	2	3
7. 感到好像有什么可怕的事会发生	0	1	2	3

注:0 ~ 4 分:没有焦虑;5 ~ 9 分:可能有轻度焦虑,建议加强监测;10 ~ 14 分:可能有中度焦虑,建议进一步评估和治疗;15 ~ 21 分:可能有重度焦虑,很可能需要治疗。

（何月妃　王　静　蔡飞跃）

 思考题

1. 引起尿频的常见病因有哪些?

2. 广泛性焦虑障碍的常用治疗方法有哪些?

病例 16 ⊠

血糖高半年余

患者,男,27岁,公司职员,已婚未育,独自前来就诊。

患者口述:半年前体检,空腹血糖7.5mmol/L,没有治疗。有多尿、多饮、体重减轻,6个月内,体重从85kg减少到76kg,无胸闷、心慌、出汗异常,无恶心呕吐,无视物模糊,无肢体麻木,无便秘、腹泻交替。近期睡眠欠佳。既往无慢性肝病、胰腺炎等病史,一级亲属中有糖尿病患者。

请思考以下问题 →

1. 如何构建整体性临床思维?
2. 最可能的诊断是什么? 需要完善辅助检查?
3. 诊断和诊断依据是什么?
4. 治疗方案和患者管理。
5. 病案总结。
6. 知识拓展。

1. 如何构建整体性临床思维?

(1)诊断思路:正常情况下,人体通过激素和神经调节使血糖维持在一定水平,当胰岛 β 细胞分泌的胰岛素量不足或作用减弱,胰岛素拮抗激素分泌增多,肠促胰素效应减弱以及脑细胞神经递质功能障碍等一种或多种机制下,发生血糖升高。当血糖值高于正常范围,即空腹血糖 $\geq$ 6.1mmol/L,餐后两小时血糖 $\geq$ 7.8mmol/L,和 / 或糖化血红蛋白(HbA_{1c}) $\geq$ 6.0% 时,诊断为糖尿病前期。若出现典型的糖尿病症状,同时出现高血糖:空腹血糖 $\geq$ 7.0mmol/L,和 / 或餐后两小时血糖 $\geq$ 11.1mmol/L,和 / 或糖化血红蛋白 $\geq$ 6.5%,即可诊断糖尿病(diabetes mellitus,DM)。引起高血糖的原因(图 2-16-1)。

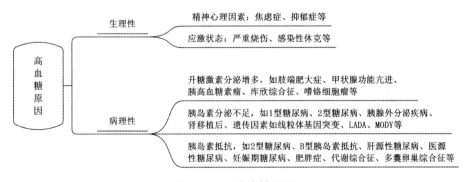

图 2-16-1　高血糖原因

血糖升高最常见于 2 型糖尿病,其次常见于 1 型糖尿病及妊娠糖尿病。特殊类型糖尿病比较少见,且病因复杂,容易被忽视及误诊,如肢端肥大症、库欣综合征、甲状腺功能亢进及胰腺疾病等腺体病变出现的血糖升高,长期口服糖皮质激素引起的血糖升高等。接诊血糖升高的患者,在考虑常见疾病的同时,还要通过详细的问诊、查体与相关辅助检查,根据患者发病年龄、诱发因素、家族史、特征性的临床表现和检查结果,鉴别相关疾病,如感染等应激状态、胰腺外分泌疾病(如胰腺炎等)。此外,应关注患者心理状态,排除精神压力引起的应激性高血糖。

该患者,男,27 岁,发现血糖高半年,睡眠欠佳。现采用整体性临床思维——临床 4 问进行分析(图 2-16-2)。

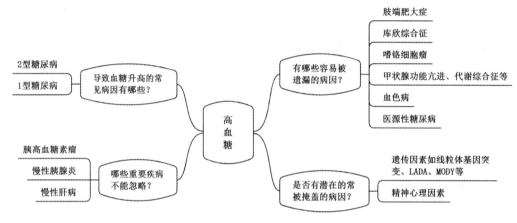

图 2-16-2　高血糖临床 4 问

(2)鉴别诊断:在全科医疗实践中,最重要、最基本的理念是来看全科医生的是人,不是病。为了找到答案,我们不仅关注疾病,还要关注患者,结合以患者为中心的整体性临床思维原则,了解患者背后的故事,尤其要了解高血糖的发生、发展,全方位探究患者的患病经历和他的想法、担忧和期望。下面采用以患者为中心的问诊——RICE 问诊进行深入访谈,寻找病因,达到诊断疾病的目的。

R(reason)——**患者就诊的原因**

医生:您好,有什么可以帮助您吗?　(亲切的目光,开放式问诊)

患者:医生,半年前单位体检发现血糖高,我就开始注意饮食,尽量多活动,但血糖一直降不下来,很苦恼。

医生:您平时查空腹血糖还是餐后血糖?每次数值是多少?　(了解血糖具体数值以判断能否诊断糖尿病)

患者:每天早上测,一般在 7 ~ 8mmol/L,没测过餐后血糖。

医生:您每天都测?　(患者的左手满是细小针眼)

患者:是啊,我很担心自己得糖尿病。

医生:最近的小便量、次数较以前有变化吗?　(询问患者是否有糖尿病相关症状)

患者:小便量和原来差不多,但次数比原来明显多了,以前每天 5 ~ 6 次,现在有 8 ~ 10 次。

医生:和原来相比,喝水、吃饭有明显的变化吗?

患者:喝水比原来多,每天喝水大约有 4 000ml,每天总是感觉饿,但不敢吃饱,很担心自己血糖会越来越高。

医生:体重有变化吗?

患者:体重比半年前轻了大约 9kg。

医生:尿里有泡沫吗? 眼睛看东西模糊吗? 有没有感觉胸闷、心慌、出汗异常? (了解患者是否出现糖尿病并发症相关症状:肾脏及心肌病变、视网膜病变)

患者:没有。

医生:肢体有没有感觉发酸、麻木或者疼痛? (了解患者是否出现糖尿病周围血管病变、周围及自主神经病变)

患者:没有。

医生:平时有便秘或者便秘、腹泻交替吗? (了解患者是否出现胃肠道自主神经病变)

患者:没有。

医生:还有其他不舒服吗? (了解伴随症状)

患者:感觉很容易累,全身没有力气,总想躺着。

医生:除了高血糖,您得过慢性肝病、胰腺炎等疾病吗? (了解是否有既往疾病导致的血糖升高)

患者:没有。

医生:能跟我说说您一天如何吃饭吗? (了解其他原因引起的血糖升高)

患者:以前我吃饭口味较重,习惯甜食和肉类食物,自从查出高血糖后,就注意多吃粗粮,不敢放开多吃。

医生:控制高血糖,除了注意饮食,运动也很重要,您平时有运动吗? (了解患者的生活方式)

患者:以前运动不多,下班后喜欢宅在家里。这半年自己血糖不好,尽量来去走着上下班,每天大约走 1 个半小时路程吧。但是单位加班晚了就累了,然后打车回家。

医生:三代以内直系亲属有得糖尿病的吗? (了解糖尿病家族史)

患者:我爸爸有 2 型糖尿病。

医生:您前面提到觉得很累,我想了解您的睡眠怎么样? (从睡眠切入,了解生活、工作压力情况)

患者:睡得不好,常常躺床上睡不着,有时候玩手机,有时候想事情。

医生:工作上有压力吗?

患者:工作上还好,不是很累。

I(idea)——患者对自己健康问题的看法

医生:您对血糖高是怎么认识的? 之前为什么没有看医生呢? (了解患者对自己血糖问题的认知及态度)

患者:我感觉自己得了糖尿病,我爸爸就有这个病,我不想吃药和打胰岛素,想通过饮食控制血糖,所以一直没有去看医生。

C（concern）——患者的担心

医生：您刚才提到睡眠不好，是入睡困难还是醒得早呢？（了解失眠的性质，鉴别焦虑症和抑郁症）

患者：是入睡困难。入睡后就会一觉到天亮。

医生：睡不着时想些什么呢？

患者：常想着自己才 27 岁，刚结婚没孩子，万一得了糖尿病，后面日子怎么办？如果得了糖尿病，能治好吗？我在网上查过糖尿病并发症很可怕，有些病人出现了脚趾溃烂，最后不得不截肢，还有的病人最后眼睛失明，有的病人尿毒症需要换肾，我以后会不会也这样啊？每每想起这些，我就不寒而栗，夜不能寐。

医生：有没有情绪低落、消沉、愉悦感下降或者缺失、丧失兴趣吗？（鉴别抑郁症）

患者：没有。

医生：今天吃早饭了吗？

患者：想来医院复查一下血糖，所以没有吃早饭。

医生：我先给检查一下身体，再验一个空腹血糖。

检查结果提示：T 36.6℃，P 76 次 /min，R 14 次 /min，BP 128/78mmHg，身高 173cm，体重 78kg，BMI 26kg/m²，腰臀比 0.92，左侧 ABI：1.01，右侧 ABI：1.08；神清语利，全身皮肤无皮疹、瘀斑及出血点，气管居中，甲状腺不大，心肺听诊无异常；腹部平坦，肝脾肋下未及，全腹无压痛叩击痛及反跳痛，肠鸣音活跃，5 ~ 6 次 /min；双侧腓肠肌无压痛，双侧足背动脉搏动正常，四肢浅感觉及深感觉均正常，双下肢无水肿，四肢肌力、肌张力正常，双侧膝反射、踝反射正常，巴宾斯基征（−）。

辅助检查：空腹血糖 9.5mmol/L（快速血糖）。

（3）是不是急危重疾病？

该患者高血糖的原因究竟是什么呢？结合患者的病史资料，初步确定糖尿病。列出以下鉴别诊断（图 2-16-3）。

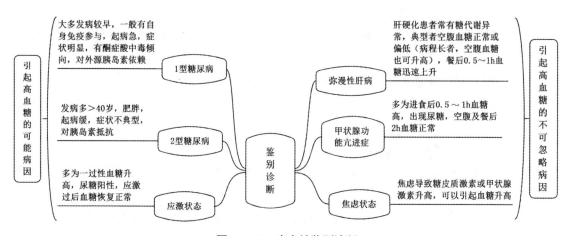

图 2-16-3　高血糖鉴别诊断

E(expectation)——患者的期望

医生:根据平时测的血糖数值,您可能得了糖尿病。对于新诊断糖尿病,需要评估分型,有些糖尿病类型经过早期干预是能完全缓解的。糖尿病并发症的出现时间取决于得糖尿病的时间长短以及控制程度,如果早期得到科学合理的治疗,会大大延缓发展速度。

患者:会影响生育吗? 以后会不会遗传给孩子? 最近几周,我都没睡过好觉,也难以集中精力工作。

医生:糖尿病一般不会直接影响生育,2 型糖尿病的遗传概率不大,父母一方患病的遗传概率为 10% ~ 20%),你不必过分担忧。

患者:糖尿病需要终生用药吗? 能控制好吗?

医生:对于新诊断糖尿病,有些病人单纯采用饮食运动等方式,也能控制好血糖。糖尿病是一种需要终生管控的慢性病,但并不等于终生用药。比如你本来偏胖(患病前 BMI 28.4kg/m^2),容易产生胰岛素抵抗,如果你能把 BMI 控制到 25kg/m^2 以内,就有助于血糖控制到正常了。控制糖尿病的办法很多,可以帮助你慢慢学会。我先转诊你到上级医院的内分泌科综合评估一下,由专科医生给你制定降糖方案,好吗? (开转诊单,体现协调性照顾)

患者:好。

医生:我发现您的心理压力太大,已经影响了睡眠,建议你去精神卫生科咨询一下,心理科医生会帮你改善睡眠,可以吗?

患者:我先去看内分泌科医生,听听上级医院医生的建议后再定吧。

医生:好。有什么需要我帮忙的,就来找我,这是我的电话。(建立良好医患关系)

患者:谢谢医生。

2. 最可能的诊断是什么? 需要完善哪些辅助检查?

(1)最可能的诊断:

1)2 型糖尿病?

2)焦虑状态?

(2)需要完善的辅助检查:转内分泌科做专科检查、胸部 CT、心脏彩超、心电图、心肌酶、肝肾功能。转精神卫生科(拒绝)。

上级医院内分泌科检查回报:

胸部 CT、心脏彩超、心电图、心肌酶、肝肾功能等检查未见异常。血清酮体阴性。OGTT 提示空腹血糖 8.2mmol/L,2 小时血糖 14.2mmol/L;糖化血红蛋白 8.9%;胰岛素及 C 肽分泌曲线峰值后延;糖尿病相关抗体阴性。确诊为 2 型糖尿病。

3. 诊断和诊断依据是什么?

(1)诊断:2 型糖尿病(type 2 diabetes mellitus)。

(2)依据:根据症状、体检及辅助检查。

4. 治疗方案和患者管理

遵循 2 型糖尿病高血糖治疗路径,鼓励患者参与共同决策,制定并实施个体化的综合管理方案。

(1)对患者行系统性糖尿病健康教育,合理制定糖尿病食谱及运动处方,并记录饮食及运动

日记:

1)饮食处方:饮食总体要低盐低脂、低升糖指数饮食,即要求饮食清淡,吃绿色环保、有机的食品,尽可能的少吃或不吃油腻、辛辣、高升糖指数的,如油炸食品、糕点、各种含糖分高的饮料;饮食原则是少食多餐、定时定量,即要求糖尿病患者每天的饮食尽可能的安排 3 餐,时间段固定,每一餐根据糖尿病的血糖控制情况,以及个人的生活、工作的体能消耗,按照医生的饮食指导,有相对量的固定。每日的主食量不超过 300g;粮食的选择上尽量粗粮、细粮搭配吃,不要喝粥,包括各种粮食制的粥都不喝。蛋白质类每天可以吃 2 个鸡蛋,喝 250 ~ 500ml 牛奶,每天吃100 ~ 150g 瘦肉,可以吃鱼肉、鸡肉和猪、牛、羊瘦肉等。不吃动物脂肪,炒菜少放油。多吃新鲜的蔬菜,但根茎类的蔬菜,比如土豆、莲菜、芋头等等要少吃,或者把这些蔬菜当成主食来吃。

2)运动处方:对于有氧运动,每周运动 3 ~ 7 天,控制强度在中等到较大强度之间,2 型糖尿病需每周进行 150 分钟中高强度的有氧运动,比如步行、骑车、游泳等。抗阻运动:每周至少运动 2 天(不连续),最好运动 3 天,运动强度为中高强度,即 50% ~ 85% 1-RM(一次最大重复次数);至少进行 8 ~ 10 种不同动作的练习,每组 10 ~ 15 次,重复 1 ~ 3 组。柔韧性训练每周至少运动 2 ~ 3 天,运动强度为拉伸时感觉到肌肉紧张或者轻度不适,每个动作保持静态拉伸10 ~ 30s,每个动作重复 2 ~ 4 次。

(2)药物治疗计划:除饮食和运动疗法外,开始口服降糖药物治疗,二甲双胍,早、晚各 0.5g饭后立即口服,并告知患者该药可能的不良反应,如少数患者可能出现恶心、呕吐、腹泻、腹痛、食欲不振、乏力及头痛等副反应。血糖控制目标值为:空腹血糖 4.4 ~ 7.0mmol/L,餐后 2 小时血糖 < 8mmol/L,糖化血红蛋白 < 7.0%。具体见《国家基层糖尿病防治管理手册(2022)》。

(3)患者管理

1)指导患者自我监测三餐前后血糖及睡前血糖,根据监测结果调整上述治疗方案。

2)告知患者糖尿病治疗需长期管理。将患者纳入社区糖尿病患者管理计划,由全科医生团队负责建档并持续性管理。

3)门诊随访时关注其心理状态变化,必要给予阿普唑仑 0.4mg,睡前 30 分钟服用,或者建议患者转精神卫生科。

4)嘱咐患者 2 周后复诊。血糖控制达标后,每月到全科医生处随访一次;每 3 个月到内分泌专科复诊一次。

第 2 次就诊

第 15 天患者复诊,近 1 周空腹血糖为 6 ~ 7mmol/L,餐后 2h 血糖约 9mmol/L,告知患者高血糖明显好转;患者未诉恶心、呕吐、腹泻、腹痛、食欲不振等症状,将二甲双胍剂量调整为早、晚各 1g。患者焦虑症状减轻,睡眠较前好转。

第 3 次就诊

3 个月后患者复诊,患者血糖控制基本达标,患者情绪稳定。

转诊上级医院复诊。反馈如下:

测胰岛功能(胰岛素释放实验、C 肽释放试验)及 HbA_{1c},化验示 HbA_{1c}6.9%;空腹 C 肽 2.8ng/ml,餐后 0.5h C 肽 12.5ng/ml,餐后 2h C 肽 11.6ng/ml;空腹胰岛素 12μU/ml,餐后 0.5h 胰岛素57μU/ml,餐后 2h 胰岛素 49μU/ml。继续饮食运动管理,及二甲双胍降糖治疗。3 个月后复查。

5. 病例总结

2 型糖尿病是一组由多病因引起的以慢性高血糖为特征的代谢性疾病,可引起多系统受损。我国 2 型糖尿病人数逐年上升,发病年龄有明显年轻化趋势。中青年人群对此病存在一定的认识误区,容易出现情绪问题。在治疗糖尿病过程中,因长期用药、监测血糖等,也会带来心理压力,甚至出现焦虑、抑郁症状。糖尿病会引起各种急慢性并发症,比如足部慢性溃疡,可能会使焦虑抑郁的症状恶化。焦虑抑郁使人难以完成任务,削弱个人执行糖尿病护理任务的能力,同时也会做出错误的决定,包括不健康的饮食、较少运动、吸烟和体重增加,进而导致血糖较难控制。因此,心理状态评估和心理抚慰是糖尿病诊治和自我管理的重要组成部分。

美国糖尿病协会(ADA)指南(2022 版)建议,当患者出现对糖尿病并发症、胰岛素注射和服用药物表现出焦虑或担忧,以及恐惧低血糖进而影响自我管理行为的人,以及那些表达出恐惧或非理性想法和 / 或表现出焦虑症状(如回避行为、过度重复行为或拒绝社交)的人,考虑对其进行焦虑筛查。同时该指南建议对所有糖尿病患者每年进行抑郁的常规筛查,特别是当出现糖尿病并发症开始,或者当医疗状况发生重大变化时,要对抑郁进行评估。研究发现,新诊断中青年糖尿病患者中,约 45.3% 的患者合并焦虑,36.8% 的患者合并抑郁,因此早期识别是否伴随心理疾病,早预防、早发现、早诊断、早治疗意义重大。通过积极的治疗,我们发现新诊断的糖尿病患者伴随的心理焦虑或心理抑郁状态是完全可以被治愈的。

通过 RICE 问诊,能为患者提供整体性服务,不仅关注疾病,还能关注到患者的心理问题。全科医生很少有诊断精神心理疾病的资质,在初步识别患者合并精神心理问题后,及时转诊和随访非常重要。

6. 知识拓展

(1)降糖药物种类及作用机制(表 2-16-1)。

表 2-16-1　降糖药种类及作用机制

降糖药	作用机制	靶器官
GLP-1 受体激动剂	调节中枢神经递质抑制食欲	
胰岛素、磺酰脲类、格列奈类、GLP-1 受体激动剂	改善胰岛素缺乏	

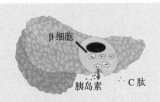

降糖药	作用机制	靶器官
GLP-1 受体激动剂、DPP4 酶抑制剂	抑制胰高血糖素分泌	
胰岛素、双胍类、格列酮类、GLP-1 受体激动剂、DPP4 酶抑制剂	抑制糖异生,改善胰岛素抵抗	
双胍类、GLP-1 受体激动剂、DPP4 酶抑制剂	增加肠促胰素水平	
胰岛素、双胍类、格列酮类	增加葡萄糖摄取	
格列酮类	抑制脂解作用	
SGLT-2 抑制剂	促进尿糖排泄	

(2)基层糖尿病患者的随诊流程

为了使基层患者血糖、血压、血脂综合控制达标,减少或延缓并发症的发生,降低致残率和早死率,基层医疗卫生机构应承担糖尿病的健康教育、筛查、诊断、治疗及健康管理工作,识别出不适合在基层诊治的糖尿病患者并及时转诊(《国家基层糖尿病防治管理指南(2022)》),具体见图 2-16-4。

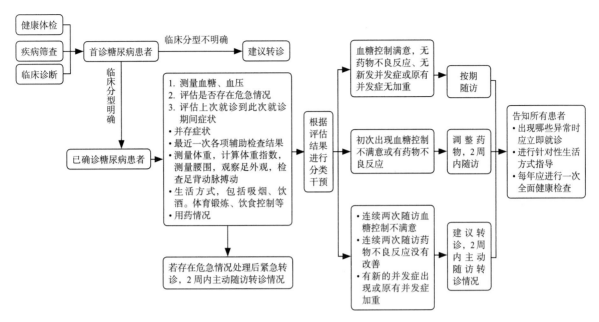

注:血糖控制满意为空腹血糖＜7.0mmol/L,非空腹血糖＜10.0mmol/L,糖化血红蛋白 Alc＜7.0%;血糖控制不满意为空

腹血糖≥7.0mmol/L,非空腹血糖≥10.0mmol/L,糖化血红蛋白 Alc≥7.0%

图 2-16-4 基层糖尿病患者的随诊流程

（唐宽晓 左安举 黄 萍）

 思考题

1. 新诊断糖尿病患者常出现的心理问题有哪些?

2. 全科医生接诊糖尿病患者,何时需要向上级医院转诊?

病例 17 ⊠

双下肢水肿半年、腹胀 2 个月余

患者,男性,55 岁,农民。

患者口述:半年前无明显诱因开始出现双下肢踝关节以远部位凹陷性水肿,久站或夜间明显。当地医生测血压正常(具体数值不记得),间断给与利尿治疗,症状缓解,未特别重视;近 2 个月渐感体力减退,双下肢水肿加重,伴有腹胀,纳差。

在当地医院就诊,相关检查显示:血常规示 WBC $7.1 \times 10^9/L$,HGB 136g/L,PLT $120 \times 10^9/L$;尿常规示红细胞(−)、蛋白(−),生化指标示血 Cr 81μmol/L,ALT 14U/L,ALB 32g/L;腹部超声示中到大量腹水,肝脏形态无明显异常,脾不大。

请思考以下问题 →

1. 如何构建整体性临床思维?
2. 最可能的诊断是什么? 需要完善哪些辅助检查?
3. 诊断和诊断依据是什么?
4. 治疗方案和患者管理。
5. 病例总结。
6. 知识拓展。

1. 如何构建整体性临床思维?

(1)诊断思路:水肿是由组织间隙液体容量扩张引起的可触及性肿胀。水肿只是一种症状,可引起腹胀、乏力、气短等症状。全科医生接诊水肿患者时,可根据水肿发生的病理生理机制(图 2-17-1)指导病史采集、体格检查及完善相关辅助检查,进而帮助缩小鉴别诊断的范围。

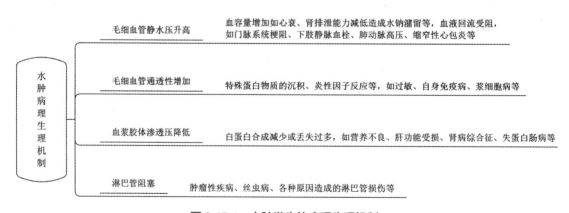

图 2-17-1 水肿发生的病理生理机制

水肿（edema）是指人体组织间隙有过多液体聚积使组织肿胀，水肿可分为全身性和局部性。当液体在体内组织间隙弥漫性分布时呈全身性水肿，液体聚积在局部组织间隙时呈局部性水肿。发生于体腔内时称积液，如心包积液、胸腔积液、腹腔积液。正常情况下，毛细血管滤出与组织间液回收保持平衡，一旦毛细血管滤出高于组织间液回收，就会出现水肿。水肿的常见原因见图 2-17-2。

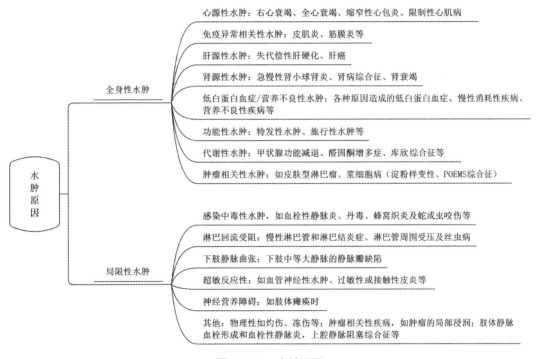

图 2-17-2　水肿原因

水肿是临床常见的体征，涉及循环系统、泌尿系统、内分泌系统等多个系统相关疾病。水肿的不同部位、特点和伴随症状，可能提示了不同的疾病，还可能与药物、营养不良、内分泌功能失调、经期、静脉曲张等有关。

该男性患者半年多以前无明显诱因开始出现双下肢踝关节以远部位凹陷性水肿，久站或夜间明显。当地医生间断给与利尿治疗，症状缓解；近 2 个月渐感体力减退，双下肢水肿加重，伴有腹胀，纳差；当地医院相关检查显示：血常规示 WBC 7.1×10^9/L，HGB 136g/L，PLT 120×10^9/L；尿常规示红细胞（−）、蛋白（−），生化指标示血 Cr 81μmol/L，ALT 14U/L，ALB 32g/L；腹部超声示中到大量腹水，肝脏形态无明显异常，脾不大。现采用整体性临床思维——临床 4 问对该患者进行分析（图 2-17-3）。

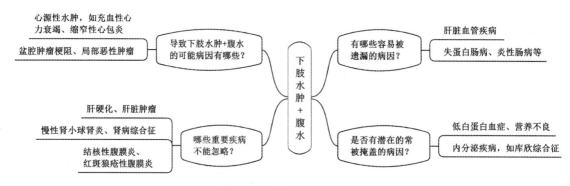

图 2-17-3　下肢水肿 + 腹水临床 4 问

（2）鉴别思维：在接诊下肢水肿 + 腹水患者时，首先需要确定水肿的部位，观察下肢、颜面部、躯干部、会阴部以及上肢是否存在水肿，明确水肿的分布，是全身性水肿还是局限性水肿，是否合并浆膜腔积液。然后，判断水肿的性质，是凹陷性水肿还是非凹陷性水肿，后者常见于慢性淋巴回流受阻、黏液性水肿等。需要注意以下几点：①警惕高危因素及相关疾病，如心脏病、肾脏病、肝脏疾病、静脉曲张或静脉血栓、甲状腺功能减退、肿瘤等；②注意排查相关致病因素：如长期站立、营养不良、体重下降、过敏及特殊物质接触史等；③特殊爱好，如嗜好烟酒等；④女性患者排查是否与经期相关（经前期紧张综合征），情绪与疾病相关性等。现从整体性临床思维出发，进行以人为中心的问诊，了解患者的 RICE。

R（reason）——患者就诊的原因

医生：您好，有什么可以帮您吗？（开放式问诊）

患者：我的腿有点肿，想请大夫看看。

医生：这腿肿有多长时间了？（了解症状持续时间，是急性起病还是慢性起病）

患者：半年多了，之前没在意，最近肿得厉害了。

医生：除了下肢水肿，还有其他不舒服吗？（了解伴随症状）

患者：最近两个月肚子有点胀，胃口不太好，感觉浑身没劲。

医生：除了感觉没劲，有没有胸闷、气短、咳嗽、咳痰、体重减轻、怕冷、尿少等情况？（了解其他伴随症状，鉴别诊断）

患者：没有。

医生：以前有什么慢性病或者长期服用的药物？平时喜欢抽烟喝酒吗？

患者：以前身体挺好的，啥病也没有，不抽烟也不喝酒。

医生：家里人身体好吗？（了解家族史，包括肿瘤家族史）

患者：都挺好的。

I（idea）——患者对自己健康问题的想法

医生：您觉得可能是什么原因引起的水肿呢？（了解患者对自身疾病的看法）

患者：是不是营养不好，最近胃口不好，吃得少。

医生：最近一年有去过外地或者有接触什么特殊的东西吗？（了解旅居史和接触史）

患者：没有。

C(concern)——患者的担心

医生:之前去医院看过吗？（了解诊疗史）

患者:看过。医生,这是检查结果(递上化验单),也没说啥原因,让我服利尿药,感觉缓解一些。现在吃这个药没用了,担心得了严重的病。

医生:您是干什么工作的？和家庭人员关系好吗？

患者:在家干农活,家里老婆、孩子都挺好的。

医生:我先给您做一个全身的检查。

查体注意事项:关注体重变化,血压是否正常,面色是否苍白,眼睑、颜面部水肿情况,是否存在肺部啰音,胸腔积液及肺水肿体征,有无颈静脉怒张、肝大、静脉压增加、肝颈静脉回流征阳性等,有无肝脾大、腹水、移动性浊音、腹壁静脉怒张等,四肢是否水肿,双侧是否对称,有无阴囊水肿、外阴水肿等。

查体:BP 123/70mmHg,HR 68 次 /min,眼睑、颜面部无水肿,颈静脉充盈;右下肺呼吸音稍低,未闻及干湿啰音;心律齐,未闻及病理性杂音。腹部膨隆,无压痛、反跳痛,肝脾触诊不满意,移动性浊音(+),双下肢对称性可凹性水肿。

(3)是不是急危重症疾病？

根据患者的症状、体征及当地医院检查结果(ALB 32g/L,腹部超声:中到大量腹水),初步考虑心源性水肿？需要进一步检查,除外低白蛋白血症,肿瘤相关性水肿。列出以下鉴别诊断(图 2-17-4)。

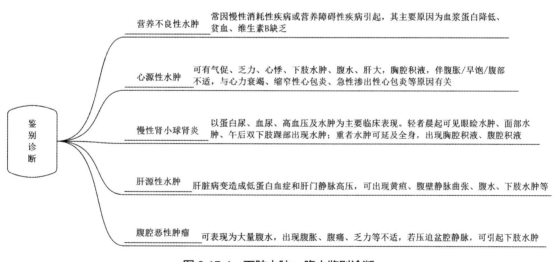

图 2-17-4　下肢水肿 + 腹水鉴别诊断

E(expectation)——患者的期望

医生:我刚刚给您做了一个全身的查体,结合您现在的症状,我们需要进一步做一些化验和检查,以明确是什么问题。(解释,取得患者配合)

患者:好的,医生。

医生:最近注意监测体重变化,每天适当饮水,量出为入。如果水肿加重,或出现其他不舒服,及时跟我联系。

患者:好,谢谢医生。

2. 最可能的诊断是什么? 需要完善哪些辅助检查?

(1)最可能的诊断:心源性水肿?

(2)辅助检查:完善血生化、尿常规、甲状腺功能、胸腹部 CT、腹水常规及病理学检查、检测肘静脉压、超声心动图。

检查回报:生化指标肝肾功能正常,血白蛋白 28g/L;尿蛋白阴性;甲状腺功能正常;胸部 CT 示右下肺少量胸腔积液,余未见明显异常,心包局部增厚;腹水检查示白细胞 206/μl,单核 38%,腹水白蛋白 15g/L(血白蛋白 28g/L),腹水 LDH 85μ/L,腹水病理结果可见增生的间皮细胞,未见肿瘤细胞,血清 - 腹水白蛋白梯度(SAAG)为 13g/L(> 11g/L),[属于门脉高压性腹水,常见病因(表 2-17-1)]。肘静脉压测定:28cmH$_2$O(正常值 5 ~ 14),超声心动图示:心包增厚,少量心包积液。

表 2-17-1　根据 SAAG 的腹水病因分类

门脉高压,高梯度(≥ 11g/L)	非门脉高压,低梯度(< 11g/L)
• 肝淤血 　充血性心力衰竭 　缩窄性心包炎 　三尖瓣关闭不全 　布加综合征 　肝小静脉闭塞症 • 肝脏疾病 　肝硬化 　酒精性肝炎 　暴发性肝功能衰竭 　广泛性肝转移性肿瘤 　原发性肝癌 　妊娠急性脂肪肝 • 门静脉血栓	• 腹膜转移性癌 • 肾病综合征 • 营养不良性水肿 • 乳糜腹水 • 胰源性腹水 • 胆汁性腹水 • 结核性腹膜炎 • 细菌性腹膜炎 • 真菌性腹膜炎 • 原发性间皮瘤 • 结缔组织疾病所致的腹水 • 肠梗阻或肠穿孔所致的腹水 • 混合性腹水

3. 诊断和诊断依据是什么?

(1)诊断:

1)缩窄性心包炎(constrictive pericarditis)

2)低白蛋白血症(hypoalbuminemia)

(2)诊断依据:①中老年男性,慢性病程,双下肢水肿半年,伴腹胀 2 个月余;②体格检查示颈静脉充盈,腹部移动性浊音(+),双下肢对称性水肿;③辅助检查示血 Alb 28g/L,腹水 SAAG 13g/L,肘静脉压 28cmH$_2$O;胸部 CT 示心包局部增厚,超声心动示心包增厚,少量心包积液;④血白蛋白 28g/L。

4. 治疗方案和患者管理

(1)水肿伴有以下情况需要及时向上级医院转诊:

1)水肿进展迅速,伴生命体征不稳定者。

2)不明原因水肿者。

3)病因明确但水肿进行性加重者。

4)经治疗后水肿症状无明显好转者。

患者转上级医院时,全科医生及时向专科医生交接患者诊疗的结果及个人家庭、社会背景资料,以便上级专科医生更好地开展诊疗,全科医生需要及时了解患者诊疗结果。

(2)治疗方案:水肿的一般治疗原则包括针对病因的治疗、低盐饮食,大部分患者还需要利尿治疗,该患者的治疗措施如下:

1)营养支持治疗:卧床休息,注意低盐高蛋白饮食。

2)利尿治疗:给予呋塞米等利尿治疗,适当补钾,警惕低钾血症。

3)转心外科评估手术指征,确定缩窄性心包炎的病因,明确治疗策略。

(3)患者管理:①向患者解释病情及后续治疗方案,减轻患者焦虑的情绪;②利尿治疗后观察水肿症状变化,注意有无药物不良反应,如利尿效果欠佳,积极寻找原因,或者更换利尿剂种类、量出为入等;③积极转诊上级医院,手术治疗,明确心包炎病因,同时改善患者病情。

该患者转上级医院后,进行心脏包膜剥脱手术治疗,症状完全缓解;心包病理明确:结核性心包炎,患者进行抗结核治疗,当地随诊。

5. 病例总结

(1)临床接诊时,首先需要明确是全身性水肿还是局部性水肿,如有呼吸急促和端坐呼吸,可能存在肺水肿;如有腹部膨隆,叩诊腹部时出现移动性浊音和液波震颤,应怀疑存在腹水,超声可确诊。单纯性下肢水肿时,需要评估是单侧还是双侧、是否对称、起病缓急,急性单侧或非对称性水肿,首先评估是否有深静脉血栓形成(DVT);慢性单侧或非对称性水肿,需要考虑静脉功能不全、淋巴水肿等;急性单侧下肢水肿,首先排查 DVT,双下肢水肿要考虑药物因素,然后评估是否为全身性水肿如心衰、肾病综合征等的局部表现;慢性双侧水肿,需要怀疑慢性静脉疾病、心力衰竭、肾病或肝病等。单纯性上肢水肿,急性孤立性上肢水肿的原因包括创伤、感染、血栓性浅静脉炎等;慢性上肢水肿需考虑淋巴水肿的可能。

(2)诊疗上最重要的是明确病因,水肿的伴随症状可以为临床医生提供病因学和疾病诊断的线索。伴肝肿大可为心源性、肝源性与营养不良性三种水肿,而同时存在颈静脉怒张者则多见心源性;伴重度蛋白尿常提示为肾源性,而轻度蛋白尿也可见于心源性;伴呼吸困难与发绀常提示由于心脏疾病、上腔静脉阻塞综合征等所致;伴消瘦、体重减轻可见于营养不良性水肿,同时也需警惕恶性肿瘤的可能。

6. 知识拓展

(1)缩窄性心包炎是指心包非弹性增厚导致心脏充盈受限,病程可长可短。大多数缩窄性心包炎为慢性,缩窄持续超过 3 ~ 6 个月。少数缩窄性心包炎病例可自发缓解或经药物治疗后缓解,此类心包炎通常表现为渗出性缩窄性心包炎。几乎所有心包病变都会引发缩窄性心包炎,病因以感染最为常见,包括结核性或者化脓性心包炎。临床上患者通常表现为心输出量下降、静脉回流障碍的症状,包括外周性水肿、全身性水肿、易疲劳、劳力性呼吸困难等,多数患者会出现颈静脉压升高。其他重要体征包括奇脉、Kussmaul 征、心包叩击音、腹水、恶病质等。所有疑似缩窄性心包炎患者的初始评估应包括心电图、胸片和超声心动图。

(2)缩窄性心包炎的主要病理生理特征包括静脉压升高、心室间的相互依赖性增强以及心内压和胸内压分离,因此,对于有持续性显著症状的慢性缩窄性心包炎患者,包括全身性水肿、新发或恶化的腹水及胸腔积液、呼吸困难等,心包切除术是唯一的根治性选择,应早期开展手术治疗,利尿治疗仅用作权宜措施,可用于不适合外科手术的患者。

(陈嘉林)

 思考题

1. 水肿的概念是什么?
2. 水肿的治疗原则是什么?
3. 水肿的病因有哪些? 相关疾病的鉴别有哪些?

病例 18 ⊠

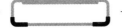

双手、膝关节、足趾关节疼痛伴失眠 1 年余，加重 2 周

患者，女，40 岁，在职职工，家人陪同就诊。

患者口述：患者半年前受凉后出现双手、双膝关节及脚趾关节疼痛，伴晨起手指关节发紧、肢体活动不舒展，伴心悸、全身疲乏感，劳累或受凉时症状明显，无畏寒、发热，无头晕、头痛，无胸痛、胸闷，无腹胀、反酸等不适。近 2 周来，上述症状逐渐加重，双下肢乏力，上下楼梯时膝关节疼痛剧烈，休息后不能缓解。发病以来，纳差，二便如常，睡眠欠佳，体重无明显改变。

请思考以下问题 ➜

1. 如何构建整体性临床思维？
2. 最可能的诊断是什么？需要完善哪些辅助检查？
3. 诊断和诊断依据是什么？
4. 治疗方案和患者管理。
5. 病案总结。
6. 知识拓展。

1. 如何构建整体性临床思维？

（1）诊断思路：关节痛是由于关节局部和邻近组织病变或全身疾患累及关节所致的临床症状。关节组成包括软骨、关节囊和关节腔三个部分，周围软组织包括韧带、肌腱、滑囊、筋膜等。当其受到外力牵拉、挤压、撕裂或肿瘤压迫，或炎症产生化学物质的刺激，或关节腔积液产生的机械压迫等均可引起关节痛。引起关节痛的疾病种类很多，病因复杂，病因和发生机制（图 2-18-1）。

关节痛是临床常见的症状，急性关节痛以关节及其周围组织的炎症反应为主；慢性关节痛则以关节囊肥厚及骨质增生为主。接诊关节痛的患者，在考虑常见疾病的同时，还要通过详细的问诊、查体与相关辅助检查，根据患者发病年龄、诱发因素、家族史、特征性的临床表现和检查结果，鉴别急危重症疾病。此外，应同时关注患者心理状态，精神心理因素引起的关节痛。

该女患者 40 岁，半年前受凉后出现双手、双膝关节及脚趾关节疼痛，伴晨起手指关节发紧、肢体活动不舒展，伴心悸、全身疲乏感。近 2 周来，上述症状逐渐加重，双下肢乏力，上下楼梯时膝关节疼痛剧烈，休息后不能缓解。现采用整体性临床思维——临床 4 问进行分析（图 2-18-2）。

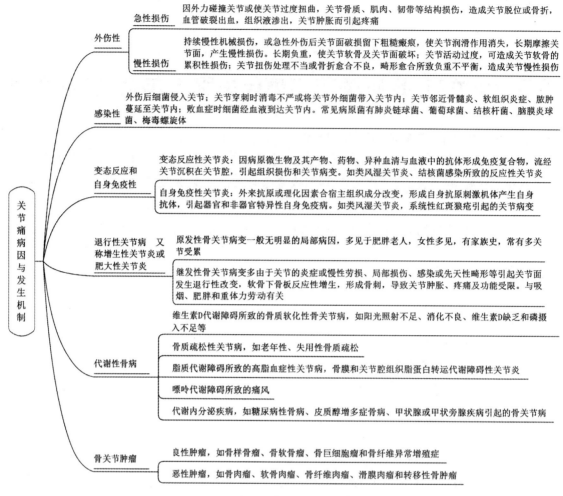

图 2-18-1　关节痛病因与发病机制

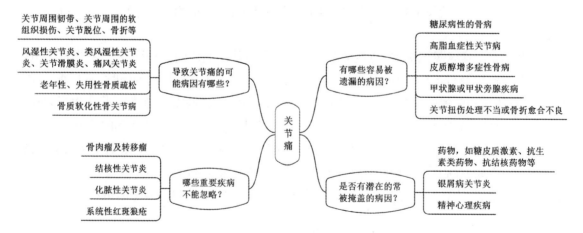

图 2-18-2　关节痛临床 4 问

(2)鉴别思维:在全科医疗实践中,最重要、最基本的理念是面对全科医生的是一位活生生的人,而不是单纯某种疾病。结合以患者为中心的整体性临床思维原则,了解患者疾病背后的故事,尤其要了解关节疼痛的发生、发展,全方位探究患者的患病经历和他的想法、担忧和期望。下面采用以患者为中心的问诊——RICE问诊进行深入访谈,寻找病因,达到诊断疾病的目的。

R(reason)——患者就诊的原因

医生:您好,有什么可以帮助您吗? (起身迎接病人,邀请坐下,亲切的目光,语速中等,音调亲切)

患者:医生,我的双手、膝关节及脚疼了1年,最近2周加重了。

医生:你能详细说说整个过程吗? (让患者讲自己的患病经历,开放式问诊,体现关注,倾听,可以随手做笔记,抓取关键信息)

患者:1年前逐渐的开始出现两侧膝关节及脚趾关节疼痛,早上起床手指关节发紧、肢体活动不舒展。近2周来,越来越加重,上下楼梯时膝关节疼痛剧烈,休息后不能缓解。

医生:关节疼痛有什么诱因吗? 比如气温改变、劳累、吃了某些食物等? (询问诱发因素)

患者:天气寒冷或下雨天时疼得厉害。

医生:刚才您说早上手指发紧,这种症状一般持续多久? 您觉得活动后上述症状有变化吗? (进一步询问症状特点,确认问题)

患者:一般会持续1小时左右,活动后僵硬感觉会慢慢好转。

医生:您关节疼痛的同时,有没有过畏寒、发热、头晕、头痛这些症状? (了解伴随症状,鉴别感染性关节炎,确认问题过程,过渡到封闭式问诊,医生为主)

患者:有时候会胸闷气短,其他没有。

医生:您患处关节有没有过经历过外伤、挫伤、肿胀等情况呢? (了解伴随症状,鉴别关节外伤)

患者:没有。

医生:您排尿的时候,特别是早上第一次的晨尿里有泡沫吗? 或者您的皮肤上,一般是手部,上臂或下肢的皮肤上,有过出血点或瘀血斑吗(注意有无蛋白尿、皮肤紫癜,鉴别结缔组织病)

患者:没有呢。

医生:您的口腔和眼睛有没有感觉有异常,比如感觉口干、眼干这些症状? (鉴别干燥综合征)

患者:没有。

医生:除了上述症状外,还有其他不舒服吗? (进一步了解症状,回到开放式问诊)

患者:疲惫、乏力,感觉体力明显下降了。

医生:您患有银屑病、痛风等疾病吗? (了解是否有既往慢性疾病导致的关节病变,回到医生为主的封闭式问诊)

患者:没有。

医生:您的月经规律吗? 以往有没有发生过骨折? (了解是否有绝经导致的骨质疏松症? 是否有骨质疏松症导致的关节病变?)

患者:月经规律的,没有骨折过。

医生：您平时吃饭怎么样？

患者：食欲不好，又担心发胖，所以吃得不多。

医生：您前面提到觉得很累、全身乏力，我想了解最近您的睡眠怎么样？（从睡眠切入，了解生活、工作压力情况；开放式问诊）

患者：睡得不好，常常躺床上睡不着，还容易醒。

医生：为什么呢？工作上压力大吗？

患者：不大。

I（idea）——患者对自己健康问题的看法

医生：您对自己关节疼痛是怎么感觉的？之前看过医生吗？（了解患者对自己关节疼痛的认知及态度）

患者：感觉是不是得了风湿性关节炎，最近多个关节反复疼，都快绝望了。

医生：今天早饭吃了吗？（相关生化检查需要空腹）

患者：没有吃。

医生：我先给您全面检查一下身体。

查体：T 36.6℃，P 76 次 /min，R 14 次 /min，BP 128/78mmHg。神志清楚，精神状态良好，语音清晰，查体合作。全身皮肤黏膜无黄染，无皮疹、皮下出血。全浅表淋巴结无肿大。口唇无发绀，口腔黏膜未见异常。心肺腹部查体未见明显异常。脊柱无畸形，双手指关节呈梭状指改变，指指关节部位轻度肿胀及压痛，双手握拳完全，手指活动范围正常，双膝关节无明显畸形、红肿，髌骨有轻压痛，关节活动范畴正常，足趾关节无明显变形，无红肿，用力着地时轻痛，双下肢小腿对称，无静脉血管曲张体征，无双下肢水肿、皮温正常、足背动脉搏动正常。

（3）是不是急危重症疾病？

根据患者的病史、查体，需要排除骨关节肿瘤。列出以下鉴别诊断（图 2-18-3）。

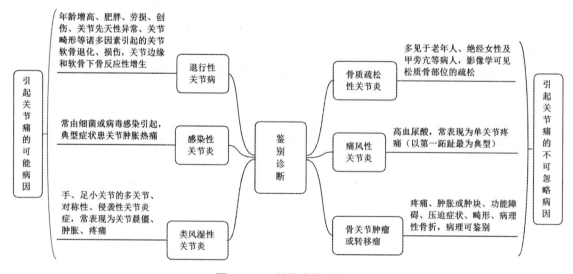

图 2-18-3　关节痛鉴别诊断

C(concern)——患者的担心

医生:从症状、体格检查来看,您目前很可能是患了类风湿性关节炎。对于类风湿性关节炎,反复关节疼,很难受。(开始展现同理心)

患者:是啊! 反复关节疼痛影响生活和工作了! 睡眠以前就不好,最近睡眠更不好了。这个病严重吗? 能治好吗?

医生:类风湿关节炎是一种全身性自身免疫性疾病,如果不正规治疗或者治疗不及时,会造成多关节严重畸形、强直,甚至导致关节功能丧失,严重者可失去自理能力。不过,虽然无法根治,但经规范治疗后,一般来说,病情会得到很好控制和缓解。还是要有信心!

E(expectation)——患者的期望

患者:类风湿性关节炎需要终生用药吗?

医生:绝大多数的类风湿关节炎患者,一般都需要终生服药治疗。我先帮助您转诊到上级医院的风湿科综合评估一下,由专科医生给您制定治疗方案,好吗? (开转诊单,体现协调性照顾)其他方面的问题,等您确诊了,您可以周(×)再来我门诊,这个时间我一般都在,您下午1~3点过来,那个时候病人相对比较少,能够给您预留更多的沟通时间;我会根据您的诊断及用药方案,尽量帮助您的,好吗?

患者:好。

医生:您睡眠不好,建议您去精神卫生科咨询一下,心理科医生会帮您改善睡眠。

患者:我先去看风湿科医生,听听上级医院医生的建议后再定吧。

医生:好。有什么需要我帮忙的,就来找我,这是我的电话。(促进进一步建立相互信任的医患关系)

患者:谢谢医生。

2. 最可能的诊断是什么? 需要完善哪些辅助检查?

(1)最可能的诊断:类风湿性关节炎?

(2)需要完善的辅助检查:转风湿科做专科化验、心电图、手、骨盆、膝关节及足部正位平片、胸部CT;必要时查骨密度、心脏超声、动态心电图检查等。

检查回报:肝功能示白蛋白(Alb)27.6g/L,余指标正常;免疫球蛋白G(IgG)27.3g/L,免疫球蛋白A(IgA)4 200mg/L;C反应蛋白(CRP)42.60mg/L;类风湿因子(RF)2 360U/ml;红细胞沉降率(血沉,ESR)62mm/h;抗核抗体(ANA)1 ∶ 160(颗粒型),ENA谱示抗干燥综合征A(SSA)阳性,抗环瓜氨酸肽(CCP)抗体559.06RU/ml;类风湿因子阳性;血常规、肾功及甲功正常。心电图、胸部X线片未见明显异常;肺部CT:①双上及右下局部胸膜增厚,炎症所致;②肝右叶后下段钙化斑;双手X线检查:双手骨质密度减低,骨质密度不均,双腕关节及大部分指间关节间隙模糊,各关节软组织肿胀;双膝X线检查示双侧胫骨髁间棘变尖,双侧胫骨平台内侧关节面硬化,双膝关节诸骨骨质密度稍减低,双膝关节间隙变窄,周围软组织未见异常;骨盆X线检查示骨盆关节诸骨未见明显骨质异常,双髋关节及双侧骶髂关节间隙正常。

3. 诊断和诊断依据是什么?

(1)诊断:

1)类风湿性关节炎(rheumatoid arthritis,RA)

2）低蛋白血症（hypoproteinemia）

（2）诊断依据：①中年女性，双手、膝关节、足趾关节疼痛伴晨僵 1 年余，加重 2 周；②查体，生命体征平稳，双手指关节呈梭状指改变，轻度肿胀及压痛，双膝关节无明显畸形、红肿，髌骨有轻压痛，足趾关节无明显变形，无红肿，用力着地时轻痛；③抗核抗体（ANA）1 ∶ 160（颗粒型），ENA 谱示抗干燥综合征 A（SSA）阳性，抗环瓜氨酸肽（CCP）抗体 559.06RU/ml（强阳性，正常值小于 5RU/ml），类风湿因子阳性、CRP、ESR 均升高；④双手 X 线检查，双手骨质密度减低，骨质密度不均，双腕关节及大部分指间关节间隙模糊，各关节软组织肿胀；⑤双膝 X 线检查，双侧胫骨髁间棘变尖，双侧胫骨平台内侧关节面硬化，双膝关节骨质密度稍减低，双膝关节间隙变窄；⑥白蛋白（Alb）27.6g/L。

4. 治疗方案和患者管理

（1）治疗方案：RA 的治疗原则为早期、规范治疗，定期监测与随访。RA 的治疗目标是达到疾病缓解或降低疾病活动度，即达标治疗，最终目的为控制病情、减少致残率，改善患者的生活质量。

1）一般治疗：慢性期患者应减轻劳动强度，配合功能性锻炼、局部理疗来恢复机体的局部功能。

2）药物治疗：由于个体差异大，用药不存在绝对的最好、最快、最有效，除常用非处方药外，应在医生指导下充分结合个人情况选择最合适的药物。①活动期药物治疗及适度活动：在 RA 活动期疼痛明显时，患者应适当减少活动，适当的理疗能使疼痛减轻，加速炎症消退。但理疗不当也可能加重病情。理疗师会协助确定进行身体锻炼的适宜形式与时间。非甾体抗炎药（如洛索洛芬、双氯芬酸钠、布洛芬等）具有解热镇痛消炎的作用，对于活动期 RA 患者能够减轻炎症的症状和体征，消除关节红、肿、热、痛，改善关节功能，但其无法消除产生炎症的原因。②抗风湿药物治疗：改善病情的抗风湿药物是 RA 治疗的基石，亦是国内外指南共同认可的一线药物。患者一经确诊，应尽早开始抗风湿药物（DMARDs）治疗（包括甲氨蝶呤、来氟米特、柳氮磺吡啶、艾拉莫德、羟氯喹等）。③经单药规范治疗仍未达标者，建议联合用药。④植物药制剂和生物制剂治疗：植物药制剂和生物制剂治疗也可用于 RA 治疗，可改善关节肿痛症状，具有减轻炎症、延缓关节破坏等作用；需要向风湿免疫专科医生咨询。⑤手术治疗：经过严格规范的药物治疗后效果欠佳，且患者出现关节畸形，严重影响关节功能的情况，可考虑手术治疗；手术治疗具有矫正畸形、恢复关节功能作用。需要强调的是，手术的同时必须配合药物治疗。

转诊的指征：根据《中国类风湿关节炎诊疗规范（2021）》，若类风湿性关节炎患者出现严重系统损害，如心肌炎、肺间质病变、严重的血液系统损害、关节严重破坏及畸形需要手术者，需要转上级医院进一步诊治。

（2）患者管理：向患者普及类风湿性关节炎的相关知识，缓解患者的紧张及担忧，提升其后续治疗的信息及配合度。

1）生活指导：指导患者调整饮食习惯，高蛋白质、高维生素、低脂饮食，注意补充钙质，避免任何部位的感染（一旦发生，比如牙周炎，需要积极接受专科治疗）。急性期禁食海鲜及辛辣刺激性食物。需要注意选择健康饮食，并避免高脂肪饮食以保护心血管系统；要进食大量新鲜蔬菜、水果利于康复。用激素治疗时，给予低盐、低糖饮食，预防水、钠潴留和血糖升高。卧床时保持关节功能,行关节屈伸运动。避免小关节长时间负重,避免不良姿势,减少弯腰、爬高、蹲起等动作。

2) 在接受治疗期间,应对如下情况进行监测:治疗的依从性和新出现的症状、药物的不良反应、关节影像学检查。

3) 对治疗效果不佳或出现严重并发症者及时转往上级医院。嘱患者药物治疗 2 周、1 个月、3 个月及 6 个月门诊复查血常规、CRP、ESR、肝肾功,必要时复查关节 X 线或 CT;复诊过程中,若患者仍睡眠障碍伴焦虑,建议患者看心理医生,并协助办理转诊。

5. 病例总结

类风湿性关节炎(RA)是一种以侵蚀性关节炎为主要临床表现的自身免疫病,是引起多关节疼痛的常见原因。据统计,全世界每 1 000 名成年人中有 5 人患 RA,根据最新 2018 版中国类风湿关节炎诊疗指南指出我国大陆 RA 的患病率为 0.42%,总患病人群约 500 万。随着疾病的进展,RA 会发生骨质破坏,最终会导致患者关节畸形和劳动力丧失;出现不同程度关节功能障碍的比例约为 77.6%,是一种高度致残性疾病。目前临床上 RA 的治疗药物主要是消炎止痛药物、传统改善病情药和生物及合成靶向药物等。尽管这些药物在达标治疗后极大地改善了RA 患者的预后,但依然不能完全阻止 RA 患者病情的影像学进展。据报道,我国 RA 患者在病程 1 ~ 5 年、5 ~ 10 年、10 ~ 15 年及大于 15 年的致残率分别为 18.6%、43.5%、48.1%、61.3%,随着病程的延长,残疾及功能受限发生率依然较高。因此,控制患者临床症状、延缓影像学的进展对于降低 RA 患者致残率也是至关重要的。

全科医生是居民健康的守门人,常常是关节疼痛的第一接诊人,应该掌握关节疼痛的诊断思路。全科医生在接诊关节疼痛患者时,围绕患者主诉,要尽可能引导患者多讲与主诉相关的细节内容,耐心倾听,了解患者就诊原因、对疾病的看法、担心、期望,了解这些问题带给患者生活、工作的影响。需要全科医生从生物 - 心理 - 社会层面去考虑患者的健康问题,进行心理疏导,缓解焦虑,必要时转诊心理医生。

6. 知识拓展

类风湿性关节炎诊断标准:国际上多沿用美国风湿病学学会(ARA)1985 年诊断标准,该标准于 1987 年进行了修订,删除了创伤性检查和特异性较差的关节疼痛和压痛,对晨僵和关节肿胀的要求更加严格。但我国类风湿关节炎较西方国家为轻,标准第一条及第二条我国患者不尽能符合,可以灵活掌握。现介绍如下。

(1)晨僵:至少 1 小时(≥ 6 周)。

(2)多关节炎:14 个关节区中 ≥ 3 个同时肿胀或积液(≥ 6 周)。

(3)手关节炎:腕关节或掌指关节或近端指间关节肿胀(≥ 6 周)。

(4)对称性关节炎:≥ 6 周。

(5)皮下结节。

(6)X 线:示 RA 典型的侵蚀性改变(病程早期通常没有第 5、6 项的表现)。

(7)类风湿因子阳性(滴度 > 1 :32)。

确诊为类风湿关节炎需具备 4 条或 4 条以上标准。其敏感性为 93%,特异性为 90%,均优于 1958 年标准(敏感性 92%,特异性 85%)。该诊断标准主要基于长病程的类风湿性关节炎,对于早期诊断的敏感性不高。

因此,到 2010 年 ACR/EULAR RA 分类标准(2010 ACR/EULAR classification criteria for RA),对于早期诊断类风湿性关节炎的诊断价值有所提高。介绍如下:

确诊 RA 的标准是:至少 1 个关节有滑膜炎,排除其他更能解释滑膜炎的疾病,且 4 项得分相加 ≥ 6 分(最高 10 分)。应取各项的最高得分计算总分。各项赋分如下:

受累关节的数量和部位:

- 2 ~ 10 个大关节(指肩、肘、髋、膝、踝关节)=1 分
- 1 ~ 3 个小关节(指 MCP、PIP、第 2-5MTP(跖趾关节)、拇指指间关节和腕关节)=2 分
- 4 ~ 10 个小关节 =3 分
- > 10 个关节(含至少 1 个小关节)=5 分
- 血清学异常(RF 或抗瓜氨酸肽 / 蛋白抗体)(0 ~ 3 分)
- 低滴度阳性(>正常上限)=2 分
- 高滴度阳性(>正常上限的 3 倍)=3 分
- 急性期反应物(ESR 或 CRP) >正常上限 =1 分
- 滑膜炎症状持续至少 6 周 =1 分

上述标准最适合新发疾病的患者,除此以外,以下患者也可归为 RA:

- 具有 RA 的典型侵蚀性病变,且病史显示患者既往满足上述标准
- 病程长,包括当下无疾病活动(治疗或不治疗)但回顾相关资料后发现,患者之前满足上述标准

【注】掌指关节 MCP 近侧指间关节 PIP

我国赵金霞等 2012 年提出了中国早期类风湿性关节炎的(E-RA)分类标准。其敏感性达到 84%;特异性达到 87%,而且比较简便。

1. 晨僵 ≥ 30 分钟。

2. 多关节炎:14 个关节区在至少 3 个以上部位的关节炎。

3. 手关节炎:腕、掌指或近端指间关节至少 1 处关节肿胀。

4. 类风湿因子(RF)阳性。

5. 抗 CCP 抗体阳性。

【注 1】14 个关节区包括:双侧肘、腕、掌指、近端指间、膝、踝和跖趾关节

【注 2】≥ 3 条可考虑诊断 RA。

(唐宽晓　左安举　黄　萍)

💡 思考题

1. 关节疼痛的常见病因有哪些?

2. 作为全科医生,接诊类风湿性关节炎患者,何时需要向上级医院转诊?

病例 19 ⊠

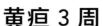

黄疸 3 周

患者,男,46 岁,个体经营者,独自前来就诊。

患者口述:3 周前发现皮肤、眼睛黄染,并逐渐出现右上腹隐痛不适、乏力、纳差、厌油,小便颜色较平时有所加深。初未引起重视,在家属的强烈要求下到全科门诊就诊。

请思考以下问题 →

1. 如何构建整体性临床思维?
2. 最可能的诊断是什么? 需要完善哪些辅助检查?
3. 诊断和诊断依据是什么?
4. 治疗方案和患者管理。
5. 病例总结。
6. 知识拓展。

1. 如何构建整体性临床思维?

(1)诊断思路:黄疸是所有年龄组都可以见到的一种症状及体征。黄疸原因很多,可为单一主诉,也可能伴有腹胀、腹痛、食欲减退、乏力、头晕、腰痛等其他症状。黄疸时,病情可缓可急,可轻可重。除了消化系统疾病之外,血液系统、药物等因素都会引起黄疸。全科医生接诊黄疸患者时,首要任务是根据黄疸发生机制和临床表现,识别急危重症,发现潜在的严重疾病,及时转专科处理。

黄疸(jaundice)是由于血清中胆红素升高致使皮肤、黏膜和巩膜发黄的症状和体征。正常血液循环中,衰老的红细胞经单核 - 巨噬细胞破坏,降解为血红蛋白,血红蛋白在组织蛋白酶的作用下形成血红素和珠蛋白,血红素在催化酶的作用下转变为胆绿素,后者再经还原酶还原为胆红素,占总胆红素来源的 80% ～ 85%。另外还有少量胆红素来源于骨髓幼稚红细胞的血红蛋白和肝内含有亚铁血红素的蛋白质,约占总胆红素的 15% ～ 20%。最终通过肝、肠、肾代谢排出体外,任何环节受到阻碍都会导致胆红素代谢困难,而引起体内胆红素增多,进而引起黄疸。黄疸按病因学可分为溶血性黄疸、肝细胞性黄疸、胆汁淤积性黄疸和先天性非溶血性黄疸(图 2-19-1)。

该患者 3 周前发现皮肤、眼睛黄染,并逐渐出现右上腹隐痛不适、乏力、纳差、厌油,小便颜色较平时有所加深。是什么病因导致的黄疸? 现采用整体性临床思维——临床 4 问对黄疸病因进行分析(图 2-19-2)。

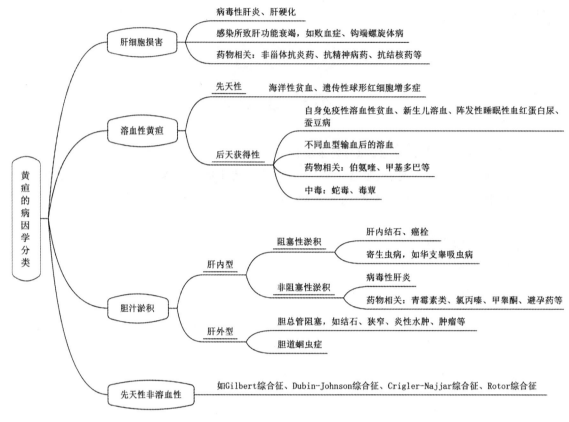

图 2-19-1　黄疸病因学分类

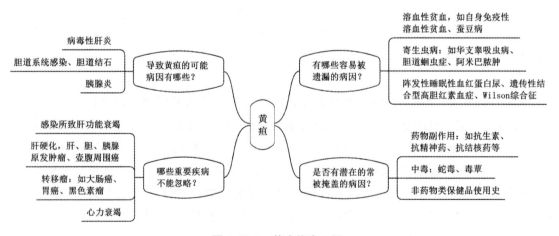

图 2-19-2　黄疸临床 4 问

(2)鉴别思维:在全科医疗实践中最重要、最基本的理念是"以人为本"。我们不仅关注疾病,更要关注患者这个"整体的人"。患者提供的信息(包括患者的疑问)是最重要的,其次是体格检查,再次是相应的辅助检查,可以帮助我们诊断。现代医学之父威廉姆·奥斯勒有句名言:认真聆听你的患者,他在告诉你诊断结果。下面运用 RICE 问诊,对患者患病经过进行详细询问,收集信息,做出诊断,解答患者的疑惑。

R(reason)——患者就诊的原因

医生:您好!我是邓医生,有什么可以帮助您吗?(亲切地称呼,营造轻松舒适的环境,开始"开放式问诊")

患者:医生,我的脸和眼睛变黄有3周了。

医生:您能详细地描述一下吗?(打开话题,让患者回忆患病经过)

患者:3周前,朋友说我的眼睛和脸比以前黄,我自己也感觉整天没有力气、闻到油腻食物想吐,食量比以前少,肚子右边隐隐有点痛,不舒服。

医生:您以前这样黄过吗?(了解过去史)

患者:我妈说我小时候得过黄疸肝炎。

医生:有畏寒、发热、腰痛、乏力吗?(鉴别溶血性黄疸)

患者:没有。

医生:有反酸、嗳气、腹痛、腹泻、呕吐、呕血、体重下降吗?(鉴别消化道肿瘤)

患者:没有。

医生:大小便颜色有什么变化?皮肤瘙痒吗?(鉴别梗阻性黄疸)

患者:尿的颜色比以前黄,大便颜色正常,皮肤不痒。

医生:您的情况是黄疸。最近有没有服药?比如服用保健品或中药偏方?(适当解释,了解服药史)

患者:没有。

医生:家里有人得过肝炎、结核或者癌症吗?(了解家族疾病史)

患者:妈妈有乙肝,没有人得结核和癌症。

医生:您吸烟、喝酒吗?量多少?(了解生活习惯)

患者:十多年了,我喜欢喝点啤酒,每周3～4次,一次600ml;不吸烟。

医生:平时有别的疾病吗?比如高血压、糖尿病等。

患者:平时身体还好的,很少感冒,有时间我还会去锻炼下。

I(idea)——患者对自己健康问题的看法

医生:您觉得是什么原因引起的黄疸呢?(了解患者对自身问题的看法)

患者:我在网上查了下,会不会得了肝癌?刚才您问家里是否有人得过癌症,感到很害怕。

医生:现在大家感到不舒服,都会上网查相关信息,是对自身健康重视的表现。但黄疸的原因很多,肝癌之外的疾病也会导致黄疸。

患者:我一个朋友,也是全身皮肤发黄,去年因为"肝癌"去世了。

C(concern)——患者的担心

患者:医生,喝酒会致癌吗?我是不是需要做CT检查?腹部CT能发现癌症吗?

医生:您有担忧?(了解患者内心担忧的形成过程)

患者:是呀,我朋友也是喜欢喝酒,我们经常一起约酒,以前身体挺好的,突然查出是肝癌,走得挺快的,并且我也听说喝酒伤肝。(患者流露出不好意思的表情)

医生:我理解您的担忧。你睡眠好吗?(理解患者,建立良好的医患关系)

患者:自从发现皮肤和眼睛变黄,一直不退,睡眠比较差,常常会凌晨4点左右就醒了。

医生:您工作怎么样,跟家人的关系如何? (了解社会家庭生活背景)

患者:我是搞销售的,最近两年生意不好做,工作压力比较大,喝酒能减轻一些压力。家人关系还好。

医生:我非常理解您,工作比较辛苦,压力又大。您面对这种压力,有没有情绪低落,对其他事情都失去了兴趣,甚至曾有过自杀的想法吗? (表达同理心,鉴别抑郁症)

患者:没有。

医生:我先给您检查一下,好吗?

体格检查:T 36.5℃,P 70 次 /min,R 16 次 /min,BP 124/76mmHg,身高 170cm,体重 65kg。神志清楚,全身皮肤、巩膜轻度黄染,未见肝掌、蜘蛛痣,浅表淋巴结未扪及肿大。双肺呼吸音对称,未闻及明显干湿鸣,心律齐,各瓣膜区未闻及明显病理性杂音,心界未叩及明显长大。腹饱满、无胃肠型及蠕动波,肠鸣音约 5 次 /min,未闻及腹部异常血管杂音,叩诊鼓音,移动性浊音阴性,肝区轻度叩痛。全腹软,右上腹部轻度压痛,无反跳痛,墨菲氏征阴性,未触及包块,肝脾肋下未扪及。双下肢无水肿。

(3)是不是急危重症疾病?

根据该患者的症状、体征和体格检查,初步考虑病毒性肝炎,是危症。列出以下鉴别诊断(图 2-19-3)。

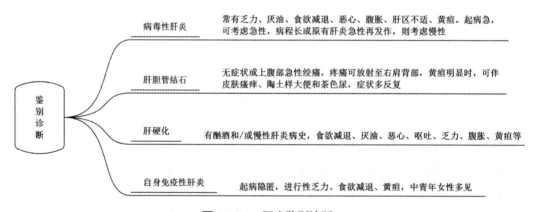

图 2-19-3　肝炎鉴别诊断

E(expectation)——患者的期望

医生:目前初步考虑是乙肝引起的黄疸。

患者:乙肝能治好吗? 会传染给家人吗?

医生:乙肝是一种传染病,主要传播途径是母婴、血液和性接触传播,我先给你安排转诊至传染专科进一步评估病情,制定初步用药方案。您的家人也验个血,排除一下。另外,乙肝是一种慢性疾病,通过干预,能得到有效的控制。您先从戒酒做起,再定期复查能做到吗? (做乙肝传染途径和管理一般性解释,并鼓励患者,以期达到医患合作的效果)

患者:医生,我会得肝癌吗?

医生:肝癌可以通过验血、B 超和腹部 CT 进一步确诊,您不要过分担心。我把您转到上级

医院做进一步检查,可以吗?（开转诊单,体现协调性服务）

患者:好的,谢谢医生!

2. 最可能的诊断是什么? 需要完善哪些辅助检查?

(1)最可能的诊断:慢性乙型肝炎?

(2)需要完善的辅助检查:转上级医院传染科做专科检查,完善肝功能、乙肝两对半、乙肝病毒定量、血氨、凝血功能、腹部CT、超声诊断无创肝纤维化检查(FibroScan)、HAV、HCV、HDV、HEV抗体等检查。必要时行上腹部MRI、肝穿刺活检进一步确诊。

上级医院辅助检查结果回报:血常规正常,大便隐血阴性,凝血功能、血氨未见明显异常;生化示总胆红素123.8μmol/L,直接胆红素64.6μmol/L,间接胆红素59.2μmol/L,丙氨酸氨基转移酶169U/L,门冬氨酸氨基转移酶115U/L;乙肝标记物示乙肝表面抗原半定量阳性,乙肝表面抗体定量阳性,乙肝e抗原半定量阳性,乙肝核心抗体半定量阳性;乙肝病毒DNA实时荧光检测2.41 E+06U/mL;甲胎蛋白正常;甲、丙、丁、戊型肝炎病毒IgM、IgG抗体均阴性;小便常规示尿胆原定性135(3+)μmol/L,尿胆红素定性34(3+)μmol/L;腹部普通彩超示肝脏实质损害声像图;CT全腹部普通扫描示肝脏实质不均匀密度改变。超声诊断无创肝纤维化检查(FibroScan)示CAP 236dB/m,E 7.8kPa;无痛胃镜:慢性非萎缩性胃炎。

3. 诊断和诊断依据是什么?

(1)诊断:①慢性乙型肝炎(Chronic Hepatitis B,CHB);②脂肪肝(fatty liver);③慢性非萎缩性胃炎。

(2)诊断依据:①中年男性,黄疸伴乏力、厌油、纳差、右上腹隐痛,曾患"黄疸性肝炎",其母有"乙肝"病史。查体:皮肤巩膜黄染,腹部饱满,全腹软、肝区叩击痛,右上腹轻度压痛,无反跳痛,未扪及包块,移动性浊音(-)。②辅助检查:肝功、乙肝两对半、乙肝病毒DNA、腹部CT、肝脏瞬时弹性硬度等结果支持"慢性乙型肝炎"的诊断。③胃镜及腹部彩超支持"慢性非萎缩性胃炎、脂肪肝"的诊断。

4. 治疗方案和患者管理

(1)全科医生在接诊慢性乙肝患者时,以下情况需及时转诊:

1)紧急转诊:①CHB急性发作,有明显的腹胀、纳差、黄疸等明显的肝炎临床症状,肝功能化验明显异常,例如ALT > 5倍ULN,或1周内血清总胆红素和ALT急剧升高;②重型肝炎(肝衰竭),加强对重症肝炎的识别,如CHB出现极度乏力、食欲明显降低、重度腹胀等症状,神经、精神症状(性格改变、烦躁不安、嗜睡、昏迷等肝性脑病表现),有明显出血、扑翼样震颤等现象。

2)普通转诊:①初诊肝硬化、HCC;②免疫抑制剂治疗或癌症化疗;③CHB经抗病毒治疗6个月,ALT仍持续异常和/或HBV DNA阳性;④肾功能不全;⑤HBV合并HCV、HIV感染;⑥妊娠期女性(HBV DNA阳性者);⑦青少年及儿童。

(2)建立良好的医患关系,开展乙肝相关健康教育。

(3)建议完善HBVDNA载量及凝血功能,转诊至传染科进一步评估病情,制定乙肝治疗方案。

(4)鼓励患者戒酒,长期门诊随访,前期定期复查(至少半年一次)。

(5)适当运动,避免熬夜及过度劳累,改变饮食习惯,增加水分、蔬菜纤维素摄入,避免不必要的药物及保健品。

(6)嘱患者携带妻子及子女去验血排查。

第2次就诊

第28天复诊。HBVDNA阳性,凝血功能正常,转氨酶较前降低,继续给予恩替卡韦(ETV)抗乙肝病毒治疗,水飞蓟宾保肝治疗。患者规律作息,已戒酒,黄疸、乏力、纳差、厌油等症状有所好转。妻子及女儿乙肝筛查未见异常。

第3次就诊

2个月后,患者第三次复诊,患者黄疸基本消退,乏力、纳差、厌油症状消失。嘱患者定期传染科复诊,定期全科复查。

5. 病例总结

病毒性肝炎是引起黄疸的常见原因之一,传播 HBV 主要经母婴、血液和性接触传播。慢性乙型肝炎一般无明显症状或仅有非特异性症状,轻症者可有持续或反复出现的乏力、食欲下降、厌油、尿黄、肝区不适、睡眠欠佳,精力下降。重症者可出现腹水、上消化道出血等肝硬化表现。体格检查可见肝脏可正常或稍大,有轻触痛,可有轻度脾大。严重者可伴肝病面容、肝掌、蜘蛛痣、脾脏明显肿大。辅助检查示 ALT 或 AST 反复或持续升高、白蛋白降低,如 ALT 和 AST 大幅度升高、血清总胆红素明显升高,特别是凝血酶原时间明显延长,则提示重症化倾向,可迅速向肝衰竭发展。

该患者为中年男性,本次主要症状有黄疸,内心对黄疸有恐惧。全科医生在接诊黄疸患者时,采用以人为中心的问诊方式,把握问诊重点,围绕患者主诉,耐心倾听主要症状的特点、诱因、伴随症状及患者的一般情况等内容,有助于建立良好的医患关系,缩小诊断范围。治疗方案既要考虑乙肝的综合治疗管理,同时应采取同理心表达对患者的支持,针对疾病进行健康教育等方式减轻患者精神心理层面的压力,体现全科医生的职业素养和人文精神。

6. 知识拓展

(1)正常血清总胆红素为 1.7 ～ 17.1μmol/L(0.1 ～ 1mg/dl)。胆红素在 17.1 ～ 34.2μmol/L(1 ～ 2mg/dl),临床不易察觉,称为隐性黄疸,超过 34.2μmol/L(2mg/dl)时出现临床可见黄疸。

(2)慢性 HBV 感染是指乙型肝炎病毒表面抗原(HBsAg)和 / 或 HBV 脱氧核糖核酸(HBV DNA)阳性 6 个月以上。乙型肝炎病毒(HBV)血清学标志物的临床意义(表 2-19-1)。

表 2-19-1　乙型肝炎病毒(HBV)血清学标志物的临床意义

标志物	临床意义
HBsAg	阳性表示存在 HBV 感染;定量检测可用于预测疾病进展、抗病毒疗效和预后等
抗 -HBs	为保护性抗体;阳性表示具备 HBV 免疫力,见于乙型肝炎康复期及接种乙型肝炎疫苗者
HBeAg	阳性表示 HBV DNA 水平高,传染性强
抗 -HBe	预示 HBV DNA 复制水平下降,仍具有传染性
抗 -HBc	主要是 IgG 抗体,只要感染过 HBV,无论病毒是否被清除,此抗体多为阳性
抗 -HBc IgM	多见于急性乙型肝炎,可持续 6 个月;也可在 CHB 急性发作时出现
HBV DNA	在 HBV 感染早期先于 HBsAg 出现,可判断 HBV 感染病毒复制水平,预测疾病发展,并用于抗病毒治疗适应证的选择和疗效判断等

（3）乙型病毒性肝炎的治疗：抗病毒治疗的适应证抗病毒治疗目前主要依据血清、HBV DNA、ALT 水平和肝脏疾病严重程度，同时需结合年龄、家族史和伴随疾病等因素，综合评估患者疾病进展风险，决定是否需要启动抗病毒治疗：

1）血清 HBV DNA 阳性的 CHB 患者：若 ALT 持续异常（＞1 倍 ULN）且排除其他原因导致的 ALT 升高，均应考虑开始抗病毒治疗。同时也应排除应用保肝降酶药物后 ALT 暂时性正常。

2）肝硬化：代偿期肝硬化者，无论 ALT 和 HBeAg 状态，只要 HBV DNA 可检测到，均建议积极抗病毒治疗。对失代偿期肝硬化者，只要 HBsAg 阳性者均建议抗病毒治疗。

3）血清 HBV DNA 阳性、ALT 正常者：有以下情形之一者，疾病进展风险较大，建议抗病毒治疗。①肝组织学存在明显的肝脏炎症（G2 级及以上）或肝纤维化（S2 级及以上）；② ALT 持续正常（每 3 个月检查 1 次，持续 12 个月），有肝硬化或肝癌家族史且年龄＞30 岁者；③ ALT 持续正常（每 3 个月检查 1 次，持续 12 个月），无肝硬化或肝癌家族史，年龄＞30 岁者，且无创肝纤维化检查或肝组织学检查存在明显肝脏炎症或纤维化者；④ ALT 持续正常（每 3 个月检查 1 次，持续 12 个月），有 HBV 相关的肝外表现者（肾小球肾炎、血管炎、结节性多动脉炎、周围神经病变等）。

4）慢性乙型肝炎患者随访管理（表 2-19-2）。

表 2-19-2　慢性乙型肝炎病毒（HBV）感染分级管理频率

疾病分级	随访频率
非活动性 HBsAg 携带者	每 6～12 个月 1 次
慢性 HBV 携带状态	每 6～12 个月 1 次
HBeAg 阳 / 阴性 CHB（NAs 治疗）	每 3～6 个月 1 次
CHB 停药后 1 年内	前 3 个月每月 1 次，之后每 3 个月 1 次
CHB 停药并稳定 1 年后	每 6 个月 1 次

（邓宏宇　王　静）

 思考题

1. 引起黄疸常见的原因有哪些？
2. 接诊慢性乙型肝炎患者时，转诊指征有哪些？

病例 20 ⊠

吞咽困难，进行性消瘦 3 个月

患者，男，85 岁，宁波人，独自前来就诊。

患者口述：近 3 个月来，进食有哽塞感，需要拍拍胸背或喝点水，才会感觉舒服些。纳差，乏力，时有腹胀、恶心、呕吐，体重下降 10kg。

既往体健，否认高血压、糖尿病、高血脂等病史。

请思考以下问题 →

1. 如何构建整体性临床思维？
2. 最可能的诊断是什么？需要完善哪些辅助检查？
3. 诊断和诊断依据是什么？
4. 治疗方案和患者管理。
5. 病案总结。
6. 知识拓展。

1. 如何构建整体性临床思维？

（1）诊断思路：吞咽困难是一个常见的未分化症状，可伴声嘶、呛咳、呃逆、吞咽疼痛、胸骨后疼痛、反酸、烧心、哮喘和呼吸困难等。假性吞咽困难并无食管梗阻的基础，而仅有一种咽喉阻塞感、不适感，不影响进食。此外，自觉有咽部阻塞感，在不进食时也感到在咽部或胸骨上凹部位有上下移动的物体堵塞，常提示"癔球症"，多见于年轻女性。全科医生在接诊吞咽困难患者时，要根据吞咽困难的发生机制，积极寻找病因，善于识别严重疾病。

吞咽困难（dysphagia）是指食物从口腔至胃、贲门运送过程中受阻而产生咽部、胸骨后或剑突下部位的梗阻停滞感觉。可伴有胸骨后疼痛。吞咽困难可由吞咽肌肉的运动障碍所致，也可由中枢神经系统疾病、食管、口咽部疾病引起。

吞咽困难的发生机制分为机械性和运动性两类。机械性吞咽困难是指吞咽食物的管腔发生狭窄引起的吞咽困难。临床上常见原因有食道壁病变引起整个管腔狭窄及外压性病变导致的偏心性狭窄。运动性吞咽困难是指随意的吞咽动作发生困难，伴随一系列吞咽反射性运动障碍，使食物从口腔不能顺利运递至胃。临床上最常见的原因是各种延髓麻痹；肌痉挛（如狂犬病）、肠肌丛内神经节细胞减弱（如贲门失弛缓症）；系统性硬化症等全身疾病引起食管平滑肌收缩无力，弥漫性食管痉挛导致食管异常收缩。吞咽困难病因与分类（图 2-20-1）。

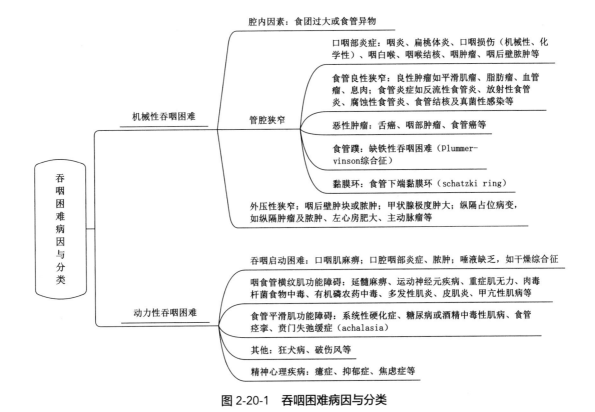

图 2-20-1　吞咽困难病因与分类

该患者,男,85 岁,近 3 个月来,进食有哽塞感,纳差,乏力,时有腹胀,体重下降 10kg,既往体健,是机械性吞咽困难还是动力性吞咽困难? 现采用整体性临床思维——临床 4 问对该患者进行分析(图 2-20-2)。

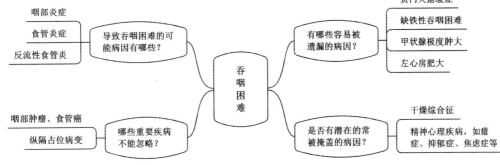

图 2-20-2　吞咽困难的临床 4 问

(2)鉴别思维:全科医生除了针对患者症状认真仔细地进行问诊和体格检查外,还要以患者为中心,全面地了解患者的生活、心理、顾虑、期望等,下面采用 RICE 问诊,进行深入访谈,寻找病因,达到诊断疾病的目的。

第 1 次就诊：

R（reason）——**患者就诊的原因**

医生：大爷，看您脸色不是很好，发生什么事了吗？（尊敬的称呼和同理心，增加医生亲切感，有利于建立良好的医患关系）

患者：医生，我快完蛋了，估计没得治了。（愁苦貌）

医生：别着急，慢慢说，有什么可以帮您吗？（开放式提问）

患者：我吃不进东西，最近又瘦了好多。

医生：您能将生病过程详细地告诉我吗？（打开话题，让患者自己回忆患病经过和体验）

患者：3 个月前我觉得喉咙不舒服，尤其吃东西时候有点卡住的感觉，起初以为是咽炎，在社区医院配了清咽滴丸，没有效果。后来吃东西速度快点，就感觉喉咙被堵住，需要拍拍胸背或喝点水，会感觉舒服些。有时候感到恶心、呕吐。好像从那时候开始，我的胃口不太好，吃的越来越少了。邻居看到我，都说我最近瘦了好多，脸色也不好。我 3 个月前在居委会活动室称体重是 120 斤，昨天称只有 98 斤了！

医生：有没有乏力？睡眠好吗？（认同患者的症状，了解患者的患病体验）

患者：感觉全身没劲，因担心得了什么怪病，晚上睡不踏实，总是醒来。

医生：除了乏力，吞咽食物困难，恶心呕吐，还有其他不舒服吗？比如胸闷、胸痛、腹痛、腹胀等。（了解伴随症状）

患者：感觉这里闷胀（患者指着胃靠右边一点），胸口堵着。也说不清发作时间，吃麝香保心丸也没用。

医生：有发热、厌油腻、腹痛或拉肚子吗？或以前得过肝炎、脂肪肝、胆囊炎吗？（排除肝胆病）

患者：没有。

医生：近一年来做过什么检查？平时吃什么药吗？（了解慢病史、药物史）

患者：我平时不怎么生病的，基本不吃药，上一次体检好像是五六年前。

医生：说说您平时饮食喜好，好吗？

患者：我是宁波人，口味重，喜欢吃咸腌的食物，如咸鱼、咸菜等，我还喜欢喝滚烫的汤，平时煮个火锅，烫点小菜，喝点小酒。剩菜剩饭舍不得倒掉，热一下再吃。

医生：喝酒、吸烟吗？量多少？（了解烟酒史）

患者：每天喝 2 两白酒或一杯黄酒，最近人不舒服，少喝了；烟龄 40 年，每天半包。

医生：近期去过哪里？（了解流行病学史）

患者：近 3 年疫情，我基本不出门，父母、老伴都没了，儿子在国外。平时我常去居委会活动室待会儿，和别人沟通不多。

医生：家里父母或兄弟姐妹有什么遗传病吗？（了解遗传疾病史）

患者：父亲肠癌去世的，母亲有高血压，其他没什么特别的。

I（idea）——**患者对自己健康问题的想法**

医生：您认为吞咽困难、消瘦最可能的原因是什么？（了解患者的想法）

患者：可能吃的少，年纪大了，消化吸收功能也有问题。我以前身体一直挺好的，不会有什么大病。这次不知道得了什么病？短期内瘦得厉害。

C（concern）——患者的担心

患者：医生，我最想知道是什么原因引起的吞咽困难和消瘦。大医院人太多，不知道这病看什么科，看看网上，什么讲法都有。

医生：吞咽困难和消瘦的原因有很多，我先给您检查一下身体，好吗？

体格检查：T 36.9℃，P 66 次 /min，R 18 次 /min，BP 106/60mmHg。面容消瘦，面色萎黄，皮肤弹性差，BMI 16kg/m²，皮肤、巩膜无黄染，颈部未触及浅表淋巴结，甲状腺未触及肿大，肝掌（-），蜘蛛痣（-）。心肺无特殊。腹平软，无腹壁静脉显露，肝脾肋未及，肝区叩痛（+），墨菲氏征（-），移动浊音（-），肠鸣音正常，下肢无水肿。

（3）是不是急危重症疾病？

结合患者年龄、症状和体重速降，初步考虑食道恶性肿瘤，属于危重症。列出以下鉴别诊断（图 2-20-3）。

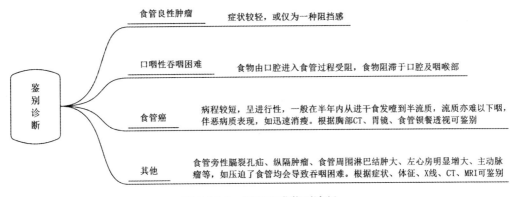

图 2-20-3　吞咽困难鉴别诊断

E（expectation）——患者的期望

医生：大爷，根据您现在情况，需要转到上级医院进一步诊治。您有什么期望吗？（与患者建立良好医患关系后，可以直接问患者的期望）

患者：我现在就想明确病因，如果真是坏毛病，我也不想太折腾的。

医生：我先把您转到大医院去进一步检查，让大医院的专家根据检查结果帮您出主意，您看可以吗？（给予患者信心）

患者：好的，感谢医生！（患者迫不及待地说）

医生：我已经联系某医院的内科某主任，他们已经做好接收准备了。让您儿子尽快回国，我和他交流一下行吗？（需要家庭情感上的支持，体现以家庭为单位的照顾）

患者：太感谢了，医生，您们要好好帮我查一查。（患者对医生的期望）

医生：以后您有其他问题，可以继续来找我，我们可以一起再讨论一下的。（医患共同努力，战胜疾病，并体现协调性照顾）

患者：好的。谢谢医生！

2. 最可能的诊断是什么？需要完善哪些辅助检查？

(1)最可能的诊断:食管癌?

(2)依据:患者进食哽塞、纳差、乏力、腹胀,近 3 个月体重下降 10kg。

(3)需要完善的辅助检查:三大常规、肝肾功能、腹部肝胆胰 B 超。

检查回报:

1)三大常规:血常规显示贫血;尿常规和大便常规无殊。

2)肝功能:血红蛋白 102g/L,血钾 3.2mmol/L,血钠 119mmol/L,总胆红素 40μmo/L,结合胆红素 17μmo/L, 白蛋白 31g/L,ALT 120U,AST 150U,ALP 90U,γ-GT 102U,CEA 153ng/ml,CA199 96U/ml,CA724 102U/ml,乙肝两对半均阴性。

3)腹部 B 超:肝内多发实质性占位。

肝功能异常,贫血,电解质紊乱。腹部 B 超:肝内多发实质性占位,考虑转移。转上级医院需要完善以下检查:胸部 CT、胃镜、食管钡餐透视、肿瘤系列等。

上级医院检查回报如下。① CEA 152ng/ml,CA199 120U/ml,CA724 112U/ml;②食管钡餐透视:食管中段占位,考虑食管癌;③胸部 CT 增强:食管占位,纵隔多发肿大淋巴结,左侧锁骨上淋巴结肿大;④胃镜:食管中下段占位,考虑食管癌;活检病理:腺癌,中 - 低度分化;⑤上腹部 CT 增强:肝内多发转移灶,腹腔及腹膜后多发肿大淋巴结。

结合检查及病情,考虑食管癌肝转移。

3. 诊断和诊断依据是什么？

(1)诊断:

1)食管癌(esophageal cancer)

2)肝转移(liver metastasis)

(2)诊断依据:根据影像学检查结果可明确诊断。

4. 治疗方案和患者管理

发现疾病已出现远处转移病灶,无手术指征,考虑患者高龄、食管癌晚期,采用姑息疗法,提供临终关怀,提高患者的生存质量。

(1)向患者解释吞咽困难的原因及预后情况,重视患者的情绪变化,给予心理疏导,解除他的恐慌心理,观察对心理治疗的反应情况,必要时给予药物治疗。

(2)全科医生与上级医院主治医生沟通联系,听取患者病情及上级医院的"最佳支持治疗"策略,包括给予促胃动力药物、抗食管痉挛以及营养支持、抗焦虑等。观察吞咽困难及相关伴随症状是否进展,是否影响正常生活,必要时行食管支架术。

(3)交代患者儿子多关心父亲,多沟通,缓解患者担忧与顾虑。

(4)根据患者实际需求,全科医师联系医务社工、社区志愿者,召开小组会议,制定服务计划:通过人文查房,全方位了解患者需求;社工定期随访,帮助患者回顾人生,汲取积极力量,应对消极情绪;医护人员及时沟通,了解患者想要居家临终关怀的心愿。

(5)全科医生建立家庭病床,安排社区居家临终关怀服务,通过医生、护士、医务社工、心理咨询师、营养师、临床药师、康复技师等多学科团队查房,给予积极评估、症状控制、舒缓情绪、死亡教育及社会支持等。

第 2 次就诊

一个月后,患者在儿子陪同下来复诊。

患者吞咽困难、腹胀等躯体症状未加重,但仍消瘦、乏力。通过居家临终关怀服务,社区医护人员与医务社工共同在医疗行为中,耐心倾听,细心照顾,通过聊天的方式实现调理与治疗作用,患者情绪得到舒缓,已能够以积极的态度面对死亡。同时,在"话疗"过程中发现患者诸多临终心愿,如与儿子去照相馆拍合影、家人陪同去滨江散步等,都逐一实现。患者及家属认为全科医生很靠谱,很为患者着想,帮助转诊上级医院明确诊断,虽然自己已经是临终患者,但全科医生没有放弃,还能联络社工、志愿者等社会资源,提供个性化的照顾,帮助树立信心,满足患者身体、心理、社会支持、灵性的临终关怀需求。

5. 病例总结

全科医疗服务是医疗技术服务与艺术的有机结合,通过以病人为中心的服务,提供综合性、连续性、可及性的照顾。在以人为中心的整体性临床思维,需要全科医生时刻保持清醒头脑,清晰把握问诊重点。在全科医疗过程中,医生虽然不能治愈所有的疾病,但始终应该帮助和安慰患者认识自己的疾病,并树立信心,积极面对。同时,在全科医疗过程中,仅靠全科医生个人的力量是不够的。作为基层医疗保健系统的组织者和协调者,全科医生可以通过组织有效的卫生服务团队,协调各种医疗资源,其中也包括社区内外一切可以利用的资源,为病人及其家庭提供需要的服务。

另一方面,全科医疗负责健康时期、疾病早期乃至经专科诊疗后需要长期照顾的疾病或无法治愈的疾病后期,甚至是终末期阶段。对疾病终末期或老年患者在临终前,应避免过度治疗,减轻创伤性治疗所造成的身体上的痛苦,提高其终末期生活质量。在社区开展临终关怀,以全科医学为基础,向临终患者及家属提供包括生理、心理、社会等方面的全面照料,使临终患者生命得到尊重,症状得到控制,生命质量得到提高,家属身心健康得到维护和增强,从而让患者得以舒适、安详、有尊严地走完最后一段路程。在这当中,社区全科医生是医学服务者、管理者,也是临终关怀的最佳提供者,通过以人为本的全科医学理念提升人文关怀质量,促进团队专业人员之间及医患之间的沟通协调,促进医患关系和谐。尤其全科医生作为协调者,根据患者情况协调各类资源,团队成员各司其职,以多方面及早发现问题而开展干预,使得医疗、护理、人文关怀、灵性关怀、志愿服务在社区卫生服务中获得了整合后效率的最大化,以切合患者与家属的实际需求,实现提高患者临终生存质量的最终目的。

6. 知识拓展

临终关怀是对那些没有治愈希望的患者的全面而积极的关怀,目的是确保患者及其家属的最佳生活质量。世界卫生组织(WHO)将临终关怀定义为:肯定生命并认同死亡是一个自然过程,不加速或延长死亡,尽可能减轻痛苦和其他身体不适症状,支持临终患者,使他们在死亡前拥有良好的生活质量,并结合心理、社会及灵性照顾支持患者家属,使他们能够在亲属患病期间和死亡后的悲伤阶段做出适当调整。临终关怀是一套有组织的医护照料计划,为患者提供保守性的治疗和支持性的照护,通过姑息治疗、临终关怀和精神慰藉来提高临终阶段的生活质量,帮助临终患者尽可能的有尊严无痛苦地离开人世。同时,为临终患者家属提供心理、社会和精神支持,帮助他们以科学的观念和态度认识和应对现实,送走亲属,处理善后事宜。临终关怀服务秉承全人照护的理念,以临终患者及其家属作为一个关怀单元,为他们提供身、心、社、灵的全方位照护。

临终关怀注重人而不是病,是一种以患者为中心的关怀照护服务,而不是以疾病为中心的医疗服务。同时,要尊重临终患者的生命价值和权利,尊重患者的选择,重视生命的质量胜于生命的数量,帮助患者接受死亡。面临死亡的患者比一般的患者更需要医生的同情、关心和照顾。这是优化死亡状态的一种重要方式,也是社会公众最易于接受的一种提供优死的服务。

（杨芸峰　易春涛　王　静）

 思考题

1. 全科医学与临终关怀有哪些契合点?
2. 全科医生在我国本土化临终关怀服务中担任怎样的角色?

病例 21 ⊠

全身疼痛 1 年，加重半个月

患者，女，79 岁，在女儿陪同下前来就诊。

患者口述：1 年前无明显诱因出现全身疼痛，活动或劳累后加重，以右侧肢体、右侧腰背为著，为持续性隐痛，休息数小时后症状可缓解，伴乏力。无发热，无晨僵，无口干、眼干，无肢体麻木，无体重下降，未诊治。半月前晨练时疼痛明显加重，口服塞来昔布止痛治疗 2 周后无效来就诊。

患者描述自己身高较年轻时缩短超过 4cm。

平时素食为主，否认胃肠道疾病史。

> **请思考以下问题 →**

1. 如何构建整体性临床思维？
2. 最可能的诊断是什么？需要完善哪些辅助检查？
3. 诊断和诊断依据是什么？
4. 治疗方案和患者管理。
5. 病例总结。
6. 知识拓展。

1. 如何构建整体性临床思维？

(1)诊断思路：疼痛是一种主观感受，常伴有实质的或潜在的组织损伤。疼痛病程超过 3 个月者，称为慢性疼痛。引发全身疼痛的病理生理因素有很多，包括感染(细菌、病毒等)、肿瘤、结缔组织病、代谢性疾病，药物因素等，在老年人尤其应注意恶性肿瘤性疾病、骨质疏松、风湿性多肌痛等引起的疼痛；而年轻患者，当查不出病因时，需要考虑心理因素。

此外，也有生理性疼痛，如过度劳累、剧烈运动等因素导致肌肉暂时缺氧，大量乳酸堆积在肌肉内，而出现全身疼痛症状；或因高度紧张、长期睡眠不足等，人体处于亚健康状态，而出现全身疼痛或无力等症状。全科医生接诊全身疼痛患者时，首要任务是识别潜在的严重疾病导致的疼痛，同时关注患者的心理因素。

该患者，女，79 岁，1 年前无明显诱因出现全身隐痛，运动或劳累后加重，以右侧肢体为著，休息后症状消失，伴乏力，无发热，无晨僵，无口干、眼干，无放射痛、肢体麻木，无体重下降，未诊治。半月前晨练时上述症状明显加重，口服塞来昔布止痛治疗 2 周后，症状未见缓解，患者自己特别强调身高较年轻时缩短超过 4cm，平时素食为主，说明患者有一定的健康意识。作为全科医生，对老年慢性疼痛，首先应除外恶性肿瘤性疾病引起的疼痛，其次考虑是老年病理性疼痛常见的其他病因？现采用整体性临床思维——临床 4 问对患者进行分析(图 2-21-1)。

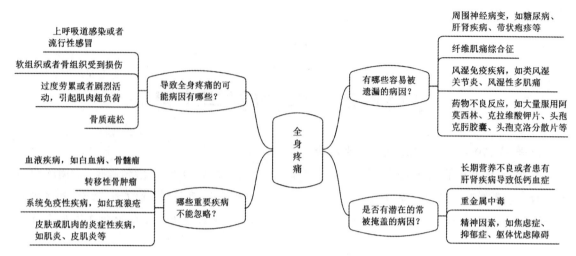

图 2-21-1　全身疼痛临床 4 问

（2）鉴别思维——在全科医疗实践中，最重要、最基本的理念是：来看全科医生的是人，不是病。为了找到答案，我们不仅关注疾病，还要关注患者，结合以患者为中心的整体性临床思维原则，了解患者疾患背后的故事，尤其要了解疼痛的发生、发展，全方位探究患者的患病经历和她的想法、担忧和期望。下面采用以患者为中心的问诊——RICE 问诊进行深入访谈，寻找病因，达到诊断疾病的目的。

R（reason）——患者就诊的原因

医生：您好！有什么可以帮您吗？（开放式提问）

患者：医生，我这一年来，动不动就身上痛。

医生：您能描述一下您的疼痛吗？

患者：疼痛可以发生身体的任何地方，主要在肩、背部，隐隐的胀胀的疼，尤其活动或干活劳累后右侧胳膊、腿、腰背部疼痛更明显，每次疼起来，休息大半天才能好。平时一直能料理家务和锻炼，也就没有当回事。但半月前，感觉疼痛明显比以前厉害了。

医生：这种疼痛确实很难受，还有别的不舒服吗？比如腿麻？走路有影响吗？（共情）

患者：没有腿麻，走路多了、累了会有感觉。

医生：咳嗽、打喷嚏没有感觉疼痛加重吗？看过医生，吃过药吗？平时吃什么药吗？（了解患者自己处理问题的方法）

患者：感冒咳嗽倒没觉得对疼痛有加重。平时挺健康，没吃什么特殊药，也没有看过医生。最近疼的厉害了，我把老伴关节痛的止痛药拿来吃了。可是疼痛还是那样。

医生：吃的什么药？吃了多长时间？（了解患者的诊疗经过）

患者：这个药（患者拿出塞来昔布的药盒），吃了 2 个礼拜。

医生：最近有畏寒、发热吗？1 年体重有变化吗？大小便正常吗？

患者：没有感觉发热。体重没有变化。大小便都正常。但是我发现自己比年轻的时候身高矮了 4cm。

医生：平时有胃不舒服吗？有没有腹胀、反酸？

患者:我的胃还好,没有这些症状,其他方面也还行。

医生:平时运动多吗? 饮食有什么喜好吗?

患者:平时主要在家做做家务。偶尔到小区里健身器材上锻炼一下,不经常去,每周一两次。我是居士,平时吃素,医生这是否也跟得病有关系?

医生:噢,这个问题我们一起考虑。您有高血压、糖尿病、高血脂等疾病吗? 有长期服用什么药物吗? (了解患者的心血管疾病史及服药史)

患者:没有这些病。平时也没有吃药。

I(idea)——患者对自己健康问题的想法

医生:您的身体疼痛困扰了您这么长时间,您认为是什么问题? (了解患者的想法)

患者:小区里有人说是颈椎病,有人说是骨质疏松。

C(concern)——患者的担心

医生:您身体疼痛 1 年多了,确实很难受的。(共情)

患者:每次疼痛,都感觉乏力,需要休息好久才能好一些。我担心哪一天躺在床上起不来了。

医生:您疼痛时伴有乏力,我想了解您的睡眠怎么样? 平时生活中有什么烦心事吗? (从睡眠切入,了解生活压力情况)

患者:睡眠挺好,也没什么烦心事。我们家里条件还可以,孩子们工作也挺好的。就是怕自己躺倒了,拖累孩子们。

医生:您最近几年的体检都按时检查了吗?

患者:单位的体检每年都去做,今年还没有检查,医生之前说有点轻微贫血(递过去年体检报告单)。

医生:您去年的体检报告中,除了贫血,生化、肿瘤标记物等化验,肺 CT、腹部超声、甲状腺超声等确实没有什么异常。我们身体疼痛的原因有很多,在老年人中,骨质疏松的人比较多,但需要除外其他疾病引起的身体疼痛。争取早日找出病因。我先给您检查一下身体。

体格检查:T 36.3℃,P 74 次 /min,R 17 次 /min,BP 126/66mmHg,身高 145cm,体重 37kg,IBM 17.6kg/m²,体型消瘦,贫血貌,胸骨无压痛,心肺查体未见异常;腹软,无压痛,肝脾肋下未触及,肠鸣音正常。脊柱后凸畸形,各棘突及脊柱旁肌肉无压痛,双下肢无水肿,神经系统查体未见阳性体征。

(3)是不是急危重症疾病?

结合患者年龄、饮食习惯、症状、体检等,初步考虑骨质疏松和营养不良。列出以下鉴别诊断(图 2-21-2)。

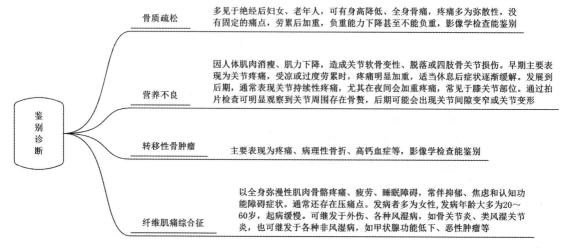

图 2-21-2　全身疼痛鉴别诊断

E(expectation)——患者的期望

医生：聊了这么久，我对您的病情基本了解了，您今天来看全科有什么期望吗？（与患者建立良好医患关系后，可以直接问患者的期望）

患者：当然希望医生能帮我找到病因。

医生：根据您的发病情况、查体，考虑骨质疏松可能大。

患者：骨质疏松好治吗？

医生：骨质疏松是咱们老年人常见的疾病，可防可治。您还需要到上级医院完善一些检查，明确诊断，排除一些其他原因引起身体疼痛的疾病。

患者：好。我一定配合。谢谢医生！

2. 最可能的诊断是什么？需要完善哪些辅助检查？

（1）最可能的诊断：骨质疏松？营养不良？

（2）需要完善的辅助检查：三大常规、红细胞沉降率、肿瘤标记物、甲状腺功能、肝肾功、电解质、心电图、腰椎 X 线正侧位片。转上级医院做胃肠镜检查，及相关肿瘤性疾病筛查。

检查回报：血常规：RBC 2.98×10^{12}/L，HGB 78g/L，MCV 68fl，HCT 16.7%，WBC 3.4×10^{9}/L，PLT 114×10^{9}/L。粪便 OB（-）。肝肾功、电解质、血清肿瘤标记物、甲状腺功能均正常。心电图：窦性心律，大致正常心电图。腰椎 X 线正位片显示腰 4 ~ 5 多发椎体楔变、脊柱后凸畸形。

3. 诊断和诊断依据是什么？

（1）诊断：

1）骨质疏松（osteoporosis，OP）

2）营养不良（malnutrition）

3）贫血（anemia）

（2）诊断依据：①患者，女，79 岁，1 年前无明显诱因出现呈间断性全身疼痛，活动后加重，休息后会缓解，半月前晨练时症状明显加重，口服塞来昔布止痛治疗 2 周后患者症状未见缓解，平时素食；②身高较年轻时缩短，超过 4cm；③贫血貌，心肺腹检查无异常，脊柱后凸畸形，各棘突及脊柱旁肌肉无压痛,双下肢无水肿,神经系统查体未见阳性体征;④腰椎正侧位片:多发椎体楔变、脊柱后凸畸形;⑤ IBM 17.6kg/m²,RBC 2.98×10¹²/L,HGB 78g/L,MCV 68fl,小细胞性贫血。

需要转上级医院做骨密度检查,胃肠镜检查排除消化道肿瘤及血液系统疾病相关检查。

4. 治疗方案和患者管理

(1)纠正病因,补铁治疗

1)纠正素食习惯,嘱均衡饮食,增加优质蛋白。

2)患者存在缺铁性贫血,首选口服铁剂。无机铁以硫酸亚铁为代表,有机铁包括多糖铁复合物、蛋白琥珀酸铁口服溶液、琥珀酸亚铁等。不耐受口服铁剂,可考虑注射或静脉输注铁剂。

(2)向患者普及骨质疏松的防治知识,帮助患者认识理解病情,增强患者应对症状的信心和能力。

(3)告知患者骨质疏松是可治疾病,但时间要长,坚持治疗,增加患者完成治疗的信心。

(4)告知患者家属,骨质疏松患者为跌倒的高危人群,确保生活环境安全性,谨防跌倒,注意地面是否平整、地板的是否太滑、软硬度是否合适,地板垫子有无滑动,通道有无阻塞不畅,楼梯、门槛、地毯边缘是否安全,洗浴及厕所处是否有扶手等设施,卧室里是否有夜间照明及紧急呼叫的设施,室内灯光是否合适。

嘱咐一周后复诊。

第 2 次就诊

第 10 天患者复诊。患者已经就诊上级三级医院全科医学科住院治疗,骨密度提示:骨质疏松(T-4.5);诊断:重度骨质疏松,输注唑来膦酸盐,依降钙素皮下注射及口服四烯甲萘醌。完善免疫六项正常,血液系统疾病及贫血相关检查:叶酸 12.28ng/ml,维生素 B₁₂ 102pg/ml,铁蛋白 3ng/ml;铁代谢四项提示:铁 1.9μmol/ml,铁饱和度 2.65%,总铁结合力 71.80μmol/L,不饱和铁结合率 69.90μmol/L;血细胞形态无异常,血清蛋白电泳无异常,骨扫描无转移癌证据;行胃镜提示:慢性萎缩性胃炎 C1;肠镜提示:大致正常结肠镜像;诊断:缺铁性贫血,给予口服多糖铁复合物 0.15g/ 片 每日一次,一次一片,叶酸片 5mg/ 片 每日三次,一次一片,维生素 B₁₂ 片 25μg/ 片 每日两次,一次一片。用药后感身体疼痛症状减轻,加强健康教育。

第 3 次就诊

第 24 天患者复诊。复查血常规:RBC 4.26×10¹²/L,HGB 87g/L,HCT 31.20% MCV 73.2fl。患者感疼痛及乏力症状减轻,继续遵嘱服药。随诊。

第 4 次就诊

2 月后患者复诊。复查血常规:RBC 4.89×10¹²/L,HGB 114g/L,HCT 39% MCV 79.7fl。贫血三项提示:叶酸 > 24ng/ml,维生素 B₁₂ 244pg/ml,铁蛋白 6ng/ml。患者感疼痛乏力症状明显好转,继续遵嘱服药。定期随访。

5. 病例总结

以人为中心的整体性临床思维,需要全科医生时刻保持清醒头脑,清晰把握问诊重点。除了考虑最常见的诊断,时刻警惕重要疾病,减少遗漏和错误的诊断,减少非必要的检查和治疗,这样不仅有助于提高患者对医生的满意度,提升医疗活动的效率,利于患者早日康复。

骨质疏松是老年人身体疼痛最常见的病因之一,临床上以腰背常见,而骨折是骨质疏松最严重的后果。在我国,OP 是常见的老年人增龄性骨骼疾病,在老年人群中的发病率更是高达32%,因其使骨强度下降,增加骨骼的脆性,故更容易出现骨折,是影响健康老龄化的主要疾病之一。随着社会人口老龄化,骨质疏松症和其相关的脆性骨折风险均随着增龄而增加。骨质疏松骨折导致生活质量下降,还可继发肺功能和胃肠功能降低;对于老年人,骨质疏松骨折中最严重的是髋部骨折,这也是多数老年人人生中的最后一次骨折。老年人髋部骨折后一年内死亡率为 20% ~ 25%。但骨质疏松的早期诊断率很低。我们知道,骨质疏松症是能够早期预防、早期治疗的疾病。全科医生作为居民健康的守门人,对辖区居民做骨质疏松的早期筛查及干预尤为重要。

6. 知识拓展

(1)骨质疏松症的高危因素:骨质疏松症是一种受多重危险因素影响的疾病,危险因素有遗传和环境因素等多个方面。危险因素包括不可控因素和可控因素。不可控的因素有种族(在罹患骨质疏松症的风险中:白种人高于黄种人,而黄种人高于黑种人)、女性绝经、老龄化以及有脆性骨折的家族史。可控因素主要有不健康的生活方式:包括少动、特别是户外活动少,过量饮酒、吸烟、过多的饮用含咖啡因的饮料、蛋白质摄入过多或不足、营养失衡、对钙和 / 或维生素的缺乏、低体重等。

(2)骨质疏松症风险评估工具:骨质疏松症可防可治,早期识别非常重要。基层常用的筛查工具有国际骨质疏松基金会(International Osteoporosis Foundation,IOF)骨质疏松风险一分钟测试题和亚洲人骨质疏松自我筛查工具(osteoporosis self-assessment tool for Asians,OSTA)。

(3)骨质疏松性骨折的风险预测:对某些患者具有一个或多个骨质疏松性骨折临床危险的因素,但已有骨量减少、尚未发生骨折的,可通过 FRAX 计算患者未来 10 年发生主要骨质疏松性骨折及髋部骨折的概率。FRAX 评估后确定为骨折高风险患者,下一步需要进行骨密度的检测,必要时需要规范的抗骨质疏松治疗。当然对于确诊的骨质疏松症或已出现了脆性骨折者,FRAX 评估并不适用。

(4)跌倒及其危险因素:跌倒是骨质疏松患者发生骨折的独立危险因素,跌倒的危险因素有自身因素和环境因素等。对引起跌倒的相关危险因素,注重其评估及干预。环境因素:包括居住房间的路面、照明、地面的障碍物、地毯松动、卫生间是否安装扶手等。自身因素:包括患者视力异常、感觉迟钝、营养不良、步态异常、年龄老化肌少症等老年综合征,也包括一些不良生活习惯,如少动,既往发生过跌倒、罹患神经肌肉疾病、心脏疾病、易出现体位性低血压者、抑郁症等精神和认知疾患、特殊用药史(如助眠药、治疗精神病或癫痫的药物)等。

(5)骨质疏松症的诊断:骨质疏松症的诊断依据 DXA 骨密度测量结果和 / 或脆性骨折的发生。

1)基于骨密度测定的诊断:骨质疏松症的通用诊断标准是 DXA 测量的骨密度。WHO 发布的 DXA 测定骨密度分类标准:T 值大于或等于 −1 属于骨量正常;骨量减少指骨密度 T 值在 −2.5 与 −1 之间;当 T 值小于或等于 −2.5,则诊断骨质疏松症;对于合并脆性骨折且 T 值小于或等于 −2.5 者,则属于严重骨质疏松症。

2)基于脆性骨折的诊断:脆性骨折是指在日常活动中即发生的或受到轻微创伤后的骨折,

如髋部或椎体骨折称脆性骨折。发生脆性骨折者,不依赖于骨密度测定,临床上即可诊断骨质疏松症。

(6)骨质疏松症的防治:骨质疏松症的防治主要有基础措施、药物干预和康复锻炼。

1)基础措施:包括生活方式改变及摄入骨健康基本补充剂。①生活方式的改变:A科学膳食:每日进食富含钙和蛋白质的食物,蛋白质摄入量每日推荐 0.8 ~ 1.0g/kg,且饮用 300ml 牛奶或相当量的奶制品;B 充足日照:维生素 D 主要来自于阳光中的紫外线照射皮肤而合成,少部分来源于饮食摄入。推荐选择阳光比较柔和的时间段,每天 15 ~ 30min 面部及双臂皮肤暴露照射,即能满足合成维生素 D 的需要;但需注意避免强烈阳光照射,以防灼伤皮肤;C 科学运动:建议减少久坐,每周进行 150 ~ 300min 或以上中等强度的运动,或者每周 75 ~ 150min 高强度有氧运动(高龄患者不宜),或者等效的由中等强度和高强度组合的有氧运动。此外肌肉强化运动(抗阻训练)是必需的,中等强度以上,每周 2 天或以上,以使主要肌肉群参与,将能获得更多的健康益处;D 预防跌倒:骨质疏松患者为跌倒的高危人群,需确保生活环境安全性;E 对高危人群早期识别及筛查 对甲亢、糖尿病、慢性肾功能不全等影响骨代谢的慢病,以及服用特殊的对骨代谢有影响的药物(如甲强龙、地塞米松等)的骨质疏松症高危人群,需要定期检测骨密度,必要时规范的抗骨质疏松治疗至关重要;F 健康心理:临床上,骨质疏松常引起睡眠障碍、恐惧、焦虑、抑郁、自信心丧失等心理问题,对骨质疏松症患者,尤其是合并骨折者,心理健康问题不容忽视。②骨健康补充剂:钙剂和维生素 D 是骨质疏松的基础治疗;A 钙剂,成人每日需要 800mg,≥ 50 岁人群每日需要量为 1 000mg。可以每天至少饮用 300ml 牛奶,再口服含有 500 ~ 600mg 元素钙的钙剂,将能满足每日需求;B 维生素 D,成人需要量为 400U/d,老年人推荐 600U/d。对于维生素 D 缺乏或不足的人群,可以通过阳光照射或补充维生素 D 以纠正。

2)药物干预:常用的药物有双膦酸盐(含阿仑膦酸钠、阿仑膦酸钠维 D、唑来膦酸、利塞膦酸等)、活性维生素 D 及其类似物、降钙素、雌激素、选择性雌激素受体调节剂、RANKL 抑制剂、甲状旁腺激素类似物、维生素 K2 类、锶盐、中医药治疗。

3)康复治疗 应对骨质疏松,康复治疗的方法有运动疗法、作业疗法、物理治疗和康复工程等。

(7)基层骨质疏松症管理:需要随访的内容有:①监测骨密度和骨标志物;②是否有再次或多次骨折的发生;③发生脆性骨折以后患者的生存状况;④有无出现脊柱变形、身高缩短;⑤有无长期使用类固醇激素;⑥有无出现绝经;⑦有无规范使用骨营养剂补充;⑧有无积极治疗,治疗是否规范全程;⑨健康指导及教育;⑩对跌倒风险的评估与干预;⑪有无不良生活方式需要改变;⑫有无新出现的影响骨代谢的疾病,如糖尿病、甲亢、甲旁亢等。

(刘亚贤　李卿慧　陈嘉林)

 思考题

1. 骨质疏松的临床表现有哪些?
2. 骨质疏松患者的健康教育有哪些方面?

病例 22 ⊠

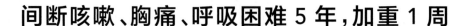

间断咳嗽、胸痛、呼吸困难 5 年,加重 1 周

患者,男,67 岁,厨师,已退休,由儿子和孙子陪同前来就诊。

患者口述:近 5 年来间断出现咳嗽、胸痛、气短,快速步行及上楼梯感气促、胸闷。多于感冒后反复发作,咳黄色粘痰,予抗菌素治疗可好转。多次被诊断为"气管炎",予中药治疗效果欠佳。一周前受凉后咳嗽、胸痛、喘憋加重,在朋友的推荐下来看全科医生。吸烟30年,每日 10～20 支。

患者带来多年各种检查单和 1 年前住院记录,有各级医院的检查报告和门诊病历。血常规、肝肾功能、甲状腺功能、血糖、心肌酶、肌钙蛋白等实验室检验都无异常。心电图、腹部彩超及胸部 CT 都未见异常。

请思考以下问题 →

1. 如何构建整体性临床思维?
2. 最可能的诊断是什么? 需要完善哪些辅助检查?
3. 诊断和诊断依据是什么?
4. 治疗方案和患者管理。
5. 病例总结。
6. 知识拓展。

1. 如何构建整体性临床思维?

(1)诊断思路:呼吸困难可以是一个单一的主诉,也可能伴随咳嗽、咳痰、胸痛等症状,患者对呼吸困难的描述多种多样。病情可缓可急,可轻可重。除了呼吸系统疾病之外,心脏疾病、血液系统疾病、神经肌肉疾病及内分泌系统的疾病、药物、生理性因素及精神因素都会引起呼吸困难。例如有的患者将呼吸困难描述为胸闷,贫血的患者常有乏力、气短的症状,肥胖患者也可出现呼吸困难症状,情绪激动或焦虑等也会引起呼吸困难。全科医生接诊呼吸困难患者时,要仔细问诊,除了患者的主诉之外,还要观察患者的意识状态、呼吸频率、皮肤黏膜、生命体征和血氧情况,识别潜在的急危重症疾病。

呼吸困难(dyspnea)本质为患者呼吸驱动和实际所能达到的通气量不匹配时,产生的呼吸欲望增加的一种主观感受。患者对呼吸困难的描述可有气短、上气不接下气、喘不上气或气不够用等多种形式,严重者可出现呼吸窘迫。呼吸困难患者常有呼吸频率、节律、幅度的变化以及辅助呼吸肌参与呼吸。凡是参与氧的交换、转运以及利用等多个环节的器官或系统发生病变时均可发生呼吸困难。呼吸困难的原因(图 2-22-1)。

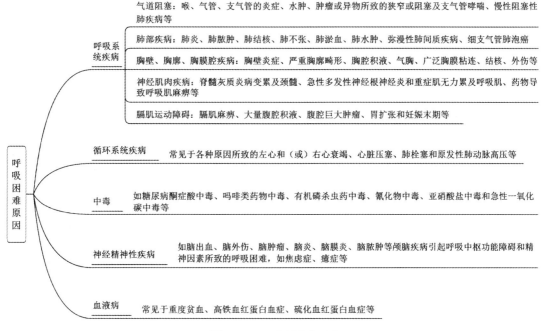

图 2-22-1 呼吸困难原因

该男性患者,67岁,厨师,近5年来间断出现咳嗽、胸痛、气短,快速步行及上楼梯感气促、胸闷。多于感冒后反复发作,咳黄色粘痰,予抗菌素治疗可好转。一周前受凉后咳嗽、胸痛,喘憋加重。吸烟30年,每日10～20支。患者带来既往各级医院的检查报告和门诊病历。血常规、肝肾功能、甲状腺功能、血糖、心肌酶、肌钙蛋白等实验室检验都无异常;心电图、腹部彩超及胸部CT都未见异常。现采用整体性临床思维——临床4问进行分析(图2-22-2)。

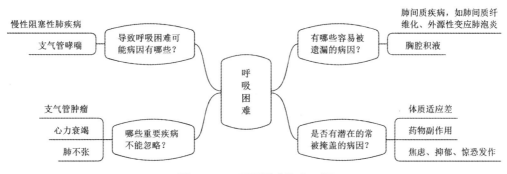

图 2-22-2 呼吸困难临床 4 问

(2)鉴别思维:全科医学强调以人为中心,要将全人照顾的核心理念贯彻于疾病的诊断、治疗、长期持续性照顾的整个过程。我们不仅关注疾病,还要关注患者,结合以患者为中心的整体性临床思维原则,了解患者疾患背后的故事,尤其要了解呼吸困难的发生、发展,全方位探究患者的患病经历和他的想法、担忧和期望。下面采用以患者为中心的问诊——RICE问诊进行深入访谈,寻找病因,达到诊断疾病的目的。

R(reason)——患者就诊的原因

医生:您好! 我是崔医生,有什么可以帮您吗? (尊重患者,开放式提问)

患者:医生,我最近感冒了,咳嗽、胸痛,气短得厉害。

医生:新冠核酸做了没? 居住地有这样的病人吗?

患者:我们防护的很好,口罩时时戴,核酸天天做,没听说周围有新冠病毒感染的病人。

医生:您能将生病过程详细地告诉我吗? (打开话题,让患者自己回忆患病经过和体验)

患者:大约 5 年前,刚开始感觉有点气短,但一年比一年加重。一周前孙子嫌房间太热开了空调,我有点受凉,夏天犯病还是第一次。

医生:能说一下您犯病时的感受吗? (了解患者的患病体验)

患者:喘不过来气,好像气管被什么东西堵住了,总感觉气不够用。有点咳嗽,咳嗽时胸前有点刺痛。

医生:咳嗽严重吗? 会影响睡眠吗? (鉴别咳嗽的性质)

患者:咳嗽蛮严重的,晚上有时会咳醒。

医生:有没有痰? 痰是什么颜色的? 有没有血丝? (鉴别咳痰的性质)

患者:痰不多,有点黏,有点淡黄色,没有发现过血丝。

医生:说说胸痛的感觉,好吗? (鉴别胸痛的性质)

患者:是咳嗽震的前胸痛,像针刺样。不咳嗽没有胸痛,总感觉前胸有点不舒服。

医生:讲一下气短的感受,好吗? (进一步询问症状特点)

患者:走路稍快或上楼时感觉有点喘不上来气。一旦犯病,休息时也感觉气不够用。

医生:上不来气是挺难受的。每年都发作吗? (移情,了解发作时间)

患者:是的,天气转凉后一不小心就开始了。每次总得难过 1 ~ 2 个月。

医生:有没有腿肿? (进一步询问症状特点)

患者:没有。

医生:睡觉怎么样? 能平躺吗? (了解伴随症状、鉴别诊断)

患者:睡觉还可以,习惯侧身睡觉,平躺也不受影响。

医生:5 年来都在哪些医院看过病? (了解诊疗过程)

患者:到处看病,CT、X 线等片子拍了不下十几回,有的说没事,有的说肺炎,不知道怎么回事。平时输几天消炎药会好转。去年冬天发病有点严重,在中医院住院,诊断气管炎。我间断服用中药,效果不明显。感觉我的病没有诊断出来,或者是误诊了。是不是没得治了?

医生:(拍拍患者上臂)还不至于,您对什么东西过敏吗? 譬如花粉等。(安慰患者,了解过敏史、鉴别诊断)

患者:没有。

医生:家里养诸如鸟、狗、猫等宠物吗? (了解个人史、鉴别诊断)

患者:没有。

医生:您退休前是干什么工作的? (了解个人史)

患者:干了半辈子的厨师,自打有了孙子就不干了。

医生：您吸烟吗？（了解个人史）

患者：吸了差不多 30 年，每日 10 ～ 20 支，自打有了孙子吸烟减少了，一包烟要吸一周。

医生：您有其他什么疾病史吗？譬如高血压、糖尿病、高血脂等？（了解患者的心血管疾病史）

患者：每年的体检指标都蛮正常的。

I(idea)——患者对自己健康问题的想法

医生：我看了您之前的相关检查，根据您的病史、体征和既往的检查资料，暂时可以排除一些严重的疾病。但是您的病每年都在犯，您怎么看待这个问题？（了解患者的想法）

患者：我认为肺出了问题，我抽了将近 30 年的烟，只有肺有问题才会气短、咳嗽。

C(concern)——患者的担心

患者：医生，我的情况严重吗？年年看病年年犯，一年不如一年。去年在中医院住院，诊断气管炎，喝了很多汤药，还是不好。辛辛苦苦一辈子，现在条件好了，可是担心没几年活头了。

医生：还有吗？（面带微笑了解患者内心的担忧）

患者：我抽了将近 30 年的烟，不会是肺癌吧？我听说油烟也致癌，我可是干了半辈子的厨师。

医生：我注意到很多病人都是独自来看病，最多也就一个人来陪，而您的儿子和孙子都来陪您看病，看得出他们对您很孝顺。（从陪诊切入，了解患者的家庭状况）

患者：是的，儿女都挺好。医生，我会不会得了肺结核？担心传染给孙子。

医生：气短的原因有很多，我先给您检查一下

体格检查：T 37.2℃，P 88 次 /min，R 20 次 /min，SpO_2 94%，BP 133/85mmHg，身高 178cm，体重 78kg，BMI 24.6kg/m^2，正力体型。颈部未触及浅表淋巴结，颈静脉无怒张，甲状腺未触及肿大。咽部稍充血，扁桃体无肿大。双侧胸廓对称，无畸形；呼吸活动度双侧对称，双侧触觉语颤对称，未触及胸膜摩擦感；双肺叩诊清音；双肺呼吸音低，双肺散在呼气相哮鸣音，呼气延长，未闻及湿性啰音。心界不大，律齐，心率 88 次 /min，心音遥远，A2 > P2。腹软，全腹无压痛，肝脾未触及，肠鸣音正常。双下肢无水肿。

（3）是不是急危重症疾病？

结合患者既往的检查检验等病史资料，初步考虑慢性支气管炎、慢性阻塞性肺疾病。列出以下鉴别诊断清单(图 2-22-3)。

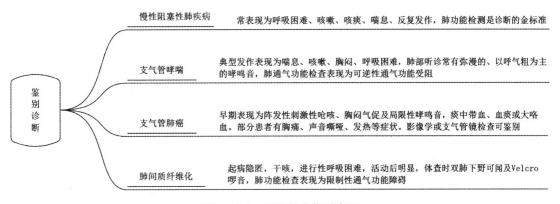

图 2-22-3 呼吸困难鉴别诊断

E(expectation)——患者的期望

医生：您的担心我会考虑的。今天来看全科有什么期望吗？（与患者建立良好医患关系后，可以直接问患者的期望）

患者：当然希望医生能帮我确诊，治好我的病。

医生：根据您的病史、体征和既往的检查资料，还需要做一些相关的检查，比如血常规、胸片、肺功能检查，您看可以吗？（沟通进一步诊疗方案）

患者：好的。

2. 最可能的诊断是什么？需要完善哪些辅助检查？

(1)最可能的诊断：慢性支气管炎？慢性阻塞性肺疾病？

(2)需要完善的辅助检查：血常规、胸部平片、肺功能。

检查结果：①血常规检查白细胞总数 $7.2 \times 10^9/L$，中性粒细胞 75.2%，血红蛋白 15.2g/L，血小板 $178 \times 10^9/L$；②胸部平片表现为胸廓前后径增大，双肺下野纹理增多紊乱，胸骨后心影前及心影后脊柱前透亮区增大；③肺功能检查提示使用支气管扩张剂后 FEV_1/FVC 为 62%，FEV_1 占预计值 60%。

患者再次步入诊室。

医生：您的病诊断很明确，慢性阻塞性肺疾病。

患者：慢性阻塞性肺疾病？听说过，具体不了解。还有治吗？能治好吗？（患者对医生的期望）

医生：慢性阻塞性肺疾病是您的气道出了问题，呼吸的时候气流在气道内的阻力增大导致的。好在这个病是可以预防和治疗的，但这是一个漫长的过程，需要规范化的治疗和管理，所以更需要您的配合。（医患共同努力，战胜疾病，并体现协调性照顾）

患者：我一定配合。

医生：我会根据您的病情，制定详细的治疗和管理方案，当然制定这个方案，也需要您和您的孩子的参与，重在方案的落实。（需要家庭情感上的支持，体现以家庭为单位的照顾）

患者：好的。

3. 诊断和诊断依据是什么？

(1)诊断：慢性阻塞性肺疾病急性加重期(acute exacerbation of chronic obstructive pulmonary disease，AECOPD)

(2)诊断依据：①有吸烟、油烟吸入(厨师)等危险因素；②间断咳嗽、胸痛、呼吸困难、等症状；③受凉后加重咳痰、喘憋加重；④肺部体检：双肺叩诊清音，双肺呼吸音低，双肺散在呼气相哮鸣音，呼气延长；⑤ SpO_2 94%；⑥结合外院胸部 CT 及现在胸片表现：为双肺下野纹理增多紊乱、肺气肿征；⑦肺功能检查提示使用支气管扩张剂后 FEV1/FVC 为 62%，FEV1 占预计值 60%。

4. 治疗方案和患者管理

(1)建立健康档案：建立随访记录表，纳入社区长期健康管理。

(2)健康教育：使患者了解慢性阻塞性肺疾病的相关知识，掌握一般和特殊的自我管理方法(如吸入装置的使用、规律服药等，定期复诊及紧急情况下求救能力等)，社区医生定期随访。

(3)相关危险因素干预：让患者了解吸烟、室内外空气污染与慢性阻塞性肺疾病的关系，督促患者戒烟。

（4）药物治疗：雾化吸入噻托溴铵 18ug，每日 1 次；雾化吸入沙美特罗替卡松 50/250μg，每日 2 次；口服头孢地尼 0.1g，每日 3 次。

（5）康复治疗：病情稳定后鼓励患者可通过适当咳嗽、呼吸及体育锻炼，增加呼吸功能，改善生活质量。①咳嗽和排痰；②缩唇呼吸和腹式呼吸；③扩胸、步行和骑车等运动。

（6）心理疏导：慢性阻塞性肺病因长期患病，影响患者的日常生活，易出现焦虑、抑郁、猜疑、恐惧、悲观失望等不良心理，针对病情及心理特征及时给予心理疏导，帮助患者树立战胜疾病的信心。

第 2 次就诊

第 7 天患者复诊。患者咳嗽、胸痛，呼吸困难症状已经明显好转，痰液由黄色转变为白色，量已明显减少。嘱咐患者停止服用抗菌素，其他治疗不变，定期复诊。

5. 病例总结

慢性阻塞性肺疾病是一种严重危害人类健康的常见病、多发病，致死致残率高，给病人及其家庭和社会带来沉重经济负担。根据原国家卫生计生委 2015 年发布的《中国居民营养与慢性病状况报告》，我国 40 岁以上人群慢阻肺的患病率约为 9.9%。目前，我国还存在慢阻肺漏诊、误诊、治疗不规范现象。由于症状隐匿，患者常于呼吸道症状逐渐加重时才到医院就诊，此时往往已到疾病的中晚期，医疗花费大且效果不佳。本例患者延误诊断 5 年，肺功能检查评估气流受限严重程度已达到 GOLD2 级（中度）。为了早期识别这些患者，以下三类人群建议每年进行一次肺通气功能检测：①有慢性咳嗽、咳痰、呼吸困难、喘息或胸闷的首次就诊人群；②有吸烟史的 40 岁以上人群首次就诊时；③有职业粉尘暴露史、化学物质接触史、生物燃料烟雾接触史的 40 岁及以上人群首次就诊时。同时，对于 40 岁以上人群，以下线索也帮助考虑慢阻肺诊断：①呼吸困难：进行性加重（逐渐恶化）；通常在活动时加重；持续存在（每天均有发生）；病人常描述为呼吸费力、胸闷、气不够用、喘息；②慢性咳嗽：可为间歇性或无咳痰；③慢性咳痰：可为任何类型慢性咳痰；④接触危险因素（尤其是）吸烟；职业粉尘和化学物质；家中烹调时产生的油烟或燃料产生的烟尘；⑤家族史：慢阻肺家族史。

6. 知识拓展

慢性阻塞性肺疾病的评估包括对症状、气流受限、急性加重风险和合并症的评估。其目的是减少疾病对日常生活的影响；降低气流受限严重度；降低可能的风险事件，如急性加重、住院、死亡等。

症状评估：英国医学研究委员会量表（mMRC）可对呼吸困难程度进行描述，并且与其他健康状态监测结果有良好的相关性，可预测未来死亡风险（表 2-22-1）。

表 2-22-1 改良版英国医学研究委员会呼吸问卷

呼吸困难评价等级	呼吸困难严重程度
0 级	我仅在费力运动时出现呼吸困难
1 级	我平地快步行走或步行爬小坡时出现气短
2 级	我由于气短，平地行时比同龄人慢或者需要停下来休息

呼吸困难评价等级	呼吸困难严重程度
3 级	我在行走 100m 左右或数分钟后需要停下来休息
4 级	我因严重呼吸困难以致不能离开家,或在穿衣服、脱衣时出现呼吸困难

气流受限评估:慢阻肺全球倡议指南(GOLD 指南)中推荐使用肺功能界值来明确气流受限的程度。在给予至少一种足量的短效支气管舒张剂后进行肺功能检测,以减少变异性(表 2-22-2)。

表 2-22-2 气流受限分级(吸入支气管舒张剂后)

分级	患者肺功能(FEV1/FVC ＜70%)
GOLD1:轻度	FEV1 ≥ 80% 预计值
GOLD2:中度	50% ≤ FEV1 占预计值百分比 < 80%
GOLD3:重度	30% ≤ FEV1 占预计值百分比 < 50%
GOLD4:极重度	FEV1 占预计值百分比 < 30%

COPD 评估测试(CAT)也是一种比较常用的方法,用来评估患者生活质量(表 2-22-3)。

表 2-22-3 COPD 评估测试(CAT)呼吸问卷

	0	1	2	3	4	5	
我从不咳嗽	0	1	2	3	4	5	我一直在咳嗽
我一点痰也没有	0	1	2	3	4	5	我有很多很多痰
我没有任何胸闷的感觉	0	1	2	3	4	5	我有很严重的胸闷
当我爬坡或上一层楼梯时,没有气喘的感觉	0	1	2	3	4	5	当我爬坡或上一层楼梯时,我感觉非常喘不过气
我在家里能做任何事情	0	1	2	3	4	5	我在家里做任何事情都受影响
尽管我有肺部疾病,但我对离家外出很有信心	0	1	2	3	4	5	由于我有肺部疾病,我对离家外出一点信心都没有
我睡眠非常好	0	1	2	3	4	5	由于我有肺部疾病,我睡眠相当差
我精力旺盛	0	1	2	3	4	5	我一点精力也没有

患者根据自身情况,对每个项目做出相应评分(0 ~ 5),CAT 分值范围是 0 ~ 40。

①0 ~ 10 分者被评定为 COPD "轻微影响";②11 ~ 20 分者为"中等影响";③21 ~ 30 分者为"严重影响";④31 ~ 40 分者为"非常严重影响"。

(崔丽萍　陈嘉林)

思考题

1. 呼吸困难临床如何鉴别?
2. 慢性阻塞性肺病基层管理内容包括哪些方面?

病例 23 ⊠

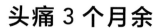

头痛 3 个月余

章某某,女,17岁,在父母陪同下来到全科诊室。

母亲口述:近3个多月来反复出现头痛。先后辗转于本市多家大型三甲医院神经内科就诊,查"头颅核磁共振血管成像MRA、MRV"等检查均无异常发现。(递上一叠做过的各类检查报告单)

请思考以下问题 →

1. 如何构建整体性临床思维?
2. 最可能的诊断是什么? 需要完善哪些辅助检查?
3. 诊断和诊断依据是什么?
4. 治疗方案和患者管理。
5. 病例总结。
6. 知识拓展。

1. 如何构建整体性临床思维?

(1)诊断思路:头痛是一种常见症状,程度可为剧烈或者轻微,头痛的程度与病变的轻重不一定成正比。全科医生接诊头痛患者时,应科学地寻找头痛的病因,避免凌乱无序地诊疗。首先要排除急危重症的头痛,再总结分析病史、详细查体,做相关的辅助检查,从头痛的发生机制寻找导致头痛的病因,识别潜在的严重疾病。在排除那些有明确病因的继发性头痛后,方可考虑原发性头痛的可能。在全科门诊接诊的头痛患者中,偏头痛与紧张型头痛占半数以上。

头痛是指眼眶耳孔基线以上部位的疼痛,通常局限于头颅的上半部,即眉弓、耳轮上缘、枕外隆突连线以上。头部的痛敏结构主要包括颅内和颅外两类。前者包括静脉窦、脑膜动脉、颅底硬脑膜、三叉神经、舌咽迷走神经、颈内动脉、丘脑;后者包括颅骨骨膜、头皮皮下组织、头颈部肌肉、颅外动脉、眼、耳、牙齿、鼻窦等。上述组织受到刺激(如扩张、牵扯、挤压及炎症等)可引起头痛。

头痛的原因很多,可以因精神紧张、压力过大引起,也可以由器质性病变引起。后者常见原因有:①感染,如颅内感染、全身感染的头部表现;②血管病变,如脑出血、蛛网膜下腔出血、缺血性卒中等;③占位性病变,如颅脑肿瘤等;④全身系统性疾病,如高血压、肺性脑病等;⑤药物或毒物因素,如:服用某一药物或物质引起的头痛,硝酸酯类药物、某些钙离子拮抗剂、酒精等均有引起头痛的不良反应。因长期服用止痛药物,引起头痛加重或进展为另一类型的头痛,我们称之为"药物过度使用性头痛(Medication Overuse Headache,MOH)"。也有患者因为长期服用某种药物,突然停用,造成头痛出现;⑥外伤,如脑震荡、脑挫裂伤等;⑦精神疾患,如癔症等可表现为头痛;⑧头面部邻近脏器疾患,如鼻窦炎、青光眼等可引起头痛;⑨有些女性月经期头痛。

头痛发病机制颇为复杂,根据病因可以分为三类:①原发性头痛,即功能性头痛,没有结构改变,不是由其他疾病引起的头痛,如偏头痛、紧张型头痛、三叉神经自主神经性头痛、其他原发性头痛等;②继发性头痛,如头部外伤、头颈部血管疾病、颅内肿瘤、颅内感染、眼耳鼻喉疾病、精神疾病引起的头痛;③三叉神经痛以及其他面疼。头痛伴随不同症状,见于不同的疾病(图 2-23-1)。

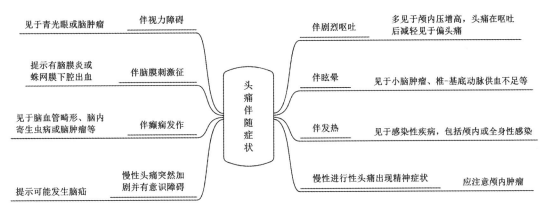

图 2-23-1　头痛伴随症状

该女患者,17 岁,学生,近 3 个多月来反复出现头痛。先后辗转于本市多家大型三甲医院神经内科就诊,查"头颅核磁共振血管成像 MRA、MRV"等检查均无异常发现。服用"天麻胶囊"无效。那头痛的原因是什么呢? 什么疾病导致患者反复头痛? 现采用整体性临床思维——临床 4 问对该患者进行分析(图 2-23-2)。

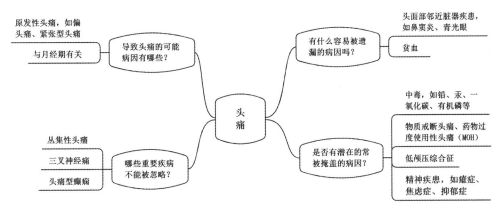

图 2-23-2　临床 4 问思维

(2)鉴别思维:全科医学的核心理念是以人为中心,不仅要关注患者的躯体问题,还要关注疾病背后的人。除了全面了解患者头痛发作前后情况,如有无诱因,有无先兆,有无伴随症状(包括阴性伴随症状),还需要了解其心理 - 社会因素和家庭背景。为了找到答案,采用 RICE 问诊,开始与患者进行深入访谈（主要与患者交谈）。倾听患者的诉说，了解患者的情绪、烦恼、想法、担忧和对医生的期望。

R（reason）——患者就诊的原因

医生：小章同学，有什么可以帮你吗？（亲切的称呼，拉近与患者关系，采用开放式问诊方式）

患者妈妈：她头痛已经有 3、4 个月了。前面反反复复，几乎没有停过，市里几家大医院几乎都跑遍了，做了各种检查，都没发现什么问题，但头痛就是好不了。有时时间短、有时时间长，记得有几次连着痛了 3 ～ 4 天。其实吧，我看她好像不是很痛，还能继续看 Ipad，但跟我说看书看不进去，学也上不了，整天待在家里。（不等患者开口，患者的妈妈就开始回答。患者玩手里的茶杯，一言不发。）

医生：除了头痛外，还有别的不舒服吗？（了解伴随症状，有助于鉴别诊断）

患者妈妈：好像睡觉、胃口没以前好，可能和活动少有关系吧？以前还经常去找同学打羽毛球，最近几个月一直没出去玩过，整个人好像没以前那么有活力了，话都比以前少了很多。（患者妈妈又抢着回答）

医生：头痛发生前有没有什么先兆？（对原发性头痛的鉴别）

患者妈妈：先兆？有吗？（朝向患者）

患者低声地说：没有。

医生请患者父母到诊室外等候，单独与患者谈。

医生：现在就我们俩个人了，能说说你头痛的感受吗？比如头痛发生前有没有眼前闪光、一块地方看不到或手脚麻木等等。（通俗易懂的语言，鉴别先兆性偏头痛）

患者：都没有。就像头上戴了顶帽子，箍牢一样，前额部也紧紧的感觉。

医生：有没有发热、恶心、呕吐、耳鸣、视物旋转？（鉴别感染因素和眩晕）

患者：没有。

医生：头痛一般什么时候会发生？一般会痛多久？（了解头痛的诱因和时间）

患者：不固定，在家休息时亦会发生，一般早晨较多，可持续半天到一周。

医生：头痛严重吗？会影响你学习吗？（了解头痛对患者的意义）

患者：头痛轻中度。看书学习效率比之前低。

I（idea）——患者对自己健康问题的看法

医生：你觉得自己是什么问题呢？（了解患者对自身问题的看法）

患者母亲：会不会生什么怪病？查了半天都查不出原因。（患者母亲不知道何时又进入诊室抢着回答）

医生：小章妈妈，您在外面等着，让我和她单独聊聊，好吗？（患者母亲退出诊室）

医生：小章同学，你觉得自己是什么问题呢？（了解患者有没有隐藏的想要表达的话）

患者：医生，我脑子里会不会长什么东西？

医生：不会，我看了你的头颅核磁共振，没有发现什么异常，你自己也看过报告了吧？"无异常发现"，对吧？（肯定地回复，会让患者安心）

患者：嗯。

医生：你睡眠怎么样？

患者:不好。

医生:是入睡困难呢? 还是醒得早呢? (鉴别焦虑还是抑郁)

患者:入睡困难,常常会翻来覆去 1 ～ 2 小时才会睡着。

C(concern)——患者的担心

医生:你睡不着确实是很辛苦的,是不是有什么担忧? (同理心)

患者:头痛病老是看不好,怕影响我的学习。

医生:看得出来,你对自己的学业很重视呀! (同理心,让患者感觉医生理解她)

患者:是的。妈妈对我要求太高,这个学期没有达到她的要求,我很着急。

医生:那我们一块儿努力,想办法把头痛治好,这样就可以提高学习效率,取得好成绩,好吗? (同理心,肯定患者,让患者参与诊治,共同决策)

患者:好!

医生:我先给你检查一下。

查体:R 15 次/min,P 90 次/min,T 36.6℃,BP 110/72mmHg,神清,对答切题,头部无压痛,唇不绀,皮肤无黄染,双侧瞳孔等大等圆,直接、间接对光反射均灵敏。心肺听诊无殊,腹平软,无压痛,双下肢不肿,四肢肌力 V 级,肌张力无增高或减低,双膝反射(++),巴氏征阴性。

通过 RICE 问诊,全科医生了解到患者的情况是:初中阶段是民办中学,老师管得比较多,成绩名列班级前茅。目前在省级重点中学高二,高中老师鼓励自主学习,患者不太适应,学习成绩处班级中下游。爸爸是公司中层,平时工作很忙,主要是妈妈管她的学习,妈妈对她的学习要求很高。

(3)是不是急危重症疾病?

根据患者的年龄、症状、体检及头颅核磁共振血管成像 MRA、MRV,初步排除急危重症疾病。列出以下鉴别诊断(图 2-23-3)。

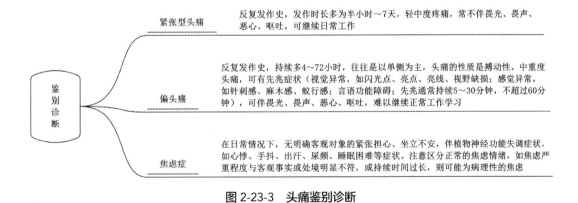

图 2-23-3　头痛鉴别诊断

E(expectation)——患者的期望

患者:医生,我还能回学校上学吗? (患者的期望)

医生:能。我先给你做一下评估量表,看看你还有没有其他方面问题存在,好吗? (征得患者及其父母同意,签署知情同意书后进行自评)

把患者父母叫进诊室。

医生:小章妈妈,根据刚才我和您女儿的交流,小章同学存在一些焦虑情绪。

患者妈妈:嗯,我也感觉她很焦虑。

医生:你们家族中有精神疾患的患者吗? (了解家族史)

患者妈妈:没有。

医生:根据自评结果,小章同学焦虑、抑郁量表结果都处在正常范围,目前我们初步诊断"紧张型头痛"。很多"紧张型头痛"与焦虑、抑郁的情绪有关,要注意调节自身的心态,我转诊她去心理科大夫给予心理辅导,好吗? (告知患者父母初步诊断、自评结果,共同决策)

患者妈妈:好。

医生:只要积极配合治疗,头痛的症状一定会慢慢控制住的。(增强患者信心)

患者妈妈:谢谢医生,我们平时要注意什么吗?

医生:头痛的诱因很多,希望家长不要给孩子太多的学习压力,毕竟重点高中的学生都是经过层层选拔出来的,学习的竞争本来就大。如果你们不给你女儿解压,会对她的心理造成很大的影响,也会导致"紧张型头痛"的发生。你们知道怎样预防头痛的发生吗? (了解患者对头痛治疗的认识)

患者妈妈:就是生活要规律,不能熬夜,加强锻炼。

医生:说得对。要给你女儿适当解压,增加一些户外活动,平时避免饮用浓咖啡、浓茶等刺激性饮料、食物。另外我建议小章同学记一下"头痛日记",便于今后我帮她调整治疗方案。这是头痛日记的记录注意事项,您先看看,如果有不清楚的地方,可以打电话给我,这是我的电话号码(健康指导,建立联系)

患者:好的,谢谢医生!

2. 最可能的诊断是什么? 需要完善哪些辅助检查?

(1)最可能的诊断:紧张型头痛? 焦虑症?

(2)需要完善的辅助检查:已经做了排除器质性疾病的相关检查。需要做焦虑自评量表和抑郁自评量表,排除焦虑症、抑郁症。

焦虑自评量表(Self-Rating Anxiety Scale,SAS)得分 46 分(SAS 标准分的分界值为 50 分,其中 50 ~ 59 分为轻度焦虑,60 ~ 69 分为中度焦虑,70 分以上为重度焦虑);抑郁自评量表(Self-rating depression scale,SDS)得分 50 分(标准分界值为 53 分,53 ~ 62 分为轻度抑郁,63 ~ 72 分为中度抑郁,72 分以上为重度抑郁)。

3. 诊断和诊断依据是什么?

(1)诊断:紧张型头痛(*tension-type headache*,TTH)

(2)诊断依据:①患者女,17 岁,学生,近 3 个多月来反复出现头痛,位于前额部,服"天麻胶囊"治疗无明显好转;②查体无殊;③头颅核磁共振血管成像 MRA、MRV"等检查均无异常发现;④生长发育在同年人正常参考范围内;⑤入睡困难,焦虑自评量表得分 46 分,抑郁自评量表得分 50 分,无精神病家族史。

4. 治疗方案和患者管理

(1)建议精神卫生科进一步诊治,给予心理疏导,必要时给予药物治疗。

(2)非药物治疗:辅导音乐松弛治疗,并建议针灸科治疗。

(3)交代患者父母多关心照顾患者、多沟通,化解患者的担忧与顾虑。

(4)患者教育:养成固定睡眠习惯、夜间不要喝茶、电子产品不要放在卧室,不要过度地担忧睡眠不够,影响学习效率。

(5)备用对乙酰氨基酚片,缓解患者惧怕头痛再发的恐惧。嘱咐患者1周后复诊。

第2次就诊

一周后,患者在父母陪同下来复诊。患者已经看了一次心理医生,给予心理辅导和助眠药物治疗(唑吡坦片)。患者情绪明显好转,睡眠改善。交代患者父母多关心患者、多沟通。

第3次就诊

3周后患者再次来复诊,又看了1次心理医生,给予心理辅导,停用助眠药物。2周内无头痛发作,患者情绪明显好转,入睡无困难,已正常上学。继续与患者深入交流,给患者心理疏导。

5. 病例总结

临床4问中"哪些重要疾病不能被忽视"是全科门诊的工作重点,要警惕可以找到原因的"头痛",防止漏诊"红旗征",如遇到头痛剧烈、发热、脑膜刺激征、出现神经定位症状、脑灌注不足、青光眼、颞动脉炎、老年人新发头痛伴认知功能下降等均需急诊处理。

"有什么容易被遗漏的病因"要求全科医生全面细致地询问病史,包括既往健康疾病状况,"头痛"治疗的经过,用药史(包括止痛药物使用的频率、剂量等)、外伤史、可能接触的化学毒物等等。

"是否有潜在被隐藏的疾病"需要全科医生拓展思路,关注伴随症状,头痛的性状、发生、演变的过程,了解头面部其他器官脏器的情况,通过专科体检,获取更多的信息帮助我们作出正确的诊断。

6. 知识拓展

紧张型头痛又称为肌收缩性头痛,属于功能性头痛中最常见的类型,约占40%。指的是双侧颈枕部或全头部的紧束性或压迫性非搏动性头痛,可伴或不伴有头部肌群的挛缩性收缩及压痛或肌电图改变,呈发作性或持续性,病程数日至数年不等。作为一过性障碍,紧张性头痛多与日常生活中的应激有关。如持续存在,则可能是焦虑症或抑郁症的特征性症状之一。

2015年8月加拿大家庭医学会颁发了《成人头痛初级保健基层管理指南》,该指南通过对2000年1月至2011年5月间发布的全球有关头痛指南进行全面搜索与分析,最终确定了6项高质量的指南作为种子指南,通过由家庭医生和专家组成的多学科指南开发小组使用共识流程制定了91项具体建议。这些建议涵盖了偏头痛、紧张型头痛、丛集性头痛及药物过度使用性头痛的诊断、治疗和管理。以下是加拿大头痛基层管理流程图(图2-23-4)。

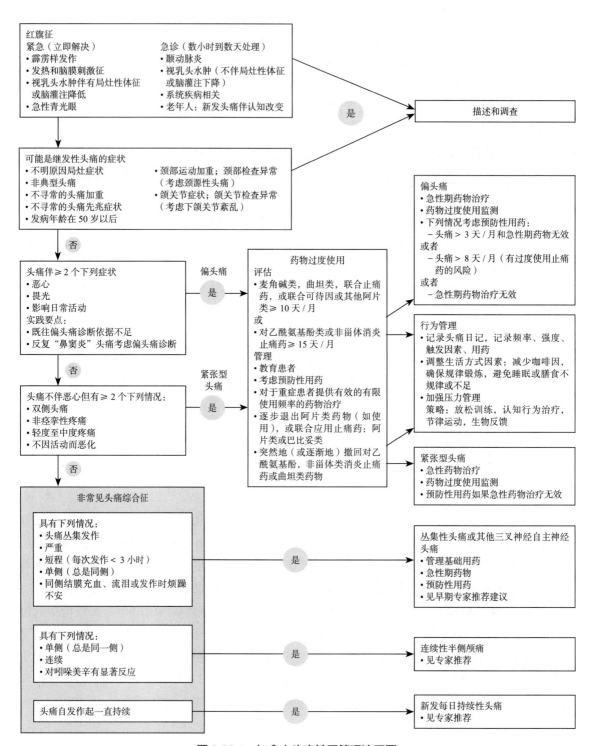

图 2-23-4　加拿大头痛基层管理流程图

(1)首先需警惕"红旗征",包括两种情况:

1)紧急(立即解决):霹雳样发作;发热伴脑膜刺激征;视乳头水肿伴局灶体征或脑灌注降低;急性青光眼。

2)急诊(数小时到数天处理):颞动脉炎;视乳头水肿(不伴局灶性体征或脑灌注下降);系统疾病相关的头痛;老年人出现新发头痛伴认知改变。

(2)可能是"继发性头痛"的症状有:不明原因局灶症状、非典型头痛、不寻常的头痛加重、不寻常的头痛先兆症状、发病年龄在 50 岁以后、颈部运动加重 / 颈部检查异常(考虑颈源性头痛)、颌关节症状 / 颌关节检查异常(考虑下颌关节紊乱)。

(3)头痛伴 ≥ 2 个症状(恶心;畏光;影响日常活动)应考虑"偏头痛"可能。

(4)头痛不伴恶心但有 ≥ 2 个这些情况(双侧头痛、非痉挛性疼痛、轻度至中度疼痛、不因活动而恶化、恶心、畏光、影响日常活动)应考虑"紧张型头痛"可能。

(5)较少见的头痛综合征有:

1)具有这些特点应考虑"丛集性头痛或其他三叉神经自主神经性头痛":头痛丛集发作、严重、短程(每次发作 < 3 小时)、单侧(总是同侧)、同侧结膜充血、流泪或发作时烦躁不安等。

2)具有下列情况应考虑"连续性半侧颅痛":单侧(总是同一侧)、连续、对吲哚美辛有显著反应。

3)头痛自发作起一直持续应考虑"新发每日持续性头痛"。

正如指南所述,从临床研究、基础研究到纳入指南,常有一定的时间滞后性,全科医生只有不断学习,不断更新知识,调适自身的服务水平,才能更好地展现全科医生以人为中心、以家庭为单位的全科医疗服务能力。

(柴栖晨　王　静)

 思考题

1. 全科医生在接诊头痛患者时出现哪些情况应及时"双向转诊"?

2. 为防止"药物过度使用性头痛(MOH)"发生,偏头痛患者出现哪些情况方考虑"预防性用药"?

病例 24 ⊠

失眠 2 年

患者,女,48 岁,丈夫陪同就诊。

患者口述:2 年前无明显诱因出现失眠,反复多次到医院就诊,检查结果没有异常。拒绝西药治疗,曾吃中药调理,效果不佳,9 个月前失眠加重。

请思考以下问题 →

1. 如何构建整体性临床思维?
2. 最可能的诊断是什么? 需要完善哪些辅助检查?
3. 诊断和诊断依据是什么?
4. 治疗方案和患者管理。
5. 病例总结。
6. 知识拓展。

1. 如何构建整体性临床思维?

(1)诊断思路:失眠通常是指患者对睡眠的时间和(或)质量不满意并影响日间社会功能的一种主观体验。失眠主要表现为入睡困难、睡眠不深、易醒和早醒、醒后再次入睡困难,还有些患者表现为睡眠感的缺失。诊断失眠症的先决条件是有适宜的睡眠时间及睡眠环境。全科医生在接诊主诉失眠的患者时,针对睡眠状态重点从以下三方面进行思考:

1)是否有睡眠的时间和安全的睡眠环境。以便排除睡眠剥夺(熬夜、加班),环境吵闹不利于睡眠的因素;

2)是否存在入睡困难(入睡潜伏期 ≥ 30 分钟),睡眠维持困难(整夜觉醒次数 ≥ 2 次),早醒(距离预期醒来时间 ≥ 30 分钟),睡眠质量下降(多梦、晨起无恢复感等);

3)是否出现日间功能受损的情况(疲乏、思睡、专注力、注意力、记忆力;情绪状态;心理活动;身体状态)从而排除短睡眠者。

该女性患者 2 年前无明显诱因出现失眠,反复多次到医院就诊,检查结果没有异常。曾吃中药调理,效果不佳,9 个月前失眠加重。现采用整体性临床思维——临床 4 问针对该失眠患者进行分析(图 2-24-1)。

(2)鉴别思维:失眠按病因可分为原发性失眠和继发(或者伴发)性失眠两类。原发性失眠较为少见,即便通过睡眠监测、心理测试、躯体检查、家族遗传等多种筛查也无法确定因何原因引起,因此可以说原发性失眠是没有任何因素导致的失眠。继发性失眠原因多种多样,常见于生活环境问题、不良的睡眠习惯、身体健康问题、心理健康问题等。

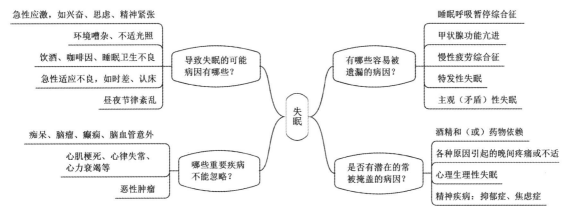

图 2-24-1　失眠临床 4 问

全科医生接诊失眠患者时,需要仔细询问病史,包括具体的睡眠情况、用药史以及可能存在的物质依赖情况,进行体格检查和精神心理状态评估。

采集病史时需要注意:

1)现病史:需注意患者失眠的主要症状,2 ~ 4 周内总体睡眠状况,包括入睡潜伏期、睡眠中觉醒次数、持续时间和总睡眠时间等,了解患者夜间有无特殊症状,若有打鼾、肢体异常动作等,常提示伴发性失眠。

2)既往史:需要注意躯体疾病,是否存在神经系统、内分泌系统、心血管系统、呼吸系统、消化系统、泌尿生殖系统、肌肉骨骼系统等疾病;药物使用、酒精或精神活性物质滥用等病史,同时需注意精神疾病病史,这些均可能是继发性失眠的原因,需要鉴别。

3)个人史:是否存在不良的睡眠卫生习惯、不良的生活习惯,是否有导致失眠的环境因素、社会心理因素。

失眠的因素很多,该患者失眠的原因是什么? 如何帮助患者恢复睡眠? 全科医学强调以人为中心、以家庭为单位、以整体健康为目标,对病患进行长期照顾。全科医生要将全人照顾的核心理念贯彻于疾病的诊疗和健康服务的整个过程。不仅局限于器质性疾病的诊断和治疗,还要关注病人的心理,了解患者对疾病的看法、担忧、顾虑和期望。在温馨的全科诊室,全科医生采用以病人为中心的问诊(RICE)方法,与患者进行深入访谈。

R(reason)——**患者就诊的原因**

医生:您好! 有什么可以帮您吗? (开放式提问)

患者:我失眠 2 年了,看了 3 家医院都没有看好。(就诊的原因)

医生:请您说详细一些,好吗? (医生语气柔和)

患者:2 年前偶尔失眠,也不当回事,没有看医生。大约 9 个月前失眠加重,整夜不能睡着,很烦躁。做了很多检查,也没有查出问题。

医生:睡眠情况能说得更具体一些吗? 例如几点上床睡觉? 上床后多长时间能睡着? 会早醒吗? (了解睡眠状态,鉴别抑郁症和焦虑症)

患者:我一般是 11 点上床,躺在床上看手机,越看越精神,至少 2 个小时后才能入睡,有时一夜未睡。整晚睡眠时间只有 2 到 4 小时。没有早醒。

医生:睡不好觉后,身体有什么不舒服吗?(仍开放式提问)

患者:白天没有精神,无精打采。

医生:您刚才说到其他医院看病了,医生说失眠是什么原因?(试探患者对疾病的了解程度)

患者:在神经内科和中医科之间反复就诊,脑部 MRI 检查、脑电图、心电图检查都没有问题,还抽血化验了甲状腺功能、血常规、肝肾功能等也没有问题。

医生:直系家族中亲戚有精神病人吗?(排除精神疾病家族史)

患者:没有。

医生:您有糖尿病、高血压、甲状腺疾病、高血脂吗?(排除躯体性疾病)

患者:都没有。

医生:有身体上疼痛或夜尿多之类的问题吗?(排除躯体性疾病)

患者:没有。

医生:有喝茶或者喝咖啡的习惯吗?(排除生活方式因素)

患者:没有。

医生:工作压力大不大?需要上夜班吗?同事关系如何?(排除工作因素)

患者:工作不累的,也不上夜班,同事关系好的。

医生:睡觉时灯光亮吗?有人吵你吗?(排除环境因素)

患者:没有。

医生:您目前有吃什么药吗?(询问药物史)

患者:之前医生给我开安眠药,我没有吃;去看了好多次中医,口服中药、中成药,效果一般;平时也喜欢食疗,但睡眠无改善,仍失眠。

医生:您吸烟、酗酒吗?(了解个人嗜好)

患者:没有。

医生:您已经看不少专科医生了,今天为什么看全科医生?(了解患者对全科的认识)

患者:我单位有一个失眠了 5 年多的病人,睡眠特别糟糕,她看不了不少医生,中药西药吃了不少,失眠一点没有好转,半年前她找您看了,失眠居然治好了。是她介绍我来找您看的。

医生:哦,原来如此,您放心,我会很认真地给您看。您帮我填一个问卷,好吗?(医患之间互相信任是良好的开始)

患者:好的。(请患者填写匹兹堡睡眠质量指数(PSQI)问卷)

I(idea)——患者对自己健康问题的看法

医生:刚才给您做了一个整体睡眠质量问卷测评,总分 > 7 分说明存在睡眠障碍,分数越高睡眠越差。您的总分是 14 分,确实有睡眠障碍。

患者:我的睡眠是很糟糕的。每天晚上躺在床上担心睡不着、睡不好、第二天没精打采。现在失眠、担心、疲倦反复恶性循环。

医生:您认为睡眠糟糕的原因是什么?(了解患者对健康问题的看法)

患者:我也不知道。现在的生活、工作与以前没有什么变化,没有理由失眠啊……

C(concern)——患者的担心

医生:您心里担心什么?(建立良好医患沟通关系后,直接问病人的担心)

患者:会不会有癌症?(患者潜在的担心)

医生:您认为癌症的依据是什么?

患者:我有一个邻居,平时身体很健康,1年前查出肺癌,几个月后就去世了。我好害怕。

医生:我看到您的检查资料中已经筛查了宫颈癌、乳腺癌、肺癌、胃癌、结直肠癌等,癌症导致失眠的可能性很小。

患者:原来我筛查了癌症,那我放心了。

医生:您心情好吗?情绪如何?

患者:我以前心态挺好的。睡不好觉后出现烦躁、易怒、焦虑,经常与老公争吵。

医生:您与家人相处融洽吗?

患者:与老公关系很好,1年前女儿出国读书了,很想女儿。

医生:对孩子的过度牵挂、担心,也会影响睡眠的。建议您与女儿多联系,经常视频聊天。您躺到检查台上,我给您检查一下。

查体:T 36.5℃,P 76 次/min,R 18 次/min,BP 108/70mmHg,身高 158cm,体重 50kg,BMI 20.0kg/m²。患者语言表达清晰,语速较快。心、肺、腹体格检查未见异常。神经功能检查未见异常。

(3)是不是急危重症疾病?

全科医生通过了解导致失眠的各种因素,探索问题的真相。患者 2 年前偶尔出现失眠,表现为入睡困难,上床后 0.5 ~ 2 小时才能入睡,逐渐出现整夜失眠,失眠由 0 ~ 2 次/周到 3 ~ 5 次/周,白天疲乏、头晕。1 年前去当地三甲医院神经内科就诊,脑 MRI、脑电图、心电图检查未见异常,血常规、尿常规、肝肾功能、甲状腺功能、血糖、血脂等检验都在正常参考范围内。医生建议服用安眠药物,遭到患者拒绝。患者多次中医科就诊,间断性口服中药、中成药,注重食疗,睡眠无改善,仍失眠。9 个月前失眠加重,彻夜难眠,烦躁、焦虑。偶然得知单位同事的顽固性失眠由全科医生治愈后,于 2019 年 9 月来全科就诊。

患者既往身体健康,无高血压、糖尿病、甲状腺功能亢进等病史,无皮肤瘙痒、慢性疼痛等躯体疾病,否认抑郁、焦虑、精神分裂等精神疾病史,否认药物使用、酒精或其他精神活性物质滥用等病史。无吸烟史、无酗酒、无喝茶喝咖啡嗜好。

结合病史、体检和之前做的辅助检查,初步排除严重疾病。列出以下鉴别诊断(图 2-24-2)。

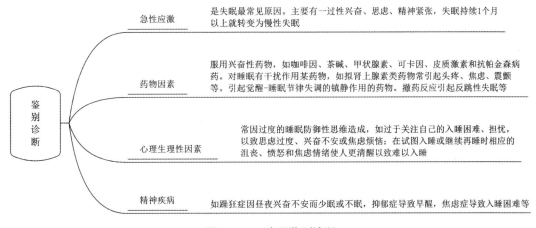

图 2-24-2 失眠鉴别诊断

E(expectation)——患者的期望

医生:同事介绍您来找我看病,您希望我可以帮您什么? (有的患者不知道自己的期望,可以直接问)

患者:治好我的失眠症。当然,如果治不好也不会责怪您的。(患者笑着说)

医生:好的,我会尽力帮您。你是心理生理性失眠,过度关注失眠造成的。治疗比较繁琐,而且时间长,需要您的配合,您能坚持吗? (明确告诉患者在治疗中的作用与责任)

患者:可以!

医生:治疗失眠不是简单地吃药就可以痊愈的,需要综合干预,例如改善睡眠习惯、心理治疗和药物治疗,还要经常来复诊。(介绍治疗方案,让患者做好思想准备)

患者:我一定听从您的治疗。

医生:首先,您要做好睡眠卫生:卧室要舒适、安静,装上遮光窗帘,睡前不能喝咖啡、浓茶、饮酒,睡前不宜吃过饱,也不要看手机、打游戏和看很兴奋的电影、电视……(睡眠健康指导)

患者:好,我会记住。

医生:没有睡意前不要上床,到床上躺下后如果 20 分钟还没有睡着,需要离开床不能躺在床上;如果晚上没有睡好,第二天早晨要按时起床,保持生活规律,可以做到吗? (刺激控制疗法)

患者:可以。

医生:如果您感到紧张、焦虑、难入睡时,可以做肌肉放松练习,从头部、颈部、肩、双上臂、背部、腰部、大腿、小腿的顺序放松肌肉,我演示给您看。(医生要指导患者掌握松弛疗法)

患者:我试一试。

医生:在失眠症的治疗中,认知行为治疗很有效果。简单地说该疗法是通过改变自己对睡眠的错我认知、从而改善睡眠,达到治疗效果。具体的做法有:不要对睡眠保持过高的期望,不要过分关注睡眠,不要把身体的不舒服都归咎于失眠等等。(通俗易懂地介绍认知行为治疗)

患者:有点复杂,暂时吸收不了。

医生:您很直率,表达了自己的内心感受。不要着急,我会一步一步地教会您。您准备一个日记本,将我说的记录下来,回到家里后反复学习、练习。

患者:可以,我马上记录。

医生:有 2 句话特别重要,请您记住。睡前在心里默念"我睡眠很好,今晚我会睡得很香";早晨醒来后,如果睡得好,要对自己说"我昨晚睡得很好,今天心情愉快、精力充沛"。(正念冥想训练)如果睡得不好,也要对自己说,"我睡得不是很好,但没关系,对我今天的生活工作没有重大影响。"(认知行为治疗训练)

患者:好的,我会记住。

医生:还有一个任务,您每天需要记睡眠日记,记录每天的睡眠时间、上床时间、起床时间,还有自己当天的感受:是烦躁、焦虑、疲倦,还是愉快、舒适、精力充沛。

患者:好的。

医生:为了帮助您入睡,暂时需要给您一种帮助睡眠的药物,药名叫"唑吡坦",属于新型非苯二氮䓬类药物(BZRAs),它只帮助您入睡,不会影响您第二天的身体状态,副作用特别少,按照我的医嘱短期服药不会产生依赖性。您愿意试一试吗? (消除患者疑虑,从而提高依从性)

患者:好的。如果睡不着我会吃。

医生:总结一下,今天比较详细地了解了您失眠的整个过程,诊断为"心理生理性失眠症",我们共同制定了心理治疗和药物治疗的综合干预方案。您还有什么需要问我吗?

患者:没有了,您交代的很仔细,很认真,感觉很温暖、有信心。谢谢您!

2. 最可能的诊断是什么? 需要完善哪些辅助检查?

(1)最可能的诊断:失眠症?

(2)辅助检查:血常规、尿常规、肝肾功能、甲状腺功能、血糖、血脂、颅脑 MRI。

检查结果:血常规、尿常规、肝肾功能、甲状腺功能、血糖、血脂等实验室检测都未见异常,颅脑 MRI 检查未见异常。

3. 诊断和诊断依据是什么?

(1)诊断:失眠症(Insomnia)

(2)诊断依据:①女性,48 岁,失眠 2 年,加重 9 个月;②存在入睡困难和睡眠质量差,有过度主观的入睡意图(强行要求自己入睡),且对睡眠过度关注,一旦睡不好就产生挫败感,导致症状持续存在,引起患者疲乏日间功能受损;③体格检查未发现异常体征;④多次外院专科就诊,排除了神经、心血管、内分泌、呼吸等系统等严重躯体疾病,排除精神疾病;⑤辅助检查未见异常;⑥排除躯体疾病、精神疾病及药物、酒精、精神活性物质滥用等。综合以上资料,该患者符合失眠症的诊断标准。

4. 治疗方案和患者管理

根据病情和患者需求,医患双方共同制定了治疗方案。

(1)非药物干预措施:给予患者注意睡眠卫生教育,讲解松弛疗法、睡眠限制疗法以及认知行为治疗,要求患者配合,将非药物干预始终贯穿于治疗全程。

(2)药物治疗:给予酒石酸唑吡坦,睡前顿服 10mg,按需服药,不要求每天服用。

出现以下情况,把患者转至睡眠障碍科或临床心理科进一步诊治。①不能明确诊断的失眠患者:②非药物治疗不佳,社区健康服务中心缺乏助眠药物:③长期、难治性失眠。

(3)提高患者自我管理能力:向患者解释失眠症的病因、临床表现和治疗方法,让病人了解失眠症,改变对睡眠不正确的认知,有助于睡眠恢复。

(4)告知治疗目标:改善睡眠质量和增加有效睡眠时间,减少躯体不适,提高生活质量。

(5)随访管理:服药 2 周复诊评估疗效。根据显效、部分显效、无效三个路径进行管理。显效则逐渐减量至停药,期间维持非药物干预措施。部分显效则维持非药物干预基础上继续按需服药 2 周再复诊,显效后逐渐减量至停药。无效、耐受或出现服药后副作用明显者,需要再次回顾病史进行再次评估,若仍确诊失眠障碍,则需转诊到专科治疗。

疗程超过 4 周以上的,需要每个月定期评估;每 6 个月或旧病复发时,需对患者睡眠情况进行全面评估,必要时变更治疗方案,或者根据患者的睡眠改善状况适时采用间歇治疗。

该病例第 1 次看诊时,医患共同制定了失眠症的综合干预方案,要求患者 2 周内复诊 1 次。第 2 次就诊时患者诉服唑吡坦后可以入睡,但是停药后不能入睡,次日晨起后有焦虑、烦躁情绪。与患者丈夫单独访谈,了解到患者家庭融洽,夫妻关系和谐。结合患者的睡眠状态,复诊时有针对性地疏导患者的情绪。患者遵守承诺,依从性良好,睡眠日记记录完整。每次复诊时都给患者做简单的认知行为治疗,强化睡眠卫生,患者失眠频率逐渐减少,6 个月后睡眠基本恢复。

5. 病例总结

失眠是常见的睡眠问题,在成人中符合失眠症诊断标准者在 10% ~ 15%,且呈慢性化病程,近半数严重失眠可持续 10 年以上。失眠严重损害患者的身心健康,影响患者的生活质量,甚至诱发交通事故等意外而危及个人及公共安全,对个体和社会都构成严重的负担。失眠症患者就医选择科室时感到困惑,不知道选择哪个专科就诊。全科医生应该是失眠患者的首选。然而,有的全科医生对失眠病人的诊疗和管理缺乏信心,全科医生要系统学习失眠的理论知识,坚持以人为中心、对患者"全人照顾",持续性地随访,将取得意想不到的效果。

结合该病例,全科医生在接诊失眠患者时,从全科诊疗思维出发,从生理、心理、社会等多因素全面分析病情,在排除急危重症、躯体疾病及影响睡眠的其他因素后,考虑原发性失眠。在治疗的过程中始终贯彻全科医学原则,提供长期、连续、可及、可达的医学服务,及时地预约复诊,避免了片段式诊疗,取得了预期的效果。该患者的成功治愈,离不开患者对医生的高度信任。良好的沟通、专业精神和信任都可以产生正向影响力,在医疗行为中可以转化为患者的心理动力,从而产生疗效。

全科医生在日常诊疗中要摒弃只有心理治疗师才能开展心理治疗的观点,任何疾病都可能伴随负性心理。合理的解释、真诚的安慰、同情、支持都会产生积极的心理治疗作用。因此,每个优秀的全科医生都可以成为你患者的"心理治疗师"。

6. 知识拓展

失眠症的治疗包括心理治疗、药物治疗、物理治疗、中医治疗和综合治疗等内容,治疗目的是改善睡眠质量和增加有效睡眠时间,恢复社会功能,提高患者的生活质量,避免药物的负面效应。

目前临床上治疗失眠的药物主要包括苯二氮䓬类受体激动剂(BZRAs)、褪黑素受体激动剂、食欲素受体拮抗剂和具有镇静催眠效果的抗抑郁药物。传统的苯二氮䓬类药物(BZDs,包括艾司唑仑、三唑仑、氟西泮等)的使用,建议采取间歇治疗方法,即每周选择数晚服药而不是连续每晚服药。推荐间歇给药的频率为每周 3 ~ 5 次。应由患者根据睡眠需求"按需"服用。"按需"的具体决策可参考如下标准:①预期入睡困难时:于上床睡眠前 5 ~ 10min 服用;②根据夜间睡眠的需求:于上床后 30min 仍不能入睡时服用;③夜间醒来无法再次入睡,且距预期起床时间大于 5h,可以服用(仅适合使用短半衰期药物);④根据白天活动的需求(次日有重要工作或事务时),于睡前服用。

全科医生需掌握常用催眠药物的半衰期、适应证、用法及副作用,例如:新型非苯二氮䓬类药物——唑吡坦属于短半衰期药物,适用于入睡困难的患者,从而减少服药的后遗效应(第二天白天困倦)。佐匹克隆属于稍长半衰期药物,适用于睡眠反复觉醒或早醒的患者,从而获得延长睡眠时间的效果。苯二氮䓬类药物具有肌松作用和抑制呼吸的作用,不适用于老年患者及睡眠呼吸暂停患者。

社区全科医生是居民的朋友,与居民有良好的医患关系,应该掌握非药物治疗方法,开展综合干预措施,积极发挥心理治疗在失眠中的应用,为失眠患者做好健康管理。心理治疗的本质是改变患者的信念系统,发挥其自我效能,进而改善失眠症状,对成人原发性失眠和继发性失眠都具有良好效果。心理治疗包括睡眠卫生教育、刺激控制疗法、睡眠限制疗法、认知行为治疗和松弛疗法等,这些方法可以独立或者组合用于成人失眠的治疗。

(1)睡眠健康指导:不良的睡眠习惯会破坏正常的睡眠模式,导致失眠的发生。睡眠健康指导主要帮助失眠患者认识不良睡眠习惯对睡眠的影响,帮助患者建立良好的睡眠习惯。基本内容如下:

1)睡前数小时(一般下午 4 点以后)避免使用兴奋性物质(咖啡、浓茶或吸烟);

2)睡前不要饮酒,酒精可干扰睡眠;

3)规律的体育锻炼,但睡前应避免剧烈运动;

4)睡前不宜吃过饱或进食不易消化的食物;

5)睡前至少 1 小时内不做容易引起兴奋的脑力劳动或观看容易引起兴奋的书籍、手机信息和影视节目;

6)卧室环境应安静、舒适,光线及温度适宜;

7)保持规律的作息时间。

(2)松弛疗法:放松治疗可以缓解应激、紧张和焦虑等因素带来的不良效应,是治疗失眠最常用的非药物疗法,其目的是降低卧床休息时的警觉性及减少夜间觉醒,技巧训练内容包括渐进性肌肉放松、指导性想象和腹式呼吸训练。

(3)刺激控制疗法:刺激控制疗法是一套改善睡眠环境与睡眠倾向(睡意)之间相互作用的行为干预措施,可为失眠患者独立使用,具体内容如下:

1)只有在有睡意时才上床;

2)如果卧床 20 分钟不能入睡,应起床离开卧室,可从事一些简单活动,等有睡意时再返回卧室睡觉;

3)不要在床上做与睡眠无关的活动,如进食、看电视、听收音机及思考复杂问题等;

4)不管前晚睡眠时间有多长,保持规律的起床时间;

5)日间避免小睡。

(4)睡眠限制疗法:该疗法通过缩短卧床清醒时间,增加入睡的驱动能力以提高睡眠效率。通过记录睡眠日记,计算睡眠效率(实际睡眠时间 / 卧床时间)。睡眠限制疗法的主要内容如下:

1)在 1 周的睡眠效率超过 85% 的情况下,可增加 15 ~ 20 分钟的卧床时间;

2)当睡眠效率低于 80% 时减少 15 ~ 20 分钟的卧床时间;

3)睡觉效率在 80% ~ 85% 之间则保持卧床时间不变;

4)避免日间小睡,并且保持起床时间规律。

(5)认知行为疗法:目的是改变患者对失眠的认知偏差,改变患者对于睡眠问题的非理性信念和态度,从而改善睡眠质量和延长睡眠时间,达到治疗目标。认知疗法常与刺激控制疗法、睡眠限制疗法联合使用,认知行为治疗的基本内容如下:

1)保持合理的睡眠期望;

2)不要把所有问题都归咎于失眠;

3)保持自然入睡,避免过度主观的入睡意图(强行要求自己入睡);

4)不要过分关注睡眠;

5)不要因为没有睡好产生挫败感；

6)培养对失眠的耐受性。

（吴　疆　王　静　蔡飞跃）

 思考题

1. 失眠症的病因有哪些?

2. 失眠的临床表现有哪些?

病例 25 ⊠

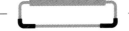

口角歪斜 1 小时

📹 **视频 2-25**

患者,女,19 岁,学生,独自来到校医务室就诊。

患者口述:早晨起床后发现嘴巴歪了,半边脸不能动,眉头皱不起来,眼睛无法闭合,喝水时,水从口角流出来。

既往体健,3 个月前入学体检,结果都很正常。否认"高血压、糖尿病"病史,否认"癫痫"发作病史,否认"脑膜炎"病史、否认头颅外伤史。否认吸烟、酗酒史。

请思考以下问题 ➜

1. 如何构建整体性临床思维?
2. 最可能的诊断是什么?需要完善哪些辅助检查?
3. 诊断和诊断依据是什么?
4. 治疗方案和患者管理。
5. 病案总结。
6. 知识拓展。

1. 如何构建整体性临床思维?

(1)诊断思路:全科医生接诊面瘫患者时,首要任务是发现潜在的急危重症口角歪斜患者。排除致命性口角歪斜病因后,再从口角歪斜的发生机制等多系统多器官寻找病因,不能仅局限于面神经炎,还要考虑中风、肿瘤、耳源性面神经麻痹、神经莱姆病、糖尿病等多种病因。

口角歪斜常见于面瘫,面神经是混合性神经,其主要成分为运动神经,司面部的表情运动。面神经的运动纤维发自于脑桥下部被盖腹外侧的面神经核,于脑桥下缘出脑后进入内耳孔,再经面神经管下行,沿途发出分支,最后经茎乳孔出颅,支配除了咀嚼肌和上睑提肌以外的面部诸表情肌。支配上部面肌(额肌、皱眉肌及眼轮匝肌)的神经元受双侧皮质脑干束控制,支配下部面肌(颊肌及口轮匝肌)的神经元受对侧皮质脑干束控制。在临床上,引起口角歪斜的原因很多,可以由面神经炎、脑血管疾病、肿瘤、颅内感染、外伤等因素引起,也可以由吉兰 - 巴雷综合征、耳源性面神经麻痹等因素引起。

该患者,女,19 岁,早晨起床后发现嘴巴歪了,半边脸不能动,眉头皱不起来,眼睛无法闭合,喝水时,水从口角流出来。是什么原因引起的口角歪斜?现采用整体性临床思维——临床 4 问对该患者进行分析(图 2-25-1)。

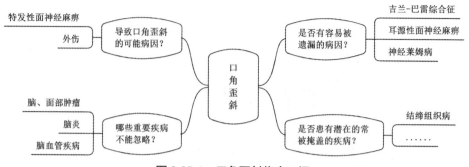

图 2-25-1　口角歪斜临床 4 问

（2）鉴别思维：临床上引起口角歪斜的原因大致分为中枢性面瘫和周围性面瘫两类。中枢性面瘫多数与脑血管病有关，主要表现为口角歪斜，皱额、皱眉、闭眼不受影响。周围性面瘫多数与特发性面神经麻痹有关，除了有口角歪斜的症状，还有额纹消失和眼睑闭合不全的症状。口角歪斜，首先一定要看是否伴有上部面肌的瘫痪，即皱额、皱眉、闭眼是否受影响。如若只是口角歪斜，即中枢性面瘫，多是颅内疾病所致，其中以脑血管病最为常见，表现为病变对侧口角下垂，除此之外，常伴有病变对侧偏瘫和中枢性舌下瘫。

全面问诊、分析病史、仔细查体，做适当的辅助检查，有利于疾病的诊断，为了找到答案，全科医生不能局限于以医生为中心的问诊方式，还要结合以患者为中心的问诊，详细地了解疾病的发生，尤其需要了解患者自己内心的看法、顾虑和期望。下面采用 RICE 问诊，进行深入访谈，寻找病因，让患者有愉悦地就医体验，增进医患关系，达到诊断目的。

R（reason）——患者就诊的原因

医生：你好！请坐！看你皱着眉头不开心的样子，发生什么事情了吗？有什么可以帮你吗？（自我介绍和同理心，让患者感觉到来自医生的情感上支持）

患者：医生，快救救我！

医生：不要着急，慢慢说（医生拍了拍她的肩，让患者感受到医生的关心。）

患者：医生，我嘴巴突然歪了（患者拿下口罩）。

医生：确实是有一点歪了，什么时候发现的？

患者：1小时前，起床刷牙洗脸照镜子的时候，发现自己嘴巴歪了。怎么会这样呢？我会一辈子都这样吗？（患者一边说，一边眼泪就掉落下来）

医生：我看得出来，你现在又着急又难过，先喝点水吧。（递上一杯水和纸巾，观察患者喝水的情况，发现有少量的水从右侧口角流出来）。

患者：医生，我喝水的时候，水会从口角流出来……怎么办呢，愁死我了。（患者喝着水，哭丧着脸）。

医生：以前有过这样的情况吗？平日身体好吗？（了解患者的过去疾病史）

患者：从来没有过。我刚上大学，入学前进行过体检，检查结果都很正常。

医生：你早上起床后有没有发热、头痛？（鉴别脑炎）

患者：没有。

医生：你有没有哪一侧的肢体没有力气？走路不稳、眼睛看东西一个变两个？（鉴别脑血

管病）

患者：没有。

医生：有没有听力下降、耳部疼痛等不适？（鉴别耳源性面神经麻痹）

患者：没有。

I（idea）——患者对自己健康问题的想法

医生：你认为是什么原因引起的呢？（了解患者对自身问题的理解）

患者：会不会和吹冷风有关系？

医生：你说得对！寒冷刺激、病毒感染可能会诱发该病的发生。（肯定患者的想法）

C（concern）——患者的担心？

患者：医生，能不能治好？歪着嘴巴，很丑。我都觉得没法见人了。

医生：你发现及时，年纪又轻，一般不会有后遗症。（给患者信心）

患者：医生，要不要给我的头做个 CT？

医生：做 CT？你有担忧？（了解患者到底担心什么呢？）

患者：我爷爷 50 岁的时候得了中风，嘴巴就是歪的，有的时候口角也会流口水，还有他的左手很笨拙，看上去像鸡爪，拿东西都是用右手，左脚走路也不方便，都是用拐杖。我的嘴巴也是突然歪的，是不是得了和我爷爷一样的病？

医生：原来你爷爷有这样的病史，怪不得你这么紧张。你知道中风是怎么回事吗？（了解患者对中风的认识）

患者：我听父母说，爷爷是因为头脑里有一根血管堵塞，所以那根血管营养的脑细胞出现坏死，才会出现嘴巴歪、手脚活动不灵活。

医生：你觉得你和爷爷的情况一样吗？（引导患者正确认识自己的疾病）

患者：我感觉不大一样，爷爷是在早晨醒来，突然感觉左半边身体不能动，说话不利索，嘴巴歪斜、流口水……好像比我更严重。我说话很清楚，手脚也都很灵活，应该和爷爷的情况是不一样的。

医生：你说的很对。你和爷爷虽然都存在嘴巴歪，但不是同一个病，爷爷得的是脑梗死，是脑组织细胞的坏死，需要通过头颅 CT 等检查判断病情严重程度。而你可能是面神经麻痹，只是一根神经的功能受影响。这个面神经支配同侧眼周、口角的肌肉，功能缺失会出现同侧的眼睛无法闭合，同侧的口角不能上扬，同侧的脸部不能鼓腮，吹口哨时同侧的嘴巴漏气，但不会影响到脑组织，所以你说话、手脚活动并不受影响。（解释疾病，消除患者的顾虑）

患者：医生，听您这么说，我放心多了。

医生：别着急，我给你检查一下。

查体：神志清晰，言语顺畅，查体合作。患者右侧额纹消失、右侧闭目不全、右侧鼻唇沟下垂，口角向左侧歪斜，右侧鼓腮无力。生命体征平稳，双手平举时无明显颤动，心肺腹查体未见明显异常。

（3）是不是急危重症疾病？

根据患者的年龄、临床表现及查体，初步排除急危重症。现将口角歪斜分为中枢性面瘫和周围性面瘫两大类进行鉴别（图 2-25-2）。

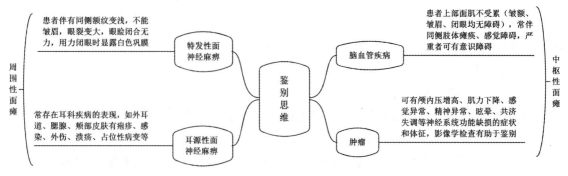

图 2-25-2　口角歪斜鉴别诊断

E（expectation）——患者的期望

患者：医生，我需要注意什么？

医生：人体的角膜需要泪液的滋润，就像平时用的隐形眼镜，不用的时候需要泡在液体里，不然容易干裂变形。通常人醒着的时候会因为眨眼睛促进泪液的分泌，睡着的时候通过眼睑闭合避免泪液的蒸发。所以当眼睛无法闭合的时候，我们就要通过戴眼罩、涂眼膏等措施保护角膜。你现在眼睛闭不起来，睡觉的时候一定要使用滴眼液或膏剂，还可以加上眼罩保护，防止眼部干燥，损伤角膜。（使用通俗易懂的语言，向患者说明注意事项）

患者：医生，我怎样做才能早点康复呢？

医生：嘴巴歪、眼睛无法闭合、喝水从口角漏出来都是因为面神经麻痹导致的面部表情肌肉瘫痪。瘫痪最好的康复方法就是让它运动起来，包括主动运动和被动运动。你可以对着镜子用力吹气、鼓腮、闭眼睛，使肌肉主动运动，也可以通过手指按摩面部的肌肉使其被动运动促进肌力恢复。

患者：好的，谢谢医生！

2. 最可能的诊断是什么？需要完善哪些辅助检查？

（1）最可能的诊断：特发性面神经麻痹？

（2）辅助检查：必要时做头颅 MRI 或 CT、肌电图检查。

3. 诊断和诊断依据是什么？

（1）诊断：特发性面神经麻痹（idiopathic facial palsy）

（2）诊断依据：①患者，女，19岁，早晨起床后发现嘴巴歪了，半边脸不能动，眉头皱不起来，眼睛无法闭合，喝水时，水从口角流出来；②查体：神志清晰，言语顺畅，右侧额纹消失、右侧闭目不全、右侧鼻唇沟变浅，口角向左侧歪斜，右侧鼓腮无力；③既往体健，3个月前入学体检，结果都很正常；④生命体征平稳；⑤否认"高血压、糖尿病"病史，否认"癫痫"发作病史，否认"脑膜炎"病史、否认头颅外伤史，否认吸烟、酗酒史。

4. 治疗方案和患者管理

（1）治疗方案：①糖皮质激素：患者无使用激素的禁忌证，予泼尼松龙口服，60mg/d，连用 5d，之后于 5d 内逐步减量至停用；②神经营养剂：予甲钴胺片 0.5mg tid；③眼部保护：予红霉素眼膏防止眼部干燥，嘱患者配合使用眼罩；④神经康复治疗：嘱患者多给面部肌肉按摩运动；⑤其他治疗:配合使用保胃药、钙剂。

(2)患者管理 给患者联系方式,有什么问题来找全科医生。

5. 病例总结

面瘫常急性起病,临床上虽然主要表现为躯体功能障碍,却因其会影响患者的容貌,而对患者的情感有很大的影响。全科医生作为首诊医生,接诊面瘫患者时,需要注意患者是否伴有其他神经系统症状和体征,查体时需详细检查面神经的各种感觉、运动功能,同时注意是不是危重急症,如果是,立即转专科处理。该患者临床表现为突发口角歪斜,体格检查符合单侧周围性面瘫的体征,无其他症状、体征,诊断首先考虑特发性面神经麻痹。面神经麻痹临床上虽然主要表现为躯体功能障碍,对患者的情感有很大的影响,多数人产生不敢见人、怕别人嘲笑、焦虑、恐惧、无助、生活没乐趣等负面情绪,这种体验会对治疗构成一定的负面影响。全科医生通过RICE问诊,表达同理心,耐心解释病情,消除患者不必要的担心,患者更愿意积极配合治疗,坚持治疗及功能锻炼,更有利于病情的康复。

全科医生看的不只是疾病,而是患病的人。通过RICE问诊,不但可以了解到有关疾病发生、发展的前后情况;还可以了解患者就诊的原因,了解患者对疾病的看法和理解,担心和忧虑,了解其对就诊结果的期望。本文全科医生接诊面瘫患者时,运用临床5问思维法和RICE问诊,鼓励患者自由表达,体现全科医生的同理心,达到治病治人的效果。

6. 知识拓展

(1)脑干病变:由于面神经核位于脑干,因此脑干病变的患者可以表现为周围性面瘫,即除了有口角歪斜的症状,还有额纹消失和眼睑闭合不全的症状。除此之外,脑干病变的患者常伴有展神经麻痹,及对侧锥体束征,可见于脑干肿瘤及血管病。

(2)吉兰-巴雷综合征:是一种自身免疫介导的周围神经病,主要损害多数脊神经根和周围神经,也常累及脑神经,其中面神经最常受累,多为双侧周围性面瘫。患者多急性起病,症状在2周左右达峰,常有对称性四肢迟缓性瘫痪和感觉障碍,脑脊液检查有特征性的蛋白-细胞分离。

(3)耳源性面神经麻痹:中耳炎、迷路炎、乳突炎常并发耳源性面神经麻痹,也可见于腮腺炎、肿瘤和化脓性下颌淋巴结炎等,患者除有面神经麻痹的表现外,常有明确的原发病史及特殊症状。

(黄素素 王 静)

💡 **思考题**

1. 口角歪斜可见于哪些疾病?
2. 特发性面神经炎口角歪斜的特点?

病例 26 ⊠

产后腹痛 6 个月余

患者,女,23 岁,独自前来就诊。

患者口述:7 月前顺产 1 女婴,出院后一直待在家中,产后半月出现无明显诱因的腹部隐痛,疼痛位置不确定,无放射痛。半年来,腹痛发作无明显规律,每次疼痛持续 1 ~ 7 天不等。曾多次独自到当地医院专科就诊,检查血常规、尿常规、大便常规、血糖、肝功能、肾功能、甲状腺功能、心肌酶、心电图、全腹彩超等都没有问题。专科医生考虑"胃肠功能紊乱",给予解痉止痛药、益生菌类药物服用,起初稍有效果,服用 2 ~ 3 次后治疗效果不明显。在专科医生的推荐下,携带该院病历资料,来全科就诊。患者既往无高血压、糖尿病、高血脂等慢性病,无肝炎等传染病及接触史,无家族遗传病史,孕 1 产 1,产后 4 月恢复月经,月经周期 26 ~ 28 日,每月行经 3 ~ 5日,经期规律,月经量中等,无痛经。

请思考以下问题 →

1. 如何构建整体性临床思维?
2. 最可能的诊断是什么? 需要完善哪些辅助检查?
3. 诊断和诊断依据是什么?
4. 治疗方案和患者管理。
5. 案例总结。
6. 知识拓展。

1. 如何构建整体性临床思维?

(1)诊断思路:见本章的病例 8。导图(图 2-8-1)和(图 2-8-2)及(图 2-8-3)。

(2)鉴别诊断:在接诊不明原因慢性腹痛患者时,病史和体格检查对诊断疾病最重要,其次是相关辅助检查结果。耐心倾听患者的诉说,也许能帮助我们发现隐匿的因素。

该女性患者,23 岁,无高血压、糖尿病、高血脂等慢性疾病,无肝炎等传染病史,无家族遗传史,无便血;半年来反复检查血常规、尿常规、大便常规、血糖、肝功能、肾功能、甲状腺功能、心肌酶、心电图、全腹 B 超等均未见异常。患者腹痛的原因是什么?

全科医学的核心理念是以人为中心,全科医生除了针对患者症状,认真仔细地进行问诊和体格检查外,还要以患者为中心,全面地了解患者的生活、心理顾虑、期望等。下面采用 RICE 问诊,进行深入访谈,寻到病因。

R(reason)——患者就诊的原因

医生:你好! 有什么可以帮你吗? (开放式提问)

患者:肚子痛半年多了。

医生:你能将生病过程详细地告诉我吗? (打开话题,让患者描述患病经过)

患者:我7个月前生了一个女儿,生产半个月后开出现肚子痛,开始没在意,但后来反复出现肚子痛,到当地三甲医院看了好几次,消化科、妇科我都去过了,做了好多检查和化验,医生都说没有问题,一直没有找到病因。

医生:可以告诉我腹痛的感觉是怎样的吗? (了解患者的感觉和体验)

患者:我说不清楚,就觉得隐隐地痛,疼痛位置不固定,有时左边痛,有时右边痛,有时上腹痛,有时下腹痛。

医生:腹痛发生时会持续多长时间? 大概多久发生一次?

患者:肚子有时痛几个小时,有时持续痛几天,疼痛发作没有规律,一般是一个星期发作一次,有时间隔一个星期发作一次。

医生:除腹痛之外,你还有其他不舒服吗? (了解伴随的症状)

患者:还有头晕、胸闷、腹胀、心情不好,偶尔感到烦躁。

医生:大便怎么样?

患者:大便还正常,没有腹泻,也不便秘。

医生:你最近在吃什么药吗? (了解患者的服药史)

患者:我现在没吃药,之前吃药都没什么效果。

I(idea)——患者对自己健康问题的看法

医生:你认为是什么原因导致腹痛呢? (了解患者对自身问题的看法)

患者:刚开始我以为是肚子着凉,吃点藿香正气丸,慢慢肚子就不痛了,可后来肚子反复隐痛,应该与肚子着凉无关。

医生:你不要太着急,腹痛的病因很复杂,我们帮你一起来寻找原因。

患者:会不会肚子里有癌症? (患者小心翼翼地说)

医生:你认为肚子里有癌症的依据是什么? (引导患者说出内心的看法)

患者:我外婆2年前肚子痛了半年,一直没有去医院看病,后来疼痛越来越加重,到大医院检查发现是肠癌晚期。

C(concern)——患者的担心

医生:你现在的担心是什么?

患者:我肚子痛了这么长时间没有找到病根,我很害怕身体藏有癌症。(患者内心深处的担心)

医生:做了这么多检查,没有发现癌症的迹象,你这个年龄得癌症的可能性不大,不要太担心。

患者:你这样说,我安心多了。

医生:你睡眠好吗? (从睡觉入手,为了解患者的心理做铺垫)

患者:睡眠不好。早醒,睡眠很浅,一点声音响就会被吵醒,睡眠质量也不好。晚上要给宝宝喂奶,每天早上4、5点钟就醒,醒了就睡不着了,每晚只能睡3～4小时。

医生:睡眠不好,你第二天感觉如何?

患者:晚上睡眠不好,第二天做什么事都没精神,疲倦、烦躁。上个月我喂宝宝喝奶粉时烫到她,宝宝手上起了个水疱,我觉得自己很没用。

医生:你为什么会这么自责?

患者:我是做销售的,别人都说我性格外向、做事麻利。自从生小孩后我常常一个人在家里哭,不想说话,对很多事都提不起兴趣,感觉度日如年,觉得人活着没劲。看到宝宝也没有开心的感觉,甚至有送人的想法,医生,你说我这是怎么了?(抑郁情绪)

医生:我问你一个比较隐私的问题,你有没有过自杀的念头?

患者:目前还没有。

医生:平时你们夫妻关系如何?

患者:我老公工作比较忙,家里的事情他都不管,晚上宝宝哭他也不会照顾。夫妻感情比较冷淡。

医生:你不着急(医生拍拍患者的手背)。我先给你体检一下。

查体:T 36.2℃,BP 112/78mmHg,P 70次/min,R 20次/min,BMI 18.2kg/m²,患者全身皮肤巩膜无黄染,无皮疹、蜘蛛痣,浅表淋巴结无肿大。双肺呼吸音清,心律齐,未闻及心脏杂音。腹部平坦,腹软,肝脾肋下未扪及,上腹正中部轻度压痛,无反跳痛,未触及肿块及腹主动脉搏动。叩诊无移动性浊音,听诊肠鸣音正常。脊柱无畸形、无压痛。

(3)是不是急危重症疾病?

根据患者的病史、查体和以前的辅助检查,该患者的腹痛与怀孕生子无关,并初步排除器质疾病。列出以下鉴别诊断(图2-26-1)。

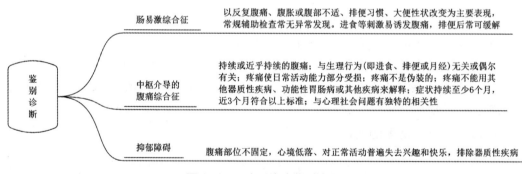

图2-26-1 产后腹痛鉴别诊断

E(expectation)——患者的期望

医生:根据刚才与你的交谈,发现你的情绪低落,愉悦感下降。我想请你做一个问卷,了解你现在的心理健康状况。(递给患者《爱丁堡产后抑郁量表》)

患者开始做问卷,8分钟后完成问卷。

患者:这个表我生孩子后1个月内做过2次,医生说打了10分,分数稍高一点,可能有抑郁,要我平时多注意情绪,不要想太多,多运动。

医生:你这次总分是16分,说明可能有中度抑郁。你现在对很多事情缺乏兴趣、情绪低落、不喜欢说话、容易感到疲劳、过度自责等,提示你患的是产后抑郁症。(明确告诉患者最可能的

诊断）

患者:产后抑郁症是什么病?

医生:产后抑郁症属于抑郁症的一种,女性生育后出现的一种心理疾病,表现为情感低落、兴趣和愉快感丧失、疲倦、乏力等。它也可以合并一些躯体不适的症状,如胸闷、食欲下降、头痛、背痛、腹痛等,你的腹痛就是抑郁的躯体症状。(向患者解释产后抑郁症的临床表现)

患者:哦……

医生:你家族亲戚中有精神病患者吗?

患者:我妈妈更年期时好像有抑郁症,亲戚中没有精神病患者。医生,你要帮我,治好我的病,我宝宝还这么小……(患者的期望)

医生:抑郁症是一种可以治愈的疾病,常见的治疗方法有心理治疗、药物治疗。我会帮助你的,只要配合治疗,一定可以治好的。

患者:你现在给我开药吗?

医生:我们全科医生不能做抑郁症诊断,不能给你开药。区妇幼保健院有专门针对产后抑郁的心理专科,我帮你转到那里,最好让你的丈夫陪你一起去,让心理医生给你制定治疗方案。我也会追踪随访你的情况。一会儿你加我微信,你有疑问的时候,可以在微信上问我,我会尽可能帮助你。(给予患者治疗的信心)

患者:好的,谢谢医生。

2. 最可能的诊断是什么? 需要完善哪些辅助检查?

(1)最可能的诊断:产后抑郁?

(2)需要完善的辅助检查:《爱丁堡产后抑郁量表》

3. 诊断和诊断依据是什么?

(1)诊断:产后抑郁(Postpartum depression)?

(2)诊断依据:综合医院专科已经排除了器质性疾病。通过 RICE 问诊,我们了解到患者的心理、家庭关系、睡眠等,结合患者的病史、体格检查和携带的辅助检查资料、病例以及爱丁堡产后抑郁量表评估,母亲有抑郁症病史,符合产后抑郁症诊断。

4. 治疗方案和患者管理

(1)向患者解释腹痛的原因,解除她对疾病的顾虑。

(2)鼓励充分休息、锻炼身体,告知患者及家属产后抑郁的症状及不治疗的潜在风险,安抚患者情绪,让家属充分支持帮助患者,树立战胜疾病的信心。

(3)给患者开具转诊单,追踪随访患者,观察患者对治疗的反应情况、情绪变化、腹痛发作的频率是否较前减少。

(4)告知患者产后抑郁的治疗方法,可通过认知行为心理疗法,必要时服用抗抑郁药物是可以缓解不良情绪,治疗需持续 12 个月左右,给予患者信心完成治疗。

(5)患者教育:向患者讲述产后抑郁的相关知识,并告知患者如果感觉自己可能想要自残或伤害你的孩子,立即去求上级医院的接诊心理专科医生。

(6)对症治疗:患者拒绝药物治疗,建议腹部热敷。

(7)等待心理专科医生的诊断结果,待病情稳定后下转社区,再进一步管理。

第2次看诊

第5天患者在丈夫的陪同下复诊。

患者当天回去将看病的事情和丈夫说了,第2天在丈夫的陪同下到当地妇幼院心理专科就诊,确诊为产后单相抑郁(postpartum monophasic depression)。专科医生给她开具了舍曲林服用(50mg,早上口服,1次/日),让患者2周后复诊。患者感觉全科医生让她心安,再次和丈夫来复诊,咨询"舍曲林"的药物副作用。全科医生进行了详细的解释,安慰患者按照心理专科医生的建议定期复诊,规律治疗。也让其丈夫多关心患者,对患者丈夫科普产后抑郁症可能产生的不良后果。家属当即表示一定积极配合,帮助患者早日康复。

接下来的几个月,全科医生每月微信与患者联系,了解患者就诊及病情发展情况,给予安慰,适时进行健康教育。

第3次看诊

8月后患者在丈夫的陪同下复诊。

患者情绪明显好转,睡眠改善,诉在治疗的第1个月腹痛情况明显缓解,现在已经完全停药,继续给予鼓励和支持,交代患者丈夫多关心照顾患者、多沟通,并嘱咐若有不适及时就诊。

5. 病例总结

全科医生是居民健康的"守门人",腹痛是常见病、多发病,应该熟悉并掌握腹痛的诊断思路。腹痛的病因很多,全科医生在接诊腹痛患者时,要从腹痛的发病机制入手,寻找腹痛的致病原因,务必排除红旗征。全科医学是提供以社区为基础的、连续的、综合的、预防的基层保健的一门学科,注重"全人""连续性"照顾,本病例中,患者反复腹痛,多次就诊专科治疗效果欠佳,全科医生本着"全人"的理念,运用全科思维,排除器质性疾病后,应考虑到患者的心理、社会相关问题,该患者的腹痛是产后抑郁症的躯体化表现。社区健康服务中心妇保医生负责对每一位产妇进行上门访视,签约家庭医生,同时运用《爱丁堡产后抑郁量表》对产后抑郁症进行普遍筛查,一旦发现量表评估 > 10 分即开转诊单,将患者转介到上级专业心理治疗机构进行干预。妇保医生追踪确认产妇后续治疗进程,适时引导、健康教育,必要时联合社区工作站进行帮扶。

产后抑郁一定注意鉴别诊断,全科医生首先要详细询问病史和认真做好体格检查,以及相关的实验室检查,排除躯体性疾病,要与产后情绪不良、继发性抑郁障碍、双相情感障碍、创伤后应激障碍、神经衰弱相鉴别,将患者转诊到心理科前要做好向患者做好解释,写好转介信,要随访患者,做好患者管理。

6. 知识拓展

(1)产后抑郁障碍(PPD):是指经过生产之后的女性由于性激素的分泌变化、心理及社会角色变化等导致心理及生理上出现一系列的问题,是最为常见的女性精神障碍性疾病。15% ~ 30% 的产妇会发生产后抑郁症。产妇可在生产后的 6 周之内发生产后抑郁,也可能在整个产褥期都持续存在,严重者甚至直到幼儿上学前都有持续性存在。情绪长时间的低落、无精打采、对周围事物提不起兴趣、常常会感到疲乏困倦、面无表情且经常会因为一点小事伤心哭泣等是产后抑郁的突出表现。

产后抑郁障碍的影响因素众多,一般认为是多方面的,主要包括生物学因素如产后激素水平改变,产科因素如阴道助产、产次,遗传因素,社会心理学因素如文化程度、社会家庭支持、产妇心理状况、孕期营养及产前增重情况、非母乳喂养等。

产妇在经历分娩后,往往会出现一些生理性的躯体及精神方面的改变,产后抑郁障碍有以下临床表现:

1)睡眠障碍:正常产妇在避免婴儿的吵闹后可以安然入睡,PPD 患者即使有安静的睡眠环境,不受婴儿干扰,依然不能正常睡眠;

2)精力下降、疲乏感:产妇可以出现生理性的精力下降、疲乏感,但这种状况会随着时间的延长、充分的休息而好转,而 PPD 患者这种感觉随着时间的延长无减轻甚至可能会加重;

3)注意力障碍、记忆力下降:很多产妇都会出现注意力不集中、记忆力下降的表现,但程度一般较轻,持续时间较短暂。但是 PPD 患者的往往程度较重,且持续时间较长;

(2)产后访视:产妇出院后社区全科医生至少去产妇家中访视 2 次,分别为产后第 7 天和 14 天,访视的主要内容包括心理咨询、营养指导、卫生指导、健康传播、母乳喂养技术等。访视中要填写产后访视卡,记录产妇的子宫收缩、恶露情况、乳房情况及伤口情况(如遇产妇存在伤口时);测量婴儿体重、头围、身长和黄疸,检查婴儿的脐带并消毒。了解喂养情况,使用爱丁堡产后抑郁量表进行问卷调查。产褥期妇女面对着体内性激素变化带来的生理性改变和身份变化带来的心理性改变,会产生一系列的生理或心理问题,规范产后访视的介入,能够有效地预防产妇生理或心理疾病的发生。

(3)产后抑郁障碍的综合治疗原则:当前治疗产后抑郁障碍的三种主要方法是药物治疗、心理治疗和物理治疗。已有众多的循证医学证据显示综合治疗的效果优于单一的任何一种治疗。全科医生长期在社区工作,是居民的健康守门人,也是居民信任的朋友。孕产妇是重点人群,严重的产后抑郁可能会导致患者自杀,造成不能挽救的严重后果,全科医生应该熟悉产后抑郁障碍的临床表现、方法、药物禁忌证,也应掌握常用的心理治疗方法,例如认知行为治疗,在临床中、在社区疾病管理中灵活应用,帮助居民尤其是产后抑郁障碍患者战胜疾病,恢复健康。

(刘 湘 吴 疆 王 静 蔡飞跃)

 思考题

1. 常见急危重症腹痛有哪些疾病?

2. 产后抑郁的特点是什么?

病例 27 ☒

头痛 2 年

视频 2-27

患者,女,54 岁,独自一人前来就诊。

患者口述:2 年前无明显诱因开始出现头痛,呈枕部非搏动性持续性钝痛,无向他处放射,无先兆症状,无伴随症状,安静休息头痛可稍缓解。头痛不影响夜间睡眠,但日常工作、生活受影响。曾反复到三甲医院就诊,行头颅 CT、MRI 检查未异常,血常规、尿常规、肝肾功能、甲状腺功能、血压、血糖、血脂等检验均在正常参考范围内,予布洛芬、对乙酰氨基酚等对症治疗后,头痛可缓解。绝经 2 年,孕 1 产 1。

请思考以下问题 →

1. 如何构建整体性临床思维?
2. 最可能的诊断是什么? 需要完善哪些辅助检查?
3. 诊断和诊断依据是什么?
4. 治疗方案和患者管理。
5. 案例总结。
6. 知识拓展。

1. 如何构建整体性临床思维?

(1)诊断思路:见本章病例 27 ;头痛伴随不同症状(图 2-27-1)。

该女患者,54 岁,绝经 2 年。2 年来反复出现头痛,影响正常工作、生活,多次在医院就诊,行颅脑 CT 检查均提示未见异常,服用止痛药后头痛可以缓解。患者头痛的原因是什么呢? 现采用整体性临床思维——临床 4 问对该患者进行分析(图 2-27-1)。

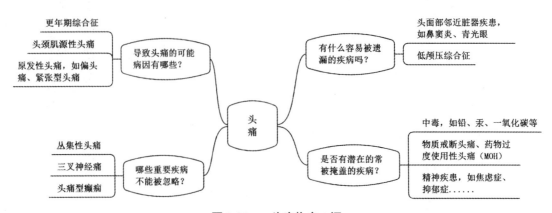

图 2-27-1 头痛临床 4 问

（2）鉴别思维：全科医生接诊头痛患者时,应科学地寻找头痛的病因,避免凌乱无序地诊疗。大多数的慢性头痛患者对头痛的态度和表述会使医生迷惑,有时患者因为担忧,会隐瞒自己的病情,增加了医生诊断的难度。建立良好的信任关系,详细地询问病史,站在患者的角度看待问题,我们往往可以有惊喜的发现。

R（reason）——患者就诊的原因

医生:阿姨好,请坐! 有什么可以帮助你吗?（开放式提问）

患者:医生,我要止痛药。

医生:你为什么要止痛药?（了解患者的就诊原因）

患者:2 年前我头痛,开始没重视,后来头痛越来越严重,我去医院拍了脑CT,医生说没问题,给我止痛药,吃了止痛药头痛缓解了,但是隔三岔五的还是痛。

医生:说说你头痛的感受……。（鼓励患者自己讲述病情）

患者:我整个头像戴了一个紧箍一样痛,休息一会或者睡觉后会好一些。

医生:你还有其他不舒服吗?

患者:没有。

医生:头痛时有没有发热、恶心、呕吐、视物旋转?（鉴别感染性疾病和眩晕）

患者:没有。

医生:有没有眼前闪光、一块地方看不到或手脚麻木等?（鉴别先兆性偏头痛）

患者:没有。

医生:你家里人有类似的情况吗?（了解患者的疾病家族史）

患者:没有。

医生:你最近睡眠好吗? 有没有潮热、出汗、心慌、烦躁等症状(鉴别更年期综合征,并从睡眠入手了解患者的心理)

患者:严重失眠,睡不着,睡着了也早醒。别的没有。

医生:你的家人知道你头痛吗?（了解患者的家庭）

患者:没有人知道。我丈夫过世了……（患者伤心流泪）

I（idea）——患者对自己健康问题的看法

医生:很抱歉,触及你的伤心事。能跟我说说你丈夫的事情吗?（医生为患者递上纸巾。）

患者:2 年前,他说肚子痛,带他上医院,诊断胰腺癌,3 个月后就走了。

医生保持沉默,面向患者,认真倾听患者的诉说。

患者:我每天感觉他就在我身边,没有离世,晚上看着我睡觉。他的东西我舍不得丢,我天天抱着他的衣服,好像他只是外出了。他走了以后,我吃不下,睡不着,每晚都梦见他……

医生:已经过去 2 年了,你还很伤心。(共情)

患者:老公走了,我的世界也没有了,越来越麻木,对任何事情都不感兴趣,人变得很冷漠,不愿意与人聊天,也不相信别人……

医生:你自己认为头痛是什么原因?

患者:我开始以为脑袋长了肿瘤,检查没有发现异常。后来我发现每每想到他,我就会头痛。

C(concern)——患者的担心

医生:头痛时你怎么办?

患者:我吃止痛药,有时睡觉后疼痛缓解。

医生:你有几个孩子?

患者:我只有一个儿子。

医生:你儿子知道你头痛吗?

患者:他不知道,我没有告诉他。

医生:为什么不告诉你儿子?

患者:儿子很孝顺,他知道我头痛后会影响他的工作,给儿子带来麻烦。

医生:你担心什么?

患者:担心自己哪天像他爸爸那样突然离世,儿子孤苦伶仃,很可怜……

医生:你为什么如此悲观?

患者:我还不能接受老公离世的事实,我每天行尸走肉,很空虚,一直沉浸在痛苦中不能自拔。2 年都没有上班,不出门,白天黑夜不知道怎么过的……真是生不如死。

医生:你的情况我了解了,我给你检查一下。

查体:生命体征平稳,BP 130/80mmHg,P 70 次 /min。语言清晰、流利。头颅外观无畸形,头皮无触痛。睑结膜无充血,双侧瞳孔等大等圆,对光反射灵敏,眼球运动正常,视力正常。耳廓无畸形,外耳道通畅,无异常分泌物,鼓膜完整,听力正常,耳屏、乳突无压痛。鼻腔通畅,无异常分泌物,鼻黏膜无充血水肿,鼻中隔无偏曲,下鼻甲无肿大。心肺腹部望、触、叩、听未见异常。无颈项强直,膝反射、跟腱反射正常,Babinski(-),Oppenheim 征(-),Kernig 征(-),Brudzinski(-)。

(3)是不是急危重症疾病?

根据病史、查体和已做的颅脑 CT 检查,排除急危重症疾病。列出以下鉴别诊断(图 2-27-2)。

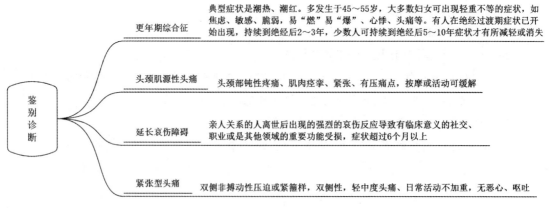

图 2-27-2 头痛鉴别诊断

E(expectation)——患者的期望

医生:你有自杀的想法吗?

患者:没有想过自杀,舍不得儿子。

医生:阿姨,你的头痛原因我都你找到了……

患者:什么原因?

医生:是你对老公的逝世太过于悲伤了,是一种心理疾病。

患者:那该怎么办? 可以治好吗?

医生:你要从悲伤中走出来,不要过度哀伤。

患者:吃什么药可以治好? (患者的期望)

医生:这个病最好的治疗不是药物,而是心理治疗,建议你看看心理医生。

患者:我不想看心理医生,我又没有精神病。

医生:如果你不想看心理医生,可以来找我看,我给你做心理疏导。建议你与儿子住在一起,不要单独一人住了,出去散心、运动、工作,将头痛告诉你儿子,他会带你看医生,会照顾你,有儿子的照顾,你的头痛会很快好起来的。

患者:好的。谢谢!

2. 最可能的诊断是什么? 需要完善哪些辅助检查?

(1)最可能的诊断:哀伤延长障碍?

(2)辅助检查:已经做的头颅 CT、MRI 检查未异常,血常规、尿常规、肝肾功能、甲状腺功能、血糖、血脂等检验均在正常参考范围内。本次就诊暂时不需要做。

3. 诊断和诊断依据是什么?

(1)诊断:延长哀伤障碍(Prolonged grief disorder,PGD)

(2)诊断依据:患者为中年女性,健康档案提示其大专毕业,文化程度较高;2 年前经历丈夫离世的打击,随后出现头痛,各项检验检查未见异常,可排除器质性疾病导致的头痛;患者在讲述过程中多次出现自责、愧疚之情,难以面对家人,反复梦见亲人及其离世前的影像并为此感到痛苦不堪,回避曾经与丈夫共同认识的人,以避免谈论逝者触动伤心事,社会交际减少,丈夫走后对生活感到空虚,想随丈夫一起离开人世,所有症状持续时间超过 6 个月以上。

4. 治疗方案和患者管理

(1)治疗方案

1)对症治疗:给予对乙酰氨基酚片,交代患者头痛时服用,按需服用,不必要每天服药。

2)心理咨询:解释哀伤延长障碍的临床表现、治疗方案,给予心理疏导。

3)交代患者下次要求儿子陪同来复诊。

4)转诊:建议患者去看一次心理医生,排除抑郁症。开具心理转介信,转心理科医生看诊。

(2)患者管理:2 周后电话随访,患者已至心理医生处就诊。心理医生评估病情后,没有给予药物治疗,建议患者做 6 次心理治疗,患者以经济困难和路途遥远为由拒绝。全科医生建议患者来社区健康服务中心复诊。第 3 周患者在儿子的陪同下复诊。患者精神状态有好转,3 周内头痛没有发作。全科医生将患者病情、诊断、治疗方案以及注意事项详细地告知患者儿子,希望其儿子更多地关心患者、陪伴患者。鼓励患者多进行户外活动,多与亲戚朋友交往,建议找一份轻松合适的工作。

5. 病例总结

头痛是全科医生日常诊疗中常见的疾病。掌握头痛的发病机制,可以帮助全科医生分析头痛的病因,识别可能引起头痛的急危重症,找出可能被掩盖和忽视的疾病,避免误诊、漏诊。采用 RICE 问诊模式,可以帮助全科医生与患者进行高效的沟通;全科医生可以站在患者的身后,从患者的角度出发,和患者一起找出本次就诊的原因;帮助患者说出困惑和担忧,了解患者的期望,从而能够更好地去帮助患者。

头痛虽然是一种常见的躯体症状,但心理问题和精神障碍也有可能成为引起头痛的病因。本例患者即为延长哀伤障碍在躯体方面的异常表现。

本例患者以头痛为主诉就诊,经过全科医生详细地询问病史,我们发现,患者的头痛症状的开始时间是其亲人离世以后。患者讲述了自亲人离世后在情感方面出现愧疚、自责,自觉无法面对家人;在认知方面每日梦见逝者、不能接受逝者亡故的事实,反复重现逝者生前最后时光、反复回顾逝者临终前痛苦的场景;在躯体方面出现头痛症状,各项检验检查排除了器质性疾病;在行为方面出现避免接触同事、家人的社会退缩行为;亲人离世后常心里空荡荡的,生活无所适从,其生存意义受到质疑;整个过程超过 6 个月。因此我们不难得出延长哀伤障碍的诊断。

全科医生在接诊丧亲后哀伤的患者时,需要详细询问患者的哀伤体验,对患者的躯体症状进行详细的查体和必要的检验检查,排除躯体疾病以后,还要对其精神状态和自杀倾向进行充分的评估,预防及早期发现合并重性抑郁障碍的可能。如果患者既往有抑郁病史、或自评健康状况差、或为有功能性限制和失能的人群,其发展成重性抑郁的风险较高。如果患者合并有重性抑郁障碍或有自杀倾向,需要联系专科医院,尽早帮助患者获得精神科专家的专业指导和治疗。

全科医学是一门综合性的临床医学专业学科,服务的内容非常宽泛,不仅涉及内、外、妇、儿等专科,还涉及行为科学、心理学、预防医学等学科领域。全科医学的学科范围是根据其服务对象的健康需要与需求来建设和发展的。我们不但要关注患者的疾病,还要关注患者的心理健康,帮助患者健康的生活,获得更长远的健康寿命。

6. 知识拓展

哀伤是人类经历创伤性事件后出现的一种情绪反应。对于大多数人来说,哀伤会随着时间的推移逐渐淡化,尽管不会完全消失,但不会对个人的社会功能造成严重的影响。如果哀伤的体验强烈而持久的存在,影响了个体情感、认知、躯体、行为、对生存意义的理解等多方面因素,造成个体无法承担相应的社会角色和社会功能受损,持续超过 6 个月以上,考虑延长哀伤障碍(PGD),需要制定针对性的治疗方案。

无论是正常的哀伤反应还是延长哀伤障碍,早期的心理干预,都能帮助患者顺利度过丧亲之痛的非常时期,减少生理、心理、社会功能的损害。现阶段针对 PGD 的治疗中,心理治疗因其治疗效果明确,是 PGD 的首选治疗方法,药物治疗多在合并其他精神疾病时采用。PGD 的常用的心理治疗有认知行为疗法、暴露刺激疗法等。

取得心理咨询师资格或注册精神科执业范围的全科医生,可以开展专业的心理咨询服务。富有关爱之心和处理哀伤反应经验的全科医生和全科护士,可以尝试对患者进行悲伤辅导。

悲伤辅导的目标是协助生者完成与逝者之间的未尽事宜,帮助生者向逝者告别,最终回归正常的生活,重新承担应尽的社会责任和社会角色。悲伤辅导首先要充分评估患者现有的家庭情况,包括患者的家庭成员、家庭关系、经济情况、文化背景、宗教信仰等;与逝者关系亲密、对逝者离去无心理准备、无法获得社会支持、经济条件不佳、文化程度低的人群为延长哀伤障碍的高危人群,更应给予关注和帮助;然后,分析患者的丧亲后哀伤反应,包括患者的情感、认知、行为、躯体和对生存的意义等方面,为后续拟定辅导方案做准备;最后,要对患者进行焦虑、抑郁筛查和自杀风险评估,避免患者自伤、自残、自杀。悲伤辅导的特定目标包括:①帮助患者正确认识、理解并接受亲人离世的事实;②帮助患者宣泄哀伤的情感体验;③帮助患者适应亲人离世后的生活,克服丧亲后情感、认知等障碍;④帮助患者建立新的社会关系网,重新承担起自己的社会责任,适应自己的社会角色,完成向逝者的告别。

(邱陆珏骅　吴　疆　王　静　蔡飞跃)

 思考题

1. 在头痛的病因中,常见的急危重症有哪些疾病?
2. 延长哀伤障碍的诊断要点是什么?

病例 28 ⊠

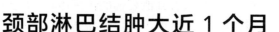

颈部淋巴结肿大近 1 个月

患者,男,21 岁,在校大学生,独自前来就诊。

患者口述:近期摸到颈部有数颗绿豆大的淋巴结,没有疼痛,想查一下是否患了传染病。

> **请思考以下问题 →**
>
> 1. 如何构建整体性临床思维?
> 2. 最可能的诊断是什么? 需要完善哪些辅助检查?
> 3. 诊断和诊断依据是什么?
> 4. 治疗方案和患者管理?
> 5. 病例总结。
> 6. 知识拓展。

1. 如何构建整体性临床思维?

(1)诊断思路:淋巴结肿大是由于多种原因引起的淋巴结内部细胞增生或者肿瘤细胞浸润淋巴结导致的一个或多个淋巴结肿大。全科医生接诊年轻淋巴结肿大患者时,首先要识别并发现潜在的严重疾病,再考虑常见病。应注意重点询问流行病学史、病程、起病方式、伴随症状、发展过程等,对病因诊断能提供重要线索。根据伴随的症状,可做出初步的判断(图 2-28-1)。

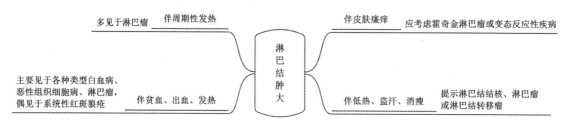

图 2-28-1 淋巴结肿大伴随症状

淋巴结肿大在临床上很常见,各种损伤和刺激以及炎症均可引起淋巴结肿大,例如急慢性淋巴结炎、传染性单核细胞增多症、淋巴结结核、淋巴瘤、艾滋病、猫抓病等。按淋巴结肿大发生的机制可以把它分为炎症性的肿大、反应增生性的肿大、肿瘤性肿大和组织细胞增生性肿大等四大类(图 2-28-2)。

该年青男性患者,是在校大学生,近期发现颈部有数颗绿豆大的淋巴结,想查一下传染病。是炎症性淋巴结肿大? 还是别的原因导致的淋巴结肿大? 现采用整体性临床思维——临床 4 问对该患者进行分析(图 2-28-3)。

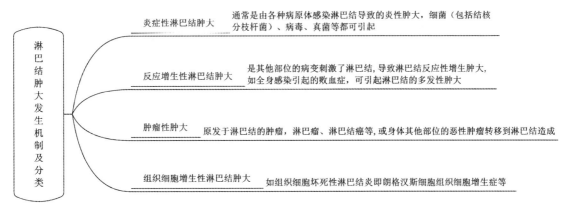

图 2-28-2 淋巴结肿大发生机制及分类

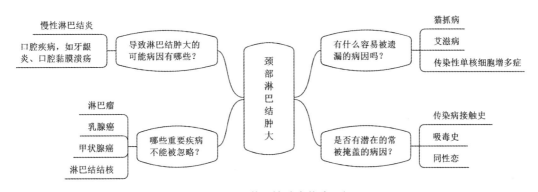

图 2-28-3 淋巴结肿大临床 4 问

(2)鉴别思维:临床上有一句古老的名言:听患者说,患者会告诉你诊断。患者提供的信息是最重要的,其次是体格检查,再次是相应的辅助检查。问诊时注意询问常见性传播疾病的症状,比如淋病、尖锐湿疣、梅毒、乙肝、丙肝、艾滋病等。如怀疑艾滋病,应注意询问有无免疫缺陷的表现。流行病学史应详细询问,同时注意保护患者隐私,告知其问诊的必要时,获取患者信任。问诊时,不能以教育者自居,对患者的既往评头论足。现采用以人为中心的问诊,了解患者的病史。

R(reason)——患者就诊的原因

医生:你好,请坐,有什么可以帮你?(亲切问候,开放式提问)

患者:医生,我想做个传染病的检查。

医生:传染病有很多种,你想查哪个方面呢?(了解患者的想法)

患者:我想查一下艾滋病。

医生:怎么会突然想到查艾滋病?(了解患者的想法)

患者:医生,你能不能别问了?你帮我开个检查单就可以了。

医生:最近你的身体状况有什么问题吗?比如容易感冒、发烧、拉肚子、咳嗽、头痛等?(了解患者的免疫状态)

患者:没有,和平时一样,但近1月我摸到颈部有数颗绿豆大小淋巴结,没有疼痛,所以想查一下。

医生:生殖器、肛门有没有流脓、皮疹等情况?(了解患者是否有其他性传播疾病)

患者:没有。

医生:体重有变化吗?晚上睡觉容易出汗吗?(了解患者是否有消瘦、盗汗)

患者:都没有。

医生:你身边的人有类似传染病吗?包括家族里、身边同学、朋友。(了解接触史)

患者:不知道,应该没有吧。

I(idea)——患者对自己健康问题的看法

医生:你认为什么情况下会得艾滋病?(开放式提问,了解患者对疾病认识程度)

患者:我和前男友无套做过几次,后来他出轨了,我们就分手了。我现在很担心。(了解到该患者为男同性恋者)

医生:你前男友得了艾滋病?(了解流行病学史)

患者:我们一起时,我不清楚他是否有艾滋病。我们分手5个月后,有一天他突然打电话给我,让我去查一下艾滋病,估计他查出来是阳性,而且我查了艾滋病的症状有淋巴结肿大的,现在整夜睡不好。

医生:艾滋病的传播途径有很多,除了不洁性行为,尤其无保护性肛交,还有其他途径,比如吸毒、不洁注射、纹身等。(医生提出艾滋病多种传播途径,了解患者可能存在的问题)

患者:毒品不敢吸,纹身也没有。

医生:有其他男朋友吗?(了解是否有多个性伴侣)

患者:没有。前男友是我的初恋,除了他,我没有找过别人。

C(concern)——患者的担心

医生:你很担心?(了解患者的心理状态)

患者:是的,我和前男友分手5个多月了,我在百度上查过,艾滋病的潜伏期很长,可以表现为淋巴结肿大,我担心和前男友一起时,他已经得了艾滋病。

医生:我先给你检查一下身体,然后再去做相关的化验检查,好吗?(获取患者的配合)

患者:医生我会不会真的感染上了艾滋病?

医生:你存在高危行为,存在风险,但需要做一些检查我们才能确定。(客观如实告知患者情况)

患者:要是得了艾滋病,我就完了。

医生:你先不要紧张,你现在还没有确诊艾滋病,先等结果出来,好吗?(安抚患者)

查体:注意检查脑膜刺激征,全身有无皮疹或新生物,颈部淋巴结触诊,包括数目、大小、硬度、压痛、活动度,其余浅表部位有无淋巴结肿大,仔细心肺听诊。检查口腔是否有白斑。同时必须检查外阴及生殖器,包括肛门。

查体结果:测口腔体温36.4℃。(手消毒后,请患者躺于检查床上,边问诊边检查。)皮肤巩膜无黄染,全身未见皮疹,颈部可触及2枚黄豆大小淋巴结,质韧,无压痛,活动度可,其余部位浅表淋巴结未及肿大,口腔黏膜正常,无白斑。心率88次/分,律齐,未闻及杂音,双肺呼吸音清,未闻及啰音,腹软,肝脾肋下未触及,神经系统检查:颈软,无抵抗;克氏征阴性,双侧病理征阴性。外生殖器及肛门未见明显异常。

（3）是不是急危重症疾病？

根据患者的同性恋史、查体，有得艾滋病的风险。列出以下鉴别诊断（图 2-28-4）。

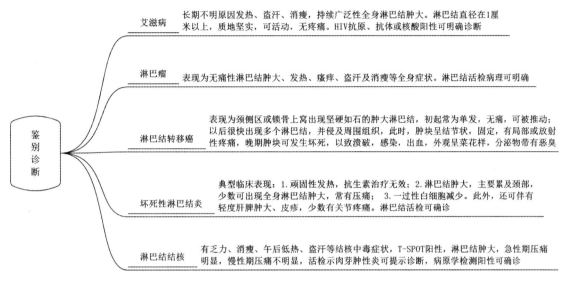

图 2-28-4 颈部淋巴结肿大鉴别诊断

2. 最可能的诊断是什么？需要完善哪些检查？

（1）最可能的诊断：获得性免疫缺陷综合征（艾滋病）？

（2）需要完善的检查：血常规、C 反应蛋白、HIV 抗体、丙肝抗体、乙肝三系、梅毒抗体等实验室检查和浅表淋巴结 B 超。

辅助检查回报：B 超颈部淋巴结肿大，形态未见明显异常；血 HIV 抗体初筛阳性。予送疾控中心做确诊试验，结果仍阳性。疾控中心已联系患者，告知病情。

患者前来复诊。

C（concern）——患者的担心

患者：医生，我真的得了艾滋病，怎么办啊？（患者开始哭泣，医生抽出纸巾递给患者。）

医生：艾滋病是可以控制的，给你再查一下病毒量和 CD4$^+$ 细胞数，再决定如何处理，好吗？（安抚患者）

患者：医生，我拿到报告的时候感觉天都塌下来了，真不知道接下来该怎么办。

医生：你先不要着急，只要控制得好，可以像正常人一样生活工作。（安抚患者）

患者：医生，得了艾滋病，别人一定会像避瘟神一样躲避我，歧视我和我的父母家人，这才是我最怕的。

医生：对于艾滋病患者，我们会严格保护他们的隐私。我们这里也会有一群志愿者来帮助他们，传授他们面对生活的经验，如果你有困难可以随时向我们寻求帮助。（向患者承诺会保护其隐私，帮患者树立信心）

患者：好的，谢谢！

需进一步完善的检查：HIV-RNA、CD4$^+$细胞计数、血常规、C- 反应蛋白、胸片。

辅助检查回报：HIV-RNA 4.2×10^7copies/ml（参考范围：低于检测限），CD4$^+$T 淋巴细胞计数 680 个 /μl（参考范围：500 ~ 1 600 个 /μl），血常规、C- 反应蛋白、胸片均正常。

患者再次来复诊：

E（expectation）——**患者的期望**

患者：医生，救救我吧，我不想早死，我是爸爸妈妈唯一的孩子。（患者开始哭泣，医生抽出纸巾递给患者）

医生：艾滋病虽然无法治愈，但是目前的药物已经能很好控制病情，很多人服药期间都能像正常人一样生活。根据检查结果，病毒载量比较高，需要抗病毒治疗。（拍拍他的肩或手，帮患者增强信心）

患者：如果不吃药会怎么样啊？

医生：如果不治疗，你的免疫功能会逐渐下降，有可能出现很多机会性感染，甚至发生肿瘤，对你的生存期和生活质量都会有很大影响。（告知患者不积极治疗的危害）

患者：吃药有副作用吗？

医生：抗病毒治疗会有很多不良反应，比如恶心、呕吐、肌肉酸痛、头痛、皮疹、白细胞减少等，但一般都能耐受的。（告知患者药物的不良反应）

患者：医生，我还能活多久？

医生：别担心。很多艾滋病患者通过及时抗病毒治疗后大大延后了发病时间，预期寿命可以接近正常人。但你必须做到严格按照医嘱服药，随访监测，可以吗？（了解患者的依从性）

患者：能。谢谢医生。

3. **诊断和诊断依据？**

（1）诊断：获得性免疫缺陷综合征（acquired immunodeficiency syndrome，AIDS，艾滋病）无症状期。

（2）诊断依据：HIV 抗体初筛及确诊试验阳性，HIV-RNA 阳性，有流行病学史。

4. **治疗方案和患者管理**

（1）HARRT 治疗：一旦确诊 HIV 感染，无论 CD4$^+$T 淋巴细胞水平高低，均建议立即开始治疗。如患者存在严重的机会性感染和既往慢性疾病急性发作期，应等机会性感染控制病情稳定后开始治疗。启动 HAART 后，需终身治疗。初治患者推荐方案为 2 种 NRTIs 类骨干药物联合第三类药物治疗（表 2-28-1）。

（2）抗病毒治疗监测：包括疗效评估、耐药监测及不良反应的评估及处理。

表2-28-1　成人及青少年初治患者抗反转录病毒治疗方案

2 种 NRTIs	第三类药物
推荐方案 TDF（ABC^a）+3TC（FTC）	+NNRTI：EFV、RPV
FTC/TAF	或 +PI：LPV/r、DRV/c
	或 +INSTI：DTG、RAL

2 种 NRTIs	第三类药物
单片制剂方案	
TAF/FTC/EVG/c[b]	
ABC/3TC/DTG[b]	
替代方案	
AZT+3TC	+EFV 或 NVP[c] 或 RPV[d]
	或 +LPV/r

注:TDF 为富马酸替诺福韦酯;ABC 为阿巴卡韦;3TC 为拉米夫定;FTC 为恩曲他滨;TAF 为丙酚替诺福韦;AZT 为齐多夫定;NNRTI 为非核苷类反转录酶抑制剂;EFV 为依非韦伦;PI 为蛋白酶抑制剂;INSTI 为整合酶抑制剂;LPV/r 为洛匹那韦 / 利托那韦;RAL 为拉替拉韦;NVP 为奈韦拉平;RPV 为利匹韦林;[a] 用于 HLA-B×5 701 阴性者;[b] 单片复方制剂;[c] 对于基线 CD4[+]T 淋巴细胞 > 250 个 /μl 的患者要尽量避免使用含 NVP 的治疗方案,合并丙型肝炎病毒感染的避免使用含 NVP 的方案;[d]RPV 仅用于病毒载量 < 105 拷贝 /ml 和 CD4[+]T 淋巴细胞 > 200 个 /μl 的患者。

(3)健康教育:正确使用安全套、采取安全性行为。避免与他人共用牙刷、剃须刀等用品。告知患者务必坚持抗病毒治疗,坚持随访监测。如出现发热、皮疹、新生物等应立即就诊。

(4)转诊指征:出现或疑似肺炎、颅内感染、卡波齐肉瘤等并发症。

5. 病例总结

HIV 的高危人群主要有:男同性恋者、静脉注射毒品依赖者、与 HIV 经常有性接触者。本例是一位男同性恋者。因为肛门的内部结构比较薄弱,直肠的肠壁较阴道壁更容易损伤,精液里的病毒可通过这些小伤口,进入易感者体内。所以接受肛交的人被艾滋病感染的风险特别高。正确管理好这些人群对艾滋病的防控具有重要意义。

目前还有很多人认为自己离艾滋病很远,缺乏防范意识,抱有侥幸心理,不重视安全保护工作,导致艾滋病的防治形势严峻。全科医生除了要做好艾滋病的诊治工作,更要扮演起安全宣教员的角色。诊治过程中要积极取得患者信任,既要向其灌输健康科普知识,也要鼓励患者使其有信心战胜疾病。同时必须注意做好保密工作,防止患者隐私泄露。

6. 知识拓展

坏死性淋巴结炎是一种少见的非肿瘤性淋巴结疾病,由日本学者 Kikuchi 和 Fujimoto 于 1972 年首先报道,故又称 Kikuchi-Fujimoto 病(KFD)。坏死性淋巴结炎病因至今尚未明确,大多数学者认为与病毒感染有关,同时可能与系统性红斑狼疮关系密切,且存在一定的遗传背景。非霍奇金淋巴瘤(NHL)好发于青年女性及儿童,可呈亚急性或急性起病,临床症状表现为:①顽固性发热,个别报道发热持续 1 个月左右之久,抗生素治疗无效;②淋巴结肿大,主要累及颈部,其次为颌下、锁骨下,也可累及腋下、腹股沟,少数可出现全身淋巴结肿大,肿大程度多为轻中度,常有压痛,相互之间不融合;③一过性白细胞减少。此外,还可伴有轻度肝脾肿大、皮疹,少数有关节疼痛,甚至有报道可表现为多器官受累。淋巴结活检是确诊依据,病理检查示淋巴结广泛凝固性坏死,周围有反应性组织细胞增生,无中性粒细胞浸润。NHL 具有自限性,一般自然病程 1 ~ 4 个月,极少可达 1 年,3% ~ 7% 的患者可反复发作,发热、乏力、淋巴结外受累(如皮肤)和 ANA 阳性已被确认为复发的预测因子。本病的治疗尚未有正式指南,一般不需要特殊的治疗,但发热、淋巴结肿痛时对症治疗是必要的,短期内使用糖皮质激素和非甾体抗炎药可能对有严重症状的患者有效。Honda 等报道了一例 42 岁的日本女性 NHL 患者经历了 4 次激素减量后复发,最终使用羟氯喹与小剂量泼尼松龙治疗达到持续缓解,给我们提供了新的治疗思路。

（黄益澄　张家杰　王　静　潘红英）

💡 **思考题**

1. 请叙述免疫重建炎性反应综合征（IRIS）的定义。
2. 请叙述免疫重建炎性反应综合征（IRIS）的诊断标准。

病例 29 ⊠

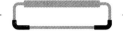

发现外生殖器肿物 1 天

📹 **视频 2-29**

患者男性,68 岁,独自前来就诊。

患者口述:昨晚洗澡时发现下身一枚白色、质硬的肿物,不痛也不痒。

请思考以下问题 →

1. 如何构建整体性临床思维?

2. 最可能的诊断是什么? 需要完善哪些检查?

3. 诊断和诊断依据是什么?

4. 治疗方案和患者管理。

5. 病例总结。

6. 知识拓展。

1. 如何构建整体性临床思维?

(1)诊断思路:生殖器肿物是发生于生殖器的炎症性或增生性病变,由于发病部位的私密性,往往需要在医生与患者建立充分信任的基础上,通过全面问诊和仔细查体之后再进行判断。全科医生接诊外生殖器肿物男性患者时,要注意阳性症状的询问,如有无他处皮肤黏膜疼痛与瘙痒、骨痛、视力受损、胸闷气急、头痛、神志改变等,识别并发现潜在的严重疾病,确保医疗安全。

该老年男性患者,昨晚洗澡时发现下身一枚白色、质硬的肿物,不痛也不痒。是性传播疾病还是非性传播疾病? 是过敏性皮损还是肿瘤性疾病? 还要考虑外伤性因素。现采用整体性临床思维——临床 4 问对该患者进行分析(图 2-29-1)。

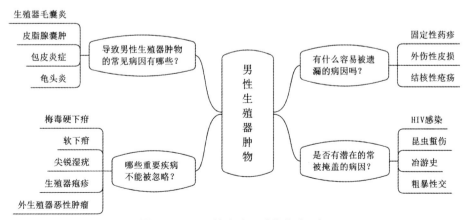

图 2-29-1 男性生殖器肿物临床 4 问

(2)鉴别思维:男性生殖器肿物的原因颇多,可由性传播疾病引起,如梅毒、尖锐湿疣等,也常见于非性病性感染,如葡萄球菌感染引起的外生殖器毛囊炎、疖肿,阿米巴性龟头炎,结核性疮疡等。除了感染性疾病,过敏性皮损也可引起生殖器肿物,例如服用磺胺类药物或者解热镇痛药后,外生殖器皮肤出现一至数个圆形或椭圆形红斑,不痛不痒,停药后自行消退,即为固定性药疹。另外,昆虫蜇伤外生殖器引起的红肿水疱、粗暴性交引起的擦伤血肿等外伤性皮损,以及外生殖器的良性肿瘤和赘生物、癌前病变及恶性肿瘤,都需要全科医生逐一排查。

从生殖器肿物的病因和临床实用角度出发,可将其分为性传播疾病、非性病性感染性疾病、过敏性皮损、外伤性皮损和肿瘤性皮损五大类(图 2-29-2)。

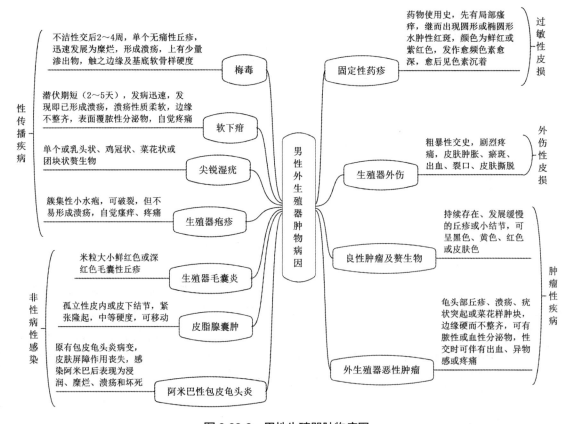

图 2-29-2　男性生殖器肿物病因

为了明确病因,详细的问诊、查体可以帮助我们获得有对诊断疾病有价值的信息。问诊时要注意对传播途径和病程的询问;注意有无不洁性生活史;注意的是对患者隐私的保护。

R(reason)——患者就诊的原因

医生:您好! 有什么问题吗?

患者:医生,我洗澡的时候发现我下面长了个东西。(忧心忡忡)

医生:您是指生殖器吗? 能否具体描述一下? (了解肿物部位和性质)

患者:就是生殖器上面有个白白的突起,摸上去硬硬的。

医生:发现多久了? 有没有感觉痛或者痒? (了解起病时间)

患者:之前没太注意,昨天洗澡的时候无意中发现的,不痛也不痒。

医生:身上皮肤有什么变化? 肛门口有没有异常? (鉴别皮肤梅毒等)

患者:好像都没有。

医生:有没有眼睛看不清、头痛、胸闷气急等? (鉴别神经梅毒、心脏梅毒)

患者:都没有。

医生:有无药物过敏史? (了解过敏史)

患者:没有。

I(idea)——患者对自己健康问题的看法

医生:您觉得是什么问题呢? (了解患者对疾病的认知)

患者:您会替我保密吗? (脸红)

医生:保护患者隐私是我们的职责,不过您要如实回答。

患者:一个月前,单位退休人员组织旅游,在外面有过一次。医生,会不会跟这个有关系?

医生:使用安全套了吗? (了解有无采取保护措施)

患者:没有。

医生:我先给您检查一下,再抽血化验确诊一下,好吗?

患者:好。

(3)查体:T 36.5℃,精神可,皮肤巩膜无黄染,未见皮疹,P 68 次/min,心律齐,未闻及杂音,双肺呼吸音清未闻及啰音,腹软,肝脾肋下未及。阴茎龟头处可及硬下疳,呈特征性溃疡状外观,上有少量渗出物,触之边缘及基底软骨样硬度。腹股沟可及淋巴结肿大,无痛,相互孤立不粘连。颈软,神经系统查体无异常发现。

(4)是不是急危重症疾病?

根据患者有不洁性交史、查体,存在性传播疾病高风险,需要对梅毒、软下疳、尖锐湿疣、生殖器疱疹进行鉴别。

2. 最可能的诊断是什么? 需要完善哪些辅助检查?

(1)最可能的诊断:梅毒(一期,获得性)?

(2)辅助检查:梅毒抗体滴度、其他传染病检测(乙肝、丙肝、HIV 等)、血尿常规、生化,必要时心脏彩超、肝胆脾胰肾 B 超、腰椎穿刺脑脊液检测等。

检查回报:梅毒特异性抗体(TP-Ab)及梅毒非特异性抗体(TRUST)均为阳性。

第二天,患者来医院复诊。

C(concern)——患者的担心

医生:您得了一期梅毒,需要治疗。

患者:医生,我的病严重吗?

医生:您现在没有全身症状,通过及时的治疗,可以避免发展到心血管梅毒、神经梅毒等严重并发症。现在您需要做到:一是治疗期间禁止性生活,避免再感染或引起他人感染;二是治疗后要定期随访,至少坚持随访 3 年,防治梅毒的复发;三是您的配偶或性伴侣也要接受检查,必要时要同时治疗。您需要和您的老婆进行一次沟通。

患者:医生,能不能不要告诉我老婆呀?

医生:您有担忧? (了解患者的家庭关系)

患者:是呀,老婆知道我得这种病,肯定很生气,也许会和我离婚的。

医生:看来您非常珍惜您的家庭。(同理心)

患者:当然。我和老婆风风雨雨过了大半辈子,受过很多苦。现在儿女都成家了,我做了这样的事情,真的很对不起家人。我真不知道该如何开口和老婆讲。

E(expectation)——患者的期望

医生:希望我怎样帮您? (了解患者对疾病的认知)

患者:医生,能不能帮我做手术切掉它?

医生:做手术? (开放式反问,了解患者内心的期望)

患者:医生,您就帮帮我吧!

医生:您的问题是无法通过手术解决的。现在事情已经发生了,您最好面对,敢于承认错误,争取得到老婆谅解。一期梅毒预后通常比较好,通过规范用药完全可以治愈的。

患者:医生,您是说,我的病能治好?

医生:是的。(肯定的答复,给患者信心)

患者:医生,只要能治好我的病,我都听您的。

医生:明天您带老婆一起来,我先给她检查一下,您得有心理准备,这也是对您和家人负责,您认为呢? (建议配偶就诊筛查)

患者:好的。医生,冒昧地问问,这两个抗体(梅毒特异性抗体和梅毒非特异性抗体)分别代表什么?

医生:梅毒感染者一般至少会产生两种抗体,一种是非特异性抗体,敏感性非常高,随病情发展而变化,像您这样的早期患者如果治疗充分其滴度可以逐渐下降至完全消失;病情复发或再感染可由阴转阳或滴度逐渐上升。另一种是梅毒特异性抗体,这种抗体特异性强,一旦产生,在血清中可长期甚至终生存在。

患者:医生,谢谢您!

3. 诊断和诊断依据?

(1)诊断:梅毒(Syphilis)一期,获得性。

(2)诊断依据:根据典型临床表现和皮损特征,以及不洁性生活史。梅毒特异性抗体(TP-Ab)及梅毒非特异性抗体(TRUST)均为阳性。患者无其他系统并发症,诊断为一期梅毒。

4. 治疗方案和患者管理

(1)药物治疗:苄星青霉素 G240 万 U,分两侧臀部肌注,1 次 / 周,连续 2 ~ 3 次;或普鲁卡因青霉素 G80 万 U/ 天肌注,连续 10 ~ 15 天。如青霉素过敏,可选用头孢曲松钠 1.0g/ 天静滴,连续 10 ~ 14 天,或连续口服四环素类药物或红霉素类药物 15 天。上述药物治疗方案针对早期梅毒,对晚期梅毒及二期复发梅毒,需延长疗程;

(2)治疗原则:本病应及早、足量、规则治疗;

(3)随访:治疗后定期随访,至少 3 年,一般第 1 年内每 3 月复查 1 次,第 2 年内每半年复查 1 次,第 3 年在年末复查 1 次;神经梅毒每 6 个月进行脑脊液检查。复发患者应加倍剂量复治,同时应考虑腰椎穿刺进行脑脊液检查。

(4)转诊指征

当梅毒引发多部位损害和多样病灶,侵犯皮肤、黏膜、骨骼、内脏、心血管、神经系统等,尤其是发生心血管梅毒、神经梅毒等并发症时,建议转诊上级医院。

(5)健康教育

1)告诫患者进行健康、卫生的性生活,不搞非婚性行为或其他不安全的性行为。

2)对患者的配偶或性伴侣进行检查,如梅毒阳性需同时给予治疗,治疗期间禁止性生活。

3)嘱咐患者做好随访工作,进行体格检查、血清学检查及影像学检查以考察疗效。第一年内每3个月复查1次,第二年内每半年复查1次,第三年在年末复查1次。

5. 病例总结

全科医生是居民健康的守护者,常常第一时间收到患者的各种咨询,其中不乏类似于此例中涉及个人隐私的疑虑。生殖器病变的诊断应基于详细而全面的问诊,并结合皮损的特征和相关的辅助检查综合判断。及时识别传染性疾病,对患者进行必要的教育和引导,同时不应遗漏肿瘤性病变、非性病性感染、过敏性病变等。对于有可疑梅毒接触史的患者,应及时进行梅毒血清试验,及时发现、隔离和治疗。

该病例给我们的启示:

(1)问诊需要注意阴性症状的询问,以鉴别梅毒的临床分型与分期,有无器官的受累和并发症,注意对传播途径和病程的询问,以确定该患为早期梅毒还是晚期梅毒,是先天性梅毒还是获得性梅毒,注意有无不洁性生活史,如为患儿应询问其母亲的病史。需要特别注意的是对患者隐私的保护。

(2)梅毒患者是梅毒的唯一传染源,患者皮损、血液、精液、乳汁和唾液中均有梅毒螺旋体存在,因此要对患者进行及时的诊断和治疗,避免其感染他人。

(3)梅毒的治疗需注意防治吉 - 海反应,即患者接受高效抗梅毒药物治疗后梅毒螺旋体被迅速杀死并释放大量异种蛋白,引起机体发生的急性超敏反应,泼尼松可用于预防吉 - 海反应。对心血管梅毒的治疗应从小剂量青霉素开始,逐渐增加剂量,疗程中如出现心动过速、胸痛、寒战发热、头痛、呼吸加快、心衰症状加剧等,应暂停治疗。

(4)患者的伴侣应接受相应的检查和必要的治疗,本例中患者对伴侣的知情存在困惑,应该加以开导。

6. 知识拓展

梅毒是梅毒螺旋体引起,主要以性传播为主的性传播疾病。梅毒的行为学预防指避免危险性行为的发生,包括减少性伴数、不与感染者发生性行为、正确使用安全套等。梅毒的早期发现和规范治疗是有效控制梅毒进一步传播流行,减少并发症和不良结局的重要手段。青霉素仍然是治疗各期梅毒的主要药物。梅毒越早得到治疗,非梅毒螺旋体抗原血清学试验滴度下降得越快,发生阴转的机会越大。血清学治愈通常定义为非特异性抗体转阴,或滴度四倍下降。若治疗后血清学滴度长期保持不变或变化不足4倍,则称为血清学固定。

梅毒各期与相关疾病的鉴别

(1)一期梅毒:梅毒硬下疳常发生于不洁性交后2～4周,好发于龟头、冠状沟和包皮,以及女性的阴唇、阴唇系带、尿道和会阴。硬下疳出现一周内,大部分患者还可有腹股沟或近患处的无痛性淋巴结肿大,相互孤立不粘连,质硬,不化脓破溃,表面皮肤无红肿,称为硬化性淋巴结炎。梅毒硬下疳主要与软下疳、生殖器疱疹、固定性药疹和白塞病等进行鉴别,部分鉴别已在上述导图 2 中阐述。

1)软下疳:也有性接触史,好发部位亦同,但潜伏期短(2 ~ 5 天),发病迅速,一般发现即已形成溃疡,溃疡性质柔软,边缘不整齐,表面覆脓性分泌物,自觉疼痛,脓液中可查见嗜血性 Ducrey 链杆菌。

2)生殖器疱疹:为簇集性小水疱,可破裂,但不易形成溃疡,自觉瘙痒、疼痛,病程短促,附近淋巴结不肿大;

3)固定性药疹:有药物使用史,尤其是磺胺类药物、非甾体类解热镇痛药、安眠镇静药等,每次服同样药物后常在同一部位发生。好发部位除外生殖器,还常见于口唇和手背等处。其特点是先有局部瘙痒,继而出现圆形或椭圆形红斑,颜色为鲜红或紫红色,具水肿性,发作愈频色素愈深,愈后可见遗留色素沉着;

4)白塞病:为全身性免疫系统疾病,表现为反复口腔和会阴部溃疡、皮疹、下肢结节红斑、眼部虹膜炎、食管溃疡、小肠或结肠溃疡及关节肿痛等。在反复发作的口腔溃疡基础之上,加上以下任何两条:反复生殖器溃疡、皮肤损害、眼部受累及针刺反应阳性,即可诊断白塞病,与本病鉴别不难。

(2)二期梅毒:主要表现为皮肤黏膜损害,应与玫瑰糠疹、寻常型银屑病、病毒疹、股癣等鉴别:

1)玫瑰糠疹:皮疹横列椭圆,长轴与肋骨平行,中央多呈橙黄色,边缘则呈玫瑰色,上覆糠状鳞屑,自觉瘙痒,淋巴结不肿大,无性病接触史,梅毒血清反应阴性。

2)寻常型银屑病:皮疹为帽针头大小淡红色扁平丘疹,表面有厚积多层银白色鳞屑,剥除鳞屑后有筛状出血点,散在发生,不呈簇集状。

3)病毒疹:由各种病毒感染引起的病毒性皮肤病,如麻疹、水痘、口手足疹等,有流行病学史,需隔离治疗,梅毒血清反应阴性。

4)股癣:常发生于阴囊对侧的大腿皮肤,一侧或双侧,多呈环状或半环状斑片。初于股上部内侧出现小片红斑,其上有脱屑,并逐渐扩展而向四周蔓延,边界清楚,其上有丘疹、水疱、结痂、瘙痒。中央部位可自愈,有色素沉着或脱屑,历久则于局部皮肤发生浸润增厚呈苔藓化,常伴痒感。

(3)神经梅毒:需鉴别其他中枢神经系统感染,如结核性脑膜炎、细菌性脑膜炎、病毒性脑膜炎等,可根据流行病学史、全身症状、脑脊液细胞学、生化、培养等指标鉴别。

(4)三期梅毒:其标志为梅毒瘤,需鉴别皮肤肿瘤、皮肤结核、麻风等疾病。

1)皮肤肿瘤:皮肤恶性肿瘤的境界不清楚,边缘不整齐,表面可发生溃疡、出血,瘤体不对称,组织学检查瘤细胞核的大小、形态不一致,排列不规则,肿瘤呈浸润性、破坏性的生长,最终将发生转移。

2)皮肤结核:发生于皮下组织,易侵犯淋巴结,以颈部淋巴结多见,也可见于四肢,经过缓慢,不易自愈。破溃后形成的溃疡边缘菲薄不整,如鼠咬状穿凿,常形成窦道,分泌物稀薄,混有颗粒,愈后形成条索状瘢痕,抗结核治疗有效。

3)麻风:有结核样型麻风、瘤型麻风等类型,由麻风杆菌引起,梅毒血清反应阴性。

（戴伊宁　王　静　潘红英）

💡 **思考题**

1. 性传播疾病引起的生殖器皮损常见有哪些疾病?

2. 若此患者治疗结束后半年复查血清梅毒非特异性抗体滴度再次升高,应如何处理?

病例 30 🖎

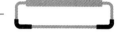

咳嗽伴乏力、盗汗 1 个月

患者男性,42 岁,建筑工人,独自前来就诊。

患者口述:咳嗽 1 月余,伴咳少量痰,痰中带少量血丝,有盗汗、乏力、消瘦。有反复低热。有吸烟史。无既往慢性肺疾患史,无放射线接触史,无传染病、家族性遗传病史。来医院想配止咳药。

> **请思考以下问题 →**
>
> 1. 如何构建整体性临床思维?
> 2. 最可能的诊断是什么? 需要完善哪些辅助检查?
> 3. 诊断和诊断依据是什么?
> 4. 治疗方案和患者管理。
> 5. 病例总结。
> 6. 知识拓展。

1. 如何构建整体性临床思维?

(1)诊断思路:临床上,肺炎、支气管扩张和慢性阻塞性肺疾病均常有咳嗽乏力伴盗汗的症状。全科医生接诊以"咳嗽、咳痰、盗汗"为主诉的患者时,应详细询问病史、诱因、伴随症状、诊疗情况、既往是否有类似情况发生。排除以上这些疾病后,需要进一步与肺癌、肺脓肿进行鉴别;另外,不要遗漏纵隔和肺门疾病及其他发热性疾病的鉴别,如淋巴系统肿瘤、畸胎瘤等纵隔和肺门占位性病变及伤寒、败血症、白血病等。

咳嗽是一种呼吸道常见症状,常由气管、支气管黏膜或胸膜受炎症、异物、物理或化学性刺激引起,表现先是声门关闭、呼吸肌收缩、肺内压升高,然后声门张开,肺内空气喷射而出,通常伴随声音。乏力属于非特异性疲惫感觉,表现为自觉疲劳、肢体软弱无力。生理状态下,乏力在休息或进食后可缓解,而病理性乏力则不能恢复正常。盗汗是中医的一个病证名,是以入睡后汗出异常,醒后汗泄即止为特征的一种病征。临床上导致咳嗽伴乏力、盗汗疾病常见于肺炎、慢阻肺、支气管扩张、肺脓肿、尘肺等。

该中年男性患者,1 个月来,咳嗽,咳得胸口痛,痰不多,有时痰中会带一点血丝,夜里经常出汗,伴乏力。是肺部感染性疾病引起的吗? 现采用整体性临床思维——临床 4 问对该患者进行分析(图 2-30-1)。

(2)鉴别思维:患者咳嗽 1 月余,伴低热、咳痰、盗汗、乏力、消瘦,有吸烟史,无慢性肺疾患史。该患者咳嗽、咳痰、消瘦的原因是什么? 如何帮助患者恢复正常的工作生活?

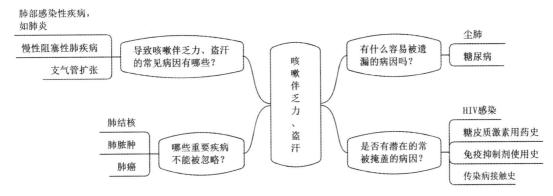

图 2-30-1　咳嗽伴乏力、盗汗临床 4 问

全科医学强调以人为中心,要将全人照顾的核心理念贯彻于疾病的诊疗和健康服务的整个过程。不仅局限于器质性疾病的诊断和治疗,还要关注患者的心理,了解患者对疾病的看法、担忧和期望。在温馨的全科诊室,全科医生采用以患者为中心的问诊(RICE)方法,与患者进行深入交流。

R(reason)——患者就诊的原因

医生:请坐,有什么可以帮您? (开放问诊)

患者:医生,最近一直咳嗽,反反复复好不了,已经咳了 1 个月。

医生:讲讲您咳的情况好吗? 比如咳的程度、痰的颜色、有没有带血等(鉴别咳嗽咳痰的性质)。

患者:痰不多,白色的,有时候咳得厉害会有一点血丝。吃也吃不好,睡也睡不好。

医生:除了咳嗽还有什么问题吗,比如有没有发热、盗汗、变瘦、胸痛等? (了解伴随症状)

患者:人比较累,比较虚,感觉瘦了好多,夜里经常出好多汗,咳的厉害时有胸痛,没有发热。

医生:咳了一个月,您去医院检查过吗? (了解诊治情况)

患者:没有。我自己到药店买的止咳药吃,但好像没有好转。

I(idea)——患者对自己健康问题的看法

医生:您认为自己出了什么问题? (了解患者对自身疾病认知)

患者:我一直抽烟,可能是慢性咽炎吧,以前也时不时咳嗽的。最近干活挺累的,也有点着凉感冒,有时候感觉有点发烧,后来又自己好了,但咳得越来越厉害了。医生,您就给我开点药吧,只要不咳就可以。

医生:您接触过结核病患者吗? 比如肺结核,您知道吧? (了解流行病学史)

患者:听说过这种病。但我没有接触过这种患者。我的工友身体都挺好的,我家人身体也很好。

C(concern)——患者的担心

医生:您现在有发热,反复咳嗽咳痰,甚至痰中带血丝,除慢性咽炎,您考虑过会有其他的问题吗? (了解患者心理状况)

患者:医生,我现在的情况很严重吗?

医生:您很担忧? (了解患者心理状况)

患者:是呀,如果我生病了,不能赚钱养家,3 个小孩怎么办? 现在咳嗽一直好不了,白天咳,晚上咳,有时候咳得无法睡觉,真的担心影响孩子。

医生:不要着急,我先给您查体。

查体:T 37.4℃,精神差,皮肤巩膜无黄染,全身浅表淋巴结无肿大,咽部稍充血,扁桃体无肿大,双上肺可及细湿啰音,心律齐,未闻及杂音,腹软,全腹无压痛及反跳痛,肝脾肋下未及,移动性浊音(-),双下肢无水肿,神经系统病理征(-)。

(3)是不是急危重症疾病?

根据患者的临床表现、查体,初步可以排除肺炎,考虑严重呼吸道疾病,如肺结核、肺癌等。列出以下鉴别诊断(图 2-30-2)。

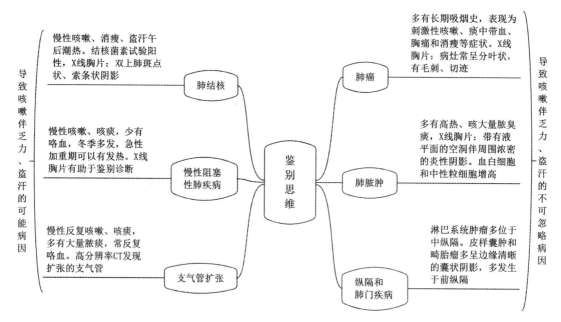

图 2-30-2 咳嗽伴乏力、盗汗鉴别诊断

E(expectation)——**患者的期望**

医生:您是家里的顶梁柱,一定要把身体保护好,才能赚钱养家啊! (同理心)

患者:是呀,医生,那我怎么才能把咳嗽治好呢?

医生:为了搞清楚您咳嗽的原因,需要做一些相关的检查,比如痰液检查、胸部 X 线拍片或 CT 检查,您看可以吗? (沟通下一步诊治方案)

患者:好。

医生:今天我先给您开一些止咳的药,等到检查结果出来后,我们再考虑下一步的治疗方案,好吗? (沟通治疗方案)

患者:好,谢谢医生!

2. 最可能的诊断是什么? 需要完善哪些辅助检查?

(1)最可能的诊断:肺结核?

（2）辅助检查：

1）常规结核筛查：①痰涂片：痰抗酸杆菌涂片镜检；②痰培养：分枝杆菌培养及菌种鉴定；③胸片；必要时肺部 CT。

2）还可进行以下检查以协助诊断及鉴别诊断：① 结核菌素实验（PPD）；②结核抗原、抗体检测；③结核感染 T 细胞斑点试验（T-SPOT）；④支气管镜检查（怀疑存在支气管结核或肿瘤）；⑤感染炎症指标。

该患者痰涂片结核杆菌（+）；胸片提示双上肺斑点状、索条状阴影。

3. 诊断和依据是什么？

（1）诊断：肺结核（Tuberculosis，TB）

（2）诊断依据：该患者痰涂片结核杆菌（+）；胸片提示双上肺斑点状、索条状阴影。

4. 治疗方案和患者管理

一旦确诊或疑似病例不具备诊断条件，应及时转诊至当地肺结核定点医疗机构诊治。

（1）化学治疗原则：早期、规律、全程、适量、联合。整个治疗方案分强化和巩固两个阶段。

1）每日用药方案：①强化期：异烟肼（INH）、利福平（RFP）、吡嗪酰胺（PZA）和乙胺丁醇（EMB），顿服，2 个月；②巩固期：异烟肼、利福平，顿服，4 个月。简写：2HRZE/4HR。

2）间歇用药方案：①强化期：异烟肼、利福平、吡嗪酰胺和乙胺丁醇，隔日一次或每周 3 次，2 个月；②巩固期：异烟肼、利福平，隔日一次或每周 3 次，4 个月。初治方案简写：2H3R3Z3E3/4H3R3。

（2）治疗过程中的监测项目？

1）血常规、肝肾功能（含胆红素）：治疗开始前检查 1 次，治疗开始后第 2 ~ 4 周检查 1 次，以后每 1 ~ 2 个月检查 1 次；结果异常者检查频率可适当增加。

2）尿常规（使用链霉素、卡那霉素、阿米卡星等注射剂者）：治疗开始前检查 1 次，治疗开始后每 1 ~ 2 月检查 1 次；结果异常者检查频率可适当增加。

3）电解质：治疗开始前检查 1 次，以后每 1 个月检查 1 次；结果异常者检查频率可适当增加。

4）痰涂片：治疗开始前检查 1 次，治疗第 2 月，5 月，6 月各检查 1 次；耐多药结核患者注射期每 1 个月检查 1 次，以后每 2 个月检查 1 次。

5）听力（使用注射剂者，如链霉素、卡那霉素、阿米卡星等）、视力、视野（乙胺丁醇）：治疗开始前检查 1 次，治疗开始后第 2 ~ 4 周检查 1 次，以后每 1 ~ 2 个月检查 1 次。

6）胸片：治疗开始前检查 1 次，治疗开始后第 4 周检查 1 次，以后每 3 ~ 6 个月检查 1 次。治疗结束时检查 1 次。

7）心电图（使用喹诺酮类者）：治疗开始前检查 1 次，以后每 1 ~ 2 个月检查 1 次。

（3）健康教育：结核病是社区常见传染病，治疗关键是足量、全程，目前有定点医院负责专门诊治，医务人员需确保完成结核患者的健康教育及随访工作。

1）确保患者准确了解结核病作为传染病，对自身、家庭及周围健康人的危害：结核病是一种主要经呼吸道传播的传染病，传染期应尽量减少外出，与健康人密切接触时应当佩戴口罩。

2）确保患者了解结核病的治疗疗程、治疗方案、可能出现的不良反应以及按医嘱治疗的重要性。按时服药，不中断治疗是治愈的重要保证。出现药物不良反应时，应及时报告医师。结核病经过正确治疗后大部分患者可以治愈,但不规范治疗可演变为耐药结核病,有终身不能治愈的风险。

3)教育患者以健康积极的态度对待疾病,结核病作为慢性传染病,治疗周期长,需要耐心配合治疗,保持心情舒畅,完成规范化疗最终达到治愈。

5. 病例总结

肺结核是指发生在肺组织、气管、支气管和胸膜的结核,包含肺实质的结核、气管支气管结核和结核性胸膜炎,占各器官结核病总数的 80% ~ 90%。根据病变部位及胸部影像学表现的不同,肺结核分为原发性肺结核、血行播散性肺结核、继发性肺结核、气管支气管结核、结核性胸膜炎。

结核病是由结核分枝杆菌引起的乙类慢性传染病,可侵及许多脏器,以肺部结核感染最为常见。肺结核在我国古代被称为"痨病",中医指积劳损削之病为痨,是难治之症。随着医疗水平和治疗药物的进展,目前给予结核患者合理治疗,大多可获临床痊愈。对于肺结核病及时、准确的诊断和彻底治愈,不仅可恢复患者健康,而且是消除传染源、控制结核病流行最重要的措施。

通过以上病例,可以总结肺结核的诊断程序:

(1)可疑症状患者的筛选:咳嗽,咳痰持续 2 周以上和咯血是主要可疑症状,其次是午后低热、乏力、盗汗有肺结核接触史或肺外结核。要进行痰抗酸杆菌和胸部 X 线检查。

(2)是否为肺结核:凡 X 线检查肺部有异常阴影者,须通过系统检查确定病变性质。

(3)有无活动性:活动性病变在胸片上表现为边缘模糊不清的斑片状阴影,可有中心溶解和空洞,或出现播散病灶。活动性病变必须给予治疗。

(4)是否排菌:是确定传染源的唯一方法。

(5)是否耐药:通过药物敏感性试验确定是否耐药。

(6)明确初、复治:病史询问,两者治疗方案完全不同。

治疗上,结核患者的化学治疗原则是早期、规律、全程、适量、联合。多数患者采用不住院治疗,在不住院条件下取得有效治疗,关键在于对肺结核患者实施有效治疗管理,确保患者在全疗程中规律、联合、足量、和不间断地实施规范化疗,减少耐药性的产生,同时注意监测并及时处理药物不良反应,最终获得治愈。

6. 知识拓展

详见 2018 年肺结核基层诊疗指南。

(潘红英 王 静)

💡 思考题

1. 肺结核化学治疗的原则是什么?

2. 诊断肺结核需要鉴别的疾病有哪些?

病例 31 ⊠

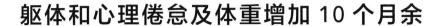

躯体和心理倦怠及体重增加 10 个月余

患者女性,66 岁,女儿陪同就诊。

患者口述:10 个月来有越来越明显的疲劳感和嗜睡,体重增加,便秘,怕冷,不适应冬天的寒冷天气。稍微剧烈的运动即感到胸部发紧、气短和呼吸困难。陪同家属(她的女儿)提醒医生说,母亲在做以往所做的事情时,或在想事情的时候,速度明显减慢,每天也无精打采。女儿担心母亲是否患老年痴呆症。既往病史:身体状况一般,有 2 型糖尿病病史 5 年。用药史:二甲双胍 0.5g 1 片 /d。社会史:与 71 岁的丈夫和女儿住在一起。

请思考以下问题 →

1. 如何构建整体性临床思维?
2. 最可能的诊断是什么? 需要完善哪些辅助检查?
3. 诊断和诊断依据是什么?
4. 治疗方案和患者管理。
5. 病例总结。
6. 知识拓展。

1. 如何构建整体性临床思维?

(1)诊断思路:倦怠可以是单一的主诉,也可能伴随其他症状。当患者诉"倦怠"时,病情可缓可急,可轻可重。除了生理性的倦怠之外,神经系统、内分泌系统及其他各系统疾病、药物或精神心理因素都会引起倦怠。全科医生接诊倦怠患者时,首先要识别并发现潜在的急危重症疾病,再考虑常见病因。

倦怠,即乏力,是指身体疲乏、对事物不感兴趣,整个人散漫懈怠的一种状态。可以是由于疲劳、熬夜、精神压力大等因素引起的亚健康状态,也可以是由于各种疾病引起的临床表现。引起倦怠的相关因素(图 2-31-1)。

该老年女性患者,10 个月来感到越来越明显的疲劳感和嗜睡,体重增加,便秘,怕冷,稍微剧烈的运动即感到胸部发紧、气短和呼吸困难;陪同家属说她母亲在做以往所做的事情时,或在想事情的时候,速度明显减慢,每天无精打采,担心得了老年痴呆;有 2 型糖尿病病史 5 年,用二甲双胍治疗。是阿尔茨海默病出现的倦怠? 还是甲状腺功能减退引起的倦怠? 患者有没有服用镇静催眠类药物、精神类药物? 在考虑以上因素时,不能忽略精神心理疾病(如抑郁症)表现的情绪低落、淡漠、乏力? 现采用整体性临床思维临床 4 问对该患者进行分析(图 2-31-2)。

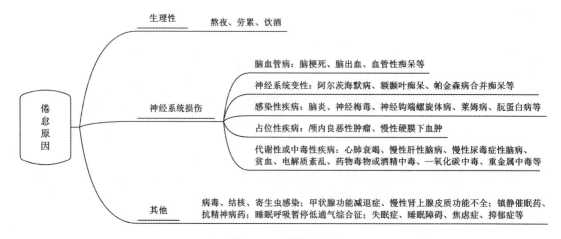

图 2-31-1　倦怠原因

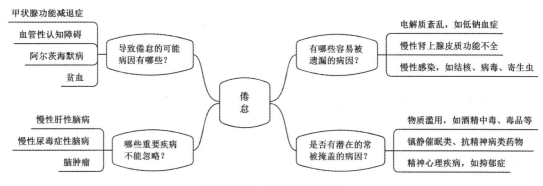

图 2-31-2　倦怠临床4问

　　(2)鉴别思维:在全科医疗实践中,最重要、最基本的理念是,将患者视为完整的人,而不仅仅是病人,我们不仅关注疾病,还要关注患者,结合以患者为中心的整体性临床思维原则,了解患者疾患背后的故事,尤其要了解倦怠症状的发生、演变,全方位探究患者的患病经历和他的想法、担忧和期望。下面采用以患者为中心的问诊——RICE问诊进行深入访谈,寻找病因,达到诊断疾病的目的。

　　R(reason)——患者就诊的原因

　　医生:您好! 有什么可以帮您吗? (开放式提问)

　　患者女儿:医生,我妈妈最近10个月干什么都没有精神,感觉呆呆的,思维和动作都很迟缓,还老爱睡觉。

　　医生:阿姨(称呼患者),能将您的情况跟我讲一讲吗? (打开话题,让患者自己回忆患病经过和体验)

　　患者:我其实没有太大感觉,就是今年觉得自己容易劳累,对好多事情都提不起兴致,不大愿意出门,总爱在家里待着、睡觉。

　　医生:那您之前的精神和体力怎么样呢? 以前是愿意自己待着还是和亲戚朋友一起出去? (了解患者以前的精神、体力情况)

患者:我以前体力还行,平时每天早上都要去公园里跳广场舞,白天给我女儿带孩子,有空时还会和我的好姐妹出去旅游。

医生:哦,您的生活还是挺充实的。您还有其他不舒服吗? (了解伴随症状)

患者:就是最近很长一段时间了,老是便秘,还总觉得冷,比家里人都穿得厚。手脚和脸都有点肿,体重增加了有六七斤。

医生:您有高血压、糖尿病或者肾病吗? 尿里有没有泡沫? (除外肾脏疾病)

患者:我有糖尿病,一直吃二甲双胍,每天一片,血糖控制得很好,尿里没有泡沫。

医生:还有别的症状吗?

患者:还有稍微剧烈的运动就会感到胸部发紧、气短,休息一下就没事儿了。

医生:有胸痛吗? 或者是发作时有左胳膊、左肩背部的发闷或感觉疼痛?

患者:没有。

医生:之前有没有老慢支? 因为胸闷、气短看过医生吗? (除外呼吸系统疾病,了解既往就医情况)

患者:没有,去年体检拍的肺 CT 没有问题。没有看过大夫。

医生:您平时睡觉打呼噜严重吗,睡觉中会憋醒吗? (除外 OSAHS)

患者:我以前从来不打呼噜,但是现在家人说我有点打呼噜了,但是不重,也没有憋醒。

医生:您还有其他疾病吗,比如说脑血管病、肝病? (了解其他病史)

患者:没有。

医生:您平时除了服用二甲双胍,还有在吃什么药物吗? (了解患者服药史,排除药物使用引起的倦怠)

患者:没有。

I(idea)——患者对自己健康问题的想法

医生:我对您的情况有了大致的了解。您认为自己身体是出了什么问题呢? (了解患者的想法)

患者:我觉得应该没有什么问题,去年我的母亲去世了,我很伤心,我一直以为自己是心情不好,没精神,愿意自己待着。但我女儿认为我思维和行动都变慢了,担心我得了老年痴呆,大夫,我是老年痴呆吗?

医生:您的表现不排除这种情况,我们需要做一个量表来评价一下。您刚才说心情不好,有没有喜欢胡思乱想? 或者有爱出汗、心慌、头晕等症状? (回应患者的疑问,并与抑郁症鉴别)

患者:没有这些情况。

医生:您原来什么文化程度啊? (涉及简易精神量表评估的正常范围判断)

患者:我只有小学文化。

医生:现在我怀疑您患有甲减,就是自身分泌的甲状腺素不够用了,就会出现没有力气、没有精神,对人和事比较淡漠,还会便秘、怕冷、水肿、体重增加,甚至引起一些其他的疾病,比如痴呆。(解释病情)

患者:哦,原来是这样啊。

医生:我先给您查体,再做一些检查。

体格检查:T 36.3℃,P 56 次 /min,R 12 次 /min,BP 130/70mmHg,BMI 30kg/m²;患者表情淡漠,思维过程和躯体运动缓慢。颜面水肿,皮肤干燥,头发无光泽、干燥。颈部未触及浅表淋巴结,未闻及颈部血管杂音,甲状腺未触及肿大,心肺听诊心率偏慢,52 ～ 56 次 /min;余未见异常。腹软,全腹无压痛,肝脾未触及,肠鸣音减弱,1 ～ 3 次 /min。双下肢轻度非指凹性水肿,四肢皮温减低,踝反射迟钝。简易心理状态测验(MMSE)得分 22 分(满分 30)。

(3)是不是急危重症疾病?

结合患者的病史和体征,我们会得出许多可能的诊断,那我们如何根据患者提供的基本信息快速得出尽可能准确的判断,以最少的检查、最低的花费来保证正确的诊断呢? 根据患者的临床表现、查体,初步考虑甲状腺疾病。列出以下鉴别诊断(图 2-31-3)。

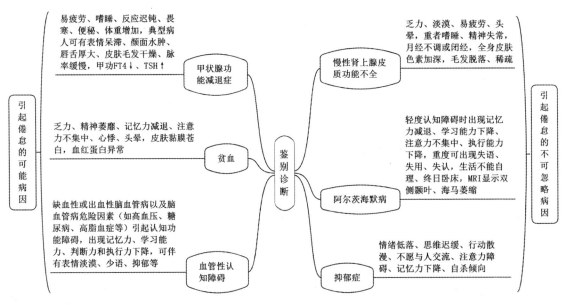

图 2-31-3　倦怠鉴别诊断

2. 最可能的诊断是什么? 需要完善哪些辅助检查?

(1)最可能的诊断:甲状腺功能减退症?

(2)辅助检查:血常规、尿常规、肝肾功能、甲状腺功能、血糖、血脂、心电图、甲状腺超声。

检查回报:血常规:WBC 6.8×10⁹/L,HB 102g/L。甲状腺功能:FT4 8.5pmol/L(参考值 10 ～ 19pmol/L),TSH 32mIU/L(参考值 0.4 ～ 5.9mIU/L),TPOAb、TGAb 均未见异常。空腹血糖:7mmol/L(参考值 3.5 ～ 6.0mmol/L)。空腹胆固醇:8.0mmol/L(参考值 < 5.5mmol/L)。eGFR:65ml/min/1.73m²,尿 ACR < 30mg/g。心电图:窦性心动过缓,低电压,T 波低平。肝功能正常。甲状腺彩超:甲状腺体积偏小,实质回声不均。

C(concern)——患者的担心

患者:医生,我特别担心真的老年痴呆了,听说这个病严重后,连吃喝拉撒都不知道,外出散步找不到回家的路,而且还没有治疗的好办法。我千万不要得这个病呀! 我女儿很不容易,她离婚了,一个人既要工作又要带孩子,本来就不容易,如果我痴呆了,真不知道我女儿该怎么

办!（患者低声哭泣,拍拍患者的手背或肩膀,递上纸巾）

医生:您女儿正处于上有老、下有小,还得忙工作的阶段,一个人承担确实是挺不容易的!（与患者共情,拉近医患关系）不过您不用担心,从检查结果来看,虽然您有轻度的认知障碍,但是症状很轻,而且这是因为您得了甲状腺功能减退引起的,只要我们控制甲减,平时注意多用脑、多活动、多社交,您的认知功能会得到很好改善的,一般不会发展到您担心的那一步。"（解释病情,解除患者顾虑,同时留有余地）

患者:那我应该怎么治呢?

医生:甲减的治疗主要是口服甲状腺素治疗,需要持续一段时间的治疗和门诊复查。

患者女儿:吃这个药有副作用吗?

医生:这正是我要跟您说的,您妈妈说活动的时候会有胸闷,我担心她是心绞痛发作,这个也需要用药控制。服用甲状腺激素过量过快有可能诱发心绞痛甚至急性心肌梗死,所以我们要从比较小的剂量开始吃,一点一点加量,并且您要注意观察胸闷、胸痛的症状变化。（解释病情）

患者:好的。

医生:我们从小剂量开始,一般不会有什么问题,您切记一天只能吃一次,不能吃多;需要清晨空腹,早饭前1～2小时单独服药,这样可以保证最好疗效。然后按照预约定期回来门诊复查,好吗?（解释病情,解除患者顾虑）

患者:好。

E(expectation)——患者的期望

医生:现在我们对您的病情都基本了解了,您还有什么其他需要解决的问题吗?（引出患者的期望）

患者:医生,我的甲减能治好吗?

医生:甲减有可能伴随您终身,一般需要长期维持药物治疗。但是不用担心,只要好好吃药,病情就会控制得很好,自己的感觉也会恢复正常的。（进一步充分告知）

患者:我能不能尽量少来医院啊? 我女儿工作很忙,我不想耽误她的时间。（患者进一步提出需求）

医生:开始时,您的复查差不多一两个月来一次,后期稳定了,半年到一年来复查一次就可以了。到时候您直接来找我,很方便的,不会耽误太多时间。您还是要先顾好自己的身体,身体好了才不会给孩子添麻烦!（宽慰患者,后续提供持续性照顾）

患者:好的,谢谢医生!

3. 诊断和诊断依据是什么?

(1)诊断:

1)甲状腺功能减退症(Hypothyroidism)

2)2 型糖尿病(Type 2 Diabetes Mellitus,T2DM)

3)冠心病 稳定型心绞痛(Coronary Heart Disease Stable Angina Pectoris,CHD SAP)?

4)慢性肾脏病 G2A1 期(Chronic Kidney Disease,CKD)

5)血脂异常(Dyslipidemia)

6)轻度贫血(Mild Anemia)

(2) 诊断依据：

1) 患者女性，66 岁，慢性病程，临床表现为躯体及心理倦怠、体重增加、便秘、畏寒；查体表情淡漠，颜面水肿，皮肤干燥，头发无光泽、干燥，双下肢轻度非指凹性水肿，四肢皮温减低，踝反射迟钝；甲状腺功能：FT4 减低，TSH 明显升高，TPOAb、TGAb 均未见异常。简易心理状态测验（MMSE）得分 22 分。诊断为甲状腺功能减退症。

2) 既往病史诊断为 2 型糖尿病。

3) 发作性活动后胸闷、气短，疑诊为冠心病　稳定型心绞痛。

4) eGFR：65ml/min/1.73m², 尿 ACR ＜ 30mg/g，诊断为慢性肾脏病 G2A1 期。

5) 空腹胆固醇：8.0mmol/L，诊断为血脂异常，高胆固醇血症。

6) 血常规：HB 102g/L，诊断为轻度贫血。

4. 治疗方案和患者管理

(1) 向患者解释病情，宽慰患者同时引起患者重视、配合治疗。

(2) 健康指导：鼓励患者进食粗纤维食物，多食蔬菜；指导患者每日进行适度的运动，如散步、慢跑等；鼓励患者多参与社交，参与益智活动；适当注意保暖；监测体重；解释终身服药、按时服药、遵医嘱调药并定时复查的重要性；指导患者自我监测甲状腺素服用过量的症状；指导患者监测心绞痛、心肌梗死发作时的症状及自救方法、就医时机。

(3) 药物治疗：①甲状腺功能减退症治疗：左甲状腺素 25μg/d 起始服用，服用 1 ～ 2 周监测无明显加重的心脏症状，可加量至 50μg/d，4 ～ 8 周复查甲状腺功能，治疗目标是将血清 TSH 和甲状腺激素水平恢复到正常范围内，治疗达标后，至少需要每 6 ～ 12 月复查 1 次；②糖尿病治疗，因患者已出现慢性肾功能不全，为安全起见，建议患者更换为利格列汀 5mg 1/ 日，监测血糖；③心绞痛治疗：建议患者进一步完善运动平板试验，可予以阿司匹林、他汀、硝酸酯类药物治疗，根据患者症状调整药物；④慢性肾衰竭治疗：定期复查评估尿常规、肾功能、糖尿病眼底检查，目前重点是治疗原发疾病及严格血糖治疗达标；⑤血脂异常治疗：治疗心绞痛已加用他汀类药物，可治疗后复查血脂，控制不佳加用其他降脂药物。

(4) 转诊指征：

1) 紧急转诊：甲减患者有嗜睡、木僵、精神异常、体温低下等情况，考虑黏液性水肿昏迷时，应立刻转诊。转诊前紧急处置：保温；补充糖皮质激素，静脉滴注氢化可的松 200 ～ 400mg/d；对症治疗，伴发呼吸衰竭、低血压和贫血采取相应的抢救治疗措施；其他支持疗法。

2) 普通转诊：

①疑似继发性甲减患者。

②甲减患者合并心血管疾病、其他内分泌疾病、甲状腺明显肿大或结节性质不明等情况，基层医疗机构处理困难者。

③经 3 ～ 6 个月规范治疗后血清 TSH 和甲状腺激素水平不达标者。

④呆小症、幼年甲减者，年龄 ＜ 18 岁发现甲状腺功能异常者。

⑤甲减患者计划妊娠及妊娠期，或妊娠期间初次诊断甲减者。

5. 病例总结

甲状腺功能减退症是由于甲状腺激素合成和分泌减少或组织作用减弱导致的全身代谢减

低综合征。成年人甲减常隐匿发病,进展缓慢,早期症状缺乏特异性。典型症状经常在几个月甚至几年后才显现出来,主要为代谢率减低和交感神经兴奋性下降的表现。可累及神经精神、心血管、呼吸、消化、内分泌、血液、生殖、肌肉和骨关节等多个系统。

甲状腺激素是中枢神经系统功能发育和成熟的关键神经调节因子,对成年后正常的神经认知功能起着重要作用。目前已知明显的甲状腺功能亢进和甲状腺功能减退都会导致认知功能损害,临床指南也建议在认知功能障碍患者中筛查甲状腺功能。有研究表明,在显性甲减(FT4降低、TSH升高)中,认知功能障碍发生率为66% ~ 99%。甲减患者最常见的认知损害表现为精神状态迟钝、注意力不集中和短期记忆力下降,社交退缩、精神运动迟滞、抑郁和情感淡漠也很常见。

6. 知识拓展

治疗甲减的药物主要是甲状腺激素类,首选左甲状腺素(L-T4)单药替代治疗,多需终生服药。L-T4治疗剂量取决于甲减的程度、病因、年龄、特殊情况、体重和个体差异。成人L-T4替代剂量按照标准体重计算为1.6 ~ 1.8μg/kg/d;儿童约2.0μg/kg/d;老年人约1.0μg/kg/d;甲状腺癌术后约为2.2μg/kg/d;妊娠时替代剂量需要增加20% ~ 30%。L-T4替代治疗后4 ~ 8周需监测血清促甲状腺激素,治疗达标后,每6 ~ 12个月复查1次,或根据临床需要决定监测频率。原发性甲减根据TSH水平调整L-T4剂量,治疗目标个体化。中枢性甲减依据TT4、FT4水平,而非TSH水平调整治疗剂量。替代治疗过程中要注意避免用药过量导致临床或亚临床甲状腺功能亢进症。

(张　敏　张雅丽　王荣英)

 思考题

1. 甲状腺功能减退症的临床表现有哪些?
2. 如何对躯体和心理倦怠进行鉴别诊断?

病例 32 ⊠

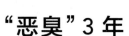

"恶臭" 3 年

视频 2-32

患者,男,22 岁,父亲陪同就诊。

患者口述:3 年前发现自己浑身散发恶臭味,这种臭味只有患者本人才能闻到,其他人闻不到,父母和朋友们都不相信,患者为此感到很苦恼、焦虑、烦躁不安。曾到当地医院的耳鼻喉科、神经内科、皮肤科和内分泌科就诊,检查了头颅 CT、核磁共振(MRI)、甲状腺功能、肝肾功能、电解质、肝胆胰脾 B 超、心电图和胸片等均未见明显异常。睡眠和食欲较差,大小便正常。曾看过中医,服中药调理也未有明显的改善。否认"高血压、糖尿病"病史,否认"癫痫"发作病史,否认"脑膜炎"病史、否认"结核、艾滋病、梅毒"感染史。无手术史,否认头颅外伤史。否认药物过敏史。否认"肿瘤"、"癫痫"等家族病史,否认精神病家族史。否认吸烟、酗酒史,无使用精神活性物质(如毒品 / 止咳水等)。未婚未育。家中独子,与家人关系可,否认不洁性生活史。

请思考以下问题 →

1. 如何构建整体性临床思维?
2. 最可能的诊断是什么? 需要完善哪些辅助检查?
3. 诊断和诊断依据是什么?
4. 治疗方案和患者管理。
5. 病案总结。
6. 知识拓展。

1. 如何构建整体性临床思维?

(1)诊断思路:嗅觉是人类最基本的感觉之一。引起嗅觉异常的原因颇多,目前发现大约有 200 多种疾病和 40 多种药物可引起嗅觉障碍。可由局部五官疾病引起,也可来源于神经系统病变、全身性的疾病、外伤、药物滥用、医源性损害等因素;甚至精神心理性疾病如焦虑症等情绪因素也跟嗅觉有着密切的关系;而最主要的病因是鼻—鼻窦炎性疾病与头面部外伤。全科医生接诊嗅觉异常的患者时,首先要识别急危重疾病,寻找红旗症状,若存在高风险应及时转专科就诊。

嗅觉的形成过程复杂,有多组神经参与,受多种因素的影响。嗅觉神经元上的嗅觉受体与相应气味分子接触,将化学信号转化为电信号,通过嗅神经汇聚至嗅小体内,也称为嗅觉的外周水平。嗅觉信号通过投射神经元直接投射至大脑皮质或皮质下结构;再由上述脑区发出次级投射,该过程为嗅觉功能的中枢水平。中枢嗅觉处理过程所涉及的脑区也叫中央嗅觉结构,它们在解剖学上与大脑边缘系统重叠,是情绪处理和记忆加工过程的重要参与部分。故嗅觉异常的症状受到了外周病变、中枢系统以及情绪因素等方面的影响。

该年青男性患者,3 年前发现自己浑身散发恶臭味,这种臭味只有患者本人才能闻到,其他人闻不到,患者为此感到很苦恼、焦虑、烦躁不安。曾在当地医院的耳鼻喉科、神经内科、皮肤科和内分泌科就诊,检查了颅脑 CT、核磁共振(MRI)、甲状腺功能、肝肾功能、电解质、肝胆胰脾 B 超、心电图和胸片等均未见明显异常。睡眠和食欲较差,大小便正常。现采用整体性临床思维——临床 4 问对该患者进行分析(图 2-32-1)。

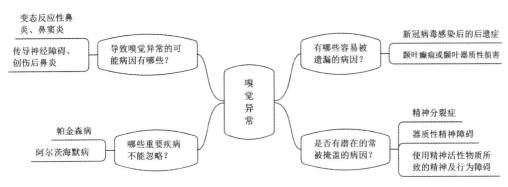

图 2-32-1 嗅觉异常临床 4 问

(2)鉴别思维:嗅觉异常作为首发症状,在排除急危重性疾病的情况下,再进一步寻找病因线索,而病史可以为找出病因提供最好的线索。问诊时,要了解嗅觉异常发作的起因、特点、持续性、间歇性、加重和缓解因素,是否伴随鼻塞、流涕、鼻出血和面部疼痛等局部症状? 是否伴随头痛、瘫痪、麻木和癫痫等神经系统相关症状? 是否伴随记忆力减退等退化性症状? 是否伴随妄想、幻觉和言语行为错乱等精神疾病相关症状? 是否存在职业暴露(化学品、有毒烟雾)? 还需要询问头部和鼻部的外伤或手术史,过敏史、药物服用史、吸烟和饮酒等。

该患者 3 年前发现自己浑身散发恶臭味,曾到当地医院的做了相关检查,都没有找到病因。那嗅觉异常的原因是什么? 什么疾病导致患者如此纠结于这个症状? 患者的发病经历是不是还隐藏着什么?

全科医学的核心理念是全人照顾,不能仅局限于症状,还要关注病人,了解病人疾患背后的故事。为了找到答案,让我们以病人为中心,了解嗅觉异常的发生、发展,尤其了解患者内心的看法、顾虑和期望。为了得到更多患者的信息,首先要减轻病人的心理压力,身心轻松,然后开始采用 RICE 问诊模式,对患者进行深入的访谈。

R(reason)——患者就诊的原因

医生:你好! 有什么可以帮你? (开放式提问)

患者沉默。

医生:你好,你有哪里不舒服吗?

患者皱眉,不自在。

患者:医生,我很难受……(1 分钟后患者才回答)

医生:请你将生病的过程详细地告诉我吧。

患者:我身上有种很臭的味道。

医生:什么时候发生的? (寻找诱因线索)

患者:大约 3 年前,第一次发现是我读高中的时候,班上一个女同学闻到的。

医生:请详细地说一说,好吗? (开放式提问)

患者:3 年前的一个下午,我刚打完篮球回到教室,班上有个女同学走过来向我请教数学作业。她一边听我说话,一般用手捂着鼻子,我想她闻到了我身上的臭味。

医生注视着患者,同时点头,不说话。(肢体语言适当反馈表示倾听,适当的沉默)

患者:我回去后真的闻到身上有一股臭味,洗澡后仍有臭味,反复洗都洗不掉。(很沮丧地说)

医生:你说你闻到臭味,是什么样的味道? 在什么情况下特别明显? (了解症状的性质、加重和缓解影响因素)

患者:是一股很冲鼻子的酸臭味。在安静、空气流通不畅的房屋中(如教室、多人的宿舍等),臭味症状就会出现,但在运动和逛街的时候反而没有。

医生:臭味一般会持续多长时间? (了解症状时间的长短)

患者:说不定的,有时候时间长达 3 ~ 5 天,有时候只持续 1 ~ 2 个小时。厉害的时候会熏得我恶心、头晕。

医生:还有别的不舒服吗? (了解伴随症状)

患者:有人想杀我。(迫害妄想)

医生:你是怎么知道有人想杀你的?

患者:我看到有人在背后对我指指点点,有时会听到一些人骂我。可能是闻到我身上的臭味,想谋害我。(幻觉)

医生:还有什么想告诉我吗?

患者:我能看到一些骷髅在空气中飞。三太子说有妖魔躲在镜子后面监视我,我就把家里所有的镜子都打烂了。

医生:三太子是谁?

患者:哪吒三太子。

医生:你这段时间有没有在服用什么药物或者保健品? (了解服药史,排除药物影响的情况)

患者:我都很久没吃过什么药了,之前去看医生检查,说没什么问题,所以就不吃药。

I(idea)——患者对自己健康问题的看法

医生:你认为是什么原因导致这样的呢? (了解患者对自身问题的看法)

患者:我不知道什么原因,但我知道我肯定生病了。应该是一种皮肤病,身上寄生臭虫了。

医生:你认为身上有臭虫的依据是什么?

患者:我上网查到的,症状跟我现在的很相似。

医生:凭空听到声音和看到奇怪的东西,你认为是什么原因呢?

患者:我也上网查了,像是神经衰弱和焦虑症。都是受到这臭味影响的。我知道这不正常,所以需要看医生治疗。

医生:还有什么要告诉我的吗?

患者:没有了。

C(concern)——**患者的担心**

医生：这种情况对你的学习和生活造成哪些影响？（了解患者的日常生活情况）

患者：影响很大，我平时无法集中精力学习，晚上也睡不着觉，在大学已经有几门课挂科了。再不治好这个病，我就无法完成学业了。（叹气地说道）

医生：看得出，你对学业很重视呀！（同理心）

患者：是呀，我考上大学，本来有很好的前途。但现在受这个疾病的困扰，无法再专心读书学习了……

医生：你跟家人的关系如何？（了解家庭生活背景）

患者：爸妈只有我一个儿子，对我很好，相处很和谐。他们把希望都寄托在我身上，但现在读书不成，他们挺失望的……（沮丧、叹气地说）

医生：你对目前情况，最担心的是什么？（了解患者对病情的担心）

患者：我担心身体里隐藏有你们医生发现不了的严重疾病。

医生：不要担心，我先给你查体。

查体：神志清晰，言语顺畅，查体合作。定向准、仪表整齐、年貌相符，交谈接触可，可引出幻觉妄想体验。注意力集中，主动诉说病情。思维联想基本正常。智力正常。承认既往有情感低落体验，曾有冲动行为。目前暂无自伤自杀计划，自知力存在。生命体征平稳，心肺腹查体未见明显异常。双手平举时无明显颤动，双下肢无水肿。

(3)是不是急危重症疾病？

综合患者的临床表现（妄想、幻觉，言语或行为错乱）和既往就诊病史及辅助检查等资料，初步考虑精神障碍。列出以下鉴别诊断（图2-32-2）。

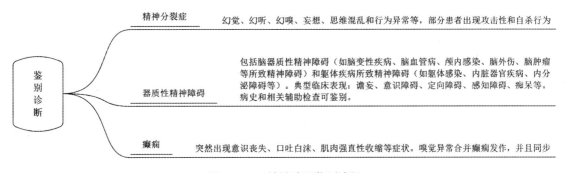

图2-32-2　精神障碍鉴别诊断

E(expectation)——**患者的期望**

医生：你希望我能帮你什么？

患者：帮我祛除我身上的恶臭味，它快把我逼疯了。（患者的期望）

医生：我们都没有闻到你身上有臭味，根据目前的病情来看，臭味是你的幻觉，你可能有精神方面的疾病。

患者：精神病？我怎么会是精神病？

医生：精神疾病是通俗地说就是精神异常、行为错乱。

患者:那我的情况能治好吗?

医生:为了明确诊断,我要将你转诊到精神病专科医院,由专科医生诊断和决定治疗方案。(疑似精神疾病需要及时转诊)

患者:我看到电视里面精神病人都被关在一个狗笼子里,我不想去精神病院。

医生:现代化的医院病房很舒适的。你先在医院治疗,病情稳定后再回来。你还有什么担心的吗?

患者:我是不是一辈子都要吃药?

医生:你先别着急,我慢慢跟你们讲。(适当的安慰,平稳情绪)精神疾病的治疗周期比较长,但并不等于终身服药,只要规律服药,病情好转后可以慢慢减药,甚至停药的。

2. 最可能的诊断是什么? 需要完善哪些辅助检查?

(1)最可能的诊断:精神分裂症?

(2)辅助检查:患者之前的相关检查比较全面,暂时不需要补充检查。由于全科医生没有诊断精神疾病的权限,需要及时转诊精神卫生科进一步诊治。

3. 诊断和诊断依据是什么?

(1)诊断:精神分裂症(schizophrenia)?

(2)诊断依据:① 22 岁男性;主诉"全身恶臭"3 年;既往无特殊慢性疾病,无明确外伤史,无毒性物质暴露史;②体格检查心肺无异常体征;③头颅 CT、核磁共振(MRI)、甲状腺功能、肝肾功能、电解质、肝胆胰脾 B 超、心电图和胸片等均未见明显异常,排除五官疾病和中枢系统疾病引起的嗅觉异常;④患者伴随幻嗅 3 年,幻听、幻视和妄想 1 年,且没有其他诊断能更好地解释这些表现,基本符合 DSM-5 中对精神分裂症的诊断标准。

4. 治疗方案和患者管理

(1)治疗方案

1)向病人解释症状的原因,解除患者和家属对疾病的顾虑。

2)记录病程发展和治疗的经过,完善病程记录。评估患者的自知力、危险性和社会功能状况。该患者认识到自己有病,能理解哪些是病态的表现,认为需要治疗,故自知力良好。患者无对自身和他人做出暴力伤害行为,有打砸财物(镜子)行为,但能被劝说制止,危险性为 2 级。患者注意力难以集中,无法正常进行读书学习,社会功能较差。病情属于基本稳定,无需强制应急转诊。

3)初步诊断为精神病疑似病例,为患者开具精神科专科转诊单,联系精神专科医生,简单汇报病情。

4)保护患者的隐私,留下联系方式和地址,5 天内跟踪随访,直到患者到达专科医生处就诊后确诊。

5)等待精神科专科确定治疗方案且病情稳定后下转社区,再进一步管理。

(2)转诊指征:

1)首次接诊,疑似"精神分裂症"诊断的患者。精神类疾病专科性强,需精神科专科医生做出明确诊断。

2)病情状态不稳定,危险性评估 1 级或者以上的患者。

3）长期服药有明显副作用，擅自停药或者服药依从性差的患者。

4）伴有严重并发症的患者。

5）超出全科医生诊疗能力者。

（3）患者管理

精神分裂症是精神类疾病中最常见的一组精神病，病情容易反复发作，需要长期治疗和管理。抗精神病药物起着重要作用，同时也需要支持性心理治疗。患者诊断明确，病情控制平稳后，可重返社区，回归正常生活。全科医生针对患者的管理，有利于改善患者的社会生活环境以及提高患者的社会适应能力。

患者管理，也需要全科医生了解到患者的健康状态，提高其服药依从性，预防疾病复发，且在病情变化时能及时转诊，避免不良事件发生。全科医生要定期与专科医生联系，做好病情记录和沟通，对患者做到有效的分级管理。

第 1 次上门访视：

患者被转诊到精神科专科就诊，确诊为精神分裂症，住院治疗 8 个月，病情稳定后由专科通过重性精神病信息管理系统下转到社区，交由社区的全科医生团队进行管理。患者出院后第 2 天，全科医生、社工和民警到患者家里进行上门访视。患者和父母一起同住在出租屋，生活环境一般。父亲在工厂打工，母亲辞职在家照顾他。专科医生给予奥氮平片和帕罗西汀片口服。患者精神状态较前明显好转，幻嗅、幻听、幻视和妄想等症状消失，无残留症状。患者的自知力和社会功能状态良好，危险性 0 级，服药的依从性好，病情属于稳定状态。

在重性精神病信息管理系统上记录患者随访后的评估结果。全科医生为患者和家属介绍精神分裂症患者管理注意事项，叮嘱依时服药。家属要支持和关心照顾患者，避免言语刺激，尽量减少冲突，留意是否存在药物副作用，观察并记录患者的情绪变化和睡眠情况。如果遇到危机情况，例如患者伤害他人或者自杀行为，要及时联系社工和派出所民警。社工为精神病患者安排相应的康复项目，鼓励患者参与社会活动、积极社交，增强自信心和自我认同感。

第 2 次上门访视：

接到患者家属电话，反映患者有明显的情绪波动，伴冲动行为，请全科医生上门访视。与上一次访视的时间相差 2 个多月。全科医生联同社工和民警一起上门。患者当前有轻度躁狂和焦虑，伴随头痛等躯体化症状。1 周前在母亲的面前大发雷霆，把手机摔坏。患者父亲代诉，患者长期服药后出现憋气、瞌睡、反应变慢等，便擅自停服药物，导致病情恶化。对患者进行现场评估，危险性为 2 级，社会功能较差，服药依从性差，同时伴有和家人感情疏远、生活懒散、不外出等阴性症状。病情出现变化，需转诊专科治疗。

全科医生在重性精神病信息管理系统上写好反馈内容和评估结果，转发给精神科医生，并且把患者再次转诊到精神科专科，重新调整治疗方案。

5. 病例总结

全科医生在基层接诊病人，可能会遇到各种首发症状的主诉，所以临床思维一定要广泛，考虑到各个系统可能存在关联的疾病。本病例中的幻嗅，首先考虑感官器官疾病和中枢神经系统病变，应详细询问病史并及时进行相应实验室检查和功能评估，进行排除；要了解外伤史和手术史的影响；留意某些药物如金刚胺、苯二氮草类抗焦虑药、青霉素类和氟喹诺酮类抗生素等药物,以及精神活性物质如酒精、可卡因等滥用和戒断都会导致的幻觉产生。全科医生在排除危急性疾病后,通过 RICE 问诊,找到疾病的诊断线索,考虑精神心理障碍疾病。

精神疾病的诊断复杂、不确定,对全科医生来说是一种挑战。由于具有其固有的特点与困难,例如诊断主要基于患者自我报告以及精神科医师在晤谈时发现的精神病症状、综合征等,缺乏客观的生物学指标;又由于精神障碍患者及家属的不合作,或者家属表达得不清楚,不能获得准确的病史,都给诊断带来困难。

尽管全科医生没有诊断精神疾病的权限,但要具备鉴别精神疾病的能力,尤其是要熟练掌握精神疾病的诊疗思维。首先,全科医生要识别精神症状,掌握正常精神表现与异常精神表现的特点,例如抑郁、焦虑、烦躁等本身是人体的一种情绪,并不一定是疾病,只有达到一定的标准,才能列入疾病,这些标准全科医生应该熟练掌握。其次,需要排除器质性疾病导致的精神障碍。例如,脑组织损伤后出现精神异常,脑出血、脑梗死等疾病后遗症出现的焦虑、抑郁等精神症状。全科医生不能只停留在精神异常层面,务必深挖,寻找更深层的病因。再次,简单评估精神疾病的严重程度。在精神疾病管理中,常见的 6 种严重疾病(精神分裂症、双相障碍等)一定要熟悉,接诊到严重疾病时要遵循社区精神疾病管理要求,及时转诊专科,而且要跟进随访。

6. 知识拓展

精神分裂症是一种病因复杂、往往累及终生的常见重性精神疾病,具有感知、思维、情感、意志和行动等多方面的障碍,以精神活动的不协调或脱离现实为特征,主要临床表现有幻觉、妄想、意志减退、快感缺乏、怪异行为、情感迟钝、言语贫乏以及社交退缩等。在明显的精神症状出现之前,患者常有非特异性的前驱症状,如焦虑、抑郁、情绪波动、易激惹、丧失兴趣、怪异想法等。全科医生要熟悉精神分裂症的临床表现、诊断要点和鉴别诊断,早期识别疑似精神分裂症患者,及时转诊到精神病专科,对于精神分裂症患者的治疗和康复有重要的作用。

精神分裂症患者常出现严重的多方面社会功能损害,难以进行正常的工作、学习、自我生活料理与人际交往。治疗手段主要是使用抗精神病药物与心理治疗相结合,强调全程治疗,提高治疗依从性,维持治疗预防疾病复发,减少社会功能损害,帮助患者尽早康复,重新回归社会,建立正常的生活。为使患者得到恰当的治疗和支持,要开展以患者为中心的协调服务(个案管理),组建包括精神学家、心理学家、全科医生、社会工作者、护士等多学科精神卫生服务团队,对精神病患者提供以医疗保健为主的综合、持续、协调的服务。

个案管理是针对精神疾病患者尤其是精神分裂症患者发展起来的一种新型的社区服务模式。每一个患者都有专门的个案管理者,由个案管理者负责督促和协调治疗小组对患者执行个体化的治疗方案。全科医生在社区精神病个案管理中处于核心地位,定期上门随访工作,评估患者的精神症状、自制力、危险性和社会功能等,发现病情不稳定者立即转诊到上级专科医院。

(何国枢　蔡飞跃　王　静)

💡 **思考题**

1. 常见导致嗅觉异常的严重性疾病有哪些?

2. 精神分裂症的临床表现主要有哪些?

病例 33 ⊠

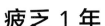

疲乏 1 年

患者,男,26 岁,独自一人前来就诊。

患者口述:1 年前无明显诱因出现疲乏,大多数时候都觉得自己很累,没有精力,打不起精神来,伴有早醒、胃口欠佳及体重下降。1 年来体重下降约 4kg,之前 60kg 左右,现在只有 56kg。1 月前单位组织了体检,结果无异常。遂到某市人民医院中医科就诊,予以服用"中药及胃苏颗粒"调理后胃口稍有好转,但改善不明显。

患者携带的体检报告显示:血常规、尿常规、粪便常规、肝肾功能、电解质、血糖等检验未见异常,胸部 X 线检查、肝胆胰脾及双肾输尿管膀胱彩超、心电图等多项检查都未见异常。

无特殊既往史及家族史,否认吸烟饮酒,无使用精神活性物质(如毒品、止咳水等),否认不洁性生活史。

请思考以下问题 →

1. 如何构建整体性临床思维?
2. 最可能的诊断是什么? 需要完善哪些辅助检查?
3. 诊断和诊断依据是什么?
4. 治疗方案和患者管理。
5. 病例总结。
6. 知识拓展。

1. 如何构建整体性临床思维?

(1)诊断思路:疲乏是全科诊疗中时经常遇到的主诉,因为涉及的系统太广,对于辅助检查设备相对缺乏的全科医生来说,要快速根据症状做出诊断是一个很大的挑战。全科医生在接诊主诉疲乏的患者时,首要任务是识别急危重症疾病,发现有红旗症状或潜在高风险的疲乏患者,应转专科处理。排除急危重症后,在安全的前提下,全科医生要积极、主动帮助患者寻找病因,找到导致疲乏最可能的疾病。

疲乏是一种主观上的不适感,主要是指自觉精神疲倦、困乏无力的症状。它可以是一种临床表现或伴随症状,严重时可导致患者无法应付日常生活。疲乏十分常见,几乎每个人一生中都经历过疲乏,却难以描述和被诊断。引起疲乏的原因很多,主要分为四类:生理性、心因性、药物或中毒和躯体性疾病。疲乏可以出现于很多疾病过程中,如肿瘤、内分泌疾病、呼吸系统疾病、感染性疾病等。

该年青男性患者近 1 年来出现疲乏,大多数时候都觉得自己很累,没有精力,伴有早醒、食欲欠佳及体重下降。1 个月前公司体检,血常规、尿常规、粪便常规、肝肾功能、电解质、血糖等检验未见异常,胸部 X 线检查、肝胆胰脾及双肾输尿管膀胱彩超、心电图等多项检查都未见异常。曾服用中药进行调理,但效果欠佳。现采用整体性临床思维—临床4问对患者进行分析(图2-33-1)。

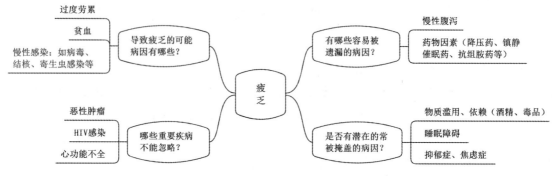

图 2-33-1　疲乏临床 4 问

(2)鉴别思维:鉴于疲乏的病因多样,全科医生接诊疲乏患者时,病史采集要尽可能详细。病史是寻找病因的最好线索,因此问诊时需要询问患者的职业(是否工作繁忙压力大)、饮食(不健康饮食或营养不良)、体重变化、睡眠质量、语言行为变化、精神情绪状态、近期用药情况(降压药、镇痛药、抗生素、安眠药、酒精等)、诱发因素(感染、手术、慢性躯体疾病、外伤、退休等),女性患者需询问月经、分娩史、有无更年期症状。全科医生接诊年轻的疲乏患者时,首先需要考虑的问题是压力和焦虑、抑郁、睡眠相关性障碍、饮食不当、另有隐情等。

为了找到答案,医生不能局限于以疾病为中心的问诊方式,还要结合以患者为中心的问诊,更全面更深入地了解疾病的发生、发展和结局,尤其需要了解患者自己内心的看法、顾虑和期望。下面采用 RICE 问诊进行深入访谈,找到病因,让患者有愉悦的就医体验,增进良好的医患关系,达到诊断目的。

R(reason)——患者就诊的原因

医生:有什么可以帮你吗? (开放式提问)

患者:医生,我这1年来老是觉得疲乏,很累。

医生:你能将生病过程详细地告诉我吗? (打开话题,让患者自己回忆患病经过)

患者:这1年来老觉得全身很累,做什么都没有精力,胃口也没以前好,睡觉也不好,都瘦了好几斤了。上个月单位才刚体检做了好多检查和化验,但是医生都说没有问题。我只能去看中医调理,但是吃了半个月的中药也不见效。一直没有找到病因,我好担心自己身体出了什么大问题。

医生:你是感觉疲乏吗? (确认患者的感觉和体验)

患者:是的。说不清楚的疲倦、困乏,经常早醒,做什么都提不起兴趣,打不起精神,感觉自己什么事也做不好。

医生:每当这种时候,你怎么办呢? (了解患者自己处理问题的方法)

患者:我就想躺下休息,但是休息后仍然乏力。睡觉醒来也觉得累,甚至是更累。

医生:经常早醒? 具体是怎么回事呢? (具体了解患者的睡眠情况,为了解患者的心理做铺垫)

患者:以往我要8点的闹钟响才会醒来,现在不知道怎么回事5、6点左右就会醒。醒来的时候不像以前一样精神饱满,反而觉得没睡好、有点烦躁、还是疲惫。

医生:觉得没睡好是因为入睡困难吗? 还是说容易醒来、多梦这些? (进一步了解有无睡眠障碍)

患者:入睡倒是不难,也不怎么做梦,中途也不会醒来,就是太早醒了,总感觉没睡够。

医生:好的。除此之外,你还有其他不舒服吗? (了解伴随的症状)

患者:我胃口也不好,吃不下。我发现我自己瘦了,体重减轻了 4 公斤,身体更虚弱了。

医生:还有其他症状吗? 例如咳嗽、发热、胸闷、气促、心慌、腹痛、腹泻、呼吸困难等? 大小便是否正常? (排除呼吸、消化、循环系统疾病)

患者:这些症状都没有,大小便也正常。

医生:你最近有在吃什么药吗? (了解患者的服药史)

患者:1 个月前吃了半个月的中药调理,没有再吃别的药了。

I(idea)——患者对自己健康问题的看法

医生:这么多的检查检验都没问题,你认为是什么原因导致疲乏呢? (了解患者对自身问题的看法)

患者:我估计身体某个器官出了问题,但是医生没有查出来。

医生:我们首先要确认是不是身体真的出现了问题。你把看病的资料给我,我详细地帮你看看。(肯定患者的看法,详细地查看体检项目及结果)

患者:太好了,医生你好好看一下,还有什么别的检查需要做?

医生:我认真看了你的资料,目前已有的检查结果没有异常。但是因为导致疲乏的原因有很多,还需要进一步完善一些检查,我现在先给你查体。(进一步排查是否存在导致疲乏的器质性疾病)

查体:T 36.8℃,P:63 次 /min,R 18 次 /min,BP 133/77mmHg。身高 164cm,体重 53kg,BMI 19.7kg/m²。神情倦怠,语速较慢,颈部未触及浅表肿大淋巴结,甲状腺未触及肿大,心肺查体未见明显异常,腹部软,全腹无压痛,肝脾未触及。双手平举时无明显颤动,双下肢无水肿。

(3) 是不是急危重症疾病?

青年男性患者,26 岁,既往史、个人史均无特殊;食欲差,体格检查无明显异常体征。1 个月前单位体检未见异常。初步排除导致疲乏的急危重疾病。列出以下鉴别诊断(图 2-33-2)。

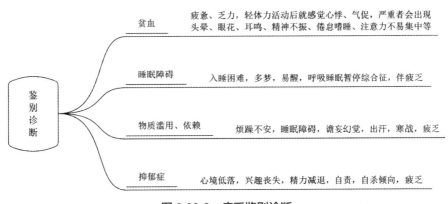

图 2-33-2 疲乏鉴别诊断

C(concern)——患者的担心

患者:医生你看我做了这么多检查还是没查出问题,怎么办啊?

医生:你先不要太紧张,我们慢慢来分析。你认为自己身体有问题的依据是什么呢? (看着患者双眼亲切地问)

患者:如果没问题,怎么会这么累呢? 我才 26 岁,也没过度劳累,没有干重体力活,这种状态持续快 1 年了,吃了中药也没见好。

医生:我听明白了,你很辛苦的。其实疲乏的原因有很多,除了器质性疾病以外,常见的还有生理性、心因性、药物或中毒等原因。像你这么年轻、身体没有什么基础疾病的患者,临床上以心理的原因较为常见。(缓解患者紧张的情绪,解释疲乏可能的原因)

患者:心理方面也会导致疲乏吗? 我觉得我心理上没问题啊。

医生:其实心理问题特别常见,但往往被忽视,很多患者自己很难发现。你疲乏、早醒、体重下降等身体不适,抑郁的人也会有这样的表现,我能问你几个简单的关于情绪上的问题吗?

患者:好的。

医生:在过去 2 周之中,你有没有经常出现情绪低落、沮丧或无希望感? (采用患者健康问卷 -2(PHQ-2)进行口头筛查)

患者:有啊,至少有一半的时间情绪比较低落,不容易开心起来,甚至还常常无缘无故地伤心流泪。

医生:在过去 2 周之中,你会不会经常在做事情时缺乏兴趣和愉悦感?

患者:经常有,我做什么事都提不起兴趣来,怎么会这样呢?

医生:这两个问题是医生常常用来简单筛查抑郁症的。根据你的回答,你的总分为 4 分,提示有抑郁的可能,需要进一步做一个更详细的量表评估你的心理状态。(让患者配合完成 PHQ-9 测评量表。PHQ-9 测评结果为 14 分(可能有中度抑郁))

医生:你以前有出现过类似这样的情况吗? (评估患者既往是否有类似情况)

患者:没有,这是我第一次这样。

医生:有没有觉得自己某个时候精力特别好,情绪特别高涨呢? (评估患者是否有双相情感障碍的可能)

患者:没有。

医生:从测评结果来看,你可能有中度的抑郁。你这 1 年来发生什么很大的变化吗? 有没有发生了什么事情让你不开心呢? (了解患者近期情绪低落的原因)

患者:可能是工作压力太大了,还有……1 年前我失恋了。

医生:你很难过、伤心吧? (同理心)

患者:失恋后我情绪很低落、很伤心。我和女朋友是同学,毕业后两地分居,她父母不同意我们谈恋爱,被迫分手了。我们的感情很好,她是我的初恋。

医生:噢! 原来是这样,的确很令人伤心。那你有过放弃生活或者是伤害自己的念头吗? (表达同理心,询问患者有无自杀倾向)

患者:那倒没有。

医生:那你跟家人、朋友、同事间的关系怎么样呢? (评估患者的社会关系)

患者:我跟他们的关系都还挺好的。

E(expectation)——患者的期望

患者:医生,我真是抑郁症吗? 需要吃药吗? 我听说抑郁症很难好起来,我害怕自己要一直吃药。

医生:你先不要紧张,我是全科医生,不能诊断精神科的疾病,但是根据目前的病史、查体及相关检查来看,我考虑你处于抑郁状态的可能性比较大,能否诊断抑郁症还需要由精神科医生进一步进行评估。(明确告诉患者最可能的诊断)

患者:那我目前的情况严重吗? 需要去见精神科医生吗?

医生:抑郁症主要的核心症状包括心境低落、愉悦感或兴趣丧失、精力明显减退、疲乏等,往往还伴有睡眠障碍、自责等。你目前的情况都符合,因为你这种状态持续的时间有1年了,PHQ-9评分提示中度抑郁可能,我建议你到精神科进一步详细诊治。除此之外,你要多进行运动锻炼,多与朋友家人沟通,我相信你能慢慢好起来的。(向患者解释抑郁症的临床表现,进行心理疏导并转诊到专科)

患者:真的吗? 我怕自己好不起来了。医生,你一定要帮我治好。(患者的期望)

医生:我会努力的,但是需要你的配合。希望你这几天能抽出时间到精神科就诊,2周后带上病历回来复诊。如果你没有时间回来复诊,我会给你打电话了解情况,你同意吗?

患者:好的。我一定配合。

2. 最可能的诊断是什么? 需要完善哪些辅助检查?

(1)最可能的诊断:抑郁状态? 患者食欲差,需要排除贫血。

(2)辅助检查:血常规、血沉、甲状腺功能、血游离皮质醇、免疫全套、HIV及梅毒、乙肝两对半、丙肝筛查、EB病毒、肿瘤标志物、粪便寄生虫虫卵检查、心脏彩超、肺功能检查。

检查回报:血常规、血沉、甲状腺功能、血游离皮质醇、免疫全套、HIV及梅毒、乙肝两对半、丙肝筛查、EB病毒、肿瘤标志物、粪便寄生虫虫卵检查、心脏彩超、肺功能检查均未见异常。

3. 诊断和诊断依据是什么?

(1)诊断:抑郁状态(Depressive state)?

(2)诊断依据:通过RICE问诊,我们了解到患者的生理-心理-社会情况,结合患者的病史、体格检查和相关辅助检查资料、既往病历等,在排除疲乏的其他病因后,患者最可能的诊断是抑郁状态。患者具有心境低落、兴趣减退、快感缺失等抑郁障碍的核心症状,疲乏是躯体症状。

4. 治疗方案和患者管理

(1)向患者解释疲乏的原因,解除他对躯体性疾病的顾虑。

(2)给予心理疏导,转诊精神心理科。

(3)让患者每2周自测PHQ-9评分,复诊时带上,评估病情是否有改善。

(4)给予患者信心,建议患者每周进行运动,每次运动30分钟左右,每周坚持4~5次户外有氧运动。

(5)嘱咐患者2周后复诊。

(6)需注意患者是否有自杀倾向,是否出现红旗征,及时发现并进行干预。

复诊：

2 周后患者复诊。患者已经去看了 1 次专科医生，诊断中度抑郁症，专科医生建议药物治疗，但患者担心药物副作用，暂时拒绝服药。患者希望通过自己的努力，如换一个轻松的工作来改善目前的状态。此次 PHQ-9 测评为 14 分，继续与患者深入交流，给予心理疏导，化解他的担忧与顾虑。1 个月后患者复诊。患者已经换了新的工作，感觉现在的工作压力小了很多。自从知道自己是因为抑郁导致了身体疲乏后，患者开始调整自己的心态，坚持运动，疲乏的状态稍有改善，此次 PHQ-9 测评为 10 分，抑郁评分量表也有改善，继续予以患者鼓励与支持。3 个月后与患者通电话：患者表示情绪已经基本好起来了，体重也增加了 2kg，PHQ-9 测评为 4 分。患者表示感谢；鼓励患者继续保持良好的心态及生活习惯。

5. 病例总结

心理疾病患者常常因为疲乏、虚弱、睡眠障碍、慢性疼痛、食欲下降、记性下降、性欲减退、体重下降等问题在各个专科辗转就诊，几乎没有患者意识到自己患有心理疾病而主动选择心理专科就诊。随着全科的发展，越来越多心理障碍的患者来到了全科就诊，然而很多时候医生只看病、不看人，忽视了患者可能带有的心理问题。随着社会环境的变化，心理健康问题越来越多，因心理问题而引发的躯体症状也越来越常见，绝大部分患者不愿意接受躯体症状来自心理问题，只是简单地以为躯体疾病导致。面对这种患者，全科医生要注意沟通技巧，了解患者的心理状态，"先了解睡眠情况"往往是一个很好的切入点，大部分有心理问题的患者常伴随睡眠问题。当我们听到早醒时，不要忘记抑郁的可能。在传统的问诊模式中，医生作为主导，患者的感受容易被忽略。而通过 RICE 问诊，全科医生可以更深入地了解患者就诊的原因、疾病对患者生活的影响以及患者对症状或疾病的想法和感受，从而更好地了解患者就诊的需求，达到既治病又治人的效果。

全科医生是社区居民的家庭医生，需要持续性地照顾患者，对于诊断不明确或者需要长期照顾的患者时，要安排复诊。合理的复诊不仅可以让全科医生更全面地了解患者病情的发展、转归，还可以动态地了解患者、管理患者，成为真正的健康守门人。

作为全科医生，快速识别出严重的疾病是至关重要的，但是有时候单从一次的就诊难以早期发现问题，因此我们要利用好一个工具——"随访"，它能便于全科医生及时发现隐藏的健康问题。全科医生在考虑心理疾病的时候一定注意鉴别诊断，首先要详细询问病史并及时进行相应实验室和功能检查，排除躯体性疾病。还需要留意是否有药物（如降压药、镇静催眠药、抗抑郁药、抗组胺药等）或精神活性物质（如酒、毒品等）的滥用而导致疲乏。全科医生将患者转诊到专科前，要向患者做好解释，写好转介信，转诊后要及时跟进，做好患者管理工作。

6. 知识拓展

（1）抑郁障碍是指由多种原因引起的以显著和持久的抑郁症状群为主要临床特征的一类心境障碍。抑郁障碍的核心症状是与处境不相称的心境低落和兴趣丧失。在上述症状的基础上，患者常常伴有焦虑或激越，甚至出现幻觉、妄想等精神病性症状。抑郁症是一种常见的精神心理疾病，但其病因及发病机制目前尚未阐明，可能是生物因素、心理因素及社会环境因素等共同作用的结果。抑郁发作的核心症状包括心境低落、兴趣和愉快感的丧失、导致疲劳增加和活动减少的精力减退，常伴有注意力障碍及思维迟钝、自我评价降低、无望感等负性认知体验，以及食欲、性欲、体重方面的变化,可出现自伤、自杀行为。病程多具有反复发作的特点,每次发作大多数可以缓解,部分可有残留症状或转为慢性。

(2)诊断抑郁障碍时要仔细了解患者既往躯体状况和精神活性物质使用史,注意精神病性症状如幻觉、妄想等与情感症状的关系,尤其要仔细询问既往有无心境障碍发作(抑郁发作、轻躁狂发作或躁狂发作)的病史。还需注意与器质性疾病、双相情感障碍、精神分裂症、创伤后应激障碍等相鉴别,如果患者同时存在焦虑症状,应考虑共病焦虑障碍的可能性。

全科医生发现抑郁障碍患者时,应进行自杀风险评估,针对有自杀风险的患者应立即干预,并告知患者家属防止自杀发生,尽快转诊精神科治疗。《中华人民共和国精神卫生法》中第二十九条规定"精神障碍的诊断应当由精神科执业医师作出",在诊疗中全科医生识别出或高度怀疑抑郁,需要转诊精神专科确诊,予以药物和心理治疗。

(3)目前抑郁障碍的治疗主要包括药物治疗、心理治疗、物理治疗等方法,具体治疗的方案应由专科医生来制定。我们全科医生在患者管理中,可以予以患者支持性心理治疗,即通过倾听、安慰、解释、指导和鼓励等方法帮助患者正确认识和对待自身疾病,使患者能够积极主动配合治疗,该疗法几乎可适用于所有抑郁障碍患者,可配合其他治疗方式联合使用。支持性心理治疗的具体措施包括:

1)积极倾听:给予患者足够的时间述说问题,通过耐心的倾听,让患者感受到医生对自己的关心和理解;

2)情绪管理:引导患者觉察自己的情绪,并鼓励患者表达其情绪,以减轻苦恼和心理压抑;

3)健康教育:使患者客观地认识和了解自身的心理或精神问题,从而积极、乐观地面对疾病;

4)增强信心:鼓励患者通过多种方式进行自我调节,帮助患者找到配合常规治疗和保持良好社会功能之间的平衡点。

(4)成人抑郁筛查:常用患者健康问卷-9(Patient Health Questionnaire-9,PHQ-9)和PHQ-2。PHQ-2的优势在于易于口头进行,可以在问诊中通过提问来进行。PHQ-9更准确一些(敏感性88%,特异性88%),还有助于监测患者的治疗反应。

• PHQ-2:在过去两周之中,你有没有经常被情绪低落、沮丧或无希望感所困扰?

• 在过去两周之中,你有没有经常被做事情缺乏兴趣和愉悦感所困扰?

• PHQ-9:

在过去的两周里,你生活中以下症状出现的频率有多少? 把相应的数字总和加起来			
没有(0)	有几天(1)	一半以上时间(2)	几乎天天(3)
做事时提不起劲或没有兴趣			
感到心情低落、沮丧或绝望			
入睡困难、睡不安或睡得太多			
感觉疲倦或没有活力			
食欲不振或吃太多			

续表

在过去的两周里,你生活中以下症状出现的频率有多少? 把相应的数字总和加起来			
	没有(0) 有几天(1) 一半以上时间(2) 几乎天天(3)		
觉得自己很糟或觉得自己很失败,或让自己、家人失望			
对事情专注有困难,例如看报纸或看电视时			
行动或说话速度缓慢到别人已经察觉? 或刚好相反,变得比平日更烦躁或坐立不安,动来动去			
有不如死掉或用某种方式伤害自己的念头			
总分			

总分分类		
0 ~ 4	没有抑郁症	注意自我保重
5 ~ 9	可能有轻微抑郁症	建议咨询心理医生或心理医学工作者
10 ~ 14	可能有中度抑郁症	建议咨询心理医生或心理医学工作者
15 ~ 19	可能有中重度抑郁症	建议咨询心理医生或精神科医生
20 ~ 27	可能有重度抑郁症	建议咨询心理医生或精神科医生
如果发现自己有如上症状,他们影响到你的家庭生活,工作,人际关系的程度是:没有困难、有一些困难、很多困难、非常困难		

(郭婷婷　吴　疆　王　静　蔡飞跃)

 思考题

1. 抑郁障碍的核心症状是什么?
2. 在抑郁障碍患者管理中,全科医生开展支持性心理治疗的措施有哪些?

病例 34 ⊠

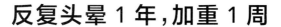

反复头晕 1 年,加重 1 周

患者,男性,50 岁,家人陪同就诊。

患者口述:患者于 1 年前出现头晕,测血压偏高,达 150/100mmHg,曾到社区全科门诊就诊,建议口服降压药物,但患者平日监测血压不高,未服用药物。近 1 周因父亲"高血压,脑出血"去世后,患者出现头晕加重,伴有轻度恶心,在家人陪同下到某三甲医院全科医学科门诊再次就诊。

患者进行了一些化验检查,包括血常规、肝肾功能、血脂、血糖等,除血脂升高外其他检验都无异常。心电图、头颅 CT、头颅 MRI+MRA 等检查也未见异常。

请思考以下问题 →

1. 如何构建整体性临床思维?

2. 最可能的诊断是什么? 需要完善哪些辅助检查?

3. 诊断和诊断依据是什么?

4. 治疗方案和患者管理。

5. 病例总结。

6. 知识拓展。

1. 如何构建整体性临床思维?

(1)诊断思路:头晕(dizziness)是一种常见的脑部功能性障碍,也是全科医生临床常见的症状之一。临床表现为头昏、头胀、头重脚轻、脑内摇晃、眼花等感觉。头晕可单独出现,但常与头痛并发。头晕伴有平衡觉障碍或空间觉定向障碍时,患者感到外周环境或自身旋转、移动或摇晃,这时称之为眩晕。头晕可由多种病因引起,最常见于高血压病、脑动脉硬化、颅脑外伤综合征、神经症等。全科医生接诊头晕病人时应注意详细询问其病史、临床症状和发病诱因。头晕/眩晕病因与发病机制(图 2-4-2)。

该男性患者,50 岁,1 年前出现头晕,测血压偏高,达 150/100mmHg,但因平日监测血压不高,就未服用药物。近 1 周因父亲"高血压,脑出血"去世后,出现头晕加重,伴有轻度恶心。现采用整体性临床思维——临床 4 问对该患者进行分析(图 2-34-1)。

(2)鉴别思维:临床上头晕病人,除了常见疾病,比如:神经系统病变包括:脑缺血病变、脑部病变、中枢神经系统感染性病变、脑外伤、某些类型的癫痫等,耳部疾病包括:耳石症、前庭功能障碍、梅尼埃病等,颈椎病,内科疾病如高血压病、低血压病、贫血、感冒等。还需注意其他易于遗漏或被掩盖的病因,比如:眼部疾病、中毒、低血糖、抑郁症等也能引起头晕。

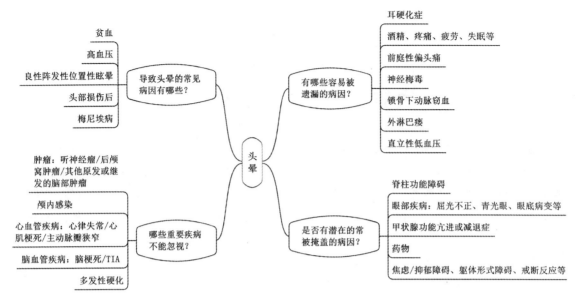

图 2-34-1　头晕临床 4 问

头晕/眩晕疾病的病因诊断中病史问诊至关重要,在详细的病史询问、体格检查之后,有针对性地选择辅助检查进行诊断佐证,综合分析得出病因诊断。在全科医疗实践中,最重要、最基本的理念是:来看全科医生的是人,不是病。结合以病人为中心的整体性临床思维原则,要全方位探究患者导致头晕的患病经历和他的想法、担忧和期望。下面采用以病人为中心的问诊——RICE 问诊进行深入访谈,寻找病因,达到诊断疾病的目的。

R(reason)——**患者就诊的原因**

全科医生:您好,您有什么不舒服吗?(进行自我介绍,增加医患亲近感,并进行开放式问诊)

患者:医生,我最近 1 年经常头晕,这一周感觉症状越来越严重了。

全科医生:能告诉我具体是怎么头晕吗? 头晕时测过血压吗? (了解患者头晕的特点和血压情况)

患者:就是头晕乎乎的、头脑不清亮的感觉。测血压有时偏高,最高 150/100mmHg。

全科医生:头晕的时候有没有觉得天旋地转、恶心、呕吐、耳鸣症状? 是否伴有头痛? 是否伴有说话不利索、肢体活动不好等症状? 有没有觉得心慌、乏力、出汗? (对患者头晕进行鉴别诊断)

患者:没有,只是严重的时候会有一点恶心。

全科医生:您头晕一般是什么情况下发生呢? 比如感冒了,或者突然改变体位(比如蹲着突然站起来),或者劳累、情绪激动、失眠之后。(询问头晕的诱发因素)

患者:一般是着急生气以后爱头晕。

全科医生:每次头晕持续多长时间? 如何缓解的? 看过医生吗? 是否服用过降压药物? (了解患者的诊疗经过)

患者:看过,大夫让我吃降压药,但是平时我血压也不高,所以没有吃过药物。

全科医生:这次头晕测血压了吗? 您最近的心情怎么样? 睡眠好吗? (了解患者精神心理

和睡眠状况)

患者:这周测血压偏高。上周我父亲高血压脑出血去世了,心情不太好,食欲不佳,睡眠也差。

全科医生:我非常理解您的心情,但事情已经过去,要坦诚接纳和面对事实,不能过度悲伤,这有害身体。(体现"共情"并进行心理安抚)

全科医生:您平时吸烟、饮酒吗? 爱吃肉食或偏咸的食物吗? (了解患者的生活习惯)

患者:我抽烟30年了,一天1包左右,偶尔喝酒,我口重,特别爱吃肉。

全科医生:您体型肥胖,现在已经发现有高血压了,应该改变一些不良生活习惯了,比如,应慢慢把烟戒掉,饮食要以低热量膳食为主,加强运动控制体重,良好的生活方式也有助于改善心情和睡眠,更有助于您的身体健康。您还有其他疾病吗? 您母亲和其他的兄弟姐妹有没有高血压和糖尿病等慢性病? (进行健康教育,并了解其既往史和家族史)

患者:我血脂也偏高一年了。我母亲身体还好,哥哥也有高血压。

I(idea)——患者对自己健康问题的想法

医生:您觉得您头晕是什么问题呢?

患者:医生,我认为是情绪和睡眠不好影响我的血压,头晕应该是高血压造成。我听您的话,一定努力去戒烟,并试着养成良好的生活习惯。

医生:那就好,头晕与高血压、高血脂、情绪波动和睡眠等多种因素都相关,但是我们还是要再做一些相关的检查,进一步明确诊断和评估病情。(解释病情和准备检查情况)

体格检查:腹围101cm,BMI 28.0kg/m^2,BP 160/100mmHg,神清语利,眼底检查显示眼底动脉硬化1级,心界不大,心率86次/min,律齐,各瓣膜听诊区未闻及杂音,颈动脉、肾动脉等听诊区未闻及血管杂音,双下肢无水肿。神经系统检查未见异常。

C(concern)——患者的担心

患者:医生,我会不会像我父亲一样也会出现脑出血? 我父亲去世后我每天都失眠,害怕在睡眠中死去。

医生:血压高确实是脑出血的重要危险因素,但是,只要我们保持稳定的心态,保持良好的生活方式,积极地控制血压,还是能够预防脑出血的发生。所以您不必过于紧张,精神上放松了,睡眠就会改善,血压也容易控制。(进一步解释病情,解除患者的担心和焦虑)

患者:好的。

E(expectation)——患者的期望

医生:咱俩聊了这些,我对您的病情基本了解了,您今天来看全科医生有什么期望吗? (与患者建立良好医患关系后,可以直接问患者的期望)

患者:当然希望医生能帮我找到头晕的病因。另外我想问下,我除了高血压有没有其他的病? 我若服用降压药物后是不是就停不下来了?

医生:我给您抽血化验一下血常规、血脂、血糖、肝肾功能等,并查下心电图和头颅CT。如果怀疑继发性高血压(其他原因引起的高血压),还可以选择以下检查项目:血浆肾素活性、血和尿醛固酮、血和尿皮质醇、血肾上腺素及去甲肾上腺素、血和尿儿茶酚胺、肾动脉造影、肾和肾上腺超声、CT或MRI、睡眠呼吸监测等。检查结果出来后我会对您进行综合评估,并为您开出合适的降压药物。(尊重患者的意愿,提出处理方案)

患者:好的,谢谢医生!

(3)是不是急危重症疾病?

结合患者的病史、体格检查和辅助检查,可以排除脑部疾病、内耳疾病和心脏疾病等。那头晕的原因究竟是什么呢? 是什么疾病导致患者的头晕? 患者患病的经历是不是隐藏或掩盖着什么? 是不是存在精神心理方面的问题? 对于该患者,列出以下鉴别诊断清单(图 2-34-2)。

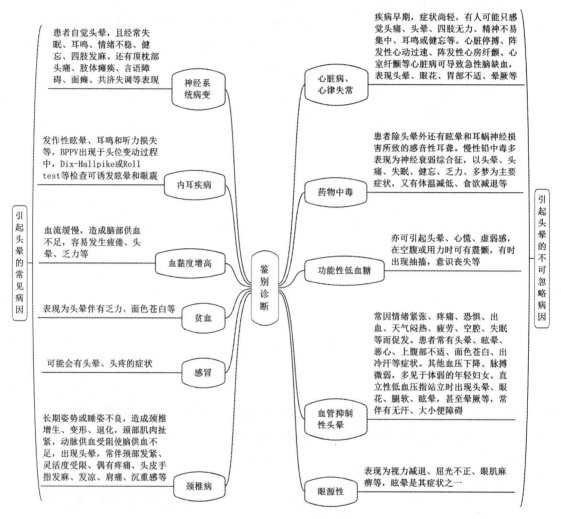

图 2-34-2　头晕鉴别诊断

2. 最可能的诊断是什么? 需要完善哪些辅助检查?

(1)最可能的诊断:1. 高血压(hypertension)(2 级　高危);2. 高脂血症;3. 肥胖症。

(2)辅助检查:血常规、尿常规、血脂、血糖、肝肾功能、心电图、头颅 CT。

检查回报:空腹胆固醇:6.9mmol/L(参考值 < 5.5mmol/L),低密度脂蛋白:4.6mmol/L(参考值 < 3.1mmol/L)。空腹血糖:5.5mmol/L(参考值 3.5 ~ 6.0mmol/L)。血尿常规、肝肾功能未见异常。心电图:窦性心律,大致正常心电图。头颅 CT:未见异常。

3. 诊断和诊断依据是什么？

（1）诊断：

1）高血压（2 级　高危）（hypertension）

2）高脂血症（hyperlipidemia）

3）肥胖症（obesity）

（2）诊断依据：中老年男性，慢性病程；反复头晕 1 年，加重 1 周；情绪激动容易发作，发作时测血压均高于正常值，为 150/100mmHg；有吸烟嗜好及心脑血管病家族史。查体：BP 160/100mmHg，眼底检查显示眼底动脉硬化 1 级，心肺（-），神经系统检查阴性。辅助检查：空腹胆固醇：6.9mmol/L，低密度脂蛋白：4.6mmol/L。

4. 治疗方案和患者管理

（1）向患者解释头晕的原因，给予心理疏导，解除患者的恐惧、焦虑心理。

（2）进行综合生活方式干预（表 2-34-1）。

表 2-34-1　高血压患者的非药物干预措施

方式	干预内容
饮食干预	DASH：坚持服用富含水果、蔬菜、全谷物和低钠低脂乳制品 食用替代盐或低钠富含钾饮食：使用替代盐烹饪或食用替代盐食品；建议钠盐的摄入＜5g/d（约 1 茶勺），最佳目标是＜1.5g/d，推荐钾的摄入量 3 500 ～ 4 700mg/d
运动干预	中等强度有氧运动：30 ～ 60min/d、5 ～ 7 d/ 周，达到最大心率的 50% ～ 70% 抗阻力量练习：90 ～ 150min/ 周，一次性最大负荷的 50% ～ 80% 的重量，6 个练习 / 组，进行 3 组，重复 10 次 等距握力训练：每次 2min，共 4 次，每次间隔 1min，每周 3d 太极和气功也可以协助降压
减压干预	呼吸控制：每日睡前进行缓慢有规律的呼吸（最好借助专业的呼吸设备），目标呼吸频率＜10 次 /min，15min/ 次，每周＞40min 冥想：每次 20min，2 次 /d 瑜伽：每周 3d，每天至少 30min
减重干预ᵃ	限制每日热量≤ 500 ～ 750kcal 运动方式选择中到高强度的有氧运动，每天 30 ～ 60min，5 ～ 7 d/ 周，达到最大心率的 60% ～ 90% 最佳目标是达到理想体重，体重指数 18.5 ～ 23.9kg/m²，控制腰围至男性＜90cm，女性＜80cm
戒烟限酒	不吸烟、彻底戒烟、避免被动吸烟 饮酒者降低酒精摄入：男性≤ 20g/d，女性≤ 10g/d，最好戒酒，避免酗酒
综合生活方式干预	饮食和运动联合干预是最有效的非药物干预措施，与其他生活方式干预措施同时进行可最大程度地降低血压

注：DASH 为控制高血压的饮食方法；ᵃ 超重或肥胖者建议联合低热量饮食和运动进行减重；1kcal=4.2 kJ

（3）给予降压和降脂药物。使用降压药物应遵循以下 4 项原则：即小剂量开始，优先选择长效制剂，联合用药及个体化治疗。常用的一线降压药包括血管紧张素转换酶抑制剂（ACEI）、血管紧张素 Ⅱ 受体阻滞剂（ARB）、钙通道阻滞剂和利尿剂四大类。建议针对不同程度、不同合并症的高血压患者,选择针对性的药物进行个体化治疗。本患者建议给予血管紧张素转换酶抑制剂(ACEI)。降脂药物首选他汀类降脂药,起始宜选用中等强度他汀,根据个体调脂疗效和耐受情况适当调整剂量,若胆固醇水平不能达标,可联合其他调脂药物。

(4)告知患者在家每日自测血压观察血压变化,降压目标值为小于130/80mmHg,争取一个月内达标。建议每天早、晚各测量 1 次血压,推荐早上在服药前、早餐前、排空膀胱后测量血压,晚上在晚餐前测量血压。每次测量至少连续获取 2 次血压读数,每次读数间隔 1 ~ 2min,取 2 次读数的平均值,若第 1、2 次血压读数的差值 > 10mmHg,则建议测量第 3 次,取后 2 次读数平均值;测量血压前 30min 避免剧烈运动、饮酒、喝含咖啡因的饮料以及吸烟;在每次测量之前,安静休息 3 ~ 5min。初诊或血压未控制的患者,推荐每周至少连续 3 天进行家庭血压监测(HBPM);血压控制良好的患者建议每周进行 1 ~ 2 d 的家庭血压监测。

每 3 ~ 6 个月到社区检测血脂,降脂目标(LDL-C):小于 1.8mmol/L。

高血压患者动脉粥样硬化性心血管疾病(ASCVD)危险分层评估及降压、降脂目标值(表 2-34-2)。

表 2-34-2　高血压患者 ASCVD 危险分层评估及降压、降脂目标值

危险分层	临床状态	血压目标值	LDL-C 目标值(主要靶点)	非 HDL-C 目标值(次要靶点)
超高危	发生过 2 次严重 ASCVD 事件或 1 次严重 ASCVD 事件合并 ≥ 2 个高风险因素 严重 ASCVD 事件:(1)既往 12 个月内发生过急性冠状动脉综合征;(2)心肌梗死史(12 个月以上);(3)缺血性卒中史;(4)有症状的周围血管病变、既往接受过血运重建或截肢 高风险因素:(1)多血管床病变(冠状动脉、脑动脉和外周动脉同时存在 2 ~ 3 处有缺血症状的病变);(2)早发冠心病史(男 < 55 岁,女 < 65 岁);(3)基线 LDL-C > 4.9mmol/L;(4)既往有 PCI/CABG 治疗史;(5)糖尿病;(6)慢性肾脏病(3/4 期);(7)吸烟;(8)最大耐受剂量他汀类药物治疗后,LDL-C 仍≥ 2.6mmol/L	原则上 < 130/80mmHg ≥ 75 岁的老年患者血压目标可考虑 < 140/90mmHg 衰弱高血压患者的血压目标可根据患者耐受性个体化设定	下调至 < 1.4mmol/L 且较基线降幅超过 50% 2 年内发生 ≥ 2 次主要心血管事件者,可下调 LDL-C 至 < 1.0mmol/L 且较基线降幅超过 50%	< 2.2mmol/L
极高危	有 ASCVD 证据者		< 1.8mmol/L 或降幅 > 30% ~ 50%	< 2.6mmol/L
高危	高血压合并以下 1 项及以上疾病者:(1)糖尿病(年龄 ≥ 40 岁);(2)LDL-C ≥ 4.9mmol/L;(3)慢性肾脏病(3/4 期) 高血压合并 3 项其他危险因素[*] 高血压合并 2 项其他危险因素且 LDL-C ≥ 2.6mmol/L		< 1.8mmol/L	< 3.4mmol/L

危险分层	临床状态	血压目标值	LDL-C 目标值（主要靶点）	非 HDL-C 目标值（次要靶点）
中危	高血压 +2 项其他危险因素* 且 1.8 ≤ LDL-C ＜ 2.6mmol/L 高血压 +1 项其他危险因素* 且 LDL-C ≥ 2.6mmol/L	＜ 2.6mmol/L	＜ 3.4mmol/L	
低危	高血压 +1 项其他危险因素* 且 1.8 ≤ LDL-C ＜ 2.6mmol/L 高血压不伴其他危险因素*	＜ 3.4mmol/L	＜ 4.2mmol/L	

注：ASCVD 为动脉粥样硬化性心血管疾病，LDL-C 为低密度脂蛋白胆固醇，PCI 为经皮冠状动脉介入治疗，CABG 为冠状动脉旁路移植术，HDL-C 为高密度脂蛋白胆固醇；*ASCVD 中危患者，若＜ 55 岁，具有以下 2 个或以上危险因素者，其心血管疾病发生风险为高危：(1) 收缩压 ≥ 160mmHg 或舒张压 ≥ 100mmHg；(2) 非 HDL-C ≥ 5.2mm/L；(3) HDL-C ＜ 1.0mm/L，(4) 体重指数 ≥ 28kg/m²；(5) 吸烟；b 其他危险因素包括：(1) 年龄 ≥ 45/55 岁 (男性 / 女性)，(2) 吸烟，(3) HDL-C ＜ 1.0mmol/L (4) 体重指数 ≥ 28kg/m²，(5) 早发缺血性心血管疾病家族史；1mmHg=0.133kPa

(5) 观察患者的头晕症状是否改善。

(6) 嘱咐两周后复诊。

第 2 次就诊

第 14 天患者复诊。患者头晕症状好转，睡眠有所改善，恐惧焦虑明显减轻。测血压 130/80mmHg。

第 3 次就诊

通过 4 周的饮食、运动、减压、减重、戒烟和降压药物治疗，患者头晕明显好转，睡眠良好，血压 125/80mmHg。嘱其每 3 个月复诊一次。

5. 病例总结

头晕是门急诊最常见的临床症状之一，可发生于各年龄阶段。其病因不仅包括中枢神经系统疾病、前庭周围性疾病、内科疾病等，患者也可能存在焦虑、抑郁和失眠等心理问题。对于此类患者，心理安慰是非常有效的方法。在接诊这类患者时需运用生物 - 心理 - 社会模式，对可能的病因进行全方位的评价，尤其注意患者的不良生活习惯和心理状态，积极倾听患者对疾病的理解及其关心的问题，让患者参与治疗方案的决策，建立长期随访照顾的关系，以构建和谐的医患关系，有助于提高患者对医生的满意度，有助于提高患者对医嘱的遵从，以促进患者康复。

6. 知识拓展

2022 年《中国高血压临床实践指南》推荐，高血压患者伴发焦虑、抑郁情绪可能影响其血压水平和服药依从性，增加心血管疾病风险。因此，有必要对高血压患者进行焦虑、抑郁情绪筛查。高血压患者伴发抑郁，建议使用 9 条目患者健康问卷（Patient Health Questionnaire-9，PHQ-9）进行抑郁筛查。高血压患者伴发焦虑，可使用 7 条目广泛性焦虑障碍量表（Generalized Anxiety Disorder-7，GAD-7）进行焦虑筛查。采用 PHQ-9 和 GAD-7 评估过去 2 周内抑郁和焦虑状况，当

PHQ-9/GAD-7 量表得分 ≥ 10 分时，认为患者的抑郁 / 焦虑情绪具有临床意义。临床中应进行焦虑、抑郁联合筛查，对于量表筛查结果显示可能存在焦虑或抑郁情绪的高血压患者，应及时提供心理疏导、减轻其精神紧张和压力，鼓励其在生活中通过运动、音乐、正念等方法保持健康心理状态，必要时可建议患者前往精神心理科就诊。

（王荣英　张　敏）

思考题

1. 高血压的非药物干预措施包括哪些方面内容？
2. 高血压合并焦虑抑郁症如何处理？

病例 35 ⊠

反复右眼视物模糊 20 天

患者,男,62 岁,家属陪同就诊。

患者口述:20 天前无明显诱因突然出现右眼短暂视物模糊,伴有左侧肢体乏力,持续 2 分钟后均自行缓解,不伴意识障碍、言语不清,患者及家属未予重视。3 天前上述症状再次发作,持续 5 分钟后缓解。患者在女儿的要求下来全科门诊就诊。

本次就诊患者带来了外院(三甲医院)的门诊病历及相关检查结果。检查结果比较详细:血常规、肝肾功能、甲状腺功能、心肌酶学、肌钙蛋白等实验室结果都无异常,静脉空腹血糖:10.6mmol/L。眼底照相、双眼黄斑及视乳头 OCT 检查、眼压、视力等检查未见异常。头颅 CT 平扫:颅内未见异常。既往有高血压和糖尿病史。

请思考以下问题 →

1. 如何构建整体性临床思维?
2. 最可能的诊断是什么? 需要完善哪些辅助检查?
3. 诊断和诊断依据是什么?
4. 治疗方案和患者管理。
5. 病例总结。
6. 知识拓展。

1. 如何构建整体性临床思维?

(1)诊断思路:视物模糊是视力障碍(blurred vision)的一种,可以是缘于多种眼科疾病,如白内障、屈光不正,近视、远视、散光等;也可能是其他全身疾病引起的并发症,或者并非疾病,而是外界干扰导致。视力障碍可为单一主诉,也可能伴头晕、头痛、眼痛、耳鸣、眩晕、肢体运动及感觉障碍等其他症状。造成视力障碍原因很多(图 2-35-1),全科医生接诊视力障碍患者时,除了考虑常见的眼科疾病外,结合病史特点,还要考虑血管及血栓性疾病、神经系统疾病、循环系统疾病、内分泌系统、药物等因素引起的视力障碍。

该老年男性患者,无明显诱因突然出现右眼短暂视物模糊,伴有左侧肢体乏力,持续 2 分钟后均自行缓解,不伴意识障碍、言语不清,后来上述症状再次发作,持续 5 分钟后缓解。血常规、肝肾功能、甲状腺功能、心肌酶学、肌钙蛋白等实验室结果都无异常,静脉空腹血糖:10.6mmol/L。眼底照相、双眼黄斑及视乳头 OCT 检查、眼压、视力等检查未见异常。头颅 CT 平扫:颅内未见异常。是什么病因导致患者出现视力模糊? 现采用整体性临床思维——临床 4 问对该患者进行分析(图 2-35-2)。

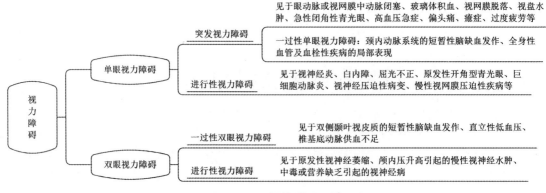

图 2-35-1 视物障碍原因

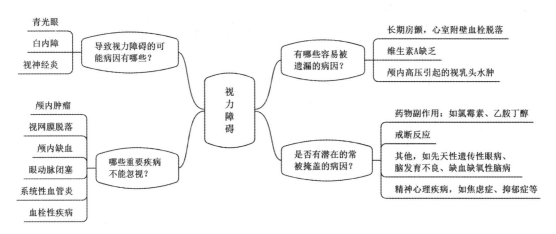

图 2-35-2 视力障碍临床 4 问

（2）鉴别思维：引起视力障碍的的原因很多，临床上需从症状学入手，通过良好的医患沟通，获取可靠的病历资料，结合患者发病的特点、持续时间、伴随症状、既往病史、体格检查和辅助检查共同判断。下面采用 RICE 问诊进行深入访谈，寻找病因，达到诊断疾病的目的。

R（reason）——**患者就诊的原因**

医生：您好，我是您的主诊大夫，您哪里不舒服？（亲切的目光，开放式提问）

患者：大夫！我的右眼会突然看不清。

医生：您能将生病过程详细地告诉我吗？（打开话题，让患者自己回忆患病经过和体验）

患者：20 天前，我在家里炒菜时，突然感觉右眼看不清了，左手使不上劲，拿的锅铲"咣"的一下掉在了地上，左脚也感觉使不上力气，一下子坐在了地上。

医生：当时的症状大概持续了多久？

患者：大概 2 分钟，一会儿我就能慢慢坐起来了。估计是疲劳造成的，没引起重视。

医生：后来发生过吗？（了解患者发病的特点）

患者：3 天前，我和老伴吵架，在争执过程中又出现一次，大概持续 5 分钟左右恢复，老伴以为我故意吓她。

医生:我能理解您的感受,视物模糊一般在什么情况下发生? 有没有规律? (认同患者的症状,了解发病的诱因和特点)

患者:没有什么规律性,突然出现的,有时在休息,有时在做家务。

医生:发作的时候您是怎么来缓解的呢? (了解患者自己处理问题的方法)

患者:坐在地上休息一会儿,叫老伴送来一些热水喝,然后就恢复正常了。

医生:发作时,您的右眼是完全看不见还是能隐约看见一些近东西呢? (进一步询问症状特点)

患者:眼前一片黑,几乎看不清。

医生:看东西时,是否感觉周围一片都是红色或绿色? (鉴别是否有玻璃体出血)

患者:没有。

医生:有感觉眼睛被什么东西遮住一部分吗? (鉴别是否有视神经受损)

患者:没有。

医生:有没有其他不舒服,比如头晕、头痛、恶心、呕吐、视物旋转? (鉴别有无前庭功能相关疾病)

患者:主要是右眼突然看不到,左边身子感觉没力气,没有其他不舒服。

医生:有吞咽困难、喝水呛咳、大小便失禁吗? (鉴别有无脑梗死)

患者:没有。

医生:有没有发热、下肢水肿、心悸、气短? (鉴别心律失常、房颤及全身症状)

患者:没有。

医生:这段时间看过医生吗? 吃过什么药吗? (了解就诊史和服药史)

患者:在我们当地一个眼科医院做了眼睛的一些检查,验了血,眼科医生告诉我眼睛没什么问题。我还在当地诊所找了一个中医开了一些中药吃,效果不明显。

医生:您有高血压、糖尿病、高血脂等疾病吗? (了解患者的心血管疾病史)

患者:糖尿病15年、高血压和高血脂12年,平时都在吃降糖药和降压药的。

医生:平时监测吗? 血压、血糖、血脂控制的如何?

患者:吃药之后,就没有关注。

医生:您平时吸烟、饮酒吗? 量多少?

患者:吸烟已经30多年,每天半包到1包,不饮酒。

I(idea)——患者对自己健康问题的看法

医生:您认为是什么原因引起突然看不清呢? (让患者自己说出对问题的看法)

患者:可能是气血虚弱吧,我们这代人接触的中医知识比较多,我也有些中医经验。

医生:您认为气血虚弱的依据是什么呢? (了解患者想法的依据)

患者:年轻时家里穷,带了4个孩子,经常吃不饱,还要在地里整天干活,落下病根,等到年纪大了,就发出来了。

医生:您说的气血虚弱是指贫血的意思吧? 您之前验的血常规是正常的,看您面色、指甲也不像贫血。您吃了中药后,视物模糊的症状还发生吗?

患者:中医起效较慢,或许再过一段时间就会好的。

C(concern)——**患者的担心**

医生:前面您说和老伴吵架的时候,视物模糊发作了一次,您们平时的夫妻关系和睦吗?(让患者自动地敞开心扉)

患者:我空闲时喜欢抽烟、打牌,老伴话多,总说我不争气,经常会吵架。医生,我担心会不会是中风了?我们村的李大爷中风后,一直瘫痪在床,也说不了话,后来去世了。我怕会像他一样。

医生:您最近睡眠怎么样呢?(了解患者一般情况)

患者:担心中风,睡眠不太好。

医生:是入睡困难还是早醒呢?(了解睡眠障碍具体情况)

患者:是入睡困难,经常躺在床上翻来覆去睡不着。

医生:平均一天能睡几个小时?

患者:大概 5 个小时。

医生:最近有没有感到情绪低落、消沉、对身边的很多事物丧失兴趣呢?(鉴别抑郁症)

患者:没有。

医生:你的情况我了解了,先给您体格检查一下。

查体:生命体征、心脏听诊、血管杂音听诊以及神经系统的检查。T 36.6℃,P 79 次/min,R 18 次/min,左侧肢体血压 160/100mmHg,右侧肢体血压 164/104mmHg,身高 170cm,体重 75kg,BMI 25.9kg/m²;患者神志清楚、言语清晰、回答切题,双侧瞳孔等大等圆,直接、间接对光反射均灵敏,角膜反射灵敏,眼球运动自如,未见眼球震颤;双侧额纹对称,双侧鼻唇沟对称,口角无歪斜,伸舌居中。颈部未触及浅表淋巴结,甲状腺未触及肿大。肺听诊未见异常。右侧胸锁乳突肌肉内侧缘中段可闻及与心脏搏动一致的血管杂音。心率 79 次/mim,律齐,各瓣膜区未闻及杂音。腹软,全腹无压痛,肝脾未触及,肠鸣音正常。双下肢无明显水肿;四肢肌力 V 级、肌张力不高,浅反射存在,双侧 Babinski 征阴性,感觉检查未见明显异常。周围血管征阴性。

(3)是不是急危重症疾病?

结合病史、体格检查和外院做的实验室检查、影像学检查,初步判断该患者有可能发展成急危重症——脑梗死。列出以下鉴别诊断(图 2-35-3)。

E(expectation)——**患者的期望**

医生:我对您的病情有了一定的了解,您今天来看全科有什么期望吗?(与患者建立良好医患关系后,可以直接问患者的期望)

患者:希望医生能从中找到病因,为我治疗好。

医生:您的症状可能是短暂性的脑供血不足引起的。(用肯定的语气排除"气血虚弱")

患者:大夫,这个病严重吗?

医生:这个病是长期的高血压、糖尿病没有得到有效控制导致的血管狭窄,引起了脑供血不足,如果放任不管,有可能进展成脑梗死的,脑梗死可能会落下终生的瘫痪。(向患者解释短暂性脑供血不足)

患者:那我该怎么办呢?

医生:暂时不用过于担心,我们建议您完善一些检查,后续再安排你转诊到神经专科继续治疗。

患者:好的,谢谢大夫。

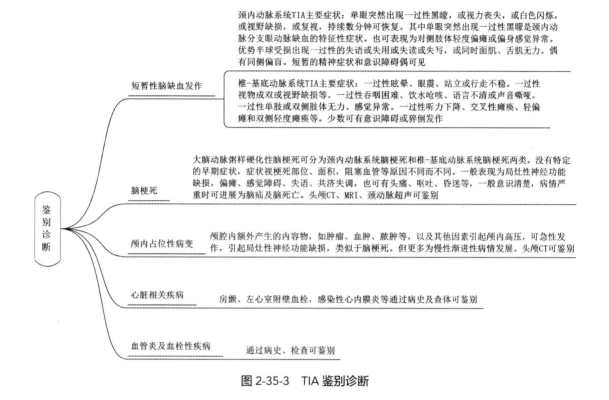

图 2-35-3　TIA 鉴别诊断

2. 最可能的诊断是什么? 需要完善哪些辅助检查?

(1)最可能的诊断:右侧半球短暂性脑缺血发作(TIA),高度怀疑右侧颈内动脉系统疾病?

(2)需要完善辅助检查:血常规、血沉、凝血功能(D-二聚体)、肝肾功能、电解质、心电图、心脏彩超、颈椎和眼底检查、颅脑 MRI、颈动脉超声。

检查回报:血常规、血沉、凝血功能(D-二聚体)、肝肾功能、电解质、心电图、心脏彩超、颈椎和眼底检查等均未见明显异常;颅脑 MRI T2Flair 扫描提示:右侧额顶叶多发梗死灶,支持半球缺血性脑血管病表现。颈动脉超声显示:右侧颈总动脉分叉处及右侧颈内动脉可见粥样硬化斑块,管腔重度狭窄(约 90%);左侧颈内动脉可见粥样硬化斑块,管腔重度狭窄(约 80%)。高度怀疑右侧颈动脉重负狭窄导致的右侧半球 TIA,将患者收入神经外科住院治疗;颈动脉 DSA:右侧颈动脉重度狭窄(约 90%),左侧颈动脉重度狭窄(约 95%)。

3. 诊断和诊断依据

(1)诊断:

1)右侧半球短暂性脑缺血发作(transient ischemic attack,TIA)。

2)右侧颈动脉重度狭窄(约 90%)。

3)左侧颈动脉重度狭窄(约 95%)。

4)2 型糖尿病

5) 高血压 2 级 很高危

6) 高脂血症

(2) 诊断依据：①老年男性，起病急，病程短，主要表现为反复无明显诱因突发右眼短暂性视力障碍，伴左侧上下肢无力、麻木，短时间自行缓解；②多年糖尿病、高血压、高脂血症病史；③长期吸烟。左侧肢体血压 160/100mmHg，右侧肢体血压 164/104mmHg。空腹血糖 10.6mmol/L；④眼底照相、双眼黄斑及视乳头 OCT 检查、眼压、视力等检查未见异常；⑤颅脑 MRI T2Flair 扫描提示：右侧额顶叶多发梗死灶，支持半球缺血性脑血管病表现；⑥颈动脉超声显示：右侧颈总动脉分叉处及右侧颈内动脉可见粥样硬化斑块，管腔重度狭窄 (约 90%)；左侧颈内动脉可见粥样硬化斑块，管腔重度狭窄 (约 80%)；⑦颈动脉 DSA：右侧颈动脉重度狭窄 (约 90%)，左侧颈动脉重度狭窄 (约 95%)；⑧排除血栓及其他血管炎性疾病。

4. 治疗方案和患者管理

(1) TIA 是急症，需要转诊神经专科继续治疗；TIA 发病后 2 天或 7 天内为卒中的高风险期，为患者进行紧急评估干预可以减少卒中的发生。应该提前做好相关准备工作，一旦 TIA 转变成脑梗死，不要因等待凝血结果而延误溶栓治疗。

(2) 若非卒中，给予一般性治疗，制定医嘱：①保证良好的休息；②控制危险因素，包括监控血压、血糖；收缩压维持在 140mmHg 以下，血糖控制在正常范围内；戒烟；③口服抗栓抗凝药物，如阿司匹林、利伐沙班片、达比加群酯胶囊等；④可适当使用改善驯化药物，如丹红、银杏叶提取物等。

(3) 与患者建立良好的医患关系，增进信任，普及短暂性脑缺血发作疾病的相关知识，提高患者的重视程度。

(4) 积极治疗危险因素：劝诫患者戒烟，积极控制高血压、糖尿病、高脂血症；

(5) 鼓励患者进行定期体检，长期门诊随访。

(6) 适当运动，注意休息，避免熬夜；对患者进行健康生活教育：改变高糖、高脂等饮食习惯，增加蔬菜、低糖水果的摄入，避免服用保健品。

(7) 叮嘱患者与家属一起于神经专科门诊就诊，定期全科医学科门诊随访，进行健康管理。

第 2 次就诊

第 28 天复诊。经过神经外科评估，患者双侧颈动脉均有外科治疗指征，已行"颈内动脉内膜切除术"，术后恢复良好出院，患者长期服用阿司匹林及氯吡格雷抗血小板，阿托伐他汀钙片调脂及稳定斑块治疗。患者现在视物模糊、肢体乏力未再发作，与子女一起来复诊。

第 3 次就诊

3 个月，患者第三次就诊，患者视物模糊、肢体乏力未再发作。患者近 3 月按照要求按时服药，血压控制在 115 ～ 140/70 ～ 95mmHg 之间；血糖控制在：空腹 6.1 ～ 7.2mmol/L，餐后两小时血糖 7.2 ～ 8.6mmol/L 之间；患者已经养成规律检测并记录血糖的习惯，并顺利戒烟。嘱患者定期于神经外科复诊，定期于全科医学科门诊进行健康咨询。

5. 病例总结

引起视物模糊的病因有很多，接诊视物模糊的患者，特别是老年人，不能仅仅考虑"老花眼""体位性低血压"等常见疾病，对于发生视物模糊后症状完全消失，并且没有后遗症状，体格检查未见明显异常的情况,也不能掉以轻心。该患者基础疾病较多,更加不能忽视是否有神经系统疾病、血管病变的可能,在常规检查未能发现病因的情况下,对脑血管的检查就显得尤为重要;在全科医生接诊患者的过程中,不能忽视常见症状中急危重症的诊治。

TIA 最常见的原因是微小血栓,而房颤是最常见病因之一。TIA 是一种发作过后症状会完全消失的一类急危重症,如果不能及时处理,很有可能导致脑梗死的发生,并且罹患 TIA 后,患者对于疾病的预后极为担心,从而导致焦虑、多疑、抑郁等情感障碍。负性情绪可影响神经内分泌系统,加重心理状态的改变。所以全科医生应该加强与患者的良好沟通,积极改善生活质量,养成对健康管理的重视,在医生"看不到"的地方,帮助患者养成良好的生活习惯,对患者疾病的病因干预,才是全科医生更大的责任。

6. 知识拓展

短暂性脑缺血发作(TIA)是由于局部脑或视网膜缺血引起的突发的、短暂性、可逆性神经功能缺损,临床症状发作持续数分钟、通常在 30 分钟内完全恢复、一般不超过 1 小时,最常不超过 24 小时且无责任病灶的证据。凡神经影像学检查有神经功能缺损对应的明确病灶者不宜称为 TIA。神经科医生习惯称之为脑梗死先兆。患者发生卒中的几率明显高于一般人群。

TIA 好发于 34 ~ 65 岁,65 岁以上占 25.3%,男性多于女性。发病突然,多在体位改变、活动过度、颈部突然转动或屈伸等情况下发病。发病无先兆,有一过性的神经系统定位体征。一般无意识障碍,历时 5 ~ 20 分钟,可反复发作,但一般在 24 小时内完全恢复,无后遗症。

TIA 常见病因是动脉粥样硬化、动脉狭窄、心脏病、血液成分改变及血流动力学变化,临床表现多种多样,取决于受累血管的分布。短暂性脑缺血发作的诊断主要是依靠详细病史,即突发性、反复性、短暂性和刻板性特点,结合必要的辅助检查而诊断,必须排除其他脑血管病后才能诊断。一旦发现,及时转上级医院神经专科完善相关检查。治疗上予以控制危险因素,可视病因选择抗血小板聚集、稳定动脉硬化斑块、抗凝、扩容等。

(廖晓阳)

 思考题

1. 引起视物模糊的常见原因有哪些?

2. 在日常生活中,全科医生应该如何管理短暂性脑缺血发作的患者?

病例 36 ⊠

皮肤反复瘙痒 1 个月余

患者,男,58岁,已婚,退休工人。独自前来就诊。

患者口述:1月前感觉躯干皮肤瘙痒,一周后瘙痒范围扩展到全身,瘙痒加剧,影响睡眠,尤其夜间无法入睡,食欲减退,无发热恶心呕吐腹泻。近1月体重下降1公斤。

患者递上之前就医的病历,曾经使用炉甘石洗剂、无极膏外用,瘙痒无减轻。既往无外伤和手术史,无重大脏器疾病史。25年前有乙肝小三阳病史,无家族肿瘤病史和遗传性疾病史。否认高血压,糖尿病史。有嗜酒爱好38年,每天白酒二两。无吸烟史。

请思考以下问题 →

1. 如何构建整体性临床思维?
2. 最可能的诊断是什么? 需要完善哪些辅助检查?
3. 诊断和诊断依据是什么?
4. 治疗方案和患者管理。
5. 病例总结。
6. 知识拓展。

1. 如何构建整体性临床思维?

(1)诊断思路:皮肤瘙痒的病因和发病机制极为复杂,各种因素导致机体产生瘙痒介质,皮肤感受器将瘙痒介质的刺激传递到大脑皮层,就产生了瘙痒的感觉。医学上将瘙痒称为皮肤病的一种症状。而皮肤瘙痒症(pruritus)则是只有皮肤瘙痒而无原发性皮损为特征的疾病,无论泛发与局限顽固性的皮肤瘙痒,都可能与全身性疾病有关。全科医生在接诊皮肤瘙痒患者时,需要注意以下几点:警惕高危因素:①过度的清洗史、用药史(慢性疾病常用药物)、体重下降、肿瘤家族史、海外旅游史、多性伴侣接触史、肝炎病毒感染、HIV 感染、梅毒感染等;②排查相关基础疾病(糖尿病、高血压、甲状腺功能异常等);③特殊爱好(烟酒嗜好、口嚼槟榔等);④肿瘤相关高风险因素(肥胖、长期慢性炎症、熬夜、三高饮食、高危职业等);⑤女性患者排除妊娠(妊娠后期有时伴发全身性瘙痒)。

皮肤瘙痒(skin itches)是人体对外界刺激和身体内部异常的一种防卫反应,是一种令人不舒服、不愉快的个人感受,会引起强烈的搔抓愿望,甚至带来无法忍受的痛苦。皮肤瘙痒原因(图 2-36-1)。

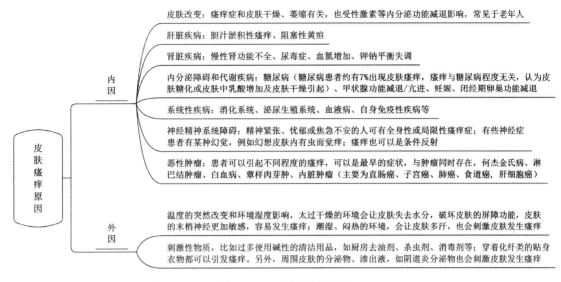

图 2-36-1　皮肤瘙痒原因

　　皮肤瘙痒是临床上最常见的症状。根据瘙痒的部位,分为全身性皮肤瘙痒和局限性的皮肤瘙痒;根据瘙痒的时间不同,分为急性皮肤瘙痒(持续少于六周的瘙痒)和慢性皮肤瘙痒。该男性患者,58 岁,1 月前感觉躯干皮肤瘙痒,一周后瘙痒范围扩展到全身,瘙痒加剧,影响睡眠,尤其夜间无法入睡,食欲减退,无发热恶心呕吐腹泻。近 1 月体重下降 1 公斤。曾经就诊各大医院的皮肤科,使用炉甘石洗剂、无极膏外用,瘙痒无减轻。25 年前有乙肝小三阳病史,有嗜酒爱好 38 年,每天白酒二两。无吸烟史。是什么原因引起的皮肤瘙痒? 是皮肤瘙痒症吗? 现采用整体临床思维——临床 4 问对该患者进行分析(图 2-36-2)。

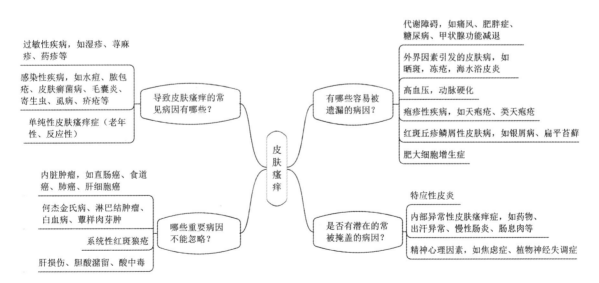

图 2-36-2　皮肤瘙痒临床 4 问

(2)鉴别思维:皮肤瘙痒虽然是大多数皮肤病的主要症状,一般而言,儿童,青少年患者皮肤瘙痒的病因以湿疹、特应性皮炎、荨麻疹、脓疱疮等过敏性疾病及感染性疾病多见。而中老年患者皮肤瘙痒的病因以湿疹、特应性皮炎、荨麻疹等过敏性疾病和红斑丘疹鳞屑性皮肤病及疱疹性皮肤病等多见。

在皮肤外用药治疗效果不满意或有合并其他症状时,全科医生除了了解患者的诊疗史,还要结合病史材料,收集阳性体征和实验室检查,拓展临床思维,考虑皮肤病之外的疾病。通过仔细询问病史,尤其是内外科病史、传染性疾病史、精神心理问题等等,积极寻找可疑线索,顺藤摸瓜,找到皮肤瘙痒病因。皮肤瘙痒还可能与患者的家庭生活、社会背景以及患者的行为认知等相关。下面采用以人为中心的问诊,了解患者的患病经历。

R(reason)——患者就诊的原因

医生:您好,哪里不舒服? (开放式问诊。)

患者:医生,最近 1 个月,我皮肤痒得很难受,吃不下,睡不着。

医生:什么时间比较严重? 是白天还是晚上? (了解瘙痒症状的特点)

患者:感觉白天痒,晚上也痒,晚上更严重一些。有时候痒得我睡不着觉,就去洗澡,用硫磺皂洗,用刷子刷,用开水烫,用酒精擦,用药膏搽等等多种方法,当时感觉瘙痒减轻,过后一二个小时瘙痒又来了。

医生:哪个部位的皮肤痒得比较严重? (了解瘙痒部位)

患者:说不清哪个部位,就是感觉痒,我皮肤上没有发疹子,也没有破损。

医生:瘙痒程度自评有 0 ~ 10 分,您自评达到几分? (了解患者瘙痒的程度)

患者:我实在无法忍受了,好痒好痒,我自己评分是 10 分。

医生:平时有过敏或者传染病接触史吗? 如湿疹? 荨麻疹? 过敏性鼻炎? 胃肠炎? 牙齿发炎? (了解患者过敏状态,传染病史,体内炎症病灶)

患者:没有的。在年轻时候有一次体检发现小三阳,去年单位体检,医生没有说不好。

医生:家里人员身体健康吗? (了解患者家族史肿瘤史)

患者:都健康的。

医生:最近体重下降感觉疲劳吗? 大小便正常吗? (了解患者伴随症状)

患者:晚上睡眠不好,瘦了 2 斤,感觉有点累。大小便都正常的。

医生:平时在服些什么药? (了解用药史)

患者:平时吃点保健品,复合维生素。医生开了药膏外用,有炉甘石洗剂、无极膏等。

医生:喝酒吸烟吗? 量多少? (了解烟酒嗜好)

患者:不吸烟。喝酒 40 年了,每天白酒二两。因为皮肤瘙痒,近期酒量减了一点。

I(idea)——患者对自己健康问题的想法

医生:您觉得是什么原因引起的皮肤瘙痒、体重减轻? (了解患者对自身问题的看法。)

患者:可能皮肤里有什么湿毒的东西,积聚里面没有发出来?

医生:您觉得吃了什么食物或者接触什么东西,会引起皮肤变化? 去过外地吗? (了解过敏史和旅居史)

患者:好像没有。现在因新冠疫情,没有去外地。

C（concern）——患者的担心

医生：这一个月内有没有看过医生？（了解患者的诊疗经过）

患者：市区大医院我都看了一遍，用了医生开的药，还是痒的厉害。我吃不下，睡不着我非常不放心自己的身体，所以来医院再看看，为什么会痒到这个程度。

医生：您的家庭关系怎么样？（了解有无不良生活事件）

患者：我太太是个脾气温顺的人，我不太管家里的事情，也不做家务。我平时脾气也很好，但最近痒得实在太厉害，脾气变差，常和家里人吵架，尤其是看到体重下降，感到恐惧、担忧。一直在考虑到底得了什么皮肤病？为什么药都控制不住？

医生：皮肤瘙痒确实令人不舒服，影响心情。我先给您做一下皮肤的检查，看看到底是什么原因引起瘙痒。（同理心，医生对患者为了治病多次就医表示理解，认真负责的接诊态度，增强患者安全感）

查体注意事项：全身体检，观察皮肤黏膜有无黄染、皮疹、紫癜、毛细血管扩张、浅表淋巴结肿大？观察患者腹部有无膨隆？腹壁触诊腹肌紧张度，有无包块，压痛，反跳痛？肝脾触诊有无肿大？腹壁叩诊有无移动性浊音？听诊肠鸣音是否亢进或减弱？

查体：T 37.1℃，P 94 次/min，BP 124/82mmHg，R 20 次/min，HR 94 次/min，律齐，一般情况可，皮肤稍黄染，浅表淋巴结未及肿大。双肺未及干湿啰音，腹部稍膨隆，胀气明显，鼓音，无明显压痛，无肌紧张，无移动性浊音，肝脾未及明显肿大，双肾无叩击痛，肠鸣音 5 次/分，下肢无水肿。皮肤科检查：躯干四肢皮肤干燥，见较多条索抓痕血痂，色素沉着。皮肤未触及包块结节。

（3）是不是急危重症疾病？

根据患者的病史和查体，初步考虑皮肤瘙痒症，需要积极寻找病因，排除恶性肿瘤。列出以下鉴别诊断（图 2-36-3）。

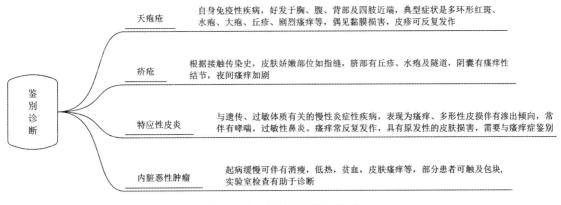

图 2-36-3　皮肤瘙痒鉴别诊断

E（expectation）——患者的期望

医生：我刚刚给您做了体格检查，结合您现在的症状，认为需要再进一步做一些化验和检查，以明确您是否有无其他的问题？（解释，取得患者配合）

患者：好的，我也想知道到底是什么疾病。

医生:您最近要注意饮食清淡,不能用热水、硫磺皂或者刷子等刺激皮肤,平时要使用保湿剂,保持皮肤滋润,最近不要喝酒,抽血及 B 超检查需要空腹。如果瘙痒加重腹胀难忍要及时就诊,这是我的电话号码,您可以随时与我联系咨询。

患者:好的,谢谢医生。

2. 最可能的诊断是什么? 需要完善哪些辅助检查?

(1)最可能的诊断:瘙痒症;乙型病毒性肝炎病原携带者;内脏肿瘤待排除?

(2)辅助检查:血常规、乙肝三系、肝功能、肿瘤系列(癌胚抗原 CEA、甲胎蛋白 AFP、前列腺特异抗原 PSA)、B 超检查肝胆胰脾、CT 检查腹部。

检查回报:血常规:WBC 5.6×10^9/l,HB 112g/l,E 2.8%;甲胎蛋白(AFP)128μg/l;肝功能:ALT:308U/L,AST:132U/L;乙肝三系:HBsAg(+)、HBeAb(+)、HBcAb(+);B 超:肝右叶 20×23mm 实质性暗区;CT:肝右叶 19mm×21mm 局限性界清密度减低区。

3. 诊断和诊断依据是什么?

(1)诊断:

1)肝细胞癌(hepatocellular carcinoma,HCC)

2)瘙痒症(pruritus)

3)乙型病毒性肝炎病原携带者(hepatitis B virus carrier,HBV carrier)

(2)诊断依据:①为老年男性,皮肤反复瘙痒 1 月余;②乙肝病史 25 年,饮酒史 38 年;③无感染性疾病和传染性疾病及特殊用药史;④皮肤科检查:躯干四肢皮肤干燥,见较多条索抓痕血痂,色素沉着,皮肤未触及包块结节;⑤ AFP128μg/l,肝功能:ALT:308U/L,AST:132 U/L,乙肝系列:乙肝表面抗原(HBsAg)阳性、e 抗体(HBeAb)阳性、核心抗体(HBcAb)阳性;⑥ B 超:肝右叶 20mm×23mm 实质性暗区;⑦ CT:肝右叶 19mm×21mm 局限性界清密度减低区。

4. 治疗方案和患者管理

(1)治疗方案:皮肤瘙痒症的治疗原则:积极寻找病因予以根治,是防治本病的关键。避免接触已知诱发或加重瘙痒的因素,该患者的治疗措施如下:

1)转肿瘤科予介入治疗加化疗。

2)避免局部刺激,镇静止痒,润泽皮肤是基础治疗。使用外用止痒药物如炉甘石洗剂、樟脑软膏止痒皮质类固醇药膏。

3)药物治疗:抗组胺类药物一种或几种联合使用,氯雷他定片 10mg 口服,1 次 / 天,晚上口服;盐酸多塞平片 25mg,1 次 / 天,晚上口服。夜间瘙痒严重者可使用镇静安眠类药物或三环类抗抑郁药或激素药物等。

4)中医中药以养血祛风安神为主。

(2)患者管理:①帮助患者减轻紧张、焦虑状态;②观察患者瘙痒症状的变化,如治疗后无改善,需要进一步检查。注意药物的不良反应,肿瘤复发。加强饮食管理,清淡易消化高蛋白食物;③瘙痒患者随访要点:随访的目的是掌握近期治疗有无控制症状,及时发现病情变化。嘱患者注意皮肤的保湿,避免不良刺激。

(3)皮肤瘙痒伴有以下情况需要及时向上级医院转诊:

1)不明原因瘙痒,伴有体重下降。

2)瘙痒难以控制,伴有精神状态,如失眠、脾气暴躁、抑郁、焦虑等。

3)瘙痒伴有 HBV 感染等感染史或其他肿瘤病史、家族肿瘤史、外出旅游史、家庭有传染病接触史。

4)瘙痒伴有消化道症状,如恶心、呕吐、食欲不振、大便改变、腹痛、腹泻、腹胀等。

5)瘙痒伴有皮肤紫癜出血、皮肤肿块、结节出现、或者皮肤颜色的改变。

6)瘙痒伴有呼吸道症状,如咳痰、胸闷、气急、咯血。

7)瘙痒伴有血液免疫系统症状,如三系细胞下降、抗核抗体系列异常、淋巴系统异常等。

8)瘙痒伴有红斑、鳞屑、水疱、大疱、脓疱、糜烂等。

9)瘙痒伴有肝肾功能异常、心肺功能异常、甲状腺功能异常、糖尿病、高血压、不详药物使用史等。

10)瘙痒伴有妊娠,产检结果正常。

11)瘙痒出现体格检查及实验室指标异常。

患者转上级医院时,全科医生及时向专科医生交接患者诊疗的结果及个人家庭、社会背景资料,以便上级专科医生更好地开展诊疗,全科医生需要及时了解患者诊疗结果。

5. 病例总结

(1)皮肤瘙痒症是一种仅有皮肤瘙痒,而无明显原发性皮肤损害的皮肤病。瘙痒症的典型症状就是皮肤瘙痒而无原发性皮损,可有针刺、灼热或爬行感。瘙痒的程度不等,往往以夜间最重。由于搔抓、摩擦或感染,往往继发充血、皮抓破、苔藓样变、色素沉着、脓疱或淋巴结炎等损害。瘙痒是许多皮肤病共有的一种自觉症状,是皮肤特有的感觉。在接诊瘙痒症老年患者,除了一般皮肤科专科问诊以外,需要进一步详细询问患者有无其他系统症状和体征,注意其心理情绪变化,家庭社会背景,对疾病的整体性诊断治疗提供依据。

(2)专科问诊中,注意有无并发性皮肤瘙痒症、内部异常性皮肤瘙痒症、单纯性皮肤瘙痒症?如出现瘙痒,伴随有过敏病因,要考虑过敏性疾病;伴随有感染症状,要考虑感染性疾病如病毒感染、细菌感染等;伴随有红斑鳞屑,要排除银屑病、扁平苔藓等;伴随有水疱糜烂症状,要排除疱疹性疾病,如天疱疮、类天疱疮等。当皮肤瘙痒无法控制时,应查明病因,首先排除皮肤科疾病,其次注意内外科疾病,有无肝肾异常、内分泌异常,尤其注意肿瘤病史。系统性疾病引起的瘙痒,处理系统性疾病。

(3)尿毒症、肝肾功能损伤、内分泌和代谢性疾病及血液系统疾病会出现皮肤瘙痒症状;内脏恶性肿瘤(肝细胞癌,肺癌,宫颈癌,胰腺癌,胃癌等)、白血病等,也可引起不同程度的瘙痒。肿瘤伴发的瘙痒多为全身性,多发生于夜间。一旦肿瘤控制,瘙痒会得到明显缓解,如瘙痒再次复发无法控制,要注意肿瘤的复发。肿瘤患者出现皮肤瘙痒、皮肤肿块,要排除转移性肿瘤。

(4)注意肿瘤相关危险因素:吸烟酗酒史、家族个人肿瘤史、感染性疾病史、精神状态、滥用药物史、不合理生活饮食习惯史、肥胖、大小便习惯改变、慢性炎症性疾病等。

(5)体检时不仅要注意皮肤科检查,同时不可忽视全身系统的检查。

6. 知识拓展

(1)肝细胞癌是我国常见的恶性肿瘤之一,是原发性肝癌中的一种。原发性肝癌主要包括肝细胞性肝癌、胆管细胞性肝癌和混合性肝癌。肝细胞性肝癌是来源于肝细胞受损恶变之后形成癌症;胆管细胞来源的就形成胆管细胞性肝癌;两者都有的,即混合性的肝癌。原发性肝癌早期症状都不明显,但病情发展比较迅猛,典型的症状表现为以下三种:①肝区疼痛,主要是肿瘤增大以后,压迫肝包膜,引起的刺激性疼痛;②消化道症状,比如食欲减退、乏力、恶心、腹泻,尽管这种症状没有特异性,但出现这种情况也要警惕;③乏力、消瘦早期不明显,随着病情的加重,会出现顽固性腹水、低蛋白血症,甚至出现恶液质。肝细胞性肝癌主要的发病原因是乙型病毒性的肝炎、酗酒等各种因素导致肝脏损伤、慢性炎症损伤,引起肝细胞恶变。乙型肝炎进展有一个过程,先是慢性乙型肝炎,然后发展成肝硬化,最后转化为病毒肝细胞肝癌。高危人群都是指有乙肝病毒携带者,并且有反复的病毒复制的患者,如果患有乙肝或者有家族性乙肝病人,到了 40 岁以后,特别要注意定期做肝脏 B 超检查,以排除肝癌的可能。

肝细胞性肝癌恶性程度相对来说比较高,有癌症之王之称,预后较差。如果能够早期发现、早期诊断、早期治疗,治疗的效果相对好一些。因早期症状不明显,当患者出现症状到医院来就诊时,一般已经是中期或中晚期了,治疗效果较差。

(2)副肿瘤性瘙痒症常伴发的肿瘤是白血病和淋巴瘤,多为晚期症状。瘙痒症是白血病最常见的皮肤表现之一,仅次于紫癜,其瘙痒程度一般比继发淋巴瘤轻,但受累范围更广泛,瘙痒程度常与白血病及淋巴瘤的病程平行。剧烈的夜间瘙痒还是真性红细胞增多症较为特异的皮肤症状,并见于大多数患者。在临床上老年瘙痒症治疗效果不佳时尤其要排查肿瘤。

(吴秋萍　王　静　林常敏)

 思考题

1. 皮肤瘙痒症的概念?

2. 皮肤瘙痒症患者治疗原则是什么?

3. 皮肤瘙痒的病因? 相关疾病的鉴别?

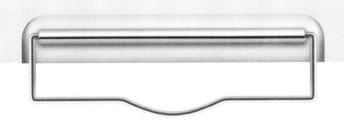

第三章

儿科常见症状的临床思维和沟通技巧

03章

 **学习目标**

1. 明确儿科常见症状的整体性临床思维、诊断、鉴别诊断及转诊指征。
2. 说出儿科常见症状的沟通技巧。
3. 描述儿科常见症状的病因、患者管理、治疗方案及知识拓展;免疫异常儿童疫苗接种的常见问题。

病例 1 ⊠

反复呕吐 3 年

患儿,女,11 岁,小学 5 年级,在母亲陪同下前来就诊。

患儿母亲代述:3 年来反复不明原因呕吐,无明显诱因,往往突然发作,偶尔呕吐呈喷射状,呕吐物为胃内容物;吐后漱口休息片刻又可以进食。呕吐没有规律,有时饭后呕吐、有时空腹也恶心呕吐;发作频率也不固定,有时一天呕吐 1 ~ 3 次,有时整日无呕吐,甚至一周或者一个月都不呕吐,但某段时期几乎每天都呕吐。无腹痛、腹泻。患儿注意个人卫生,进食前都洗手。3 年来频繁就医,效果不明显。在当地儿童医院(三甲)消化内科住院 3 次,血、尿、粪常规、电解质、肝肾功能、甲状腺功能等检验未见异常,腹部超声检查和胃镜检查及头颅 CT 检查都没有异常。住院期间,请心理专科医生会诊,心理测验排除了焦虑症和抑郁症。

因反复呕吐,找不到病因。在朋友的推荐下,家长携患儿和大量病历资料于 2016 年 3 月到某三甲医院全科门诊就诊。

请思考以下问题 ➜

1. 如何构建整体性临床思维?
2. 最可能的诊断是什么? 需要完善哪些辅助检查?
3. 诊断和诊断依据是什么?
4. 治疗方案和患者管理。
5. 案例总结。
6. 知识拓展。

1. 如何构建整体性临床思维?

(1)诊断思路:呕吐是一种常见症状,病因很多,涉及多系统,如消化、呼吸、泌尿、循环、生殖、五官、内分泌等系统疾病。全科医生接诊呕吐患者时要从呕吐发生机制出发,打开思维空间,避免思维局限性。结合患者的具体情况多维度思考,寻找呕吐原因,做出准确诊断和科学治疗。

呕吐是人体的一种本能,可将食入胃内的有害物质吐出,从而起到有利的机体保护作用。然而,频繁、剧烈的呕吐,会妨碍饮食,导致失水、电解质紊乱(低钠、低钾血症等)、酸碱失平衡、营养障碍等并发症,对机体引起更多的危害后果。恶心往往是呕吐的先兆,此时患者有欲吐的感觉,伴咽部或胸前特殊的不适感,并常有头晕、流口水、心率减慢、血压降低等迷走神经兴奋症状。

呕吐中枢位于延髓,延髓有两个不同作用机制的呕吐机构:神经反射中枢 - 呕吐中枢和化学感受器触发区(接受引起呕吐的各种化学性刺激)。呕吐中枢负责呕吐的实际动作,接受来自消化道和其他躯体部分、大脑皮质、前庭器官以及化学感受器触发区的传入冲动。引起呕吐的大部分传入冲动,不用经过化学感受器触发区,而是直接经内脏传入神经传导至呕吐中枢。在传入通路中,迷走神经纤维较交感神经纤维所起的作用更大,如腹部的膨胀性冲动便可以引起呕吐。主要传出通路为迷走神经(支配咽肌)、膈神经(支配膈肌)、脊神经(支配肋间肌、腹肌)、以及迷走神经与交感神经的内脏传出神经(支配胃与食管),通过一系列复杂而协调的神经肌肉活动引起呕吐。

化学感受器触发区本身不能直接引起呕吐动作,受如吗啡、洋地黄、雌激素等药物刺激时引起兴奋,发出对延髓呕吐中枢的传入冲动,出现呕吐动作。多巴胺是影响化学感受器触发区,导致呕吐的主要神经递质。氯丙嗪、甲氧氯普胺、多潘立酮为多巴胺受体阻断剂,因而具有镇吐作用。

按呕吐的发生机制可归纳为以下三类(图 3-1-1)。

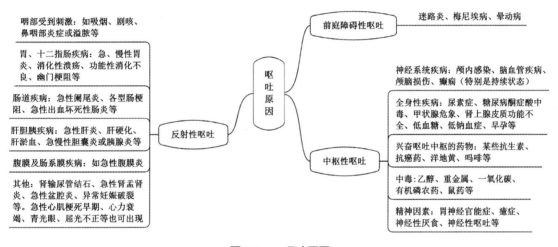

图 3-1-1　呕吐原因

该患儿 11 岁,反复呕吐 3 年,频繁去社区卫生服务中心和综合性医院儿科,在当地儿童医院(三甲)消化内科住院 3 次,也找不到病因。是什么原因导致患儿经受 3 年多的呕吐痛苦? 患儿生病的经历是不是还隐藏着什么? 专科已经付出很多时间和精力,患儿为什么仍然呕吐? 现采用整体性临床思维——临床 4 问对该患儿进行分析(图 3-1-2)。

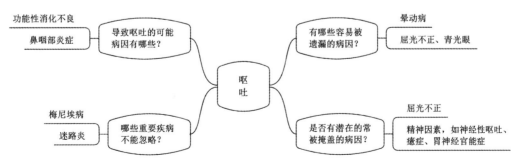

图 3-1-2　呕吐临床 4 问

　　(2)鉴别思维:寻找呕吐的原因对全科医生来说是一种挑战,也是对临床思维的一种考验。全科医生接诊呕吐患者时,问诊一定要详细,病史是寻找病因的最好线索。了解呕吐和食物、药物、体位、精神因素等关系,是否伴有恶心,呕吐时间与进食时间的关系,呕吐物的性质和数量,呕吐的伴随症状。需要询问腹部疾病、颅脑疾病或外伤史,以及高血压、心脏病、肾脏病、糖尿病与内分泌疾病等病史。育龄期女性不能忘记月经史。体格检查务必仔细,着重腹部检查外,还要注意神经系统、前庭神经功能等检查。结合工作实际条件,必要时做血常规、血糖、尿常规等检验、B超检查等。

　　全科医学的核心理念是全人照顾,不能局限于疾病,还要关注患者,应以患者为中心,站在患者的背后了解呕吐的发生、发展,全方位探究患儿的生病经历,尤其了解她自己内心的看法、顾虑和期望。了解患者背后的故事便于找到答案。

　　为了减轻患儿的心理压力,达到双方心理上的平等,轻松、愉悦地交流,接诊全科医生将自己的座椅降低,双眼与患儿双眼在同一水平线,两人保持 0.5 ~ 0.8m 的最佳沟通距离,开始采用 RICE 问诊,与患儿进行深入访谈(不是与患儿母亲单独交谈)。

　　R(reason)——患者就诊的原因

　　医生:小朋友,我们两个可以聊聊吗?(征求患儿的意见)

　　患者:可以。

　　医生:我们两个单独聊天,需要妈妈出去吗?

　　患者:妈妈在这里没关系,不用出去。(患儿看了妈妈一眼后说)

　　医生:你能将生病过程详细地告诉我吗?(让患儿自己讲述患病经历)

　　患者:3 年前开始呕吐,每个月都去看医生,看过社区卫生服务中心的医生,也到几家大医院看病,到儿童医院住院 3 次,吃了不少药,还是呕吐。(患儿表现得比同龄孩子成熟)

　　医生:今天为什么来看医生?(了解就医的原因)

　　患者:妈妈说医生很厉害,会看很多病。

　　医生:妈妈带你来看病,你自己愿意吗?(了解患儿自己的内心)

　　患者:我愿意,妈妈带我去看病,我从不反对的。

　　医生:你很乖,给你一个赞。你已经看了很多医生,感觉叔叔怎么样?(了解医患信任程度)

　　患者:叔叔看起来很亲切,与他们不一样。

　　医生:通过你妈妈刚才的描述,对你的病史我已经了解得差不多了,我们可以聊些别的吗?(开始了解患儿的家庭、社会等)

　　患者:没问题。

　　医生:你家里几个人?(了解患儿的家庭背景)

　　患者:4 个人,爸爸妈妈和弟弟,加上爷爷奶奶 6 个人。

　　医生:他们对你很凶吗?

　　患者:没有,他们对我很好的。(患儿脱口而出,毫不犹豫地回答)

　　医生:你在学校读书,成绩好不好?

　　患者:成绩不错的,班上第 5 名。(很自豪地回答)

　　医生:与同学相处的好吗?

患者:很好哦,同学们都很喜欢我。(患儿骄傲地说)

医生:老师对你好吗?

患者:老师对我很好。(患儿不假思考地回答)

I(idea)——患者对自己健康问题的看法

医生:医生说你没有病,你自己认为是什么原因导致你呕吐的? (了解患者对自身问题的看法)

患者:我不知道。(患儿很干脆地回答)

患者:妈妈说是我吃不干净的食物造成的,但是,我没有吃不干净的东西,现在家里都不让我吃生东西,水果都不让我吃。吃饭前我都会洗手的。(患儿生气地补充道)

医生:还可能有其他原因吗?

患者:有的医生说我的心理有问题,儿童医院的心理医生要我填写了几张问卷,最后说没有抑郁症、焦虑症,不是心理问题。(因反复就医,患儿对医生的言行相当熟悉。比同龄人成熟。)

医生:还有什么要告诉我的吗?

患者:没有了。(建立了良好的医患关系后,患儿开始放松对医生的戒备,坦诚地回答医生的问题)

医生:我先给你检查一下身体好吗?

患者:好。

查体:患儿发育正常,与医生交流沟通顺畅,心肺听诊未见异常,腹部平坦,全腹触软,未触及肿块,无压痛及反跳痛,肠鸣音正常,无腹部手术史,视力和听力正常,神经系统、前庭系统检查无殊。

(3)是不是急危重症疾病?

病史、体格检查和之前的住院记录没有发现异常,可以明确排除器质性疾病。结合患儿的患病经历、查体、住院资料,列出以下鉴别诊断(图 3-1-3)。

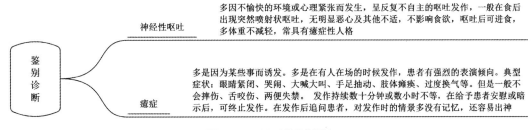

神经性呕吐 多因不愉快的环境或心理紧张而发生,呈反复不自主的呕吐发作,一般在食后出现突然喷射状呕吐,无明显恶心及其他不适,不影响食欲,呕吐后可进食,多体重不减轻,常具有癔症性人格

鉴别诊断

癔症 多是因为某些事而诱发。多是在有人在场的时候发作,患者有强烈的表演倾向。典型症状:眼睛紧闭、哭闹、大喊大叫、手足抽动、肢体瘫痪、过度换气等。但是一般不会摔伤、舌咬伤、两便失禁。发作持续数十分钟或数小时不等,在给予患者安慰或暗示后,可终止发作。在发作后追问患者,对发作时的情景多没有记忆,还容易出神

图 3-1-3　呕吐鉴别诊断

C(concern)——患者的担心

医生:呕吐的感觉十分难受。(开始进入同理心)

患者:是的,我呕吐的时候好难受,她们还说我装。(看了妈妈一眼)

医生:装不出来的。(继续认同患儿的感受)

患者:还是医生理解我。叔叔,你怎么知道呕吐很难受?

医生：因为我也呕吐过。

患者：你是医生也会呕吐？（患儿很好奇地问，双眼盯着医生的面部）

医生：我小时候也经常呕吐。（感同身受）

患者：医生也会呕吐？

医生：是的。我小时候家里很穷，吃不饱。我家里祖祖辈辈都是农民，都靠种田为生。种田需要肥料，家里没有钱去买肥料，爸爸就带着我去捡狗屎，捡来的狗屎倒在田里变成肥料。狗屎很臭很臭……

患者：好恶心！

医生：我看见狗屎就会呕吐。你看见大便会呕吐吗？（话锋突然回转）

患者：我看见大便不会呕吐。我看到爸爸妈妈抱弟弟时才会呕吐……（患儿脱口而出，伤心地大哭）

医生：为什么呢？（语气柔和地问）

患者：他们只爱弟弟，不爱我了……（患儿哭着大声说。这就是患儿内心深处的担心）

医生：你感到很伤心、很难过……（认同）

患者：嗯。

医生：你为什么认为爸爸妈妈不爱你了？

患者：3 年前有弟弟后，他们重男轻女，不要我了……（伤心地哭着说出患儿自己担忧的依据）

E（expectation）——患者的期望

医生：爸爸妈妈不会不要你的。我可以帮你什么？

患者：他们不能不爱我。（患儿的期望）

医生：你是爸爸妈妈的心头肉，他们依旧会爱你的。

患者母亲在旁边伤心极了，眼泪顺着面庞往下流，痛彻心扉，"你是妈妈的宝宝，爸爸妈妈一直都很爱你。"

患者：爸爸回家后只抱弟弟，不抱我；奶奶给弟弟好吃的，不给我吃；妈妈对弟弟特别好，对我很凶很凶；我在学校受欺侮后，妈妈不帮我，只会骂我……（患儿将 3 年的憋屈一股脑吐出来了）

医生：是的，不能忽视姐姐的。（认同、与患儿站在同一方向）

患儿情绪很激动，伤心地哭诉着。在医生和妈妈的安抚下，10 分钟后情绪才慢慢地平静下来。

医生：心情好点了吗？我知道你呕吐的原因了！

患者：什么原因？

医生：因为你担心爸爸妈妈不要你了。（医生幽默地告诉患儿）

通过 RICE 问诊，答案浮出水面。

2. 最可能的诊断是什么？需要完善哪些辅助检查？

(1)最可能的诊断：神经性呕吐？

(2)辅助检查：之前的相关检查很详细。本次就诊暂时不开检查单。

3. 诊断和诊断依据是什么？

(1)诊断：神经性呕吐（neurological vomiting）

（2）诊断依据：3 年来反复呕吐，在爸爸妈妈抱弟弟时呕吐，发作与生理心理反应有关。吐后可以再食，身体发育未受到影响。检查检验未见异常，多次就诊，尤其是 3 次住院全面检查，排除了器质性疾病导致的呕吐。住院期间心理专科医生会诊，排除抑郁症、焦虑症、癔症等疾病。本病例符合神经性呕吐的特征。

4. 治疗方案和患者管理

通过与患儿、家长充分沟通，初步诊断为神经性呕吐，与心理状态等相关。向家长和患儿解释呕吐的原因，解除顾虑。与家长、患儿共同制定治疗策略。

（1）治疗方案

1）对症治疗：呕吐严重时给予口服补液盐、止吐药物治疗。给予益生菌辅助治疗。暂时不给予药物治疗。

2）心理治疗：给予心理疏导，认知行为治疗，家庭治疗。

3）转诊指征：①呕吐导致严重脱水、电解质失平衡；②营养不良，影响身体发育；③严重心理障碍者；④医疗设备缺乏，超出全科医生诊疗能力，全科医生对治疗无把握；⑤患者或家属要求转诊者。

（2）患者管理

通过深入交流沟通，全科医生与患者及家属建立了互相信任的医患关系。患儿与家长拒绝转诊，母亲强烈要求全科医生继续治疗。

医生要求目前转告患儿亲人们，要关注患儿的心理，让患儿感受到家人的爱与关怀。嘱咐一周后，父母与患儿一起来全科复诊。

第 2 次就诊：

周六中午，患儿在爸爸、妈妈的陪同下来全科复诊，患儿 3 岁的小弟弟也来了。一家 4 人来到了全科诊室。

互相介绍后，开始了家庭治疗。全科医生告诉患儿父母，患儿的呕吐与心理有关、与家庭有关，希望爸爸妈妈平等对待姐姐和弟弟，并要求承诺。一个小时的家庭治疗后，在良好的氛围中达成家庭协议，制定 3 条"家规"：

1）爸爸回家后要拥抱两个小孩，周一、三、五先抱姐姐，周二、四、六先抱弟弟。

2）爸爸妈妈买任何礼物，都要买两份，姐姐、弟弟各一份。

3）爸爸妈妈要关注孩子的心灵，不要随意训斥孩子。

患儿需要长期的健康管理，全科医生与患儿全家制订疾病管理计划，连续 4 周每周六上午复诊，1 个月后每 2 周复诊一次，3 个月后每个月复诊一次。患儿家庭十分配合，遵循治疗方案和患儿管理，3 个月后患儿呕吐再也没有发生。

5. 案例总结

呕吐是一种常见症状，虽然呕吐往往表现为轻微的自限性疾病，但也可能是危及生命的严重疾病先兆或临床表现。全科医生在基层医疗机构工作，是呕吐患者的第一接诊医生，首要任务是识别急危重症疾病，发现有红旗症状或潜在高风险的呕吐患者，应转专科就诊。排除急危重症、在安全的前提下，全科医生要积极主动地帮助患者寻找病因，找到导致呕吐最可能的疾病。

全科医生接诊呕吐患者时,从常见病、多发病出发,合理运用时间工具,排除急危重症疾病,努力寻找最可能的疾病。一定要切记,只有在排除器质性疾病的前提下才能考虑心理性疾病。本病例是呕吐 3 年的 11 岁儿童,多次就诊,已经排除器质性疾病。详细追问病史发现其呕吐是一种心理生理反应,是境遇性呕吐,符合神经性呕吐的特征。神经性呕吐的治疗要点在于:深入了解导致患者发病的心理因素,并积极进行处理;避免过多关注其呕吐症状;合理安排患者的饮食,宜少吃多餐;呕吐严重、有营养不良或水、电解质紊乱者,应适时补充营养,保持水和电解质平衡。在药物方面,小剂量的氯丙嗪静脉滴注可达镇静、止吐作用。

全科医学具有明显的多面性,既是生物科学,又是心理科学,也是社会科学。全科医学推崇生物 - 心理 - 社会医学模式,强调心理和社会因素是疾病发生、发展以及防治的重要因素,主张心理治疗和社会干预防治疾病。生物 - 心理 - 社会医学模式从生物和社会结合上理解人的生命,理解人的健康和疾病,寻找疾病现象的机理和诊断治疗方法。现代医学模式对全科医生提出了更高的人文要求,医生不仅要关心患者的躯体,而且要关心患者的心理;不仅要关心患者个体,还要关心患者的家属、社区。中国台湾地区提出的全人、全家、全社区的共同照顾模式(community comprehensive care model),简称"三全照顾模式"(3 "C" model)。本案例从生物因素出发,关注到患儿的心理因素,结合整个家庭因素,终于找到呕吐的病因(神经性呕吐)。

全科医生接诊患者,要持续性地照顾患者,安排复诊。复诊可以更全面地了解病情发展、转归等,可以让全科医生动态地了解患者、管理患者,成为真正的健康守门人。该案例是全科医学基本原则在临床实践中的应用,体现了"以人为中心的照顾、以家庭为单位的照顾、连续性照顾及综合性照顾"等 4 条原则。

6. 知识拓展

神经性呕吐又称心因性呕吐,以反复出现呕吐为特征,进食后随即吐出所进食物,常与心情不愉快、精神紧张、内心冲突有关。无器质性病变作为基础,不影响其后的进食食欲。神经性呕吐患者常常否认自己怕胖或有控制体重的动机,其体重多无明显减轻。这类呕吐与神经性厌食、神经性贪食患者的呕吐不同,后者常在进食后自行引吐,久而久之不引吐,也可以顺利吐出。

在《中国精神障碍分类及诊断标准(第三版)》中(CCMD-3),神经性呕吐与神经性厌食、神经性贪食都属于进食障碍,是一种心理因素相关生理障碍伴有生理紊乱和躯体因素的行为综合征。神经性呕吐的诊断标准:

(1)自发的或故意诱发呕吐为特征的精神障碍,呕吐物为刚吃进的食物。

(2)体重减轻不显著(体重保持在正常平均体重值的 80% 以上)。

(3)可有害怕发胖或减轻体重的想法。

(4)这种呕吐几乎每天发生,并至少已持续 1 个月。

(5)排除器质性疾病导致的呕吐以及癔症或神经症。

(吴 疆 王 静 蔡飞跃)

💡 思考题

1. 在呕吐的病因中,常见的急危重症有哪些疾病?

2. 神经性呕吐的特点是什么?

病例 2 ⊠

发热 5 天,皮疹 2 天

患儿,男,4 岁,发热 5 天,上午 10 点由母亲抱来就诊。

整理患儿发病过程和就医情况如下:

第 1 天:患儿突然出现高热,T_{max} 39.9℃。血常规提示:白细胞计数 15×10^9/L,中性粒细胞百分比 76%,血红蛋白 134g/L,血小板计数 412×10^9/L,CRP 39mg/L,血沉 30mm/h。考虑细菌感染,给予静脉输注头孢类抗生素治疗,另口服布洛芬混悬液退热。

第 2 天:患儿仍有高热,右侧颈部发现有肿块,考虑淋巴结炎,继续静脉输注抗生素。

第 3 天:患儿口服布洛芬混悬液退热,效果欠佳,仍高热,继续输抗生素。输液结束后,全身出现猩红热样皮疹,考虑药物过敏,加用抗过敏药物。

第 4 天:患儿高热无好转,颈部肿块无缩小,复验血常规提示:白细胞 18×10^9/L,中性粒细胞百分比 77.7%,血红蛋白 112g/L,血小板计数 450×10^9/L,C 反应蛋白 50mg/L;血沉 40mm/h。换用抗生素静脉输入,并继续服用抗过敏药物。

第 5 天:患儿体温和皮疹仍然不退,进食时口腔疼痛。来到我的诊室就诊。

> **请思考以下问题 →**

1. 如何构建整体性临床思维?
2. 是不是急危重症疾病? 依据是什么?
3. 最可能的诊断是什么? 依据是什么?
4. 治疗方案和患儿管理。
5. 病例总结。
6. 知识拓展。

1. 如何构建整体性临床思维?

(1)诊断思路:在儿科门诊中,以"发热伴皮疹"来就诊的患儿很常见,其中病毒和细菌感染性疾病,是儿科最常见的,以急性出疹性传染病占比最多。以发热伴皮疹表现的感染性疾病中,有些疾病属于急危重症,比如脓毒症、流行性脑脊髓膜炎等,全科医生接诊发热伴皮疹的患儿时,也要考虑一些发病率较低的疾病,如变态反应性疾病、免疫性疾病、恶性肿瘤、剥脱性皮炎等。

发热是指病理性体温升高,是发热激活物作用于产致热原细胞,使其产生和释放的内生致热原作用于下丘脑体温调节中枢,在中枢发热介质的介导下使体温调定点上移而引起的,是疾病进展过程中的重要临床表现。皮疹是指不同于正常皮肤的皮肤病变,病原体直接在皮肤中增殖或侵入皮肤血管内皮细胞、细菌毒素、自身免疫现象、变态反应等都会引起皮疹。

发热伴皮疹是很多疾病的共同表现,发热伴皮疹的原因很多,常见发热伴皮疹的原因可分为 5 类(图 3-2-1)。不同疾病的皮疹又有相似性和多形性,要正确诊断此类疾病,需要构建整体性临床思维,综合分析,防止误诊和漏诊。

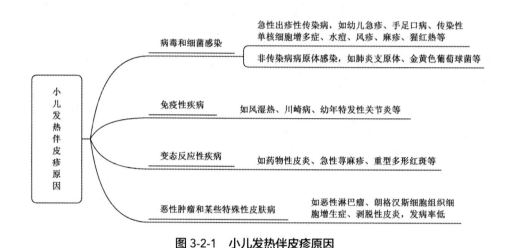

图 3-2-1　小儿发热伴皮疹原因

该患儿发热第 5 天,皮疹 2 天,是感染性疾病还是别的原因? 现采用整体性临床思维——临床 4 问对患儿的病情进行分析(图 3-2-2)。

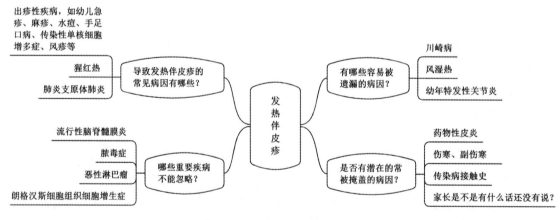

图 3-2-2　发热伴皮疹临床 4 问

(2)鉴别思维:全科医生作为居民健康的"守门人",往往是此类患儿的第一接诊人。对小儿发热伴皮疹,全科医生要有清晰的鉴别思维。对于小儿持续高热不退,精神反应差的患儿,有进展为急危重症的风险或者已经确认为急危重症的,需要及时转诊上级医院。在排除急危重症的高风险和急危重症的前提下,要积极寻找病因,找到导致发热伴皮疹最可能的病因。

该患儿发热第 5 天,皮疹 2 天,血常规显示是细菌性感染,已经合理使用抗生素,为什么感染没有被控制的迹象? 什么疾病导致患儿高热持续不退? 考虑药物过敏导致的皮疹,在更换抗生素及加用抗过敏药物后,皮疹为何没有消退? 这些问题迫使我们思考:除了细菌感染导致的发热伴皮疹外,还有别的病因吗? 皮疹真的是过敏引起的吗? 患儿进食时口腔疼痛,要注意是否存在口腔黏膜病变、牙齿病变、咽喉部病变导致的疼痛,如口腔溃疡、牙龈炎、疱疹性咽峡炎、疱疹性口腔炎、手足口病等。

为了找到答案,结合以人为中心的问诊,全面、深度、多角度地了解疾病的发生、发展和结局。

医生:你好,我是潘医生,孩子怎么啦? (开放式提问)

患儿母亲:医生,孩子发热第 5 天了,挂了 4 天盐水,一点好转的迹象都没有,身体还出了好多红疹子。(患儿母亲非常焦虑)

医生:不要着急,孩子发热比较常见,我会尽力帮助你的。你先告诉我孩子发热前有没有受凉? 发热时最高温度是多少? 有没有吃过退热药? (宽慰患儿母亲,让她觉得医生会尽力帮助她,同时了解发热的诱因、程度及服药情况)

患儿母亲:孩子是突然发热的,没有受凉。体温最高有 39.9℃,医生让我们超过 39℃时给他吃退热药。吃完退热药后会降到 38℃,但一直在 38 ~ 39.9℃之间徘徊。因为吃退热药要隔 4小时,所以我就用温水擦浴给他降温。

医生:你的退热处理非常正确。除了发热,孩子有没有咳嗽、拉肚子? (肯定母亲的做法,有利于建立良好的医患关系。鉴别小儿呼吸道、消化道等常见部位的感染性疾病)

患儿母亲:没有。

医生:跟别的发热小朋友,特别是发热并且长疹子的小朋友接触过吗? (了解有无常见传染病的接触史)

患儿母亲:没有。医生,我们孩子发热时间有点久了,我有些担心。

医生:我们先了解孩子具体的生病原因,再进行针对性治疗,相信孩子会好起来的,孩子这次发热与以往发热有什么不同吗? (宽慰患儿母亲,给她以信心,同时了解家长对自身问题的看法,并继续了解伴随症状)

患儿母亲:医生,孩子这次发热有点奇怪,眼睛烧得红红的,嘴唇烧得又干又红,吃东西甚至喝温水都说舌头痛。李医生说是跟高热有关系。

医生:好的,我了解了。那我先给孩子检查一下。

查体:T 38.6℃,P 115 次 /min,R 28 次 /min。神清,精神萎靡,躯干和大腿内侧可见猩红色样皮疹,部分融合成片状,右侧颈部可及肿大淋巴结,3cm×4cm 大小,局部无红肿,双眼结膜充血,巩膜无黄染,咽及口腔黏膜弥漫性充血,双侧扁桃体 I 度肿大,唇红且皲裂,杨梅舌,双肺呼吸音粗,无干湿性啰音,心音中等,律齐,未闻及明显的杂音。腹平软,全腹无明显压痛,肝脾肋下未及,四肢关节无压痛、畸形,手足无疱疹,指趾末端发红、硬肿,末端无脱皮,神经系统检查无殊。

(3)是不是急危重症疾病?

该患儿以发热 5 天为主诉,高热为主,服用退热药效果不大。病程第 2 天出现颈部淋巴结肿大,静脉输注抗生素 4 天,病情没有得到控制,使用抗生素过程中出现皮疹,更改抗生素及加用抗过敏药物后,皮疹未消退。第 5 天进食时,诉说口腔疼痛(杨梅舌)。

初步观察:患儿由母亲抱入诊室,头一直搭在母亲肩上,精神萎靡。根据患儿的病史、查体、实验室检查和治疗经过,考虑有转为急危重症的风险。列出以下鉴别诊断(图 3-2-3)。

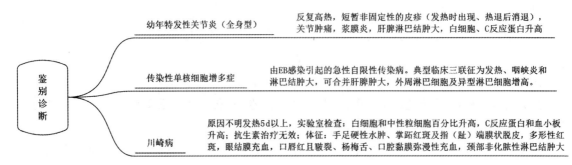

图 3-2-3　发热伴皮疹鉴别诊断

医生:目前怀疑孩子得了川崎病,你了解川崎病吗? (了解家长对疾病的认知)

患儿母亲:川崎病? 还是第一次听说,医生,严重吗?

医生:川崎病是一种病因未明的非特异性免疫性的全身血管炎病变,可能会引起心脏冠状动脉扩张,可以表现为发热、颈淋巴结肿大、皮疹、手足硬肿、球结膜充血、口唇干红皲裂、杨梅舌等,你之前说的眼睛红、嘴唇干红、杨梅舌都是这个病的表现。(让患儿母亲大概了解川崎病)

患儿母亲:会影响心脏啊,那不是很严重? (患儿母亲再次焦虑)

医生:不要太担心,大部分的川崎病患儿经过积极治疗,预后良好。我把孩子转诊到上级医院心血管内科进一步诊治。我会和上级医生取得联系,关注孩子的病情,你有什么需要也可以和我联系。(宽慰患儿母亲,让家长了解疾病的预后,并表示会继续提供帮助)

患儿母亲:好的,医生,太谢谢您了。

2. 最可能的诊断是什么? 需要完善哪些辅助检查?

(1)最可能的诊断:川崎病?

(2)辅助检查:前面的相关检查比较全面,需要转上级医院进一步诊治。

3. 诊断和诊断依据是什么?

转诊至上级医院心血管内科,反馈如下:患儿发热第 5 天入院,第 6 天给予静脉输注丙种球蛋白,口服阿司匹林,体温开始下降。第 9 天出现川崎病典型的体征:指趾端甲床及皮肤移行处膜状脱皮,确诊为川崎病,又称皮肤黏膜淋巴结综合征(MCLS)。住院 7 天出院。

(1)诊断:川崎病(kawasaki disease,KD)

(2)诊断依据:①发热 5 天,躯干和大腿内侧可见猩红色样皮疹、颈部淋巴结肿大、球结膜充血、口腔黏膜充血、唇红且皲裂、杨梅舌、指(趾)末端发红硬肿;病程第 6 天给予静脉输注丙种球蛋白,口服阿司匹林,体温下降,第 9 天出现川崎病典型的体征,指趾端甲床及皮肤移行处膜状脱皮;②实验室检查提示白细胞、中性粒细胞比例、血小板和 CRP 增高,血沉加快;③抗生素治疗无效。

4. 治疗方案和患儿管理

川崎病患儿急性期需要在心血管内科住院治疗。由于血小板会逐渐增高,有血栓形成可能,需要阿司匹林连续服用12周。考虑到长期服用阿司匹林的医嘱遵从性不高,出院后需要全科医生继续随访,采用专科-全科-家庭干预模式来管理川崎病患儿。

患儿出院后一周,患儿母亲抱着患儿进入诊室,看上去忧心忡忡。询问后得知:母亲忧虑阿司匹林的副作用。因家中老母长期口服阿司匹林做脑部手术引起大出血死亡(说起此事几度落泪),患儿母亲担心孩子也会大出血死亡,想给患儿停服阿司匹林。此时,全科医生只做一位认真的倾听者,了解患儿母亲的想法、担心。在她流泪时,适时递上纸巾,并给予安慰。待她情绪恢复后,耐心地向她解释,孩子口服的阿司匹林剂量是在安全范围内的,只要严密观察副反应,定期评估,平时尽量避免外伤,是不会有危险的。听完解释,患儿母亲放下疑惑,表示会遵从医嘱按时服药。

5. 病例总结

发热伴皮疹是儿科中常见的就诊原因,有近100多种疾病发热伴有皮疹,如急性出疹性传染病、结缔组织病、血液病、变态反应性疾病。发热伴皮疹在非感染性疾病中以川崎病较为常见。全科医生接诊发热伴皮疹的患儿时,在排除急危重症疾病的情况下,从常见病、多发病出发,留意一些不可忽视的疾病,合理运用时间工具,努力寻找最可能的疾病。做到在临床工作中仔细观察皮疹的形态、分布、与发热的关系以及伴随症状等,结合病史、查体和实验室检查综合分析,鉴别临床相似的疾病,得出正确的诊断。本案例给我们以下几点启示:

(1)发热伴淋巴结肿大,血常规提示细菌性感染的,应用抗生素后效果欠佳的,要考虑到川崎病的可能。

(2)小儿发热性疾病,如果是用药后出现皮疹,不能简单地归结为药物过敏,也要警惕川崎病。

(3)眼结膜充血、口唇干红、口腔黏膜充血、杨梅舌等川崎病面容跟急性热病容有些相似,在询问病史及查体时注意甄别。

川崎病患儿急性期需要在心血管内科住院治疗。由于血小板会逐渐增高,有血栓形成可能,所以出院后仍需要口服阿司匹林并随访,导致患儿及家属的心理负担重,院外康复治疗依从性差,影响疗效。全科医生可以提供出院后追踪延伸的医疗服务,给予延续性的医疗干预,采用专科-全科-家庭干预模式来管理川崎病患儿,根据患儿治疗的不同阶段制订随访计划,给予医学检查、药物、日常保健、心理等方面的指导,同时与心内科医生保持联系。儿科学与成人医学的不同点在于需要家长的参与,所以全科医生不仅需要关注患儿本身疾病,也需要关注患儿及家属在精神心理层面以及家属认知上的内在诉求,使其更好的实施居家病情管理与照护,体现全科医学以"人"为中心和以家庭为单位的全科医疗服务。

6. 知识拓展

川崎病主要发生于5岁以下儿童,是一种急性中小动脉血管炎综合征,其病因及发病机制尚不清楚,病变主要累及冠状动脉,严重者可导致冠状动脉瘤、缺血性心肌病、心肌梗死等,已成为儿童获得性心脏病的重要原因之一。2017年,美国心脏协会发布的《川崎病的诊断、治疗及远期管理——美国心脏协会对医疗专业人员的科学声明》中提出:发热5天以上和≥4项主要临床特征确诊川崎病,同时指出对于>4项主要临床特征,尤其是出现手足潮红硬肿时,热程4天也可以诊断。主要临床特征包括:①双眼球结膜充血(无渗出物);②口唇及口腔所见口唇绛红、皲裂、杨梅舌、口腔黏膜弥漫性充血;③皮肤改变,如多形性红斑、皮疹;④肢体改变,如(急性期)

手掌、足底及指 / 趾端潮红、硬肿，(恢复期)指 / 趾端甲床及皮肤移行处膜状脱皮；⑤非化脓性颈部淋巴结肿大,常为单侧,直径大于 1.5cm。

(潘珊珊　王　静)

 思考题

1. 川崎病的临床表现有哪些?
2. 川崎病急性期的最佳治疗方案是什么?

病例 3 ⊠

反复发热半年,再发 3 天

患儿,男,3 岁 5 月,反复发热半年,再发 3 天,上午 9 点由母亲带来就诊。

整理患儿发病过程和就医情况如下:

患儿半年来反复发热,大多间隔 4 周发热 1 次,偶有每 2 周发热 1 次,每次发热时间大多持续 3 ~ 4 天,最长不超过 7 天,最高体温达 40℃ 以上,热峰 2 ~ 4 次 / 天;发热期间有寒颤,伴有咽痛或口腔溃疡,轻微咳嗽,无呕吐腹泻,无皮疹,无关节肿痛等不适;曾多次当地医院或我院就诊,发热时血常规检查均提示白细胞计数明显偏高,中性粒细胞为主,超敏 C 反应蛋白明显增高,其他检查包括尿常规、粪常规、肝肾功能、血气电解质、血培养、胸片以及腹部 B 超检查均未见异常,诊断为"急性扁桃体炎"、"化脓性扁桃体炎"或"脓毒血症",每次在门诊或住院均给予"抗生素"静滴治疗后体温正常。发热间歇期患儿无咽痛,无咳嗽,无呕吐腹泻等不适,生长发育同正常同龄儿。目前再次出现发热 3 天就诊,与末次发热时间间隔 4 周。

第 1 天:患儿突然出现高热,体温最高 39.6℃,伴轻微寒战,咽痛;未就诊,自行"布洛芬"口服退热治疗。

第 2 天:患儿仍有反复高热,咽痛同前,轻微咳嗽。家长继续予"布洛芬"口服退热,同时加用"头孢克肟 50mg 一天二次"口服;退热药口服后体温能降至正常范围,但仍有高热反复。当地医院化验血常规白细胞 20×10^9/L,超敏 C 反应蛋白 50mg/L。

第 3 天:患儿仍有反复高热,遂来到我的诊室就诊。

请思考以下问题 →

1. 如何构建整体性临床思维?
2. 是不是急危重症疾病?依据是什么?
3. 最可能的诊断是什么?依据是什么?
4. 治疗方案和患儿管理。
5. 病例总结。
6. 知识拓展。

1. 如何构建整体性临床思维?

(1)诊断思路:在儿科门诊中,直接以"发热待查"来就诊的患儿不是很常见,对于病程长,既往辅助检查、诊断和治疗不能解释患儿病情的,临床医生要掌握"发热待查"的定义和学会判断该疾病。根据记录热程、区分热型、询问伴随症状、查体中看到的特异性体征以及必要的针对性检查,进行诊断以及鉴别诊断,同时判断疾病的严重程度。对于目前已经完善相关检查但病因尚不能明确的、存在脏器功能损害、精神反应欠佳、生命体征不稳定的患儿,及时转诊上级医院进一步诊治。

在国际上,最早 Petersdorf 和 Beeson 通过对 20 世纪 50 年代 100 例发热患者的前瞻性研究,并于 1961 年提出发热待查(Fever of Unknown Origin,FUO)的定义。1991 年,Durack 和 Street 提出长期发热的住院患者及免疫缺陷患者等特殊人群的病因分布有所不同,需单独列出,进一步丰富了发热待查的定义。"发热待查"这一概念在我国最早于 1962 年相关文献,目前结合国内外文献和临床实践,可将发热待查分为经典型发热待查和特殊人群的发热待查,特殊人群的发热待查又包括住院患者的发热待查、粒细胞缺乏患者的发热待查和 HIV 感染者的发热待查(图 3-3-1)。

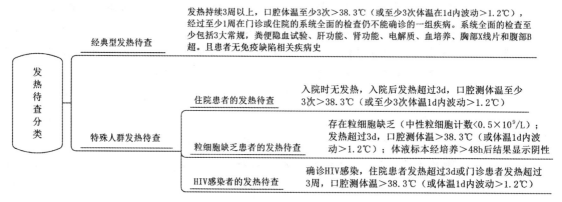

图 3-3-1　发热待查分类

由于特殊人群的发热待查(包括住院患者,粒细胞缺乏患者,HIV 感染者)有其特殊的疾病谱及诊治流程。本病例将围绕经典型发热待查展开。经典型发热待查临床表现多样,缺乏特异性,是诊治的难点,病因复杂,分布受时期、地区、年龄和医疗资源等影响较大,常见原因可分为 4 大类(图 3-3-2)。

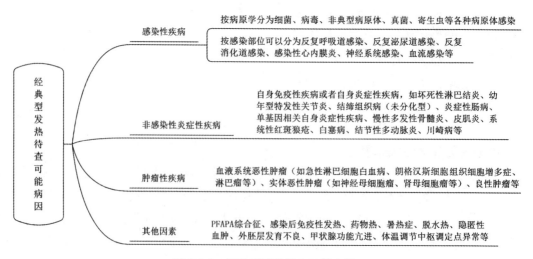

图 3-3-2　经典型发热待查可能病因

儿童发热待查中,感染性疾病还是主要病因,特别是 6 周岁以下、病程在 1 个月以内的患儿。多数患儿频繁感染的原因可能与儿童免疫系统发育及脏器发育不完善及家庭护理不当有关。反复感染的患儿中频繁呼吸道感染最常见,然后是消化道、泌尿道感染等。泌尿道感染尤其是 2 岁以下患儿,临床表现较为隐秘,存在漏诊可能,其患病率可能被低估。对于因感染性疾病引起的发热,需要寻找感染病原和感染病灶,合理选择抗感染药物。对于热程短(数周)、有乏力、寒战等毒性症状者,在应用抗菌药物或切除病灶或脓肿引流后,发热即终止,全身情况也随之改善的,有利于感染性疾病的诊断。

　　儿童发热待查中非感染性炎症性疾病主要是亚急性坏死性淋巴结炎、幼年特发性关节炎、系统性红斑狼疮等,该类疾病可突然进展为巨噬细胞活化综合征而危及生命,临床上需高度警惕。

　　该患儿"间断反复发热半年余,再发 3 天",高热且伴有咽痛,其间曾多次血常规提示白细胞高,中性粒细胞为主,超敏 C 反应蛋白高,多次反复使用抗生素体温降至正常范围。为什么患儿仍会反复出现发热?是免疫功能异常、脏器结构畸形或护理不当导致的反复感染?还是抗生素使用疗程不足,导致感染复发?如果不了解患儿之前的病史,可能会判断"急性发热 3 天"来就诊。所以,临床医师需要做好详细的病史询问、细致的体格检查及必要的实验室检查和辅助检查,来判断是否属于经典型发热待查。现采用整体性临床思维—临床4问对患儿的病情进行分析(图3-3-3)。

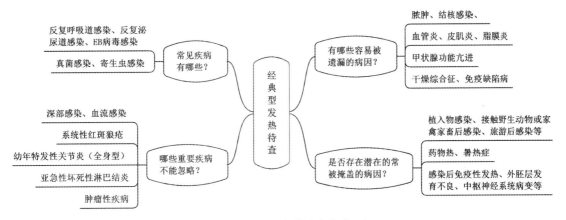

图 3-3-3　经典型发热待查临床 4 问

　　(2)鉴别思维:患儿每次发热间隔 4 周,热程 3 ~ 7 天,高热伴咽痛,抗生素治疗后体温降至正常范围,发热间歇期患儿无不适情况,生长发育同正常同龄儿。为什么患儿发热有规律性?每次真的是抗生素治疗后好转的吗?如果不给予抗生素治疗会如何?患儿既往辅助检查提示白细胞高,中性粒细胞为主,超敏 C 反应蛋白高,粪常规、尿常规、生化、血培养、胸片、腹部 B 超未见明显异常,患儿目前再次发热,化验结果情况会有新的变化吗?这次发热是之前发热的延续,还是一次新的急性发热?

　　带着这些疑问,我们需要熟悉发热待查的定义和各种疾病的鉴别要点;同时为了找到可能的答案,需要结合以人为中心的问诊,全面、深度、多角度地了解疾病的发生、发展和结局。

　　医生:你好,请坐!孩子怎么啦?(开放式提问)

　　患儿母亲:医生,孩子又发热了,今天第 3 天了。以前也这样很多次,每次都要挂 3 ~ 5 天

盐水,然后吃好几天抗生素。(患儿母亲非常焦虑)

医生:不要着急,这个年龄段的孩子发热比较常见的。你先和我说说孩子这次发热是什么情况,最高体温多少? (宽慰患儿母亲,让她觉得医生会尽力帮助她,同时了解目前这次发热的情况,确定有无真正发热)

患儿母亲:3 天前小孩突然出现发热,我耳温计量出来最高体温有 39.6℃,我自己给他吃了"美林",吃药后能降到 37℃ 左右,但是过几个小时又会升上来。

医生:一天一晚孩子需要吃几次退热药? 另外,除了发热,孩子还有什么其他的不舒服吗? (询问热峰情况,区分热型;同时开放式询问有无阳性伴随症状)

患儿母亲:每天大概需要吃 2 ~ 4 次退热药。除了发热,小孩还会说喉咙有点痛,偶尔有点咳嗽,体温正常的时候,精神还好的。

医生:你观察的很仔细。孩子除了反复高热和咽痛、轻微咳嗽外,有呕吐、腹泻、腹痛、皮疹、关节肿痛、头疼、尿痛、血尿、耳朵痛等情况吗? (再次确认伴随症状)

患儿母亲:没有。

医生:你带孩子去医院做过什么检查和用过什么药物吗? (开放式询问患儿诊治情况)

患儿母亲:发热第 1 天,我给服了"美林",昨天我给他吃了之前医生开的"头孢克肟",一次一包,一天 2 次,但发热没好转,我就带孩子去医院抽血化验(递上化验单,显示白细胞 20×10^9/L,超敏 C 反应蛋白 50mg/L)。吃药效果不大,现在发热还比之前高了一点。我们之前都是挂盐水才能好的。

医生:你说孩子以前也经常发热,能和我说说之前的发热情况吗? (开放式提问,清楚患儿既往发热情况)

患儿母亲:医生,以前我们也来医院看过的。每次验血都说白细胞高,超敏 C 反应蛋白高,是细菌感染,需要挂盐水才能好。差不多每个月都要来一次。

医生:之前每个月 1 次,大概从什么时候开始的? 每次发热几天,最高体温多少? (进一步询问既往发热情况,同时查看系统中患儿既往诊治经过)

患儿母亲:每次都和现在差不多,这次也是隔了差不多 4 个礼拜,跟女生来大姨妈一样准时。从半年前开始的,一般每次发热 3 ~ 7 天,挂上盐水 3 ~ 5 天就好了。之前也查了其他的一些化验,都说没问题。

医生:孩子这样的发热情况确实有点不一样,我先看一下你之前的就诊记录。(查看电子病历系统中患儿既往情况)

患儿母亲:孩子每个月都要发一次高烧,大人小孩都很遭罪,医生帮我好好看看。

医生:之前的病历里都有提到孩子"扁桃体有白色渗出(脓点)",有时颈部淋巴结也有触及,轻微触痛,其他检查(粪常规、尿常规、生化、血培养、胸片、腹部 B 超)没有特别的问题,每次都有抗生素输液,然后改口服治疗。抗生素的疗程用的也都挺足的,后续复查血常规、CRP 结果也是正常后停用的。(总结既往病史情况)

患儿母亲:对的,大概有 3 次医生说小孩扁桃体有脓。

医生:孩子这半年时间,有去其他医院看过,或用过其他药物吗? (安抚家长,同时进一步询问既往的诊治情况)

患儿母亲:都是在贵院看的,每次盐水挂挂就能好。

医生:不发热的时候,孩子的情况如何? 以前有没有经常生病? (进一步询问患儿病史情况,评估有无免疫缺陷、结构畸形等可能)

患儿母亲:不发热时,情况挺好的。孩子每次体检,各方面都正常。

医生:家里有其他人近期有发热,或者家里人也有这样反复发热的情况吗? (了解有无常见传染病的接触史,有无遗传性疾病病史)

患儿母亲:最近家里没有人发热的。听我婆婆说,我老公小时候有一段时间也是这样,老是发热,具体她也记不清楚了。

医生:孩子目前除了发热和咽痛,没有别的不舒服。生长发育与同年龄段的孩子一样,请放心。我先给他检查一下,可能还要做一些检查。(宽慰患儿母亲,给她以信心,同时告知下一步需要做的事情)

查体:T 38.2℃,P 105 次/min,R 25 次/min,BP 96/52mmHg;神清,精神可,对答可;咽充血,扁桃体Ⅱ+肿大,可见白色分泌物;颈部可触及黄豆大小淋巴结,右侧一枚轻压痛,质地中,活动度可,局部无红肿;呼吸平稳,双肺呼吸音粗,未闻及干湿性啰音;心音中等,律齐,未闻及杂音;腹平软,全腹无压痛,无反跳痛,肝脾肋下未及肿大;四肢关节无肿痛、畸形,手足无疱疹;神经系统检查未见阳性病理性体征;全身未见皮疹,未见异常包块,双眼不红。

(3)是不是急危重症疾病?

1)病史:患儿间断反复发热已半年余,再发 3 天,发作期间表现为高热+咽痛,目前仍反复高热中;既往我院血常规提示白细胞高,中性粒细胞为主,超敏 C 反应蛋白高,余检查未见明显异常,诊断为"急性扁桃体炎"予抗感染治疗后好转,但仍有规律性高热发生;家族中爸爸小时候有类似反复高热病史。

2)初步观察:精神尚可,生长发育可,见咽充血,扁桃体Ⅱ+肿大,可见白色分泌物;颈部可触及黄豆大小淋巴结,右侧一枚轻压痛,质地中,活动度可,局部无红肿;余查体未见明显异常。患儿母亲存在明显焦虑情绪,患儿病情对家庭生活造成困扰。

根据患儿的病史、查体、实验室检查和治疗经过,初步排除严重疾病。列出以下鉴别诊断(图 3-3-4)。

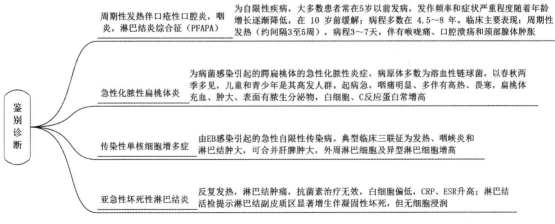

图 3-3-4 周期性发热伴化脓性扁桃体炎鉴别诊断

2. 最可能的诊断是什么？需要完善哪些辅助检查？

（1）最可能的诊断:周期性发热（PFAPA 综合征）？

（2）辅助检查:血常规、CRP 以及胸片检查。

检查回报:血常规 +CRP 检查提示白细胞计数 $21.72 \times 10^9/L$，中性粒细胞 73.9%，超敏 C 反应蛋白 74.01mg/L；胸片提示两肺纹理增多。

医生:结合目前的资料，我怀疑孩子得了一种自身炎症性疾病，叫周期性发热，你听说过这个疾病吗？（了解家长对疾病的认知）

患儿母亲:周期性发热？我从来都没有听说过。

医生:是一个比较少见的病，也是一个不容易早期诊断的病。反复发作性的发热、扁桃体化脓、白细胞和超敏 C 反应蛋白增高都是这个病的表现，但这些症状都不是因细菌感染导致的炎症，而是孩子自发性的炎症发作。（让患儿母亲大概了解该疾病情况）

患儿母亲:自发性的炎症发作？能治好吗？（患儿母亲再次焦虑）

医生:你不用太担心，这个病总体预后还是好的，你看孩子现在除了发热和咽痛，生长发育是好的。抗生素治疗周期性发热是无效的，为了不盲目使用抗生素，明确一下病因，我把孩子转诊到上级医院风湿免疫科进一步诊治，我会和上级医生联系并关注孩子的情况，你有什么需要也可以和我联系。（宽慰患儿母亲，让家长了解疾病的预后，并表示会继续提供帮助）

患儿母亲:好的，医生，太谢谢您了。

3. 诊断和诊断依据是什么？

转诊至上级医院风湿免疫科住院，反馈如下:患儿入院后行相关检查排除感染、肿瘤、自身免疫性等疾病；同时评估患儿无脏器功能损害情况；入院行"观察性治疗"，在单纯布洛芬退热治疗下，患儿体温在入院后第 3 天自行降至正常范围未再反复，且后续复查白细胞、CRP 逐渐降至正常范围；基因筛查结果阴性。

根据患儿病史、体格检查、诊治经过以及辅助检查，最终诊断为 PFAPA 综合征，又称周期性发热、阿弗他口炎、咽炎及淋巴结炎（Periodic fever, Aphthous stomatitis, Pharyngitis, and Adenitis, PFAPA）综合征。住院 5 天出院。

（1）诊断:PFAPA 综合征（Periodic fever, Aphthous stomatitis, Pharyngitis, and Adenitis, PFAPA）

（2）诊断依据:患儿 2 岁多起病；间断反复发热半年余，发热发作时间规律，每次间隔 4 周，每次发热 3 ~ 7 天；发作期间表现为高热 + 咽痛，查体有咽红，扁桃体白色渗出物，颈部淋巴结轻压痛；发作间歇期，没有症状，实验室检查结果正常；纯退热治疗后体温以及炎症指标能自行降至正常范围；生长发育指标正常；爸爸小时候有类似发热病史；行相关检查进一步排除感染、肿瘤以及自身免疫性等疾病。

4. 治疗方案和患儿管理

PFAPA 综合征患儿需要在风湿免疫科明确诊断，给予治疗方案，出院后需要全科医生继续随访，采用专科 - 全科 - 家庭干预模式来管理 PFAPA 综合征患儿。

PFAPA 综合征的治疗，护理很关键。体温 39℃ 以上时用退热剂对症处理，目的是改善患儿舒适度，而非单纯恢复正常体温。可参考使用 Wong-Baker 面部表情疼痛表和中文版《新生儿疼痛和不适量表》评估急性发热儿童舒适度。所以在发热期全科医生需要教会家长正确监测体温、合理使用退热药物以及观察患儿情况。

发作初期用小剂量糖皮质激素进行顿挫治疗(先小剂量给药,对于无效者间隔 24 可再次给药),可快速控制发热,但不能阻止下一次发热且部分患儿发热间期缩短。可以使用秋水仙碱进行预防性治疗,研究发现秋水仙碱可显著延长发热间隔,降低发热频率。IL-1 受体拮抗剂在小样本研究中有效,但因其成本 - 效果、易获得性问题(国内未上市),使用受限。对于发热频繁,每次发作时均伴有扁桃体明显肿大,在内科治疗效果无效的情况下,部分 PFAPA 综合征患儿可选择手术,行扁桃体切除术。

5. 病例总结

随着近 10 年来儿童风湿免疫学的发展,对儿童发热待查(FUO)有了更深入的理解。对于反复发热,原来认为有可能是非感染性炎症(免疫炎症性疾病)所致,尤其是年龄越大、病程越长,非感染性疾病的可能性逐渐增加。儿童发热待查中的非感染性疾病另一大病因是肿瘤,其中以血液系统肿瘤为主,但肿瘤在儿童发热待查中占比低。医生接诊发热伴体重下降、消耗症状明显的患儿时,要小心肿瘤可能。而对于反复发热、时间长(大于 3 个月)、无毒性症状、发作与缓解交替出现的病情,需要考虑自身免疫性疾病或自身炎症性疾病。

近年来,单基因自身炎症性疾病被逐渐认识和确诊,对于长期反复规律发热的患儿及时行基因检测有利于早期确诊。多数关于儿童发热待查的研究认为病程 1 个月以内感染性疾病可能性大,而随着病程的延长非感染性疾病的可能性逐渐增加。其中在非感染性炎症性疾病中,自身炎症性疾病在近几年逐渐被人们认识以及诊断。而最早被认识的自身炎症性疾病是一组符合孟德尔遗传规律的周期性发热,称为遗传性周期性发热综合征,其特征是不定期或周期性发作性发热伴局部炎症,在早期常常被误诊和延误治疗。

对于本案例给我们以下几点启示:

(1)以"急性发热"就诊的患儿,需要详细的询问患儿病史,评估此次病情是单纯的新发疾病过程,还是整体疾病的一个新阶段。

(2)对于反复规律性的发热,咽炎,扁桃体白色渗出物,炎症指标高,不能简单地归结为急性扁桃体炎,也要警惕周期性发热,PFAPA 综合征可能。

(3)对于起病年龄小,不明原因的反复发热,存在多系统炎症,有类似疾病的家族史,发作期间急性反应物升高而无症状期间可正常,病程中没有发现明确的感染、肿瘤等疾病,需要警惕自身炎症性疾病的可能。

PFAPA 综合征需要在风湿免疫科住院进行诊断以及确定治疗方案。由于该疾病目前没有明确的统一治疗方案,方案的选择取决于治疗效果以及每次发病对患儿及家人的干扰程度。在患儿发热期,全科医生需要教会家长正确监测体温、合理使用退热药物以及观察患儿情况。由于该疾病为少见病,慢性病程,而且部分患儿治疗效果欠佳,全科医生不仅需要关注患儿本身疾病,也需要关注患儿及家属在精神心理层面以及家属认知上的内在诉求,使其更好的实施居家病情管理与照护,体现全科医学以"人"为中心和以家庭为单位的全科医疗服务。

6. 知识拓展

PFAPA 综合征是一种以自发性炎症发作为特征的自身炎症性疾病,通常起病年龄为 1 ~ 4 岁,主要临床表现为周期性发热、阿弗他口炎、咽炎及颈部淋巴结炎。PFAPA 综合征主要根据病史、体格检查结果进行诊断,需要行相关检查排除其他疾病。目前的诊断仍依靠 Thomas 等学者于 1999 年修正的标准:① 5 岁前出现的固定的周期性发热;②无上呼吸道感染症状并伴阿弗他口炎、咽炎及淋巴结炎中至少 1 种表现;③排除周期性粒细胞减少症;④发热间期完全没有症状;⑤正常的生长发育。由于目前已有年长儿,甚至成人 PFAPA 的报道,年龄限制已不再是诊断的必备条件。PFAPA 是一种自限性疾病,预后良好,早期诊断可避免反复使用抗生素,有效提高患儿及其家庭生活质量。

(滕丽萍　吴建强　王　静　卢美萍)

 思考题

1. PFAPA 综合征的临床表现有哪些?
2. 经典型发热待查的定义是什么?

病例 4 ⊠

间断呕吐 4 天,加重半天,哭闹剧烈

患儿,男,11 个月,间断呕吐 4 天,加重半天,哭闹剧烈,下午 2 点由母亲抱来就诊。

整理患儿发病过程和就医情况如下:

第 1 天:患儿受凉后出现低热伴呕吐,来医院就诊,考虑胃肠功能紊乱,予以益生菌口服。

第 2 天:患儿仍有呕吐,较前有所好转,出现解黄色稀水样便 5 次,再次来医院就诊,考虑轮状病毒肠炎,加用蒙脱石散口服止泻。

第 3 天:患儿清晨呕吐 1 次后,未再呕吐,仍解黄色稀水样便 4 次,家属未就医,在家服药观察。

第 4 天:患儿再次出现频繁呕吐,未再解大便,上午来医院就诊,仍然考虑轮状病毒肠炎,加服 ORS 处理。回家后,患儿哭闹剧烈,来到我的诊室就诊。

请思考以下问题 →

1. 如何构建整体性临床思维?
2. 最可能的诊断是什么? 需要完善哪些辅助检查?
3. 诊断和诊断依据是什么?
4. 治疗方案和患儿管理。
5. 病例总结。
6. 知识拓展。

1. 如何构建整体性临床思维?

(1)诊断思路:呕吐发病机制和病因见病例 3-1。

婴儿呕吐在临床上极为常见,可以是生理性表现,也可以由功能性障碍或器质性病变引起,后者一般由消化系统疾病或非消化系统病因造成。呕吐病因众多,不同年龄的儿童由于解剖及生理不同,呕吐的原因也不尽相同,所有年龄的儿童都有可能因为消化道感染、消化道梗阻等原因导致呕吐。大年龄儿童呕吐需要考虑心理因素,新生儿及婴幼儿需要警惕过敏及消化道畸形可能。另外,第四脑室下的呕吐中枢及更高级的中枢受全身炎症反应或代谢障碍产生的毒素刺激,或颅内压升高,均可引起呕吐。全科医生接诊呕吐患儿时,首先需要考虑患儿的年龄,其次考虑呕吐的特点,注意呕吐物的性质和伴随症状,警惕"红旗征"。

该患儿,11 个月,除了呕吐还哭闹剧烈,说明伴有疼痛或不适。现采用整体性临床思维——临床 4 问对患儿进行分析(图 3-4-1)。

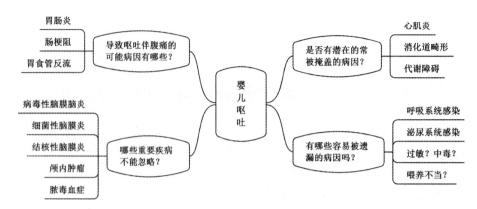

图 3-4-1　婴儿呕吐临床 4 问

（2）鉴别诊断：本病例中，患儿开始表现为低热、呕吐、解黄色水样便，结合患儿年龄，考虑轮状病毒肠炎，但随着病程的进展，呕吐好转后再次出现加重，疾病转归与初步诊断不符。此时，全科医生一定要对相关疾病进行鉴别，及时修正诊断。详细的问诊可以减少漏诊和误诊。问诊时需要仔细询问呕吐的方式、呕吐物的性状、与进食的关系，精神状态、食欲、大小便及呕吐时的伴随症状，也要注意在病程中，呕吐特点有无变化。

医生：您好！宝宝有什么问题需要我帮助吗？（开放式提问）

患儿母亲：医生，宝宝呕吐 4 天了，今天开始哭闹得厉害。

医生：不要着急，能将宝宝生病过程详细地告诉我吗？（宽慰患儿家属，让她回忆宝宝患病的经过）

患儿母亲：宝宝呕吐前一天晚上可能受凉，有点低烧。第一天来医院看，医生说胃肠功能紊乱，给宝宝开了益生菌。吐的第 2 天开始拉肚子，大便像蛋花汤一样，一天大概拉个 4 ～ 5 次，我又抱着他来医院，医生说是轮状病毒肠炎，又给我开了止泻药。吃了医生开的药开始有好转，但不知道怎么回事，今天又开始呕吐，比之前还严重，还哭闹的厉害。

医生：宝宝大便的情况怎么样，有变化吗？（了解伴随症状）

患儿母亲：今天没有拉肚子，就是呕吐厉害。

医生：宝宝呕吐是呈喷射状的吗？宝宝呕吐物是什么？（了解呕吐的特点，呕吐物的性质）

患儿母亲：不是喷射状的，就是平常的呕吐。之前吐的都是吃下去的东西，刚刚来医院的时候吐的是黄水。

医生：刚才您说，宝宝哭闹厉害，与平时有什么不同吗？（了解呕吐伴随的症状）

患儿母亲：大概半小时就要哭闹一次，哭得脸都发青了，还出冷汗。今天上午抱去给原来的医生看，他说轮状病毒肠炎就是这样的，说这个病要好几天才会好。我和医生说，宝宝今天又哭又闹的，会不会肚子痛？医生在宝宝肚子上按了两下，说没问题的，小孩子哭是因为腹泻引起肠子蠕动加快，肚子不舒服导致的，还说我大惊小怪。

医生：我也是两个孩子的母亲，非常理解您的心情。我先给宝宝检查一下，看一下到底有什么问题。（站在同为母亲的角度安慰家长，会让家长感觉暖心）

查体：T 37.6℃，P 118 次 /min，R 28 次 /min。神清，精神萎靡，哭闹厉害。咽部稍充血，双侧扁桃体无肿大,双肺呼吸音清,无干湿性啰音,心音中等,律齐,未闻及明显的杂音。腹有压痛,右上腹可扪及腊肠样肿块,光滑,肛肠指检发现有黏液血便。神经系统检查无殊。

(3)是不是急危重症疾病?

根据患儿的临床症状和体征,初步考虑肠梗阻,属于婴幼儿急腹症。列出以下鉴别诊断(图3-4-2)。

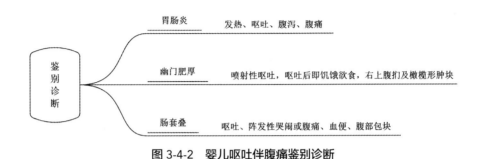

图 3-4-2 婴儿呕吐伴腹痛鉴别诊断

2. 最可能的诊断是什么? 需要完善哪些辅助检查?

(1)最可能的诊断:肠套叠?

(2)辅助检查:腹部 B 超

B 超回报:右上腹发现"同心圆"样改变。

医生:宝宝得了肠套叠,您了解肠套叠吗? (了解患儿家属对疾病的认知)

患儿母亲:肠套叠? 不清楚,听字面意思是不是肠子套起来了? 严重吗?

医生:您说的对,肠套叠是指部分肠管及其肠系膜套入邻近的肠腔导致的。肠套叠是比较危险的,不及时处理会导致肠子坏死。(认同患儿家长,让家长有成就感,同时让患儿家长大概了解肠套叠)

患儿母亲:那怎么办啊?

医生:不要太担心,及时处理预后还是良好的。我马上把宝宝转诊到上级医院外科进一步处理。我会和上级医生取得联系,关注宝宝的病情,你有什么需要也可以和我联系。(宽慰家属,让家属了解疾病的预后,并表示会继续提供帮助)

患儿母亲:好的,医生,太谢谢您啦。

3. 诊断和诊断依据是什么?

(1)诊断:肠套叠(intussusception)。

(2)诊断依据:有急性腹泻病史,出现呕吐好转后再次出现呕吐加剧,有阵发性哭闹,查体发现腹部有腊肠样肿块,肛门指检发现有黏液血便。B 超显示右上腹有"同心圆"样改变。

4. 治疗方案和患儿管理

(1)治疗方案:立即转上级医院处理。

上级医院外科医生反馈:入院后立即行空气灌肠,从肛门注入气体,在 X 线透视下见到杯口状阴影,采用脉冲加压的方式使肠腔的气压缓慢升高,患儿的肠套叠复位。

(2)患儿管理:嘱患儿家长回家后添加辅食应遵循由少到多、由稀到稠、由单一到复杂等循序渐进的原则,避免添加过硬、过冷的辅食。要求患儿进餐后避免做剧烈运动,避免再次出现消化道或上呼吸道感染,避免不洁饮食,这些因素均会导致肠蠕动功能紊乱,易引起肠套叠再发。

患儿 1 周后随访饮食均正常,无呕吐、阵发性哭闹等,大便正常。

5. 病例总结

急性肠套叠本质上是一种肠梗阻,由部分肠管及其肠系膜套入邻近肠腔导致,是婴幼儿常见的急腹症。小儿病情变化通常比较快,同一病程中,同为呕吐的症状可能因为病情进展而由不同的病因造成,需要医生仔细问诊和密切关注病情变化,及时处理,才不会延误病情。

本病例中,患儿起病初,出现轮状病毒肠炎的典型症状:低热、呕吐和蛋花汤样便,诊断和治疗得当。但是随着疾病进展,患儿出现呕吐加重,有阵发性哭闹,出现了新问题,首诊医生没有跳出固有的诊断思维,没有考虑出现新的病症——肠套叠。

(1)轮状病毒肠炎与肠套叠关系密切:轮状病毒肠炎的患儿可有末端回肠伴淋巴组织增生,局部肠壁增厚,甚至凸入肠腔,构成套叠的起点,加之肠道受病毒感染后肠蠕动增强,而导致肠套叠。所以轮状病毒肠炎的患儿,如果呕吐或哭闹症状无好转或恶化时,一定要考虑有肠套叠的可能。原因如下:

1)一般情况下,轮状病毒肠炎经过治疗,呕吐多在 1 ~ 2 天内会停止,如果有长时间呕吐不能缓解或缓解后再次加重,需要考虑肠套叠。

2)轮状病毒肠炎患儿由于肠蠕动亢进、腹胀等原因,也常出现哭闹(腹痛引起),但一般不剧烈,也无突发骤止的特点。因此,若患儿哭闹突然加重,呈阵发性,同时伴有面色苍白、出汗、四肢乱动、表情异常痛苦时,应考虑肠套叠可能。

(2)早期识别肠套叠:肠套叠如果延误诊断与治疗,会导致肠坏死或穿孔等严重的后果,所以一定要早期识别。

1)轮状病毒肠炎患儿,特别是年龄较小的儿童,频繁呕吐持续或呕吐好转后再次加重,或出现阵发性哭闹等,要想到肠套叠的可能性。

2)身体检查时不要草率,否则可能会导致误诊漏诊。由于婴幼儿哭闹,腹部查体不清楚的时候,不要忘记做直肠检查。

3)患儿父母就诊时的叙述,往往包含了诊疗的关键线索,即便父母在请求医生帮助的时候显得焦急,医生也应该体谅患儿父母的难处,认真对待他们的求助,倾听他们的诉求,从而早期识别病症,避免延误病情。

6. 知识拓展

肠套叠是婴幼儿急腹症之一,是一种绞窄性肠梗阻,特别多见于 2 岁以下的婴幼儿。由于急性肠套叠起病急,进展快,又常伴有上呼吸道感染或腹泻,易被误诊以致肠坏死,引发全身炎症反应综合征而危及生命。典型的肠套叠症状具有:

(1)阵发性哭闹(腹痛):表现为突然出现的阵发性有规律的哭闹,可伴有屈膝缩腹、面色苍白、异常痛苦表情等,中间可有短时间的暂时安静,如此反复发作。

(2)呕吐:多在腹痛发作后出现,初为乳块或食物残渣,后可含胆汁,晚期可吐粪便样液体。

(3)血便:为重要症状。出现症状的最初几小时大便可正常,以后大便少或无便。约 85% 的病例在发病后 6 ~ 12 小时排出果酱样大便,或肛门指诊时发现血便。

(4)腹部包块:为重要体征。在右上腹季肋下可触及轻微触痛的套叠肿块,呈腊肠样,光滑不太软,稍可移动。因多种原因往往不容易摸到明显包块,腹胀时或哭闹不安时拒按,也不容易扪及包块。

(5)全身情况:早期一般情况较好,随着病程延长,可出现嗜睡、精神萎靡、高热、严重脱水、休克等表现。

肠套叠治疗可分为手术治疗和非手术治疗。仅有少数患儿需进行传统开放性手术治疗,采用开放性的手术治疗存有多方面的不利因素,如并发症的发生率较高,且发生种类较多,手术创伤性较大等,所以医生在临床治疗中应对患儿相应的手术指征进行灵活掌握,手术治疗的指征有:肠套叠超过 48 ～ 72 小时,或虽时间不长但病情严重已有肠坏死或穿孔者,以及小肠型肠套叠。非手术治疗为目前首选的方法,适应证为:肠套叠在 48 小时内,全身情况良好,腹部不胀,无明显脱水及电解质紊乱。目前,非手术治疗的方法有:① X 线透视之下空气灌肠复位术;② B 超监视下生理盐水灌肠复位术;③ X 线透视之下钡剂灌肠复位术。

(潘珊珊　王　静)

 思考题

1. 肠套叠的临床表现有哪些?

2. 轮状病毒肠炎在何种情况下要考虑并发肠套叠?

病例 5 ☒

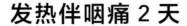

发热伴咽痛 2 天

患儿,男,1 岁 6 个月,因"发热伴咽痛 2 天"前来就诊。

家长口述:2 天前外出游玩后出现发热,热峰 39.6℃,用物理降温,体温降至 37.6℃,无畏寒寒战,进食时诉说喉咙痛,拒食,少许流涕,无咳嗽咳痰,无气促发绀,无恶心、呕吐、腹泻,无皮疹,无抽搐。

发病来,胃纳欠佳,睡眠可,大小便无殊,体重无增减。

出生史、既往史、家族史无殊。按卡接种疫苗。

请思考以下问题 →

1. 如何构建整体性临床思维?
2. 最可能的诊断是什么? 需要完善哪些辅助检查?
3. 诊断和诊断依据是什么?
4. 治疗方案和患者管理。
5. 病例总结。
6. 知识拓展。

1. 如何构建整体性临床思维?

(1)诊断思路:接诊发热伴咽痛的患儿时,全科医生要有清晰的鉴别思维。对于小儿持续高热不退,精神反应差的患儿,有进展为危急重症的风险或者已经确认为危急重症的,需要及时转诊上级医院。在排除危急重症的高风险和危急重症的前提下,要积极寻找病因,找到导致发热伴咽痛最可能的疾病。

发热伴咽痛的原因很多,主要为 3 大类病因:第一类是病毒和细菌感染性疾病,儿科最常见;第二类是局部外伤或异物,学龄前儿童多见,表现为咽痛,可放射至耳或肩部;儿童多描述不清,多根据其他表现协助判断,多有外伤或误服、误吸异物病史,接诊时仔细询问病史很重要。第三类是全身性疾病,如结缔组织病(系统性红斑狼疮、白塞病等)、恶性肿瘤,可表现为咽痛,儿童相对少(图 3-5-1)。

该患儿,1 岁 6 个月,因 2 天前外出游玩后出现发热,热峰 39.6℃,服用美林,体温降至 37.5℃,无畏寒、寒战,进食时诉喉咙痛,拒食,少许流涕,无咳嗽咳痰,无气促发绀,无恶心、呕吐、腹泻,无皮疹,无抽搐。是感染性疾病还是别的原因导致的发热伴咽痛? 现采用整体性临床思维——临床 4 问进行分析(图 3-5-2)。

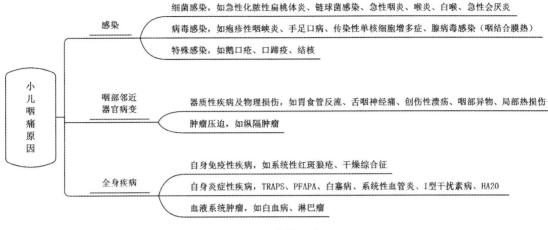

图 3-5-1　发热伴咽痛原因

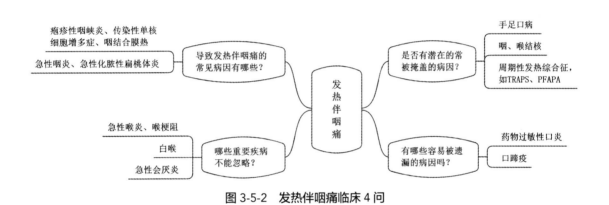

图 3-5-2　发热伴咽痛临床 4 问

(2)鉴别思维:发热伴咽痛是临床常见症状,主要由咽部疾病如上呼吸道感染等引起,也可是咽部邻近器官或全身疾病的咽部表现。表现为咽部阵发性或持续性刺痛、钝痛、烧灼痛、隐痛、跳痛等。疼痛程度轻重不一,小儿常伴随流涎、拒食、哭闹等表现。鉴别诊断时要仔细询问疾病接触史、发热和咽痛特点、伴随症状等,特别要注意精神状态,有无头痛、呕吐、抽搐、手足皮疹等情况,同时了解患者以及其家长的感觉、想法、担忧和期望。

医生:我看宝宝脸红彤彤的,是发热了吧? (开放式提问)

患儿奶奶:医生,宝宝2天前出去跟其他小朋友玩耍,外面有点凉,风大,回家后就开始发烧,估计着凉了。(母亲欲言又止)

医生:体温最高几度? 发热时有无手脚抖动? 吃过退热药吗?

患儿母亲:最高 39.1℃,手脚没有抖,没有吃药,用物理降温。

患儿奶奶:昨天我想带宝宝来医院看看,宝妈说孩子发热 1 ~ 2 天是正常的,只给宝宝穿一件衣服,会不会给耽误了?

患儿母亲:虽然昨天有点凉,但宝宝穿了 3 件厚衣服,裹的跟粽子似的,身上都出汗了。(需注意,此时患儿母亲与奶奶在照顾患儿的细节方面存在分歧,我们应找机会适当调节)

医生:如果手摸宝宝颈背部的皮肤是温热的,说明衣服穿的刚刚好。如果后背有汗,甚至内

衣湿透了,那说明穿太多了。平时宝宝是谁带的?(不能主观去批评谁做的对与错,我们可以客观解释并教导)

患儿母亲:平时和奶奶在一起的时间多,周末我带的。

医生:现在我问妈妈,请奶奶在一旁补充。除了发热,还有别的不舒服吗?比如咳嗽、呕吐、腹泻、身上长疹子?(诱导家属自己讲述患儿的其他症状)

患儿母亲:其他情况还好,没有咳嗽、呕吐、拉肚子这些,宝宝精神还不错,但是这几天不爱吃奶,吃着吃着就哭闹,大便稍微有点水。

医生:小便的颜色、次数和平时一样吗?小便时闹不闹?(需注意伴随症状)

患儿母亲:喝奶少,小便颜色比较黄,量不多,也不闹。

医生:流口水的情况严重吗?跟平时比起来?(问诊时发现患儿流口水较多)

患儿母亲:平时也会流口水,昨天开始特别多。还有点流涕。

医生:宝宝平时身体怎么样?出生的时候好的吧,以前得过大毛病吗,有没有经常生病?(可以帮助判断有无免疫缺陷病等易忽视疾病)

患儿母亲:足月的,生后身体很好,就6个月的时候发热一次,吃点退热药,2天就好了。

医生:讲讲宝宝的喂养情况吧?有没有食物或者药物过敏?

患儿母亲:纯母乳喂养到6个月开始添加辅食,现在断母奶了,平时喝奶粉,正常添加鸡蛋、鱼、肉松、水果等。没有过敏的情况。我对青霉素过敏。

医生:按规定时间给宝宝接种预防针吗?

患儿母亲:该打的针都打过了。

医生:小宝发热、吃不下东西,生病前到人多的地方玩过,很大可能是传染了病毒,嘴巴里长疱疹了,有些小孩感染后就会高热。我先给宝宝检查一下。

查体:T 38.3℃,P 130次/min,BP 96/60mmHg,R 30次/min,精神反应可,口腔内可见散发性小疱疹,位于咽后壁、上腭、两侧颊黏膜,部分破溃后浅溃疡,全身未见皮疹,呼吸平稳,心肺听诊无殊,腹软,肝脾肋下未触及,浅表淋巴结未及肿大,神经系统检查无异常。

(3)是不是急危重症疾病?

根据患儿的临床表现和查体,初步考虑病毒感染。列出以下鉴别诊断(图3-5-3)。

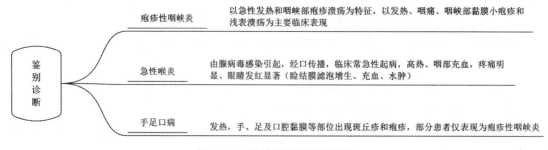

图3-5-3 发热伴咽痛鉴别诊断

2. 最可能的诊断是什么?需要完善哪些辅助检查?

(1)最可能的诊断:疱疹性咽峡炎?

（2）辅助检查：血常规

检查回报：白细胞 $7.2 \times 10^9/L$，中性粒细胞百分比 46%，淋巴细胞增高 50%，CRP 3.6mg/L。

医生：目前考虑"疱疹性咽峡炎"。因宝宝基本吃不下食物，水也不爱喝，可以输液补充一些营养和电解质，但是发烧还得靠小宝宝自己的免疫功能来对抗，一般为 2 ～ 3 天，宝宝的病情就能慢慢好转起来。在这个过程中，家长需要做好护理工作。（解释疾病和提出治疗方案，并告知家属疾病的预后）

患儿母亲：太好了，谢谢医生！

3. 诊断和鉴别诊断

（1）诊断：疱疹性咽峡炎（herpangina）。

（2）依据：患儿，男，1 岁 6 个月，发热 2 天，有咽痛、进食时哭闹、口水多等表现，查体：咽峡部可见典型疱疹，手足及肛周无皮疹，其他查体无殊，辅助检查示血常规正常范围。

4. 治疗方案和患者管理

（1）治疗方案：普通病例治疗

1）加强隔离、避免交叉感染，适当休息，清淡饮食，做好口腔和皮肤护理。

2）发热、腹泻等给予相应对症处理。

3）无特效抗病毒药，可选用利巴韦林。

（2）转诊指征

1）持续高热不退，或伴有惊厥。

2）出现精神萎靡、呕吐、易惊、白细胞明显增高等征象，考虑 EV71 感染，虽然仅表现为疱疹性咽峡炎，但有发生脑干脑炎、神经性肺水肿等危险时。

（3）患儿管理

1）告知家长该病一般预后良好，消除其过分的紧张情绪，患儿需补充足够的水分和热量，并保证充足休息，必要时可给予退热等对症治疗。

2）告知家长，患儿在皮疹水疱干涸前（自起病起至少 2 周）不应上学（指学龄儿童）或参加聚会活动，以避免传播疾病。

3）少数患儿会发展为重症病例，预后不良，遗留神经系统等后遗症，需密切观察病情变化，及时复诊。

5. 病例总结

（1）疱疹性咽峡炎主要累及 1 ～ 7 岁儿童，同一患儿可重复多次发生本病，系由不同型肠道病毒感染引起。潜伏期约为 2 ～ 4 天，常突起发热及咽痛，婴儿表现为进食哭闹，发热多为低热或中等发热，亦可高热达 40℃ 以上，甚至引起惊厥，热程 2 ～ 4 天。初起时咽部充血，并有散在灰白色疱疹，直径约 1 ～ 2mm，四周绕有红晕，2 ～ 3 日后疱疹可破溃形成溃疡，疱疹多见于腭舌弓、软腭、悬雍垂，不累及牙龈和两侧颊黏膜。若无继发细菌感染，病程约 1 周自愈。

（2）疱疹性咽峡炎大多为柯萨奇病毒（属于肠道病毒）感染所引起，埃可病毒也可引起本病。有研究显示，在 EV71 暴发流行期间，约 10% 儿童表现为疱疹性咽峡炎，提示手、足、肛周无皮疹的疱疹性咽峡炎患儿也可能是 EV71 感染，甚至发生脑干脑炎、神经性水肿等严重并发症危及生命风险，需警惕。

(3)婴儿哭闹是家长就医的常见主诉之一,也是没有语言表达能力的婴儿表达诉求或痛苦的一种方式,如饥饿、困乏、排尿排便等内在生理刺激,或冷、热、湿、疼痛、痒、疾病或精神上的刺激都可以引起哭闹。脑炎、缺氧缺血性脑病、颅内出血等颅脑疾病引起颅压增高时,可表现高调尖声的哭叫,称为脑性尖叫。肠痉挛、肠套叠、腹股沟嵌顿疝、阑尾炎等急腹症,可表现为突然阵发性哭闹,且常伴有脸色苍白、呕吐、出汗等。各种感染均可引起婴儿哭闹,应仔细检查寻找感染部位,特别注意隐藏部位(如臀部、肛周)的感染灶。耳屏有压痛时应考虑有无中耳炎、外耳道疖肿。口腔炎症也可引起哭闹,尤其在吃奶时。肢体活动时剧烈哭闹应考虑有无骨折、关节脱位。佝偻病、贫血等营养不良患儿可有哭闹、烦躁、睡眠不安等。

6. 知识拓展

(1)疱疹性咽峡炎如何预防?

疱疹性咽峡炎可通过飞沫、消化道和接触传播。本病至今尚无特异性预防方法。托幼单位应做好晨间检查,及时发现患儿,采集标本,明确病原学诊断,并做好患者粪便及其用具的消毒处理,预防疾病的蔓延扩散。流行期间,家长应尽量少让孩子到拥挤的公共场所,减少感染的机会。医院应加强预防,设立专门诊室,严防交叉感染。

(2)哪些危险因素提示重症病例?

1)基本危险因素:4 岁以下、发热 3 天以上、热峰 > 39℃、精神差、呕吐、易惊、肢体无力、外周血白细胞增多、高血糖 > 8.3mmol/L。

2)与神经系统受累有关的危险因素:头痛、呕吐、嗜睡、烦躁不安、惊厥、肢体肌力减弱、肌阵挛,肌阵挛是脑干脑炎最常见的早期症状。

3)与心肺衰竭前期有关的危险因素:面色苍白、口唇发绀、皮肤大理石样花纹、四肢端凉、末梢毛细血管充盈时间延长、血压升高、心率增快、气促、呼吸节律异常、口吐血性泡沫痰、肺部湿啰音。

4)与心肺衰竭的不良预后有关因素:昏迷、初始收缩压低、持续性低血压、PaO_2 ： FiO_2 比值低、肌钙蛋白 I 升高、脑脊液白细胞数高。

(吴建强　王　静　卢美萍)

💡 思考题

1. 疱疹性咽峡炎普通病例的治疗原则是什么?
2. 哪些危险因素提示重症病例?

病例 6 ⬠

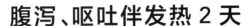

腹泻、呕吐伴发热 2 天

患儿,男,1 岁,因"腹泻、呕吐伴发热 2 天"由妈妈抱来就诊。

患儿妈妈口述:孩子 2 天前出现腹泻,拉黄色稀水样便,每天 10 余次,伴发热,体温最高 38℃ 左右,孩子精神软,进食少,尿量减少。

患儿 G_1P_1,足月自然分娩,按计划预防接种,无外伤和手术史,无重大脏器疾病史,无传染病、家族性肿瘤病史和遗传病史。

请思考以下问题 ➜

1. 如何构建整体性临床思维?
2. 最可能的诊断是什么? 需要完善哪些辅助检查?
3. 诊断和诊断依据是什么?
4. 治疗方案和患者管理。
5. 病例总结。
6. 知识拓展。

1. 如何构建整体性临床思维?

(1)诊断思路:腹泻(diarrhea)是一组由多种病原、多种因素引起的以大便次数增多和大便性状改变为特点的消化道综合征。病因不同,病情轻重、临床表现和处理原则亦不同。腹泻严重者可引起水电解质紊乱、惊厥、休克等并发症,甚至危及生命。6 个月至 2 岁婴幼儿发病率高,其中大约半数发生在 1 岁以内,是造成儿童营养不良、生长发育障碍甚至死亡的主要原因之一。因此全科医生接诊腹泻患儿时,首先进行病情轻重程度判断,对于腹泻伴高热不退、肠道外表现(如抽搐、肝肾功能损害等)、精神反应差、重度脱水的患儿,需要及时转诊上级医院。在排除高风险的前提下,进一步仔细询问病史、查体和必要的实验室检查,积极寻找病因,明确诊断,合理治疗。

引起婴幼儿腹泻的病因分为感染性及非感染性两大类。感染性腹泻多为急性,大多数经过积极诊疗都能很快恢复。但仍有少部分治疗不彻底或早期没有找到真正的病原而致病程延长,如真菌感染、寄生虫感染,因此必要的大便细菌培养、病毒或寄生虫检测至关重要。非感染性腹泻病因及发病机制复杂,包括喂养不当、腹部受凉、食物过敏、乳糖不耐受、炎症性肠病、免疫缺陷病等。

该患儿 1 岁,2 天前出现腹泻,每天 10 余次黄色稀水样便,伴发热,体温最高 38℃ 左右。是感染性腹泻还是非感染性腹泻? 现采用整体性临床思维——临床 4 问对该患儿病情进行分析(图 3-6-1)。

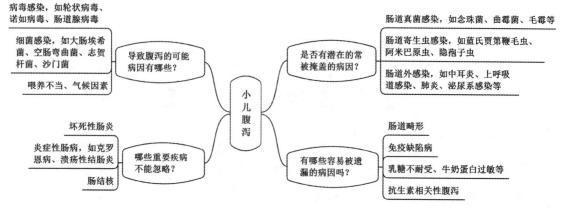

图 3-6-1　小儿腹泻临床 4 问

(2) 鉴别思维:对于疾病的诊断来说,患者提供的信息是最重要的,其次是体格检查,再次是做相应的辅助检查。全科医生接诊腹泻患儿时,首先需考虑常见病因导致的腹泻,如轮状病毒肠炎、细菌性肠炎等,可以根据粪便性状、发病季节、发病年龄及流行情况等初步估计并鉴别病因。急性水样便往往提示病毒或产肠毒素性细菌感染(约占 70%),黏液、脓血便多提示侵袭性细菌感染(约占 30%)。问诊时需要询问大便性状、次数、每次大便量、尿量,有无伴随精神差、发热、咳嗽、呕吐、纳差、哭闹不安、抽搐、发绀等表现,注意询问有无诱发因素,如不洁饮食、受凉、暴饮暴食等。

医生:看孩子精神较差,怎么啦? (开放式提问)

患儿母亲:医生,前天开始,孩子拉肚子,拉了 2 天了。

医生:1 天拉几次? 大便性状是怎样的? (了解腹泻的频率、粪便的性状)

患儿母亲:大便黄色,和水一样,前天 5~6 次,昨天上午到今天 10 多次了。

医生:大便带有血丝吗? 有没有像黏液、鼻涕样或者脓一样大便? (鉴别于细菌性肠炎)

患儿母亲:就是像蛋花汤一样,没有脓,有 1 次带血丝。

医生:有没有发热、呕吐、哭闹不安? (了解有无伴随症状)

患儿母亲:有点发热,38℃ 左右,一吃就吐,昨天吐了 5~6 次,晚上有点闹。

医生:小便量多不多? 哭的时候有眼泪吗? (了解脱水程度)

患儿母亲:比平时少点。

医生:除了这些,孩子还有什么不舒服的? 比如抽搐、咳嗽。(了解患儿是否有肠道外疾病)

患儿母亲:精神不好,吃得少,没有抽搐和咳嗽。

医生:孩子有没有湿疹? 母乳喂养还是人工喂养? (鉴别过敏性肠炎)

患儿母亲:孩子出生后的前 6 个月是母乳喂养,6 个月后添加牛奶和辅食,没有湿疹。

医生:您对孩子病症的发生描述得很详细,您认为孩子腹泻是什么原因引起的? (认同患儿母亲,了解母亲对患儿自身问题的理解)

患儿母亲:孩子现在还在吃母乳的,昨天我有点拉肚子,是不是我吃坏东西的原因? 前天我还带他去了一趟超市,超市空调有点冷,不知道是不是受凉引起?

医生:有可能的,饮食和天气变化都可能引起拉肚子。目前孩子吃哪些食物? (肯定患儿母

亲的想法,并了解有无其他可能的原因)

患儿母亲:孩子以牛奶、面条、稀饭为主,另外每天添加蔬菜、水果、肉、蛋。

医生:前两天有没有带孩子去医院就诊? (了解患儿的就诊过程)

患儿母亲:昨天我抱孩子去一个小诊所开了药,吃了两次,但没有效果。

医生:有化验大便吗,医生开的是哪种药知道吗?

患儿母亲:小诊所没法化验,我记得有两种药,一种是"益生菌",另一种是"蒙脱石散"。

医生:今天再次就诊,是因为孩子"拉肚子"更严重了吗? (了解疾病的进展)

患儿母亲:是的,大便就像水一样,止不住,而且孩子今天完全没精神了。从昨天到今天什么都没吃,一吃就吐,体重也轻了。

医生:别着急,我先给孩子检查一下,再做一些化验,看看是什么原因,再对症下药。(宽慰患儿母亲,让患儿母亲了解病情及预后)

查体:T 38℃,P 110 次 /min,R 40 次 /min,BP 90/60mmHg;精神稍差,无哭闹不安,哭时有泪,无咳嗽气促;营养状况良好,口唇稍干燥,前囟无凹陷,皮肤弹性可,无皮疹,毛细血管充盈时间 3 秒;双肺呼吸音清,未闻及啰音,心律齐,未闻及杂音,腹软,肝肋下 1cm,脾肋下未及,四肢温。

(3)是不是急危重症疾病?

根据患儿的病史和查体,初步考虑急性肠炎伴轻度脱水。列出以下鉴别诊断(图 3-6-2)

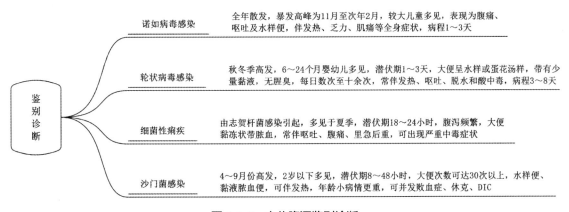

图 3-6-2 小儿腹泻鉴别诊断

2. 最可能的诊断是什么? 需要完善哪些辅助检查?

(1)最可能的诊断:轮状病毒肠炎?

(2)需要完善的辅助检查:血气电解质、血常规、大便常规、大便轮状病毒检测。

辅助检查:血气电解质示 pH 7.387,K^+ 4.8mmol/L,Na^+ 136mmol/L,Cl^- 106mmol/L,HCO_3^- 19.2mmol/L,ABE- 4.5mmol/L;血常规示白细胞计数 $7.49×10^9$/L,中性粒细胞百分比 34.7%,血红蛋白 127g/L,血小板计数 $386×10^9$/L,C 反应蛋白 < 1mg/L;大便常规为阴性;大便轮状病毒检测为阳性。

E（expectation）——**患者的期望**

医生：孩子可能得了轮状病毒肠炎，伴有轻度脱水，别太担心，及时治疗很快就会好起来的。

患儿母亲：严重吗？需要几天才能好呢？

医生：腹泻是儿童常见病，轻症患儿通过口服补液、调节肠道微生态、控制感染等治疗就能好转，重症患儿不及时治疗可能危及生命。孩子属于轻症，不要担心。但病情好转会有个过程，近几天建议进食粥、腹泻奶粉，甜的和油腻的尽量不吃，可以喝"口服补液盐"补充水分，注意尿量、精神状态。（耐心解释处理意见及注意事项）

患儿母亲：好的，谢谢医生！

3. 诊断和诊断依据是什么？

（1）诊断：

1）轮状病毒肠炎（rotavirus enteritis）。

2）轻度脱水（mild dehydration）。

（2）诊断依据：患儿 1 岁，急性起病，起病前有外出公共场合及母亲有不洁饮食史。腹泻伴发热、呕吐、尿少 2 天，大便为黄色稀水样。查体：P 110 次 /min，R 40 次 /min，T 38℃，BP 90/60mmHg；精神稍差，口唇稍干燥，前囟无凹陷，皮肤弹性可，哭时有泪。大便轮状病毒检测阳性。所以轮状病毒肠炎诊断明确，并根据前囟、眼窝凹陷与否，皮肤弹性、循环情况和尿量等临床表现综合分析判断为轻度脱水（表 6-3-2）。

4. 治疗方案和患儿管理

（1）纠正脱水：该患儿为轻度脱水，一般口服补液即可纠正脱水，选择口服补液盐（ORS）。

1）ORS 液用量（ml）= 体重（kg）×（50 ~ 75）ml/kg，4 小时内服完。同时，密切观察患儿大便情况，决定继续补充量，一般每次大便后给 10ml/kg。详细指导母亲给患儿服用 ORS 液：临用时将口服补液盐Ⅲ 1 包（5.125g）溶于 250ml 温开水中，分次服用，未用完的 ORS 液应贮藏于冰箱，24 小时后弃用。

2）如出现以下情况，可选用静脉补液：①持续、频繁、大量腹泻；② ORS 液口服用量不足；③频繁、严重呕吐，口服补液困难。静脉补液的液体种类首选 3 ：2 ：1 液，50ml/kg 静脉滴注，先补 2/3 量，4 小时后重新评估患儿的脱水状况，然后选择适当的补液方案。

（2）合理喂养：母乳喂养患儿继续母乳喂养，继续食用已经习惯的日常食物，如粥、面条、烂饭、蛋、鱼末、肉末、新鲜果汁。鼓励患儿进食，如进食量少，可增加喂养餐次。避免给患儿喂食含粗纤维的蔬菜和水果以及高糖食物。病毒性肠炎常有继发性双糖酶（主要是乳糖酶）缺乏，对疑似病例可暂时改为无乳糖配方奶，时间 1 ~ 2 周，腹泻好转后转为原有喂养方式。

（3）补锌治疗：急性腹泻病患儿能进食后即予以补锌治疗，每天补充 20mg，共 10 ~ 14 天。

（4）其他治疗方法：有助于改善腹泻病情、缩短病程。包括：

1）肠黏膜保护剂：如蒙脱石散。

2）微生态疗法：给予益生菌如双歧杆菌、乳酸杆菌等。

3）补充维生素 A。

4）患儿明确为轮状病毒肠炎，常规不使用抗菌药物。

（5）患儿管理

1）提倡母奶喂养。

2）注意饮食卫生、环境卫生，养成良好的卫生习惯。

3）注意乳品的保存和奶具、食具、便器、玩具等的定期消毒。

4）气候变化时，要避免孩子过热或受凉，居室要通风。

5）积极防治营养不良。

6）轮状病毒肠炎的传染性强，需做好消毒隔离工作，防止交叉感染。

7）接种轮状病毒疫苗可有效预防感染。

（6）转诊指征：出现以下情况，需要及时向上级医院转诊：

1）治疗 24 小时未好转，仍有腹泻剧烈，不能正常饮食，或频繁呕吐的患儿。

2）持续高热不退。

3）有肠道外表现，如抽搐、肝肾功能损害等。

4）重度脱水，如精神萎靡、易激惹、淡漠、嗜睡、四肢厥冷、无尿、休克等。

5. 病例总结

腹泻病是一组以大便次数增多和大便性状改变为特点的儿科常见病，诊断并不困难。全科医生作为首诊医生，接诊婴幼儿腹泻时首先要学会正确判断病情，评估有无脱水和电解质紊乱；其次要注意病因的鉴别，除了想到常见原因，如轮状病毒肠炎、细菌性肠炎、饮食不当等，也要考虑到过敏性因素以及一些容易被遗漏或掩盖的疾病，这时运用临床 4 问思维法可以事半功倍。

对儿童来说，涉及整个家庭。通过问诊，不但要了解有关疾病发生、发展，患儿就诊的原因，也要了解家属的担心、忧虑和对就诊的期望。医生在问诊的过程中要耐心解释病情，消除患儿及家属不必要的担心，进行健康教育，引导患儿及家属对疾病的正确认识，从而优化医患配合，达到更好的医疗效果。

6. 知识拓展

（1）小儿脱水的症状和体征（表 3-6-1）。

表 3-6-1　脱水的症状和体征

	轻度	中度	重度
失水量	30 ~ 50ml/kg	50 ~ 100ml/kg	100 ~ 120ml/kg
失水量占体重比	< 5%	5% ~ 10%	> 10%
神志精神	精神稍差	萎靡、烦躁	萎靡、淡漠、昏睡、昏迷
皮肤弹性	正常	轻度降低	降低
黏膜	湿润	干燥	非常干燥
前囟、眼窝	正常	轻度凹陷	凹陷
眼泪	有泪	泪少	无泪
尿量	稍少	明显减少	极少或无

续表

	轻度	中度	重度
末梢循环	正常	四肢稍凉	四肢厥冷、出现花纹
脉搏	可触及	减弱	明显减弱
血压	正常	直立性低血压	低血压
呼吸	正常	深,也可快	深和快

(2)补液治疗是小儿腹泻病的治疗关键,需根据脱水的种类、程度及有无电解质紊乱、酸碱失衡进行补液(图3-6-3),同时给予黏膜保护剂、微生态疗法、饮食调整、补锌等辅助治疗。还需强调的是,需合理使用抗菌药物,急性水样便多为病毒或非侵袭性细菌所致,一般不用抗生素;而黏液、脓血便患儿多为侵袭性细菌感染,需根据病原选用敏感抗生素。另外,对慢性腹泻病患者还须评估消化吸收功能、营养状况、生长发育等指标,以调整治疗措施。

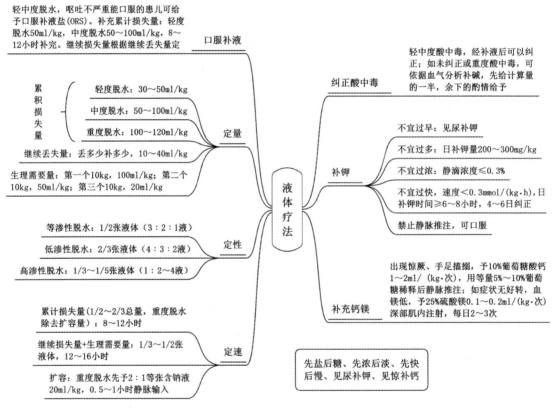

图 3-6-3　液体疗法流程图

(3)中国轮状病毒疫苗的免疫策略和程序推荐:A 组轮状病毒(group A rotavirus,RV)是引起中国 <5 岁儿童重度胃肠炎和死亡的主要病原之一。接种 RV 疫苗是预防控制儿童轮状病毒胃肠炎的最有效措施。RV 疫苗目前属于非国家免疫规划疫苗。中国截至 2020 年 11 月前批准上市使用的 RV 疫苗包括 2018 年上市的口服五价重配 RV 减毒活疫苗(RV5)和 2001 年上市

的人 - 羊重配口服减毒活疫苗(LLR)。免疫程序推荐：① RV5 : 接种年龄为 6 ～ 32 周龄, 全程免疫 3 剂。首剂接种年龄为出生后 6 ～ 12 周龄(42 ～ 90d)。每剂次接种间隔时间 ≥ 4 周; 第 3 剂不得晚于 32 周龄(230d)。② LLR : 接种年龄为 2 月龄 ～ 3 岁。每年接种 1 剂; 首剂应自 2 月龄起尽早接种。

（邹丽霞　王　静　卢美萍）

 思考题

1. 如何判断脱水的程度？
2. 轮状病毒肠炎伴轻度脱水如何进行补液治疗？

附 免疫异常儿童疫苗接种的常见问题

1. 疫苗的分类

（1）减毒活疫苗：其突出优势是病原体在宿主复制产生抗原刺激，抗原数量、性质和位置均与天然感染相似，免疫原性很强，但同时也存在潜在疫苗感染的危险性：①在免疫力差的部分个体可引发感染；②突变可能恢复毒力。

（2）灭活疫苗：免疫原性变弱，往往须加强免疫，但其安全性好。

（3）第一类疫苗：指政府免费向公民提供，公民应当依照政府的规定受种的疫苗。

（4）第二类疫苗：除计划免疫使用的第一类疫苗以外，一些由公民自费并且自愿接种的其他疫苗，亦称"计划免疫外疫苗"。因可以预防一些计划外特定感染性疾病，故推荐儿童也要接种第二类疫苗。

2. 我国现有疫苗分类（表 3-6-2）

表 3-6-2 我国现有疫苗分类

类别	减毒活疫苗	灭活疫苗
第一类疫苗	卡介苗 口服脊髓灰质炎疫苗 麻腮风疫苗 甲肝减毒活疫苗 乙脑减毒活疫苗	乙肝疫苗 百白破疫苗 流行性脑脊髓膜炎疫苗 甲肝灭活疫苗 乙脑灭活疫苗
第二类疫苗	水痘疫苗 轮状病毒疫苗	灭活脊髓灰质炎疫苗 7 价肺炎球菌结合疫苗 23 价肺炎球菌多糖疫苗 B 型流感嗜血杆菌疫苗 流感疫苗

3. 我国现行的（2021）儿童疫苗接种程序是根据卫生部于 2007 年颁布的《扩大国家免疫规划实施方案》制订的，并根据《关于国家免疫规划百白破疫苗和白破疫苗程序调整相关工作的通知》（国疾控卫免发［2024］20 号），有相应调整（表 3-6-3）。第二类疫苗接种推荐参考（表 3-6-4）。

表 3-6-3 儿童第一类疫苗接种程序

免疫年龄	疫苗种类
出生	乙肝疫苗（第 1 剂）、卡介苗
1 月龄	乙肝疫苗（第 2 剂）
2 月龄	脊髓灰质炎疫苗（第 1 剂） 百白破联合疫苗（第 1 剂）

免疫年龄	疫苗种类
3 月龄	脊髓灰质炎疫苗(第 2 剂)
4 月龄	脊髓灰质炎疫苗(第 3 剂) 百白破联合疫苗(第 2 剂)
6 月龄	百白破联合疫苗(第 3 剂) 乙肝疫苗(第 3 剂) A 群流行性脑脊髓膜炎(流脑)疫苗(第 1 剂)
8 月龄	麻 - 腮 - 风疫苗(第 1 剂) 乙脑减毒活疫苗(第 1 剂)或乙脑灭活疫苗(第 1、2 剂,间隔 7 ~ 10 天)
9 月龄	A 群流脑疫苗(第 2 剂)
1 岁半	甲肝减毒活疫苗(第 1 剂)或甲肝灭活疫苗(第 1 剂) 百白破联合疫苗(第 4 剂)
1 岁半 ~ 2 岁	麻 - 腮 - 风疫苗(第 2 剂)
2 岁	乙脑减毒活疫苗(第 2 剂)或乙脑灭活疫苗(第 3 剂)
2 岁 ~ 2 岁半	甲肝灭活疫苗(第 2 剂)
3 岁	流脑 A+C 群疫苗(第 1 剂)
4 岁	脊髓灰质炎疫苗(第 4 剂)
6 岁	乙脑灭活疫苗(第 4 剂) 流脑 A+C 群疫苗(第 2 剂) 百白破联合疫苗(第 5 剂)

表 3-6-4　儿童第二类疫苗接种(推荐)

疫苗种类	接种对象与接种剂次	预防疾病种类
7 价肺炎球菌结合疫苗	3 月龄 ~ 2 岁儿童,3、4、5 月龄进行基础免疫接种,12 ~ 15 月龄加强 1 次	7 种血清型肺炎球菌引起的感染
23 价肺炎球菌多糖疫苗	2 岁以上儿童,常规接种 1 次	23 种血清型肺炎球菌引起的感染
流感病毒疫苗	6 ~ 35 月龄儿童,接种 2 剂,间隔 4 周,推荐接种时间为每年 9 ~ 11 月份	流行性感冒
B 型流感嗜血杆菌疫苗	2 ~ 6 月龄儿童接种 3 剂,7 ~ 12 月龄儿童接种 2 剂,1 ~ 5 岁儿童接种 1 剂	B 型流感嗜血杆菌感染
口服轮状病毒疫苗	2 月龄 ~ 2 岁儿童,每年口服 1 次	预防婴幼儿 A 群轮状病毒引起的腹泻
水痘减毒活疫苗	1 岁以上儿童,1 ~ 12 岁儿童接种 1 剂,13 岁及以上人群接种 2 剂	水痘 - 带状疱疹病毒感染
灭活脊髓灰质炎疫苗	2 月龄以上儿童,2、3、4、18 月龄进行 4 针基础免疫,4 岁加强 1 次	小儿麻痹症
吸附无细胞百白破、灭活脊髓灰质炎和 B 型流感嗜血杆菌五联疫苗	2 月龄以上儿童,2、3、4 或 3、4、5 月龄分别进行 3 针基础免疫,18 月龄加强 1 次	白喉、破伤风、百日咳、脊髓灰质炎和 B 型流感嗜血杆菌感染

4. 接种疫苗的注意事项以及不良反应的处理

（1）严格按照疫苗接种程序的规定，掌握预防接种的剂量、次数、间隔时间和不同疫苗的联合免疫方案。

（2）正确掌握禁忌证：目前对于评定疫苗禁忌证的标准仍然存在争议。常见绝对禁忌证包括：既往有明确疫苗接种过敏史、感染急性期、细胞免疫缺陷病或重症联合免疫缺陷病及接受特殊药物治疗等。相对禁忌证指依据正常儿童接种疫苗的标准，可能造成不良反应的增加，需咨询临床免疫学专家证明儿童有正常免疫力，方可接种此类疫苗。一般禁忌证包括急性传染病潜伏期、前驱期、发病期及恢复期，发热或患慢性疾病如心脏病、肝脏病、肾脏病、活动性肺结核、化脓性皮肤病、过敏性体质（如反复发作支气管哮喘、荨麻疹等）、血小板减少性紫癜、癫痫或惊厥史等。特殊禁忌证指适用于某种疫苗使用的禁忌证，更应严格掌握。

（3）疫苗接种的不良反应及其处理：

1）局部反应：接种疫苗 24 小时左右，局部出现红、肿、热、痛等现象。红肿直径在 2.5cm 以下者为弱反应，2.6 ~ 5.0cm 为中等反应，5.0cm 以上者属于强反应，有时可引起局部淋巴结肿痛。

2）全身反应：主要表现为发热，接种疫苗后 8 ~ 24 小时出现体温升高，37.1 ~ 37.5℃ 为弱反应，37.6 ~ 38.5℃ 为中等反应，38.5℃ 以上为强反应。中等度以上的反应是极少的。

3）一般局部接种反应，无需做特殊处理。全身反应严重者，可予以退热等对症治疗。

5. 免疫异常儿童的疫苗接种

免疫异常儿童是指先天或后天因素导致免疫功能损害（包括低下或异常），包括早产儿、原发性免疫缺陷病、继发性免疫缺陷病、血液系统恶性肿瘤、接受放射性治疗的患儿、接受免疫抑制剂的患儿（包括烷化剂和抗代谢药物使用）、无脾症、慢性肾脏疾病患儿、单克隆抗体使用者（尤其是指肿瘤坏死因子抑制剂）以及长期使用大剂量皮质类固醇激素者等。

（1）早产儿的疫苗接种：早产儿疫苗接种不良反应是很少见的。除乙肝疫苗外，大多数早产儿应与足月儿采取相同的疫苗接种程序和剂量，无须按纠正月龄推迟接种。

乙肝疫苗接种的原则：如果早产儿生命体征不稳定，应首先处理相关疾病；如果早产儿出生体重 < 2 000g 时，待体重达到 2 000g 后接种第 1 针乙肝疫苗；如果母亲乙肝表面抗原阳性，其早产儿出生后无论身体状况如何，12 小时内须肌内注射乙肝免疫球蛋白，并在生命体征稳定的情况下，无须考虑体重，尽快接种第 1 针乙肝疫苗。

某些情况下，如极端早产儿（< 22 周）、极低出生体重儿（< 1 500g）、宫内发育不良、疾病状态下早产儿或者出生后发育水平未达生长追赶预期等，可能存在免疫功能缺陷或低下，接种减毒活疫苗出现不良反应的概率比正常儿童高，故选用灭活疫苗更为安全。另外，疫苗接种存在触发早产儿呼吸和心血管问题的可能性时，必须加强临床观察，并且提供心肺功能实时监护。研究表明，早产儿接种无细胞百日咳疫苗、轮状病毒疫苗后，保护性抗体水平略低于正常儿童。

（2）原发性免疫缺陷病（primary immune-deficiency disease，PID）的疫苗接种：PID 是由于免疫系统遗传缺陷（基因突变）或先天发育不全造成免疫功能障碍所致的一组疾病，包括联合免疫缺陷病、伴典型表现的联合免疫缺陷综合征、抗体免疫缺陷病、免疫失调性疾病、吞噬细胞缺陷、天然免疫缺陷、自身炎症性疾病、补体缺陷、单基因骨髓衰竭综合征和拟表型免疫疾病 10 大类。PID 患儿不推荐接种活疫苗，接种灭活疫苗基本是安全的，但是保护效果可能欠佳；对于正规接受静脉注射用丙种球蛋白(IVIG)替代治疗的体液免疫缺陷 PID 患儿,一般不再需要接种疫苗,但卡介苗除外;细胞免疫和吞噬细胞功能缺陷患儿不建议接种细菌活疫苗(如卡介苗);严重的细胞免疫和体液免疫缺陷患儿接种病毒活疫苗(如口服脊髓灰质炎疫苗、麻 - 风 - 腮疫苗和水痘疫苗)风险大,因为活疫苗可能成为传染源;PID 患儿免疫接种前咨询临床免疫学专家,以便根据 PID 分类标准明确诊断后再做接种决定。

(3) 人免疫缺陷病毒(human immunodeficiency virus, HIV)感染患儿的疫苗接种:HIV 病毒主要侵犯 CD4$^+$T 淋巴细胞,引起细胞免疫缺陷,因此不建议接种活疫苗。接种的一般原则是,灭活疫苗可按时接种,减毒活疫苗需视免疫细胞活性状态而慎重决定;症状性 HIV 感染患儿不建议接种卡介苗、口服脊髓灰质炎疫苗、麻疹疫苗、轮状病毒疫苗等减毒活疫苗,无症状性 HIV 感染患儿则可以接种上述减毒活疫苗;HIV 感染患儿可以用灭活脊髓灰质炎疫苗替代口服脊髓灰质炎疫苗,或五联疫苗替代多疫苗接种。HIV 感染患儿推荐使用特有的接种程序(表 3-6-5)。

表 3-6-5 HIV 感染患儿疫苗接种程序

接种时间	接种疫苗
出生时	乙肝
1 月龄	乙肝
2 ~ 3 月龄	百白破 / 流感嗜血杆菌 / 灭活脊髓灰质炎 + 肺炎链球菌 + 乙肝(+ 轮状病毒)
3 ~ 5 月龄	百白破 / 流感嗜血杆菌 / 灭活脊髓灰质炎 + 脑膜炎球菌(+ 乙肝 + 轮状病毒)
4 ~ 7 月龄	百白破 / 流感嗜血杆菌 / 灭活脊髓灰质炎 + 脑膜炎球菌 + 乙肝(+ 轮状病毒)
每年秋天(6 月龄后)	流感,1 个月后加强接种
12 月龄	乙肝(+ 甲肝)
13 月龄	流感嗜血杆菌 / 脑膜炎球菌 + 肺炎链球菌 + 麻 - 风 - 腮
15 月龄	水痘
18 月龄	水痘(+ 甲肝)
3 岁 4 个月	百白破 / 灭活脊髓灰质炎 + 麻 - 风 - 腮
12 ~ 18 岁	百白破 + 脑膜炎球菌

6. 使用糖皮质激素患儿的疫苗接种 下列情况不属于减毒活疫苗接种禁忌:①短期内使用(<14 天);②小到中剂量激素使用(泼尼松 <20mg/d);③维持生理量的替代治疗;④皮肤、眼部、吸入、或关节腔 / 囊或肌腱注射途径使用激素。

下列情况属于减毒活疫苗接种禁忌:①连续使用 ≥ 14 天,剂量 ≥ 2mg/kg 或者 ≥ 20mg 泼尼松或相当于泼尼松剂量的患儿;②对于大剂量全身性应用激素治疗 14 天以上的人群,停用激素后至少推迟 1 个月(最好 3 个月)以上才能接种减毒活疫苗。

7. 使用静脉注射用丙种球蛋白(IVIG)患儿的疫苗接种 血制品(包括全血、单产红细胞、血浆等)和其他含抗体的血制品(如 IVIG)能抑制麻疹和风疹疫苗的免疫应答 ≥ 3 个月,对腮腺炎和水痘疫苗的免疫应答是否抑制作用尚不清楚。IVIG 使用后麻疹、水痘疫苗接种推迟时间建议见（表 3-6-6）。

表 3-6-6 丙种球蛋白（IVIG）使用后麻疹、水痘疫苗接种推迟时间建议

IVIG 使用情况	使用剂量 /(mg·kg⁻¹)	间隔时间 / 月
免疫缺陷替代治疗	300 ~ 400	8
免疫性血小板减少性紫癜（ITP）治疗	400	8
ITP 治疗	1 000	10
接触水痘后预防	400	8
川崎病	2 000	11

8. 过敏性体质患儿的疫苗接种 疫苗是一种复杂的生物制剂，由疫苗抗原、残留动物蛋白、防腐剂、稳定剂和其他疫苗成分构成。疫苗接种后，人体对上述各种成分均可能发生过敏反应，但极少发生严重过敏反应。最常见的疫苗变应原是鸡蛋白，主要存在于流感疫苗和黄热病疫苗中，故建议在接种前，询问受种者平时能否接受鸡蛋或含鸡蛋成分的食物，有无过敏性休克史，如有疑似鸡蛋白过敏，不推荐接种流感疫苗和黄热病疫苗。有研究表明，接种三价流感疫苗对有严重的鸡蛋过敏患儿是安全的。即使有严重的鸡蛋过敏，仍可正常接种含麻疹和腮腺炎病毒的疫苗，而无须皮试。在接种前，还需询问受种儿童有无过敏性鼻炎、过敏性结膜炎、特应性皮炎、过敏性哮喘等过敏性疾病史，建议应在上述疾病非发作、非严重状态下接种疫苗。

9. 新生儿黄疸的疫苗接种 黄疸是新生儿期最常见的临床问题。生理性黄疸多在出生后第 2 ~ 3 天出现，第 4 ~ 6 天达高峰，足月儿在生后 2 周消退，早产儿在 3 ~ 4 周消退。病理性黄疸具有以下特点：①黄疸出现过早，常在 24 小时内出现；②黄疸程度过重，血清总胆红素足月儿 > 220.5μmol/L，早产儿 > 256.5μmol/L；③黄疸进展过快，血清总胆红素每日上升 > 85.5μmol/L，或血清直接胆红素 > 34μmol/L；④黄疸持续过久，足月儿 > 2 周，早产儿 > 4 周；⑤黄疸退而复现，或再度进行性加重。

黄疸患儿疫苗接种的一般原则：①生理性黄疸及一般情况良好的母乳性黄疸可以按计划接种疫苗；②存在溶血、感染、肝功能异常、肝胆发育异常等病理性黄疸因素时，暂停接种乙肝疫苗和卡介苗。

10. 先天性心脏病患儿的疫苗接种一般原则 先天性心脏病患儿若在心功能正常以及无合并缺氧、感染等情况下接种疫苗是安全的，其不良反应率较少。

（吴建强 卢美萍）

 思考题

1. 疫苗接种的不良反应有哪些？
2. 我国现在疫苗的分类？
3. 儿童第一类疫苗的接种程序？

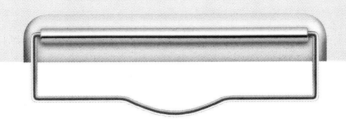

第四章

妇科常见症状的临床思维和沟通技巧

04章

 学习目标

1. 明确妇科常见症状的整体性临床思维、诊断、鉴别诊断、转诊指征。
2. 说出妇科常见症状的沟通技巧。
3. 描述妇科常见症状的病因、患者管理、治疗方案、知识拓展及避孕咨询。

病例 1 ⊠

白带异常 2 个月余

患者林女士,32 岁,销售员,由其丈夫陪同前来就诊。

患者口述:2 个多月来,白带量增多,为黄色脓性。曾经在药店用药师推荐的外用药治疗,无明显效果。3 个月前,参加单位年度体检,妇科检查和子宫附件 B 超正常,月经正常。

发病来,进食可,二便如常,体重较 2 个月前减轻 6kg,情绪低落,睡眠差。

既往体健,否认重大疾病史,否认手术外伤史,否认食物药物过敏史,无不良嗜好,否认冶游史。月经初潮 13 岁,平素月经周期规律,30 天左右,经期 5 天,经量中等,无痛经。末次月经:半月前。5 年前结婚,夫妻关系和睦,1-0-1-1,4 年前足月顺产一健康男婴,目前体健。采用工具避孕。

请思考以下问题 →

1. 如何构建整体性临床思维?
2. 最可能的诊断是什么? 需要完善哪些辅助检查?
3. 诊断和诊断依据是什么?
4. 治疗方案和患者管理。
5. 病例总结。
6. 知识拓展。

1. 如何构建整体性临床思维?

(1)诊断思路:白带异常是妇科的常见症状,多见于感染性疾病,也可能是妇科内分泌疾病的症状;或者是肿瘤性疾病的一个症状。另外,白带异常也常见于性传播疾病。全科医生在接诊白带异常患者时,一定要问清病史,在考虑妇科常见感染性疾病的同时,要排除性传播疾病、肿瘤性疾病和妇科内分泌相关疾病等。

白带是从女性阴道里流出来的一种带有黏性的白色液体,它是由子宫颈腺体、子宫内膜腺体分泌物和阴道黏膜的渗出液混合而成,其形成与雌激素作用有关。正常的白带呈白色稀糊状或者蛋清样,高度黏稠,无腥臭味,量少,对妇女健康无不良影响,称之为生理性白带。当生殖道出现炎症,白带数量显著增多且性状亦有改变,称为病理性白带。患者发生病理性白带时,常以白带异常的主诉来就诊。

女性阴道是一个复杂的微生态体系,健康女性阴道寄生着 50 多种微生物,如乳酸杆菌、双歧杆菌、乳杆菌、肠球菌等形成健康的生物膜。当感染破坏了阴道微生态,改变了阴道生物膜的平衡,就会出现白带异常。比如,外阴阴道假丝酵母菌病是由假丝酵母菌引起的常见外阴阴道炎症。白假丝酵母菌为机会致病菌,10% ～ 20% 非孕妇女及 30% 孕妇阴道中有此菌寄生。但菌量少,呈酵母相,并不引起炎症反应,只有在宿主全身及阴道局部免疫能力下降、假丝酵母菌大量繁殖并转变为菌丝相,才出现症状。

　　该患者2个多月来,白带量增多,为黄色脓性;3个月前做过妇科系统的检查,无异常,月经规律。是感染性疾病还是别的原因引起的白带异常?现采用整体性临床思维——临床4问对该患者进行分析(图4-1-1)。

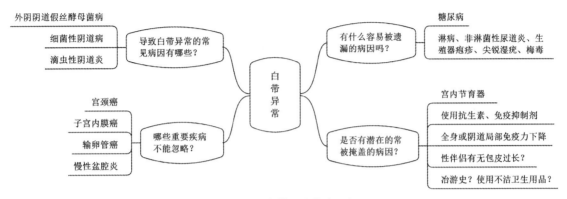

图 4-1-1　白带异常临床 4 问

　　(2)鉴别思维:临床上,白带异常表现为量的改变,量多或量少;颜色的改变,黄色或咖啡色或灰色;气味的改变,腥臭味或酸臭味;性状的改变,水样或者豆腐渣样或者脓性或者泡沫状。在白带出现异常的情况下,了解病程很重要。

　　第 1 次就诊

　　(1)病史:2个多月来,白带量增多,色黄,浓稠,无异味,无外阴瘙痒,无腰酸腹痛,无尿频尿急。3个月前,参加单位年度体检,妇科检查和子宫附件B超正常。月经正常。

　　(2)查体:T 36.5℃,P 75 次 /min,R 16 次 /min,BP 137/80mmHg,身高 165cm,体重 53kg。外阴阴道口见较多的黄色分泌物,挤压尿道口见少量黄色脓性分泌物涌出,阴道壁充血明显,阴道内见黄色分泌物,量多,无臭味,子宫颈略充血,无明显触痛,下腹部无压痛。

　　(3)是不是急危重症疾病?

　　根据患者的病史、查体,可以初步排除肿瘤性疾病和内分泌疾病引起的白带异常,考虑的范围是妇科感染性疾病和性传播疾病。根据白带的量、颜色、气味、性状及伴随的症状等特点,进行妇科感染性疾病和性传播疾病的鉴别(图4-1-2)。

　　2. 最可能的诊断是什么? 需要完善哪些辅助检查?

　　(1)最可能的诊断:淋病?

　　(2)辅助检查:送检白带,做淋球菌培养 + 药物敏感试验,淋球菌 -RNA。从流行病学出发,对一位性病患者,需要考虑到其他重要的性传播传染病有无同时感染,这位疑似淋病患者是初诊,还应做艾滋病、乙肝、丙肝和梅毒的筛查。

　　第 2 天化验回报:淋病奈瑟菌 -RNA 阳性。阴道微生态报告:评分 8 分(乳酸杆菌 4 分,阴道加德纳菌 4 分;pH > 4.5;H_2O_2+;白细胞酯酶 +;细菌密集度 +++;多样性 +++)。第 3 天白带培养:淋病奈瑟菌阳性;药物敏感试验示头孢曲松 S(敏感)。患者丈夫同时检测淋球菌,也是阳性。艾滋病、病毒性乙型肝炎、病毒性丙型肝炎和梅毒的筛查阴性。

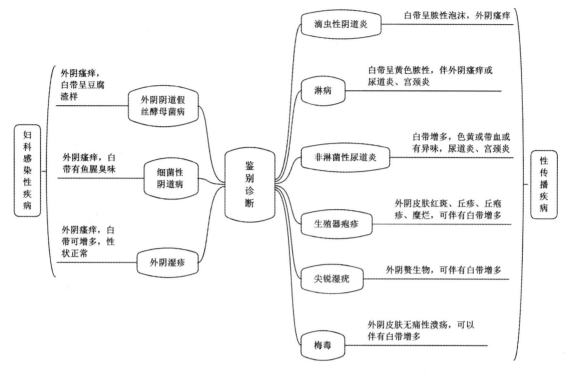

图 4-1-2　白带异常鉴别诊断

第 2 次就诊

患者来复诊,情绪低落,不停地哭泣……患者是不是还有什么话没有说? 她需要医生提供什么帮助? 全科医生不仅要关注患者的疾病,还要站在患者的角度,倾听患者的烦恼,重视患者的生活背景、情绪等,让患者感受到医生对她的支持,同时体现全科医疗以家庭为单位的服务。下面采用 RICE 问诊,进行深入访谈,达到诊治目的。

R(reason)——患者就诊的原因

医生:林女士,您好,有什么可以帮您吗? (看到患者不说话,泪流满面,不停地哭泣,递给她纸巾)

患者:医生,怎么办? 我怎么会得淋病?

医生:不要着急,先喝口水,咱们慢慢说。白带化验是淋病奈瑟菌阳性,其他项目检查都是正常的。(起身给她倒一杯水,用手拍拍她的肩膀,身体稍前倾,目光同情,表示愿意倾听她诉说。复述检查项目,观察患者面部表情。遇到悲伤的患者,沟通时不要着急,给患者留一些缓冲的时间,有利于进一步交流)

患者:医生,我拿到化验单从网上查了一下,淋病就是性病,是性传播疾病! 我怎么会有淋病? 我怎么可能得性病! 哪里传染来的啊? 还有阴道微生态评分不好! (患者眼水流淌,嘴唇紧闭,痛苦面容)。

I(idea)——患者对自己健康问题的想法

医生:淋病是淋球菌感染引起的,多见于性接触传染,也有间接接触传染。因为感染了淋球菌,阴道微生态受到了破坏,这个通过治疗会慢慢恢复的。(适当解释)

患者:医生,我是清白的,真的!我没有乱七八糟的事情。这个病会不会是我老公传染给我的?(患者再三解释,希望得到医生的信任。又开始伤心地哭泣,慢慢向医生透露内心的想法)

医生:您怎么会有这样的想法?丈夫平时关心您吗?两人沟通多吗?(进一步了解患者内心的担忧)

患者:自从白带异常以来,我的心情一直不是很好,加上工作忙,感觉好累。我吃饭没有食欲,什么话也不想说。睡眠也不好,常常凌晨3~4点就醒了。(患者临床表现有抑郁状态,医生一定要重视)

医生:您有没有和丈夫谈起您身体的状况?他是如何看待这个问题的?(了解夫妻间的沟通情况)

患者:他平时回家很晚,总是加班。而我想着他会不会外面有人了?拿到化验单后,我确定他在外面乱搞。但他说,没有做出轨的事。(患者终于说出自己真正的想法)

医生:您每天凌晨就醒来,确实是辛苦的。我可以和您丈夫谈谈吗?(同理心)

患者:好。他之前说在路上,现在估计已经到医院了。

医生:您到外面等候,叫您丈夫进来,好吗?

患者出门把她丈夫叫进诊室。林女士丈夫张先生走进诊室。

医生:张先生,您们夫妻都得了淋病,这个经过治疗,会很快治愈的,请不要担心!(给患者建立治愈信心)

患者丈夫:太谢谢医生啦!

医生:找您来,主要想和您聊一下林女士,她的情绪不太好,您认为她是什么原因引起的?以前有没有类似这样的问题?(开放式提问,让患者自己组织回忆,了解心理精神疾病病史)

患者丈夫:医生,她之前都很好的。近1个多月来,不知道是哪根神经出了问题,总是疑神疑鬼的,说我外面有人,常常会凌晨4点来钟躲在被子里哭泣,弄得我心烦意乱,第二天上班都没有精神,真不想回家,也不想和她交流。

医生:林女士怀疑淋病是您传染给她的,您怎么看这个问题?(开放式提问,了解患者丈夫的想法)

患者丈夫:医生,真是冤枉呀!我除了上班就是在家里,从来不到外面应酬,哪里有机会去染这种病。(患者丈夫信誓旦旦,从眼睛里让人感觉不像说谎)

医生:嗯。我相信您!现在我感觉林女士情绪有点问题,除了医生的帮助外,家人的关心非常重要,我们一起来帮助她,好吗?(治疗精神心理疾病,亲人的关爱支持很关键)

患者丈夫:之前我没有想到她的情绪有问题,一直以为她无理取闹,医生,我会配合的。

医生让患者丈夫把患者叫进诊室。

医生:林女士,我已经了解您们夫妻都没有婚外性生活的情况,现在我们一起来想一想,在生活中有没有使用过别人的清洁用品?(开放式提问,让患者回忆可能的病因)

患者:平时我们的卫生用具都是分开的,经常清洗晒太阳。我出差比较多,清洁用具也自带。只有一次,我出差时因没有带洗漱用品,就直接使用了酒店提供的毛巾。医生,忘记带毛巾的那次出差,是2个月前,回来后约3、4天就感觉白带异常了,会不会那个时候传染上的?

医生:有可能的。淋病除了性接触传播之处,不洁的清洁用品也会间接传染。

患者丈夫:老婆,听医生这样讲,那应该是和你出差有关。

C(concern)——患者的担心

医生:既然确诊是淋病,就要积极治疗。您们夫妻双方都要接受治疗!(与患者开始讨论治疗方案)

患者:医生,白带不正常已经 2 个月,药物有效果吗?(患者袒露自己的忧虑)

医生:白带异常是淋球菌感染后的临床表现,您曾经用过外用药物,效果不好。根据您的化验报告对头孢曲松是敏感的,所以首选头孢曲松治疗。今天注射头孢曲松,明天白带就会减少。您没有并发症,一般预后是好的。治疗期间不能有性生活。淋病治疗后,2 周内复查。治愈的标准:①没有不舒服症状和体征,白带分泌物正常;②治疗结束后 4～7 天淋球菌复查阴性。您们夫妻都治愈后,可以有性生活。(告知治疗后判愈标准,消除患者及家属的顾虑,叮嘱治疗期间的注意事项)

患者:一次头孢曲松肌内注射就可以?能治疗好吗?有效果吗?(患者用怀疑的目光)

医生:现在头孢曲松治疗淋病,效果还是很好的,绝大部分人肌内注射一次就可以!淋病治疗后,会给您们夫妻检查,如果淋球菌阴性,就是治愈了。以后不感染淋球菌,就不会得淋病。(耐心解释正确的治疗方法和效果,消除患者顾虑,增加战胜疾病的信心)

患者:医生,家里还有儿子,我担心他也传染上,网上说染上这种病,将来会生不出孩子的。我把他害了?一想起这些,我就担心。

医生:淋球菌离开人体后不易生长,42℃ 可存活 15 分钟,50℃ 只能存活 5 分钟,60℃ 中 1 分钟内死亡,在完全干燥的环境 1～2 小时死亡。您回家后,把卫生洁具、您们夫妻私用的物件与其他家人分开,认真消毒,保持干燥清洁,就不会传染给您儿子啦。当然,先带您儿子来排查一下。(科普知识,让患者和家属对疾病的传染性有充分的认识,减轻担忧)

患者丈夫:明白了。谢谢医生!

E(expectation)——患者的期望

医生:林女士,根据您睡眠的情况,我想把您转诊给心理科医生,他会帮助您改善睡眠,让您睡得好,可以吗?(与患者一起协商治疗的方案)

患者:好。(患者及家属同意心理咨询)

患者丈夫:医生,您一定要告诉我,我应该如何做?只要我能做的,我一定会尽力去做的。(家属态度积极,希望医生给予指导,帮助他)

医生:好的。我先给她做心理评估。

对于患者的情绪和睡眠问题,单独诊间进行心理评估,9 条目患者健康问卷:9 分;汉密尔顿抑郁量表(Hamilton's Depression Scale):16 分(总分 <8 分:正常;总分在 8～20 分:可能有抑郁症;总分在 20～35 分:肯定有抑郁症;总分 >35 分:严重抑郁症)。患者既往无心理疾病史。

3. 诊断和诊断依据是什么?

(1)诊断:

1)淋病(gonorrhoea)。

2)应激相关生理反应(stress-related physiological response)。

（2）诊断依据

1）病史：患者，女，32岁，2个月前无明显诱因下，出现白带增多，色黄，浓稠，无异味。

2）查体：外阴阴道口见较多的黄色分泌物，挤压尿道口见少量黄色脓性分泌物涌出，阴道内见黄色分泌物，量多，无臭味。

3）实验室检查：淋病奈瑟菌阳性。

4）9条目健康问卷9分，汉密尔顿抑郁量表评分16分，有情绪低落，睡眠欠佳，食欲不振等，无抑郁症等心理精神类病史，可能与本次疾病相关，出现心理应激反应，支持应激相关生理反应的诊断。

4. 治疗方案和患者管理

（1）药物治疗：给予头孢曲松250mg一次肌内注射（皮试后）。若考虑同时有衣原体或者支原体的感染，加用多西环素100mg一天二次，连续7天。治疗后要进行检查，判断是否治愈：治疗后2周内，在无性接触史情况下，症状和体征全部消失；治疗结束后4～7天淋球菌涂片和培养。

（2）心理干预：对患者的抑郁情绪，可给予心理辅导。同时转心理科进行评估，必要时给予药物治疗，比如可以使用选择性5-羟色胺再摄取抑制剂。

（3）患者教育：安慰患者不要过度地担忧，养成良好的卫生习惯，不使用消毒不彻底的公共清洁物品。

（4）并发症处理：如果发现有并发症-淋菌性盆腔炎，可以转上级医院皮肤科或妇科进行治疗。对家庭成员要进行淋球菌感染的排查。

（5）排查：患者带儿子来排查，检查结果：淋病奈瑟菌（简称"淋球菌"）阴性。

第3次就诊

一周后夫妻俩来复诊，淋病引起的症状和体征全部消失。妻子已经去看了一次心理医生，诊断应激相关生理反应，给予心理辅导。患者情绪明显好转，睡眠改善。

第4次就诊

第15天，夫妻俩复诊，淋球菌复查涂片和培养均为阴性，淋病治愈。继续与患者深入交流，给患者心理疏导。交代患者丈夫多关心照顾患者、多沟通。化解患者的担忧与顾虑。

5. 病例总结

淋病是淋球菌感染引起的泌尿生殖系统的化脓性感染，全球每年约有7 800万人新发感染。2012～2017年淋病报告发病率年均增长5.9%。淋病潜伏期短，传染性强，可导致多种并发症和后遗症。大部分女性患者无明显症状，典型症状主要是白带增多，可有黏液和脓性分泌物或下腹隐痛，症状不特异，如未及时诊治，可导致尿道炎、宫颈炎、盆腔炎、异位妊娠、不孕、慢性盆腔痛等疾病，严重影响女性生殖健康。全科医生接诊白带异常患者时，要注意无症状或者不典型的淋球菌感染者，在给予药物治疗控制感染和恢复阴道微生态的同时，还要关注患者的家庭情况、情绪等，开展全方位的全科医疗服务。

了解患者的就医背景和最近的生活情况，可以发现，患者处于焦虑的状态。白带异常只不过是她就诊的原因而已，症状背后是一个焦虑的人。全科医生在接诊时，要做一个耐心的倾听者，了解患者的烦恼、生活背景，找出烦恼的深层次原因。本案患者常常凌晨醒来躲在被子里哭泣,被丈夫误解为是日常生活问题。实际上,生活问题是与健康问题密切相关的,既可以是健康问题的原因,也可以是健康问题的表现,全科医生只有全面了解患者的生活问题才能真正了解健康问题。对这位患者来说,药物治疗是远远不够的,必须十分注重心理咨询,发现病因,积极治疗。全科医生可以利用患者对医生的依赖来实施支持心理干预,缓解其心理应激反应,有利于促进患者康复。

应激是各种刺激作用于个体,使其生理和心理的内稳态受到干扰,个体努力维持内稳态的动态过程,是应激源到应激反应多种中介因素相互作用的过程。应激可发生相关的心理反应。心理应激分为三个阶段:第一阶段为唤醒阶段,第二阶段为抵抗阶段,第三阶段衰竭阶段。如果出现应激持续存在,个体会进入心理全面崩溃的阶段。应激是生活中的常见状态,与躯体健康和疾病的发生关系密切。应激时的生理反应变化,短期对机体有保护,长期会产生严重的应激相关疾病。应激反应超出一定强度或持续时间超过一定限度,构成应激相关障碍。该患者没有心理精神类病史,可能因白带异常问题出现了应激相关的生理反应。RICE 问诊可以像听诊器一样听到人心的深层部分,把真实的问题提到表面。

6. 知识拓展

抑郁症是常见的精神障碍疾病,世界疾病负担较重的疾病之一,据世界卫生组织估计,目前世界有 3 亿多人患有抑郁症,到 2020 年,抑郁症将成为仅次于缺血性心脏病的第 2 位致残疾病。在临床上发现有心境低落的患者,可以通过健康问卷筛查,心理表进行评估排查,及时排除抑郁症(表 4-1-1 和表 4-1-2)。

表4-1-1　9条目患者健康问卷（PHQ—9）

根据下面 9 个问题回答,在符合您的选项数字上面"√",将答案的相应评分进行总和,判断您是否存在抑郁状态,如总分达 5 分或 5 分以上,应警惕抑郁状态:

序号	在过去的两周内,以下情况烦扰您有多频繁?	评分			
		完全不会	好几天	一半以上的天数	几乎每天
1	做事时提不起劲或没有兴趣	0	1	2	3
2	感到心情低落,沮丧或绝望	0	1	2	3
3	入睡困难,睡不安稳或睡眠过多	0	1	2	3
4	感觉疲倦或没有活力	0	1	2	3
5	食欲不振或吃太多	0	1	2	3
6	觉得自己很糟或觉得自己很失败,或让自己或家人失望	0	1	2	3
7	对事物专注有困难,例如阅读报纸或看电视时	0	1	2	3
8	动作或说话速度缓慢到别人已经察觉?或正好相反 - 烦躁或坐立不安、动来动去的情况更胜于平常	0	1	2	3
9	有不如死掉或用某种方式伤害自己的念头	0	1	2	3
总分(最高分 =27,最低分 =0):_____ = 〔_____ + _____ + _____ 〕					

评分标准：

分值 \ 结果分析	没有抑郁	有抑郁症状	明显抑郁症状	重度抑郁
标准分 （请在相应分值处打"√"）	0~4分	5~9分	10~14分	15~27分

表4-1-2　GAD—7自评量表

在过去的两周内，有多少时候您收到以下任何 问题困扰？（在您的选择下打"√"）	完全不会	几天	一半以上的日子	几乎每天
1. 感觉紧张，焦虑或急切	0	1	2	3
2. 不能够停止或控制担忧	0	1	2	3
3. 对各种各样的事情担忧过多	0	1	2	3
4. 很难放松下来	0	1	2	3
5. 由于不安而无法静坐	0	1	2	3
6. 变得容易烦恼或急躁	0	1	2	3
7. 感到似乎将有可怕的事情发生而害怕	0	1	2	3
总分：＿＿＿＿　＝〔＿＿＿＋＿＿＿＋＿＿＿〕				

评分标准：

分值 \ 结果分析	正常	轻度焦虑	中度焦虑	重度焦虑
标准分 （请在相应分值处打"√"）	0~4分	5~9分	10~14分	15~27分

（吴秋萍　王　静）

 思考题

1. 在白带异常的病因中，常见有哪些阴道炎疾病？

2. 淋病的病原体是什么？传染源是什么？女性的主要并发症有哪些？

病例 2 ⊠

阴道流血 10 余日

患者,女,28 岁,单独前来就诊。

患者口述:月经欠规则 1 年余,周期 40 ~ 50 天,量时多时少,一般 7 ~ 15 天干净。10 天来,下身一直流血,没有干净。末次月经 1 个多月前。无腹痛,无发热等不适,自测早孕试纸阴性。

患者结婚两年,未避孕未孕,为备孕测基础体温呈单相。无重大脏器疾病史,无放射线接触史,无不良药物和激素类保健品服用史,无传染病、家族性遗传病史。

请思考以下问题 →

1. 如何构建整体性临床思维?
2. 最可能的诊断是什么? 需要完善哪些辅助检查?
3. 诊断和诊断依据是什么?
4. 治疗方案和患者管理。
5. 病例总结。
6. 知识拓展。

1. 如何构建整体性临床思维?

(1)诊断思路:阴道流血是妇科最常见的主诉之一,女性生殖器任何部位,包括阴道、宫颈、宫体及输卵管均可发生出血,虽然绝大多数出血来自宫体,但不论其源自何处,除正常月经外,均称为"阴道流血"。全科医生接诊阴道流血患者时,整体性临床思维尤为重要。对于育龄期妇女,常见阴道流血的鉴别诊断首先需排除妊娠相关疾病,如流产、异位妊娠等,尤其是异位妊娠,如伴剧烈腹痛等情况,需警惕异位妊娠包块破裂可能。确定非妊娠相关疾病后,需要进一步与生殖器器质性病变、生殖器炎症、卵巢内分泌功能失调等相鉴别,如反复阴道流血,不能忽视隐藏的疾病,如宫颈癌或者子宫内膜癌等生殖器恶性肿瘤。排除生殖系统疾病后,还应考虑全身器质性病变,如血液病、肝功能异常或甲状腺功能异常。最后,不能遗漏一些医源性因素,如性激素类药物使用不当、宫内节育器或异物引起的阴道流血。

引起阴道流血的原因很多,妊娠、生殖器炎症、生殖器肿瘤、全身器质性病变、性激素类药物使用不当、宫内节育器或异物等都会引起阴道流血。女性不同时期的阴道流血原因见(表 4-2-1)。

该女性患者,28 岁,月经欠规则近 1 年,周期 40 ~ 50 天,量时多时少。10 天来,下身一直流血,没有干净。末次月经 1 个多月前。无腹痛,无发热等不适,自测早孕试纸阴性。患者结婚两年,未避孕未孕,为备孕测基础体温呈单相。是与妊娠相关的疾病吗? 现采用整体性临床思维——临床 4 问对患者进行分析(图 4-2-1)。

表 4-2-1　女性不同时期的阴道流血原因

生命阶段	生理性	内分泌性	炎症性	肿瘤性	与妊娠相关	其他
新生儿及幼儿期		母体激素撤退、性早熟	外阴阴道炎、异物性阴道炎、尿布疹	阴道葡萄样肉瘤、卵巢生殖细胞肿瘤		全身性疾病,骑跨伤
青春期	月经	青春期功能失调性子宫出血、外源性激素使用	外阴阴道炎、输卵管结核	卵巢生殖细胞肿瘤	流产、异位妊娠	全身性疾病,初次性交
生育期	月经	功能失调性子宫出血、排卵期出血、外源性激素使用	阴道炎、子宫颈炎、子宫内膜炎、附件炎、盆腔炎	子宫肌瘤、子宫内膜息肉、滋养细胞肿瘤	流产、异位妊娠、早产、前置胎盘、胎盘早剥、产后出血、妊娠合并炎症或肿瘤	子宫内膜异位症、宫内节育器、创伤、全身性疾病
围绝经期	月经	围绝经期功能失调性子宫出血、外源性激素使用	阴道炎、子宫颈炎、子宫内膜炎、附件炎、盆腔炎	子宫颈癌、子宫内膜癌、子宫肉瘤、卵巢癌、输卵管癌	流产、异位妊娠	全身性疾病
绝经后期		外源性激素使用	老年性阴道炎、宫腔积脓	子宫内膜癌、子宫颈癌、子宫肉瘤、阴道癌、卵巢癌		全身性疾病

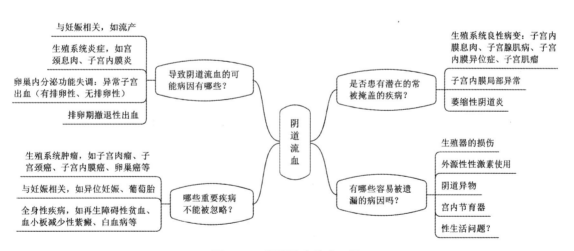

图 4-2-1　阴道流血临床 4 问

（2）鉴别思维：临床上遇到以"阴道流血"为主诉的病例时,应详细询问病史,包括阴道流血的开始及持续时间,阴道流血的特点(流血量及有无血块),有无诱因(服用药物及外伤等),伴随症状(腹痛、恶心呕吐及发热等)以及诊疗情况,还应询问既往是否有类似情况发生,同时需详细询问月经史。其他情况包括体重、睡眠、婚育史、避孕方式及家族史等也不能遗漏。在鉴别诊断过程中,不能遗漏全身器质性病变的鉴别,如血液病、肝功能异常或甲状腺功能减退或亢进;也不能忽略生殖器损伤和一些医源性因素,如性激素类药物使用不当、宫内节育器或异物引起的异常子宫出血。

全科医学强调以人为中心,要将全人照顾的核心理念贯彻于疾病的诊疗和健康服务的整个过程。不仅局限于器质性疾病的诊断和治疗,还要关注患者的心理,了解患者对疾病的看法、担忧和期望。在温馨的全科诊室,全科医生采用以患者为中心的问诊(RICE)方法,与患者进行深入访谈。

R(reason)——患者就诊的原因

医生:请坐!看您愁眉苦脸的样子,有什么可以帮您吗?(自我介绍和同理心,让患者感觉到来自医生的情感上支持)

患者:医生,我下面一直流血,没法干净。

医生:以前发生过这种情况吗?平时月经规则吗?最近一次月经什么时候来的?(关注月经频率与规律性,鉴别有无排卵障碍,有排卵障碍的患者,可出现月经稀发及周期不规律)

患者:今年是第三次了。一年多来,月经都不太规则,常常四五十天来一次,最近一次还是1个多月前来的,我有点记不清了。

医生:月经一般几天干净?经量有没有变化?(关注月经经期长度和经期出血量)

患者:月经一般7～15天干净,量时多时少。

医生:有没有可能怀孕?您有自己做过早孕测试吗?(排除妊娠相关疾病)

患者:月经推迟十几天没来,又有出血,我怕自己是宫外孕,今天早上还测了一下,是一条杠,应该没有怀孕。

医生:有没有其他的不舒服?比如发热、肚子痛、呕吐恶心或者头晕等?下体有外伤过吗?(鉴别生殖器炎症,生殖器炎症可以出现发热和腹痛等症状;鉴别生殖器损伤)

患者:感觉人没力气。没有外伤过。

医生:以前得过什么疾病吗?如身体别的部位出血?(鉴别全身性疾病)

患者:没有。

医生:有没有服过什么药物?如激素类药物?(排除外源性激素的使用)

患者:没有。

医生:有没有放宫内节育器?(排除宫内节育器引起的阴道流血)

患者:没有。

医生:一年来,您的体重有什么变化?(顺便问一下身高,计算体重指数)

患者:这两年重了十来斤,估计有130～140斤了吧,具体没有称过。

医生:您的妈妈或者姐妹有这种情况吗?(了解家族史)

患者:妈妈不清楚,我有一个姐姐,以前也有这种情况,后来她口服避孕药之后就好了。

I(idea)——患者对自己健康问题的想法

医生:您认为是什么原因引起阴道流血的?(了解患者对自身问题的理解)

患者:是不是和姐姐一样,是内分泌异常导致的月经不调呀?我之前因为要怀孕,测过基础体温,发现我的基础体温没有规律,很乱的曲线。

医生:您月经不太规则一年多,确实不排除这个可能性。(肯定患者的想法)

C（concern）——患者的担心

患者：医生，这个出血会影响我怀孕吗？

医生：您结婚几年了？平时使用什么方法避孕？（了解患者到底担心什么呢？）

患者：结婚 2 年了，偶尔使用避孕套，多数时候没有采取避孕措施。

医生：结婚前或者结婚后，您怀孕过吗？

患者：从来没有过，所以很担心。

E（expectation）——患者的期望

医生：良好的生活习惯是保障月经规律、正常排卵的基础，这样才有可能怀上宝宝。所以，您平时要注意作息规律，合理饮食，降低体重，保证充足的睡眠时间。现在我给您检查一下，并安排您做一些相关的检查，找出原因，早点解决问题，好吗？（适时健康教育）

患者：好的。医生，我希望能早点怀孕！

查体：

1）一般体格检查：生命体征平稳，身高 160cm，体重 68.5kg，BMI 26.75kg/m^2，余体格检查无异常。

2）妇科检查：外阴已婚未产式，阴道通畅，见少量血液，子宫颈轻度糜烂，无接触性出血，无举痛，子宫前位，正常大小，质地中等，活动度可，无压痛，双附件区未及明显包块及压痛。

（3）是不是与妊娠相关的疾病？

结合病史、查体，初步排除妊娠相关疾病，如流产、异位妊娠等。列出以下鉴别诊断（图 4-2-2）。

图 4-2-2 阴道流血鉴别诊断

2. 最可能的诊断是什么？需要完善哪些辅助检查？

（1）最可能的诊断：无排卵性异常子宫出血？原发性不孕？

（2）需要完善的辅助检查：

1）实验室检查：尿妊娠试验，血常规、血凝、肝功能、肿瘤标志物、生殖激素、甲状腺功能、葡萄糖耐量试验（OGTT）及胰岛素抵抗等血液化验，辅助诊断引起阴道流血的病因。

2）细胞病理学检查：子宫颈 TCT 检查及高危 HPV 检测，排除宫颈病变引起的阴道流血。

3）影像学检查：超声检查，可以初步判断是否有子宫内膜息肉及生殖器肿瘤等情况。

检查结果如下：

1）实验室检查：生殖激素结果提示黄体生成素（LH）10.3IU/L，卵泡刺激素（FSH）6.2IU/L，睾酮（TTE）1.0mmol/L，雌二醇（E2）250.2pmol/L，孕酮（P）1.51nmol/L，泌乳素（PRL）4.8ng/ml。其他实验室检查均在正常范围。

2)细胞病理学检查:子宫颈 TCT 提示未见上皮内病变或恶性病变(NILM),高危 HPV 检测阴性。

3)影像学检查:超声提示子宫正常大,单层子宫内膜厚 0.8cm,回声不均匀,宫壁回声均匀,双卵巢正常大,回声无殊。

3. 诊断和诊断依据是什么?

(1)诊断:

1)无排卵性异常子宫出血(anovulatory abnormal uterine bleeding,AAUB)

2)原发不孕(primary infertility)

(2)诊断依据:

1)病史:生育期妇女,无生育史,阴道流血 10 余日;未服用性激素类药物;月经不规则 1 年多,四五十天来潮一次;自测尿妊娠试验阴性。

2)体格检查:BMI 26.75kg/m²;子宫及双附件无殊。

3)辅助检查:B 超提示单层子宫内膜厚 0.8cm,回声不均匀;生殖激素结果提示 LH 10.3U/L,FSH 6.2U/L,E2 250.2pmol/L,P 1.51nmol/L。

4. 治疗方案和患者管理

无排卵性异常子宫出血的治疗原则是出血期止血,血止后调整周期预防子宫内膜增生和异常子宫出血(AUB)复发,有生育要求的患者促排卵治疗。该患者为生育期女性,有生育要求,故全科医生接诊后应予以止血治疗,后续可转至妇科内分泌门诊调整月经周期,或转至生殖门诊促排卵治疗。

(1)止血:性激素为首选药物。雌孕激素联合用药或者单纯孕激素,如短效口服避孕药,用法为每次 1 ~ 2 片,每 8 ~ 12 小时一次,血止 3 日后逐渐减量至每日 1 片,维持至 21 日周期结束,或者炔诺酮片,5mg,每 8 小时一次,2 ~ 3 日血止后每隔 3 日递减 1/3 量,直至维持量每日 2.5 ~ 5mg,持续用药至血止后 21 日停药。

(2)调整月经周期:可转至妇科内分泌门诊调整月经周期。常用的方法有孕激素治疗,口服避孕药和雌孕激素序贯法。

(3)促排卵:可转至生殖门诊进行促排卵治疗。常用的药物有氯米芬,人绒毛膜促性腺激素(hCG)和尿促性素(hMG)。

(4)调整生活方式:控制饮食和增加运动,降低体重,争取恢复排卵及生育功能。

(5)丈夫精液检查:在促排卵治疗前,应行丈夫精液常规检查,排除男性不孕因素。

5. 病例总结

年龄对诊断异常子宫出血(AUB)有重要参考价值,全科医师应掌握不同年龄段的妇女出现阴道流血的常见病因,在 RICE 问诊过程中,围绕四个月经临床评价指标开展问诊。全科医生也应该鼓励患者积极面对病因开展治疗,嘱患者保持生活作息规律,合理饮食,适当运动,注意体重,保证充足的睡眠时间,保障良好的生活习惯。如平时出现阴道流血症状,需及时上医院就诊,排除相关疾病,并及时治疗。如在使用性激素药物止血或调整周期中,有任何不适,需及时联系医生。

6. 知识拓展

阴道流血是女性最常见的症状之一,大部分女性阴道流血来源于子宫,为了与国际接轨,我国在 2014 年制定了 AUB 的诊断与治疗指南。AUB 是一种总的术语,指与正常月经的周期频率、规律性、经期长度、经期出血量中的任何 1 项不符、源自子宫腔的异常出血。AUB 术语范围见(表 4-2-2)。

表 4-2-2　AUB 术语范围

月经临床评价指标	术语	范围
周期频率	月经频发	< 21 日
	月经稀发	> 35 日
周期规律性(近 1 年)	规律月经	< 7 日
	不规律月经	≥ 7 日
	闭经	≥ 6 个月无月经
经期长度	经期延长	> 7 日
	经期过短	< 3 日
经期出血量	月经过多	> 80ml
	月经过少	< 5ml

AUB 病因分为两大类 9 个类型,按英语首字母缩写为"PALM-COEIN","PALM"存在结构性改变,可采用影像学技术和 / 或病理学方法明确诊断,而"COEIN"无子宫结构性改变。"PALM-COEIN"具体指:子宫内膜息肉(polyp)所致 AUB(AUB-P)、子宫腺肌病(adennomyosis)所致 AUB(AUB-A)、子宫平滑肌瘤(leiomyoma)所致 AUB(AUB-L)、子宫内膜恶变和不典型增生所致 AUB(AUB-M);全身凝血相关疾病(coagulopathy)所致(AUB-C)、排卵障碍(ovulatory dysfunction)相关的 AUB(AUB-O)、子宫内膜局部异常(endometrial)所致的 AUB(AUB-E)、医源性(iatrogenic)AUB(AUB-I)及未分类(not yet classified)的 AUB(AUB-N)。导致 AUB 的原因,可以是单一因素,也可以多种因素并存。

无排卵性 AUB 常见于青春期、绝经过渡期,生育期妇女因应激、肥胖或多囊卵巢综合征等因素影响,也可发生无排卵。该病例为生育期女性,BMI 26.75kg/m^2,属于超重范畴,与不排卵关联性大。各种原因引起的无排卵均可导致子宫内膜受单一雌激素作用而无孕酮对抗,从而引起雌激素突破性出血。

(陈芳雪　王　静　阮恒超)

 思考题

1. 无排卵性异常子宫出血的治疗原则是什么?
2. 怎样对阴道流血进行全科鉴别诊断?

病例 3 ⊠

自觉下腹肿块 1 周

患者,女,28 岁,银行职员,单独前来就诊。

患者口述:1 周来平躺时,小肚子部位摸到肿块,半年来月经量较前增多。

请思考以下问题 →

1. 如何构建整体性临床思维?

2. 最可能的诊断是什么? 需要完善哪些辅助检查?

3. 诊断和诊断依据是什么?

4. 治疗方案和患者管理。

5. 病例总结。

6. 知识拓展。

1. 如何构建整体性临床思维?

(1)诊断思路:下腹(盆腔)肿块可能是患者本人或家属无意发现,或因其他症状(如下腹痛、阴道流血等)就诊时,做妇科检查或影像学检查时发现。全科医生在接诊盆腔肿块的女性患者时,首先要考虑子宫增大来源的肿块,如妊娠子宫、子宫肌瘤、子宫腺肌病、子宫内膜癌等,也要同时考虑附件来源的肿块,如卵巢子宫内膜异位囊肿、输卵管妊娠、卵巢瘤样病变、卵巢肿瘤和附件炎性包块等。在鉴别诊断中,需要考虑非生殖系统来源的肿块,如泌尿系统的充盈膀胱、消化系统来源的肠系膜囊肿和粪块等。

第 1 次就诊

病史:患者,女,28 岁,拟下月举行婚礼,0-0-0-0,因"自觉下腹肿块 1 周"就诊。平时月经规则,经量偏多,末次月经 15 天前,1 周前平躺时扪及下腹部肿块,无腹痛,无发热等不适,偶有头晕,偶有尿频,无便秘,无大便性状改变,体重没有明显变化。患者 5 年前发现者子宫肌瘤,呈逐渐增大趋势,1 年前超声提示肌瘤直径 5cm,后未复查。无重大脏器疾病史,无放射线接触史,无不良药物和激素类保健品服用史,无传染病、家族性遗传病史,否认吸烟、饮酒嗜好。

根据病史,采用整体性临床思维——临床 4 问对该患者进行分析(图 4-3-1)。

(2)鉴别思维:患者既往有子宫肌瘤病史,一周前扪及盆腔包块,其余都无殊。盆腔包块是否就是增大的子宫肌瘤? 包块的来源与性质如何? 下一步需要怎么处理? 这是该患者就诊的主要目的。临床上遇到以盆腔包块为主诉的患者时,要重点问诊肿块发现的时间、位置以及伴随症状,是否伴有月经性状改变,是否有阴道分泌物增多,是否有下腹坠胀,腰骶酸痛以及尿频便秘等压迫症状。妇科患者要注意详细询问月经史、性生活史,是否有生育要求。

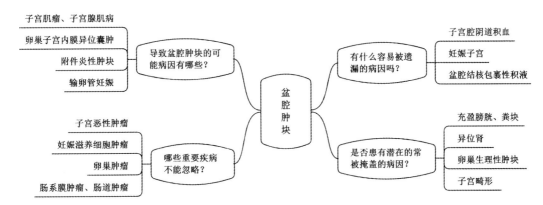

图 4-3-1　盆腔肿块临床 4 问

　　全科医学强调以人为中心,要将全人照顾的核心理念贯彻于疾病的诊疗和健康服务的整个过程。不仅局限于器质性疾病的诊断和治疗,还要关注患者的心理,了解患者对疾病的看法、担忧和期望。在温馨的全科诊室,全科医生采用以患者为中心的问诊(RICE)方法,与患者进行深入访谈。

　　R(reason)——患者就诊的原因

　　医生:您好,请坐! 看您愁眉苦脸的,可以跟我说说吗? (自我介绍和同理心,让患者感觉到来自医生的情感上支持)

　　患者:医生,我最近摸到小腹部有个肿块。

　　医生:哪个位置? 您什么时候开始摸到的?

　　患者:这里(患者用手指在耻骨联合上方),1 周前,躺在床上的时候。

　　医生:站着时摸得到么?

　　患者:也会摸到一点。

　　医生:近期有其他的不舒服吗? 比如腹痛、腹胀、恶心?

　　患者:好像没有。

　　医生:有没有经常想要小便的感觉,或者小便时有刺痛的感觉吗? (了解是否存在肿块压迫症状)

　　患者:小便比以前频繁,不太憋得住,没有痛。

　　医生:平时月经规则吗? 最后一次月经什么时候来的? (与妊娠子宫鉴别)

　　患者:月经规则的,30 天来一次,每次 8 ~ 10 天干净,最后一次月经 15 天前来的。

　　医生:和以前相比,您的月经天数和量有变化吗? (了解月经性状变化)

　　患者:以前月经 4 ~ 5 天就干净了,现在要一个星期才能干净,月经量从半年前就开始多起来,月经的第 3 ~ 4 天量最多,每天日用卫生巾 7 ~ 8 片,晚上要用 2 片夜用的。

　　医生:来月经时下腹痛吗? 卫生巾上有没有血块?

　　患者:不痛。血块有,不是特别多。

　　医生:有没有觉得头晕乏力、腰酸背痛? (了解伴随的症状)

　　患者:经常会头晕,没力气,腰酸背痛,特别是月经来的时候,可能是来月经的缘故。

医生：大便有没有发现带血丝、形状变细之类的情况？（与肠道肿块鉴别）

患者：和原来差不多，没有发现您说的情况。

I(idea)——患者对自己健康问题的看法

医生：您 4 年前体检时发现子宫肌瘤，最近一次的体检报告带来了吗？

患者：没有带。我记得第一次 B 超显示肌瘤直径 2cm，后来每年体检都会稍稍大一点，去年体检大概直径 5cm。

医生：发现子宫肌瘤后，您去医院看过吗？最近复查过子宫 B 超吗？

患者：去年体检完去医院看过，医生说暂时不用处理。所以我大概有一年多没有检查了。

医生：您认为摸到的肿块是怎么回事？（了解患者对自身问题的想法）

患者：我估计肌瘤长大了。

医生：有可能的。不过需要复查 B 超才能确定。我先给您检查一下。

查体

1）一般体格检查：生命体征平稳，轻度贫血貌。

2）腹部体格检查：腹软，耻骨联合上方可及包块上缘，质地偏硬，边界清，活动可，无压痛及反跳痛，移动性浊音阴性。

3）妇科检查：外阴已婚未产式，阴道通畅，子宫颈光滑，无举痛、摇摆痛，子宫前位，增大如孕 3 月大小，形态不规则，表面高低不平，子宫前壁突起明显，子宫质地偏硬，活动度好，无压痛，双侧附件区未及包块，无压痛。

（3）是不是急危重症疾病？

根据病史、查体，初步可以排除妊娠相关疾病，如早孕、异位妊娠等。列出以下鉴别诊断（图 4-3-2）。

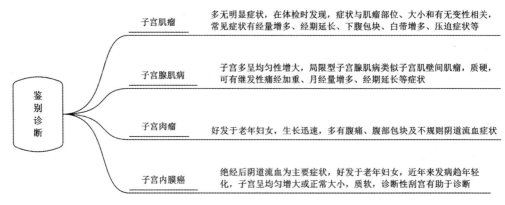

图 4-3-2　盆腔肿块鉴别诊断

C(concern)——患者的担心

患者：医生，我跟我男朋友在一起半年了，没避孕也没有怀孕。下个月就要举行婚礼了，我蛮担心的。

全科医师：您担心什么？是怕肌瘤会不孕还是怕肌瘤对怀孕有影响么？（了解患者到底担

心什么呢？）

患者：我担心怀不上，又怕怀上了之后因为肌瘤会保不住宝宝。

医生：您先别急，我先给您安排相关检查，等检查结果出来后再制定下一步治疗方案。

患者：需要手术么？会不会是恶性的？最近一周因为担心肿块，睡眠不太好。

医生：别担心，目前来说，肌瘤的恶变概率很低。

E（expectation）——**患者的期望**

患者：医生，那给我开检查单吧，我想尽快把病治好，早点怀上宝宝。

医生：好的。保持愉快的心情，有利于健康。（医生及时的鼓励）

患者：医生，我平时需要注意哪方面？

医生：目前您月经持续时间有点长，量有点多，又有乏力症状，可能有贫血，建议您多食富含铁的食物，如瘦肉、猪肝等。如果检查确诊是贫血，我还会给您开一些补铁的药，先纠正贫血。

患者：好。

医生：恭喜您即将成为新娘！（对患者送上祝福，有利于建立良好的医患关系）

患者：谢谢医生！

2. 最可能的诊断是什么？需要完善哪些辅助检查？

（1）最可能的诊断：子宫肌瘤？贫血？

（2）需要完善的辅助检查：

1）实验室检查：血常规、肿瘤标志物、鳞状细胞癌抗原（SCC）、生殖激素、血 β-HCG、凝血功能等，辅助诊断是否存在贫血及盆腔肿块的病因。

2）细胞病理学检查：子宫颈 TCT 检查，排除宫颈病变引起的盆腔包块。

3）影像学检查：妇科超声检查，是常用的辅助检查手段，能区分子宫肌瘤与其他盆腔包块。MRI 可以准确判断肌瘤大小、数目和位置。

4）其他检查：主要用于鉴别诊断。如诊断性刮宫，有助于与子宫内膜癌等的鉴别。

辅助检查回报：

1）实验室检查：血常规示 WBC 6.5×10^9/L，Hb 91g/L，PLT 260×10^9/L。尿 HCG 阴性，凝血功能、生殖激素、肿瘤标志物和 SCC 未见明显异常。

2）细胞病理学检查：子宫颈 TCT 检查提示未见上皮内病变或恶性病变（NILM）。

3）影像学检查：B 超检查提示子宫前位，大小 126mm × 92mm × 79mm，肌层回声欠均匀，子宫前壁近宫底处探及一大小为 82mm × 76mm × 57mm 的低回声结节，内部回声不均，部分凸向宫腔，包膜完整，边界清晰，子宫内膜回声均匀。彩色多普勒显示：低回声结节周边见环状血流信号，其内部可见丰富的网状血流信号；双附件区未见明显异常回声；考虑：子宫肌瘤。

3. 诊断和诊断依据是什么？

（1）诊断：

1）子宫肌瘤（Uterine myoma）。

2）贫血（Anemia）（轻度）。

（2）诊断依据：

1）病史：女，28 岁，生育期女性，平时月经规则，末次月经 15 日前，月经量增多半年，自觉盆下腹肿块 1 周,伴有尿频尿急、腰骶酸痛等压迫症状。既往有子宫肌瘤病史,定期复查逐渐增大,近一年未复查。

2)体格检查:妇科检查子宫前壁及肿块,子宫增大如孕 3 个月,表面高低不平;一般体格检查见贫血貌。

3)辅助检查:血常规提示 Hb 91g/L;TCT 提示 NILM;超声提示子宫前壁近宫底处探及一大小为 82mm×76mm×57mm 的低回声结节,考虑子宫肌瘤。

4. 治疗方案和患者管理

该患者为生育期女性,有生育要求,目前瘤体较大,且经量增多,有尿频尿急等压迫症状及贫血症状。故全科医生接诊此类患者后,应予以改善贫血、减少经量等治疗,并建议手术。

(1)改善贫血的治疗:多食富含铁的食物,如瘦肉、动物内脏等;口服铁剂纠正贫血,多糖铁复合胶囊每日口服 150 ~ 300mg。

(2)减少月经量及减轻压迫症状:

1)减少月经量的治疗:对于仅有月经量增多这一唯一症状的患者,氨甲环酸和左炔诺孕酮宫内节育器为有效的治疗方案。需要注意的是氨甲环酸存在引起血栓的风险,且不能与口服避孕药合用。曼月乐能有效降低月经出血量并提供避孕。但是,对于黏膜下肌瘤的患者宫内节育器的脱落率较高。此外,雄激素可对抗雌激素,使子宫内膜萎缩,作用于子宫平滑肌增强收缩,从而减少出血,每月总量不超过 300mg。该患者瘤体较大,且合并其他症状,不适合使用曼月乐来减少经量。

2)减轻压迫症状的治疗:在单纯出现压迫症状或同时由于肌瘤过大导致的月经量增多的女性中,治疗的最主要目的是使子宫肌瘤体积的减小。①促性腺激素释放激素类似物(GnRH-a):采用大剂量连续给药或长期非脉冲式给药可产生抑制 FSH 和 LH 分泌效应,降低患者体内的雌二醇水平,达到缓解症状和使肌瘤萎缩的目的,但停药后又逐渐增大到原来大小,且可产生围绝经期综合征。长期使用需与类固醇激素合用以减轻更年期症状及骨质疏松。目前主要是短期使用(2 ~ 6 个月),用于缩小肌瘤利于妊娠、术前缩小肌瘤、降低手术难度、控制症状、有利于纠正贫血,以及近绝经期妇女提早绝经、避免手术。此种治疗方法适合该病例,用于术前缩小肌瘤,纠正贫血;②调节孕酮药物:米非司酮用于子宫肌瘤的治疗剂量为 12.5 ~ 25mg/d,用于术前辅助用药或提前过渡到绝经,但因有拮抗糖皮质激素的副作用,不宜长期使用,可作为替代疗法使用。

(3)手术:该患者年轻,有生育要求,子宫增大相当于妊娠 3 个月大小,且肌瘤凸向宫腔,出现月经量增多继发贫血症状,存在手术指征,可药物治疗 2 ~ 6 个月改善贫血、减小肌瘤,转诊上级医院妇科手术治疗。

子宫肌瘤患者出现以下情况者,需考虑进行手术治疗:

1)子宫肌瘤合并月经过多或异常出血甚至导致贫血。

2)子宫肌瘤压迫泌尿系统、消化系统、神经系统等出现相关症状,经药物治疗无效。

3)子宫肌瘤合并不孕。

4)子宫肌瘤患者准备妊娠时若肌瘤直径 ≥ 4cm 建议剔除。

5)绝经后未行激素补充治疗但肌瘤仍生长。

(4)其他治疗

1)子宫动脉栓塞术:通过阻断子宫动脉及其分支,减少肌瘤血供,从而延缓肌瘤的生长,缓解症状,但其可能引起卵巢功能减退并增加潜在的妊娠并发症的风险,一般不建议用于有生育要求的患者。

2)磁共振引导聚焦超声手术:采用超声热消融治疗子宫肌瘤,适用于无生育要求者。

5. 病例总结

子宫肌瘤多无明显症状,仅在体检时偶然发现,症状与肌瘤部位、大小和有无变性相关,而与肌瘤数目关系不大。常见症状有月经量增多及经期延长,下腹部肿块,白带增多,下腹坠胀,腰酸背痛,尿频、尿急、便秘等压迫症状。该患者四年前体检发现子宫肌瘤,当时无症状,定期复查肌瘤逐渐增大,半年前出现月经量增多症状未予以重视。因而全科医生在对此类患者处理时,需嘱咐患者必须定期复查,一旦出现肌瘤迅速增大或出现并发症状相应症状,需要及时就诊,对症处理。即使没有身体不适,也需要定期体检。

对于无症状的肌瘤患者一般不需治疗,可定期随访。若出现相应症状,应进行相应对症处理。若症状严重,出现并发症或急症,如严重贫血、合并坏死感染、浆膜下肌瘤蒂扭转、尿路梗阻、不孕或流产等,应进行转诊。若不能排除恶性,应及时转诊至上级医疗机构进一步进行诊治。若出现手术指征时,也应及时转诊进行手术治疗。

目前认为子宫肌瘤的发生可能与雌、孕激素相关。因此,全科医师在对妇女做健康教育时,应该嘱咐女性在生活中建议保持心情舒畅,切忌大怒大悲,多思多虑,从而引起内分泌水平紊乱。注意饮食卫生,不要随意额外摄取雌激素,尤其是在绝经后更需注意,以免子宫肌瘤增大。定期妇科体检,关注自身身体健康。

6. 知识拓展

(1)子宫肌瘤的分类:子宫肌瘤是女性生殖器最常见的良性肿瘤,由平滑肌及结缔组织组成。常见于 30 ~ 50 岁妇女,20 岁以下少见。子宫肌瘤的确切病因尚未明了,因肌瘤好发与生育期,青春期少见,绝经后萎缩或消退,提示其发生可能与女性激素相关。由于子宫肌瘤多无或很少有症状,临床报道发病率远低于肌瘤真实发病率。

子宫肌瘤传统的分类按照子宫肌瘤生长部位,分为宫体肌瘤及宫颈肌瘤,宫体肌瘤约占总数的90%,宫颈肌瘤约占 10%。按肌瘤与子宫肌壁的关系,分为 3 类:肌壁间肌瘤、浆膜下肌瘤及黏膜下肌瘤。子宫肌瘤诊治的中国专家共识采用 FIGO 的子宫肌瘤分型法(9 型分类法):

1)0 型:完全位于宫腔内的黏膜下肌瘤。

2)1 型:肌瘤大部分位于宫腔内,肌瘤位于肌壁间的部分≤ 50%。

3)2 型:肌壁间突向黏膜下的肌瘤,肌瘤位于肌壁间的部分 > 50%。

4)3 型:肌瘤完全位于肌壁间,但其位置紧贴黏膜。

5)4 型:肌瘤完全位于肌壁间,既不靠近突向浆膜层又不突向黏膜层。

6)5 型:肌瘤突向浆膜,但位于肌壁间部分≥ 50%。

7)6 型:肌瘤突向浆膜,但位于肌壁间部分 < 50%。

8)7 型:有蒂的浆膜下肌瘤。

9)8 型:其他类型(特殊部位如宫颈、阔韧带肌瘤)。

不同分类决定了不同的治疗方式和手术方式。

(2)妇科检查:妇科检查,国外一般称为盆腔检查(pelvic examination),是女性生殖器疾病诊断的重要手段,包括对外阴、阴道、子宫颈、子宫体及双侧附件检查。其检查方法与步骤详见(图 4-3-3)。

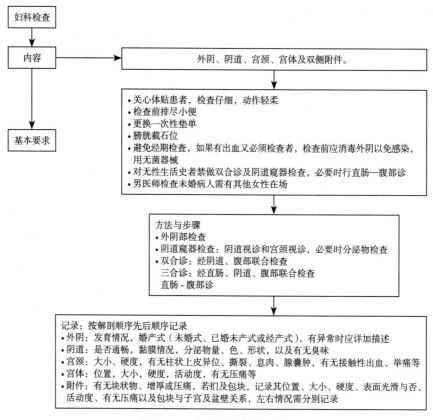

图 4-3-3　妇科检查操作流程

(阮恒超　李　娜　黄艺舟　王　静)

 思考题

什么情况下全科医生需要考虑对子宫肌瘤患者转诊进行手术?

病例 4 ⊠

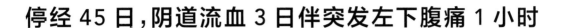

停经 45 日,阴道流血 3 日伴突发左下腹痛 1 小时

患者,杨女士,27 岁,已婚,教师。因"停经 45 天,阴道流血 3 天伴突发左下腹痛 1 小时"前来就诊。

患者口述:平素月经规律,月经周期 30 天,行经 5 天,量中,无痛经。末次月经 45 天前,量及性状同前。停经 35 天自测尿妊娠试验阳性。3 天前患者无明显诱因下出现阴道流血,量少于月经量,色暗,当时无下腹痛,无肛门坠胀感,无恶心呕吐,无腹泻,未予重视,阴道流血持续至今。1 小时前无明显诱因下,出现左下痛撕裂样疼痛,伴恶心呕吐、有肛门坠胀感。0-0-0-0?

请思考以下问题 →

1. 如何构建整体性临床思维?
2. 最可能的诊断是什么? 需要完善哪些辅助检查?
3. 诊断和诊断依据是什么?
4. 治疗方案和患者管理。
5. 病例总结。
6. 知识拓展。

1. 如何构建整体性临床思维?

(1)诊断思路:接诊女性下腹痛患者时,需具备整体性临床思维,有性生活史的育龄期妇女出现急性下腹痛,首先明确有无停经史,区分妊娠与非妊娠相关疾病要注意仔细询问病史,尤其是月经史和末次月经情况。重点关注患者生命体征,以及是否存在腹腔内出血征象,如伴有心率加快、血压下降,要警惕异位妊娠破裂致腹腔内大出血从而出现休克的风险,及时转诊,确保医疗安全。

下腹疼痛指为非创伤性下腹部位的疼痛,可由多种疾病引起,从轻度和自限性到危及生命的疾病均可见(腹痛的发生机制见第二章病例 8 中的图 2-8-1)。急性下腹痛起病急剧,疼痛剧烈,可伴有恶心、呕吐、出汗及发热等症状。女性下腹痛多为妇科疾病引起,少部分为下腹其他部位的疼痛。结合下腹痛的起病缓急情况、疼痛部位、疼痛性质、疼痛时间、放射部位及伴随症状等,考虑导致下腹痛的可能原因(图 4-4-1)。

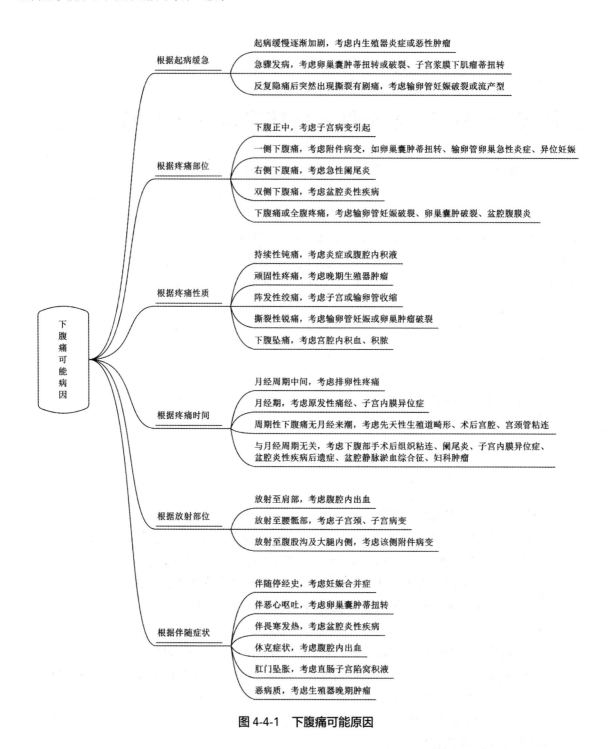

图 4-4-1　下腹痛可能原因

　　该育龄期患者,末次月经 45 天前,量及性状同前。停经 35 天自测尿妊娠试验阳性。3 天前患者无明显诱因下出现少量阴道流血,持续至今。1 小时前无明显诱因下,出现左下痛撕裂样疼痛,伴恶心呕吐、有肛门坠胀感。现采用整体性临床思维——临床 4 问该患者进行分析(图 4-4-2)。

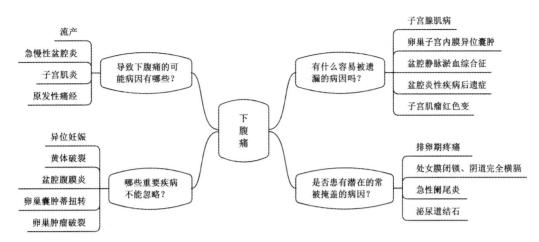

图 4-4-2　下腹痛临床 4 问

（2）鉴别思维：对于疾病的诊断来说，患者提供的信息是最重要的，其次是体格检查，再次是做相应的辅助检查，可以帮助我们诊断。著名的加拿大医学教育家威廉·奥斯勒说过一句话：跟病人说话吧，病人的语言揭示了诊断。全科医生接诊下腹痛的女性患者，应仔细询问病史，不遗漏任何的诊治要点。患者"停经 45 天，阴道流血 3 天伴突发左下腹痛 1 小时"，自测尿妊娠试验阳性。该患者阴道流血和下腹痛的原因是什么？是否是妊娠相关原因？是"异位妊娠"还是"先兆流产"？是否存在"卵巢囊肿"或其他部位的疾病？下面采用 RICE 问诊，了解患者的患病经历，包括想法、关注和期望。

R（reason）——**患者就诊的原因**

医生：杨女士，看你很不舒服的，怎么啦？（开放式提问，考虑到急腹症，抓紧时间开始问诊）

患者：医生，我小肚子很痛，痛了一小时，刚才痛得受不了啦。

医生：除了小肚子痛，还有其他的不舒服吗？（全面了解症状）

患者：前两天下面有点出血，断断续续的。

医生：你最后一次月经是什么时候来的？（了解是否有停经史，与妊娠相关疾病鉴别）

患者：大概 50 天前。

医生：你平时月经规律吗？月经多久来一次？有没有经常推迟或提前？（核算孕周）

患者：月经比较准的，一个月来一次，前后相差 1 ~ 2 天。

医生：两天前出血是在什么情况下出现的？（了解阴道流血的诱因）

患者：3 天前早上起来小便的时候，发现内裤上暗红色的分泌物，我没当一回事。

医生：阴道流血量和平时月经比较，有没有增多或减少？颜色怎么样？（了解阴道流血的性质、疾病进展、缓解因素）当时肚子痛吗？

患者：出血量不多，和平时快干净的时候差不多，颜色暗红的，有时候有，有时候又没有。当时肚子不痛，刚才突然痛起来了。

医生：今天突然出现下腹部疼痛是在什么情况下？是不是剧烈运动了？（了解下腹痛的诱因）

患者：没有运动。因为之前一直有点出血，家人就让我多躺躺保胎治疗，我吃完早饭躺在沙发上玩手机,肚子就开始痛起来了。

医生:是哪个部位痛? 疼痛的厉害吗? 持续痛还是阵发痛? 胀痛还是绞痛? (了解腹痛性质、疾病进展)

患者:开始是隐隐的痛,就像来例假一样,有点坠坠的痛,左边痛的厉害一点,后来越来越痛,痛得我有点受不了啦,感觉左下腹里面像什么东西撕裂了一样。

医生:疼痛有加重或者缓解吗? (了解缓解因素)

患者:撕裂样痛,前后大概有半小时,之后就好受多了。

医生:当时还有别的不舒服吗? (了解伴随症状)

患者:当时我忍不住恶心呕吐,把早饭都吐出来了,出了一身冷汗。没有发热。

医生:有没有头晕、胸闷、黑矇、晕厥? 有没有想拉大便的感觉? (判断是否有腹腔内出血征象)

患者:头晕胸闷倒是没有的,但是现在总是觉得很想拉大便,去上厕所又拉不出什么。

医生:你下腹痛的时候,下面有没有肉样的组织物或血块样的东西排出来? (鉴别流产)

患者:没有。

医生:有没有畏寒发热、尿频尿急? (鉴别感染性疾病)

患者:没有。

医生:近段时间,饮食、睡眠怎么样? 大小便正常吗?

患者:睡眠、饮食都和往常一样,小便正常的,今天很想拉大便,但拉不出来。

I(idea)——患者对自己健康问题的看法

医生:你有停经史,又有阴道流血和下腹痛,不排除流产的可能性。但你腹痛这么剧烈,也没有组织物掉出来,流产的可能性不是很大。(提出自己的观点)

患者:医生,我是不是流产了呀? 10 天前因为月经没来,自己买了早孕试纸,测出来有两条杠。难道是宫外孕?

C(concern)——患者的担心

医生:按照你目前的描述,结合你的月经情况,宫外孕的可能性比较大。

患者:医生,那怎么办? 宫外孕很危险的,听说会大出血! 我好像出血并不多。(患者流露出害怕、担忧和怀疑)

医生:宫外孕也分好几种情况的,宫外孕破裂会导致大出血,情况会比较危急。目前你的生命体征还是平稳的,我先给你开通静脉通道,马上会给你做个床边 B 超,妇科医生也在前来会诊的路上了,不要担心。(及时给予解释,安慰患者)

查体:T 36.5℃,BP 100/65mmHg,R 20 次/min,P 91 次/min,律齐。神志清楚。呼吸平稳。面色略苍白。巩膜无黄染。双肺呼吸音清。听诊肠鸣音正常。肝脾肋下未及,Murphy 征阴性,移动性浊音阴性。双下肢无水肿,生理反射存在,病理反射未引出。

妇科检查:外阴已婚已产型,阴道内见少量暗红色血性分泌物;宫颈光滑,宫口闭,未见组织物嵌顿,无接触性出血,举痛明显;子宫饱满,前位,质软,活动好,无压痛;左附件区可及压痛包块,活动欠佳,轻压痛,右附件区未及明显包块及压痛。

(3)是不是急危重症?

根据患者的病史、查体和妇科检查,初步考虑异位妊娠,属于急危重症,需要马上转专科处理。列出以下鉴别诊断(图 4-4-3)。

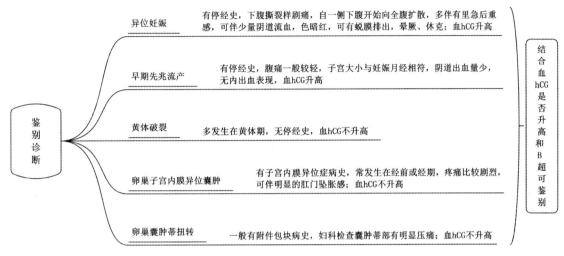

图 4-4-3　异位妊娠鉴别诊断

2. 最可能的诊断是什么？需要完善哪些辅助检查？

(1)最可能的诊断:异位妊娠?

(2)辅助检查:查人绒毛膜促性腺激素、孕酮、血常规、凝血功能、生化、盆腔超声。

检验回报:

血人绒毛膜促性腺激素(β-hCG)2 100U/L,血孕酮(P)15nmol/L。血常规提示白细胞(WBC)8.5×10^9/L,中性粒细胞 75%,血红蛋白 105g/L。凝血功能、生化功能无异常。床边超声提示子宫前位,饱满,宫内未见胚囊样组织。双卵巢正常大,回声无殊,左宫旁可见 5.5cm×4.8cm×4.2cm 不均质包块,内见卵黄囊,直肠窝液体 3.5cm,液稠。

E(expectation)——患者的期望

医生:根据检查结果,你是宫外孕,需要马上转专科处理。(告知患者真实情况)

患者:医生,你一定要帮我治疗好,我还要生二胎的。

医生:你放心,我会和妇产科医生一起讨论后续的治疗方案,具体还是要根据各项检查结果和你的病情变化来决定,你一定会好起来的。(移情、鼓励患者)

患者:谢谢你,医生。那我现在需要注意什么？

医生:宫外孕会出现包块破裂、腹腔内大出血的情况,所以你就安心在留观室病床上休息,等待专科医生的处理。如果这中间出现阴道流血增多、腹痛加剧、头晕胸闷等的情况立即告诉我们。(健康指导,建立良好的医患关系)

患者:好。谢谢你!

3. 诊断和诊断依据是什么？

(1)诊断:

1)异位妊娠(ectopic pregnancy)。

2)轻度贫血(mild anemia)。

(2)诊断依据:患者,育龄期女性,有正常性生活,未避孕;停经 45 天,3 天前出现阴道少量流血,1 小时前出现左下腹撕裂样疼痛。目前生命体征尚稳定,面色略苍白,移动性浊音阴性;妇科检查发现子宫颈举痛明显,子宫饱满,左附件区可及 5cm×4cm×4cm 大小包块,活动欠佳,轻压痛。10 天前自测早孕试纸阳性。血 hCG 2 100U/L;床边 B 超提示宫内未见胚囊样组织,左宫旁可见 5.5cm×4.8cm×4.2cm 不均质包块,内见卵黄囊,可以排除难免流产,考虑异位妊娠。血色素提示 Hb 105g/L,B 超提示直肠窝液体 3.5cm,液稠,考虑有内出血情况,与患者轻度贫血相符。

4. 治疗方案和患者管理

(1)转诊指征:出现以下情况,需要及时向上级医院转诊:

1)在问诊和查体过程中,出现晕厥、休克,生命体征不平稳等腹腔内出血症状,边纠正休克症状边转送。

2)在辅助检查中发现中重度贫血(或短期内下降明显)、血 β-hCG > 3 000U/L 或持续升高、B 超提示子宫外妊娠结构有胎心搏动或附件区包块直径 > 4cm。

3)拟采用药物治疗者。

4)拟行手术治疗者。

5)期待治疗后病情变化,有手术指征者。

6)保守手术治疗随访考虑持续性异位妊娠者。

7)随诊不可靠者。

8)病情复杂,考虑合并其他脏器疾病者。

患者转上级医院时,全科医生应向妇科医生交待患者诊治经过及其个人家庭社会背景资料,便于妇科医生更好地开展诊疗。妇科诊疗结束来复诊,全科医生应及时了解患者诊疗经过、后续的治疗方案(主要用药)、目前的病情、主要体征以及血 β-HCG 及盆腔超声复查情况等,以实现连续性医疗服务。

(2)治疗方案:异位妊娠的治疗包括手术治疗、药物治疗和期待治疗,其中手术又分为保守手术和根治手术两大类。

1)手术治疗:①有生育要求的年轻妇女,特别是对侧输卵管已切除或有明显病变者,可采用保守性手术;②对于无生育要求的输卵管妊娠,或出现内出血并发休克的急症患者,可采用根治性手术;③重症患者应在积极纠正休克同时,手术切除输卵管,并酌情处理对侧输卵管;④无论是保守性手术还是根治性手术,通常在腹腔镜下完成,除非生命体征不稳定者,需要快速进腹止血并完成手术。

2)药物治疗:药物治疗主要适用于病情稳定的输卵管妊娠患者及保守性手术后发生持续性异位妊娠者,采用化学药物治疗。

3)期待治疗:全科门诊最常见的异位妊娠治疗方法,适用病情稳定、血清 hCG 水平较低(< 1 500U/L)且呈下降趋势。①建立良好的医患关系,与患者及家属充分沟通后,说明病情并征得同意后进行;②告知在期待治疗过程中,可能病情加重,出现急性腹痛、输卵管破裂症状,导致大出血、休克等情况,严重者危及生命;③注意休息,避免剧烈运动,禁性生活;④每隔 3 天动态观察血 hCG 和盆腔超声检查,了解血 hCG 趋势和包块大小情况,直至血 hCG 连续三次阴性。

该患者明确诊断异位妊娠,考虑到患者有生育要求,盆腔包块较大,血 hCG 2 100IU/L,在给患者开通静脉通路的情况下,将患者转运至上级医院妇科行保守手术治疗。

(3)患者管理。

第2次就诊

一周后患者复诊,患者已在上级医院因"左输卵管妊娠"全麻下行腹腔镜下左侧输卵管切开取胚术,术后恢复可,目前已无明显阴道流血,无腹痛,无发热等不适。今来全科门诊随访血 hCG,已降至正常。全科医生安慰患者,告诉患者术后恢复很好,过一周再来复查,期间有下腹痛、阴道流血等不适,随诊前往门诊就诊。

第3次就诊

又一周过去了,患者再次前来全科门诊就诊。今日复查血 hCG 再次正常。全科医生告知患者,血 hCG 已两次正常,本次异位妊娠已治愈。好好休息半年后再准备怀孕,但备孕前建议至妇科门诊做些孕前检查,必要时做个输卵管造影,了解输卵管通畅情况。

5. 病例总结

异位妊娠是妇产科最常见的急腹症之一,典型临床表现为停经后腹痛与阴道流血。在临床工作中常发现有些患者症状不典型,容易误诊、漏诊。因此,全科医生在接诊有性生活的育龄期女性时,若有阴道不规则流血或下腹疼痛,务必首先排除是否是妊娠状态,是否存在异位妊娠的可能。若考虑异位妊娠可能,在接诊过程中需密切注意患者生命体征,一旦发现生命体征不平稳或有明确急诊手术指征者,应积极处理并同时转诊。该疾病可能涉及后续生育问题,制定治疗方案时应充分与患者沟通并详细告知利弊及相关风险。异位妊娠的期待治疗可在全科门诊进行,全科医生需与患者及家属建立良好的医患关系,详细告知期待治疗过程中需严密随访血 hCG 和盆腔超声检查,密切注意患者阴道流血及下腹痛情况,帮助患者正确认识疾病的风险,消除患者顾虑,积极配合治疗,最终取得满意效果。

6. 知识拓展

(1)异位妊娠(ectopic pregnancy),习称宫外孕,是指受精卵在子宫体腔以外着床。根据受精卵种植部位不同,异位妊娠分为:输卵管妊娠、宫颈妊娠、卵巢妊娠、腹腔妊娠、阔韧带妊娠等,其中以输卵管妊娠最常见(占90%～95%),输卵管妊娠多发生在壶腹部(75%～80%),其次为峡部,伞部及间质部妊娠少见。

(2)持续性异位妊娠(persistent ectopic pregnancy),是指输卵管妊娠行保守手术后,残余滋养细胞有可能继续生长,再次发生出血,引起腹痛等,发生率为3.9%～11.0%。全科医生在管理输卵管妊娠保守手术后随访病人时,应密切监测血 hCG 水平,每周复查一次,直至降至正常水平,如发现术后血 hCG 不降或升高,或术后12日未下降至术前的10%以下,均可诊断为持续性异位妊娠。术前血 hCG 水平过高、上升速度过快或输卵管肿块过大,发生持续性异位妊娠的可能性增大。治疗可选用甲氨蝶呤药物治疗,必要时再次手术。

(3)剖宫产瘢痕部位妊娠(caesarean scar pregnancy,CSP),是指受精卵植床于前次剖宫产子宫切口瘢痕处的一种异位妊娠。CSP 为剖宫产的远期并发症之一,近年来由于国内剖宫产率居高不下,CSP 的发生率呈上升趋势。CSP 是一个限时定义,仅限于早孕期,临床表现为既往有子宫下段剖宫产史,此次停经后伴不规则阴道出血,临床上常被误诊为宫颈妊娠、难免流产或不全流产,有时也被误诊为正常早孕而行人工流产导致大出血或流产后反复出血。且大多数 CSP 预后凶险,因此全科医生掌握在早孕期精准识别 CSP,并及时转诊。经阴道超声检查是诊断 CSP 的主要手段,妇科医生对 CSP 常选择个体化方案,包括药物治疗或手术治疗,子宫动脉栓塞术是重要的辅助治疗手段。

（杨　敏　王　静　阮恒超）

 思考题

1. 简述异位妊娠的转诊指征。
2. 异位妊娠期待治疗的适应证有哪些？如何开展期待治疗？

病例 5 ⊠

月经紊乱 1 年,潮热出汗 3 个月

🎥 **视频 4-5**

患者,女,50 岁,已婚,1-0-1-1,单独前来就诊。

患者口述:既往月经规律,近 1 年来出现月经紊乱,周期开始变得没有规律,15 天到 3 ~ 4 个月不等,且持续时间延长,从 7 天延迟至 10 天净。末次月经 1 个多月前。近 3 个月出现潮热盗汗等不适,伴乏力心慌,脾气暴躁,无腹痛等不适。无盆腔手术史,无重大脏器疾病史,无放射线接触史,无不良药物和激素类保健品服用史,无传染病、家族性遗传病史。

> **请思考以下问题 →**

1. 如何构建整体性临床思维?
2. 最可能的诊断是什么? 需要完善哪些辅助检查?
3. 诊断和诊断依据是什么?
4. 治疗方案和患者管理。
5. 病例总结。
6. 知识拓展。

1. 如何构建整体性临床思维?

(1)诊断思路:围绝经期综合征往往有月经紊乱、血管舒缩、自主神经失调等症状,根据病史及临床表现不难诊断,但由于其临床症状的非特异性和不典型性,临床上还是应该与相关疾病做鉴别。全科医生接诊围绝经期妇女时,除了与常见的引起阴道流血的器质性疾病相鉴别外,还应排除相关内外科疾病,如甲状腺功能亢进、原发性高血压等,也要与部分精神疾病,如抑郁症和心脏神经症等相鉴别。

围绝经期是女性正常的生理变化,其本质是卵巢功能衰竭。伴随卵巢功能进一步的衰退,女性会出现多种绝经相关症状、组织萎缩退化和代谢功能紊乱,导致一系列身心健康问题。女性将经历月经改变直至绝经,并伴随多种绝经相关症状,如血管舒缩功能障碍,精神神经症状,骨关节症状等。因此,全科医生在接诊这类患者的时候,整体性临床思维尤为重要。

该女患者,50 岁,既往月经规律,最近一年月经周期紊乱,15 天到 3 ~ 4 个月不等,近 3 个月常常潮热出汗,心烦,睡眠较差。是围绝经期综合征吗? 现采用整体性临床思维——临床 4 问对该患者进行分析(图 4-5-1)。

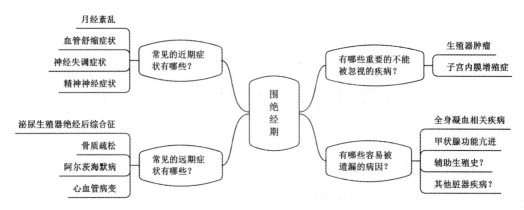

图 4-5-1　围绝经期临床 4 问

(2)鉴别思维：临床碰到以"月经紊乱伴潮热"等主诉的妇女就诊时，需详细询问病史，明确患者主要症状出现的时间及变化情况(本案例主要为月经不规则 1 年及潮热 3 个月)，主要的伴随症状及变化(失眠、盗汗、心慌、脾气变坏、尿路感染、关节疼痛等)，有意义的阴性症状(如心悸是否存在其他心功能的障碍的表现，是否有相关高危因素，关节疼痛有没有其他的伴随症状，以前有无相关的内外科病史，体重、大小便变化等)，以及诊治经过、病情的改善等情况。

全科医学强调以人为中心，要将全人照顾的核心理念贯彻于疾病的诊疗和健康服务的整个过程。不仅局限于器质性疾病的诊断和治疗，还要关注患者的心理，了解患者对疾病的看法、担忧和期望。在温馨的全科诊室，全科医生采用以患者为中心的问诊(RICE)方法，与患者进行深入访谈。

R(reason)——患者就诊的原因

医生：您好，请坐！看您满头大汗的，刚赶路过来吗？（自我介绍、观察细微，让患者感觉到医生的亲切感，更愿意诉说病情）

患者：不是医生，我现在稍微动一下，一急就容易发热和出汗，月经这一年也比较乱。

医生：出汗有多少时间了？一般在什么时候发热出汗呢？

患者：大概有 3 个月了，没啥规律，平时稍微微动一下就出汗，晚上睡觉前比较明显，经常会感到一阵阵发热出汗。

医生：每次发热一般持续多长时间呢？

患者：时间不一定的，有时几分钟，有时一个多小时。您看我，现在就觉得很热，我今天穿的衣服也不多呀？（患者用手在头部扇风状）

医生：您的月经现在是否还规律？（了解月经性状的变化）

患者：原来月经很准的，一般 28 ~ 30 天来一次。这一年来月经特别没有规律，有时十几天就来了，有时 3 ~ 4 个月才来一次。

医生：月经量和每次月经持续时间有变化吗？

患者：原来月经一般 5 ~ 7 天左右就干净了，现在每次都拖得很长，大概要 10 天干净，量比原来稍微少点。

医生：除了月经紊乱和潮热外，还有其他不舒服吗？

患者:家人说我脾气变差了,老是因为一点小事就和他们吵架,体力也比原来差,总觉得很累,爬爬楼就觉得心慌,偶尔脚痛,吃了钙片也没有用。这些问题最近一年左右才出现的,上个月好像更厉害一些了。(了解近期症状)

医生:发生这些问题后,您看过医生吗?

患者:我去看了中医,最近一个月断断续续在吃中药调理,但是感觉没啥用。

I(idea)——患者对自己健康问题的看法

医生:您认为是什么原因导致您月经改变和这一系列的不适呢? (了解患者对自身问题的理解)

患者:医生,我这个年龄,应该是更年期了吧,是不是要绝经了?

医生:您月经不规律已经有一年,根据您的年龄和伴随的症状,和更年期表现相似,不过还需要一些化验来明确。

C(concern)——患者的担心

患者:医生,我才50岁就更年期了,是不是很快就进入老年状态了?

医生:您有担心? (了解患者到底担心什么呢?)

患者:是的,好可怕。

医生:别担心,就算是更年期到了,我们也可以用激素替代治疗,让您留住青春的尾巴。等下我们详细检查一下。

E(expectation)——患者的期望

患者:医生,我不想这么快绝经,我能不能用激素治疗? 效果好不好? 激素吃多了会不会中风瘫痪呀?

医生:一般在激素替代的黄金时间(窗口期)规范的补充激素更有利于减少相关的心脑血管意外,所以不用担心。我先安排您做相关的检查,先明确诊断,再考虑下一步的激素替代治疗方案,可以吗?

患者:好的,谢谢医生!

查体:包括一般体格检查及妇科检查,必要时可增加乳腺检查。

1)一般体格检查:生命体征平稳,血压正常,甲状腺未及肿大,全身检查未见明显异常。

2)妇科检查:阴毛较稀疏,阴道无明显充血,无破溃出血,子宫颈光滑,略萎缩,阴道畅,壁薄,皱襞减少,子宫前位,正常大小,质地中等,活动度好,无压痛,未及包块,双侧附件区未及包块,无压痛。

3)乳腺检查:双侧乳腺对称,乳腺皮肤无破溃、皮疹及橘皮样改变,乳头凸,无溢液,双侧乳腺未扪及肿块。

(3)是不是急危重症疾病?

根据患者的病史、查体,初步排除急危重症疾病。列出以下鉴别诊断(图4-5-2)。

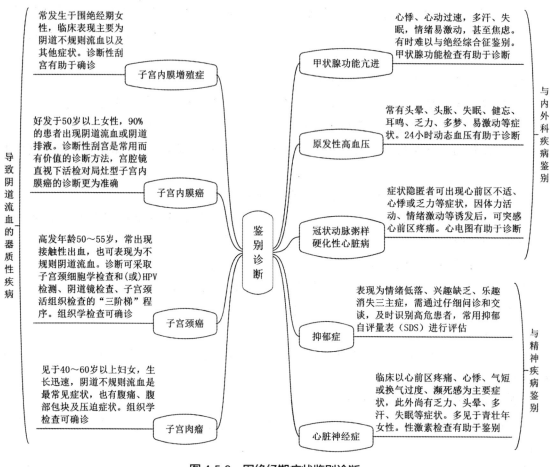

图 4-5-2　围绝经期症状鉴别诊断

2. 最可能的诊断是什么？需要完善哪些辅助检查？

（1）最可能的诊断：围绝经期综合征？

（2）辅助检查

1）实验室检查：性激素检查（雌二醇、孕酮、卵泡刺激素、黄体生成素、泌乳素），甲状腺功能，抗缪勒氏管激素，血常规，血凝、血黏度，空腹血糖、空腹胰岛素、血脂、肝肾功能、心肌酶谱，肿瘤标志物，尿妊娠试验（或者血 β-HCG）等，辅助诊断明确月经紊乱和相关症状的病因，排除激素补充治疗的禁忌。

2）细胞病理学检查：子宫颈 TCT 及 HPV 病毒检查，排除宫颈病变。

3）影像学检查：妇科超声，乳房超声或钼靶，心电图，骨密度测定等，辅助诊断生殖系统变化和有无合并其他器质性病变。

4）精神心理评价：评估患者的心理状况和治疗需求，辅助诊断排除精神神经相关症状（必要时）。

检查回报：

1）实验室检查：血常规、血凝、血黏度，血脂、肝肾功能、甲状腺功能、空腹血糖、空腹胰岛素、心肌酶谱均未见明显异常，尿妊娠试验阴性。激素测定：雌二醇（E2）< 18pmol/L，孕酮（P）

1.93nmol/L,卵泡刺激素(FSH)48IU/L,黄体生成素(LH)36IU/L,抗缪勒氏管激素(AMH)0.03ng/ml,泌乳素 PRL(PRL)12.68 nmol/L。

2)细胞病理学检查:子宫颈 TCT 提示未见上皮内病变或恶性病变(NILM),HPV 阴性。

3)影像学检查:妇科 B 超提示子宫略萎缩,内膜厚 0.2cm,双侧卵巢体积缩小,偏实。乳腺B 超提示:双侧乳腺轻度增生。骨密度测定提示骨量轻度丢失,骨质疏松。心电图未见明显异常。

3. 诊断和诊断依据是什么?

(1)诊断:围绝经期综合征(perimenopausal syndrome)

(2)诊断依据:

1)病史:50 岁女性,月经紊乱 1 年,潮热,易出汗 3 个月。平时有失眠、头痛、脾气变坏等精神神经症状,以及关节疼痛等症状。

2)体格检查:血压正常,甲状腺未及肿大。妇科检查:阴毛较稀疏,子宫略萎缩。

3)辅助检查:尿妊娠试验阴性;激素测定示 E2 < 18pmol/L,FSH 48IU/L,LH 36IU/L,AMH 0.03ng/ml;TCT 提示 NILM,HPV 阴性;B 超提示子宫略萎缩,双侧卵巢体积缩小,偏实;骨密度测定提示骨量轻度丢失,骨质疏松。

4. 治疗方案和患者管理

患者目前考虑诊断围绝经期综合征,结合患者症状与诉求,建议患者尽快接受绝经激素治疗(menopausal hormone therapy,MHT)。同时建立患者健康档案,按时随访。

(1)激素替代治疗适应证:

1)改善绝经相关症状:月经紊乱、潮热、多汗、睡眠障碍、疲倦、情绪障碍(如:易激动、烦躁、焦虑、紧张、低落)等。

2)生殖泌尿道萎缩相关问题:阴道干涩、外阴阴道疼痛、瘙痒、性交痛、反复发作的萎缩性阴道炎、反复下尿路感染、夜尿、尿频、尿急等。

3)低骨量及骨质疏松症:有骨质疏松症的危险因素及绝经后骨质疏松症。对于 60 岁以下和绝经 10 年以内的女性,MHT 可作为预防骨质疏松性骨折的一线选择。

4)过早的低雌激素状态:如 POI、下丘脑垂体性闭经、手术绝经等。由于这类患者较正常绝经女性更早出现雌激素水平下降,其相关问题如骨质疏松症、心血管疾病、泌尿生殖道萎缩症状及认知功能减退的风险更大。因此,经评估后如无禁忌证应尽早开始激素补充治疗(hormone replacement therapy,HRT),并需要给予相对于 MHT 标准剂量较高的雌激素。

(2)如果使用激素替代治疗,需要排除哪些禁忌?

1)已知或可疑妊娠:围绝经期女性,月经紊乱时应注意排除妊娠相关问题,如宫内妊娠、异位妊娠、滋养细胞疾病等。

2)原因不明的阴道流血:阴道流血病因包括肿瘤性、炎症、医源性、创伤性和卵巢功能失调等,在予以性激素治疗围绝经期月经失调前应仔细鉴别。

3)已知或可疑患有乳腺癌。

4)已知或可疑患性激素依赖性恶性肿瘤。

5)最近 6 个月内患有活动性静脉或动脉血栓栓塞性疾病。

6)严重肝肾功能不全。对于肝肾功能异常的患者,应用 MHT 时推荐经皮途径;若重复测定肝肾功能高于正常值的 2 ~ 3 倍,建议先行内科诊疗。

7)现患脑膜瘤:禁用孕激素。

(3)激素替代治疗慎用情况有哪些?

1)子宫肌瘤。

2)子宫内膜异位症。

3)子宫内膜增生病史。

4)血栓形成倾向。

5)胆石症。

6)免疫系统疾病:系统性红斑狼疮及类风湿性关节炎。

7)乳腺良性疾病及乳腺癌家族史。

8)癫痫、偏头痛、哮喘。

9)血卟啉症、耳硬化症。

(4)转诊指征:全科医生需要注意的是,当绝经综合征患者合并其他较严重内外科疾病,如冠心病、糖尿病、精神病(抑郁、焦虑、躁狂等)、血栓性静脉炎、腔隙性脑梗塞、妇科恶性肿瘤等,应转诊至相应科室或医院就诊,排除激素运用的相关禁忌。

(5)复诊和随访管理原则:MHT 患者的随访管理:使用 MHT 患者需严密随访,在使用 MHT 后的 1、3、6、12 个月分别随诊。随访和复诊的主要目的是了解治疗效果,解释可能发生的乳房胀痛或非预期出血等不良反应,关注 MHT 的获益和风险,个体化调整方案,鼓励适宜对象坚持在围绝经期启动 MHT 治疗。在初始 MHT 后的 1、3 个月两次随诊时,主要观察 MHT 的疗效,用药后出现的不良反应,并根据患者具体情况调整用药及剂量。MHT 相关副反应主要出现在开始 MHT 的 3 个月内。MHT 启用 6 个月时,随诊内容同第 1、3 月,个性化调整 MHT 方案,同时充分沟通,鼓励患者坚持 MHT。在用药 1 年后,建议每年至少随诊 1 次,需进行启动 MHT 治疗前的所有检查,根据所有检查结果,重新评估该患者 MHT 的禁忌证和慎用情况,酌情调整用药,确定次年的 MHT 用药方案,鼓励患者长期坚持 MHT,MHT 的使用期无特殊限定,可根据个体情况和本人意愿调整 MHT 方案或改变治疗策略,年龄大的女性应更谨慎地评估 MHT 风险并关注不良事件。只要获益大于风险,鼓励坚持规范用药,定期随访,获得长远生命获益(图 4-5-3)。

5. **病例总结**

开展全面的围绝经期健康教育:人类的衰老是必然的趋势,女性卵巢功能的衰竭也是不可避免的,围绝经期女性出现相关症状的根本原因在于雌激素的不足或者缺乏,规范化的激素替代治疗能缓解因雌激素缺乏引起的相关问题,但是,而随着年龄的增长,任何人都无可避免地走向衰老,所以,雌激素不可能解决所有问题,对于一个年龄逐渐增长的女性来说,健康指导十分重要。

(1)行为干预:宣传倡导健康的生活方式,适当进行体育锻炼,参加社区公益活动,健康饮食,少饮酒,不抽烟,应注意适当补充钙剂,增加日晒时间,同时应合理膳食,低脂饮,同时注意外阴保持清洁,减少泌尿及生殖系统的感染机会,帮助围绝经期妇女形成良好的生活习惯。

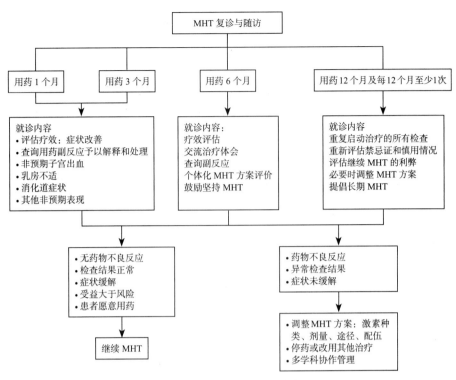

图 4-5-3 MHT 复诊和随访流程

(2)心理支持:多向患者讲解围绝经期知识,使患者明白围绝经期为正常的生理过程;对于存在抑郁、焦躁等精神状况的女性予以心理干预及引导,鼓励和支持患者用积极的心态来面对工作和生活,适当缓解所处的压力;指导患者建立良好的人际关系,寻求更多的支持、理解和关心;帮助患者找到缓解压力的适当方式,坦然面对围绝经期,健康快乐地渡过这一时期。

(3)社区干预:以社区为单位,开展社区健康行为宣教,健康行为干预。设立专门的咨询部门,对围绝经期妇女进行心理、行为和健康咨询,定期做常规体检,发放相关的宣传资料。组织妇女之间的联谊、经验交流,开展专题讲座、放映相关健康教育宣传片等,提升女性对围绝经期的正确认识,学会自我保健及监测。

6. 知识拓展

围绝经期,俗称更年期,是指 40 岁以上的女性,10 个月内 ≥ 2 次临近月经周期与原有周期比较时间相差 7 天以上,即为绝经过渡期的开始,也就是围绝经期的起点。在绝经前后,由于女性激素水平和卵巢功能的降低容易出现一些与绝经相关的内分泌和生物学紊乱,从而导致与生理和心理相关的一些临床症候群,我们称为围绝经期综合征,临床上主要表现为月经紊乱、血管舒缩功能不稳定、自主神经功能失调以及精神症状,远期可表现为泌尿生殖功能异常、骨质疏松及心血管系统疾病等。

我国约有 70% 的中老年女性患者会出现不同程度的围绝经期症状,甚至带来身心疾患,给患者带来了沉重的精神压力和生活负担。规范的激素替代治疗除了能显著缓解绝经后雌激素缺乏导致的血管舒缩症状外,可以使女性规律月经来潮,还是预防骨质疏松性骨折的一级预防措施,同时也可以减少心脑血管疾病的发病风险,还能降低阿尔茨海默病和痴呆的相关风险,对维持女性体态等也有益。规范的 MHT 并不导致女性体重增加,也不增加恶性肿瘤相关风险。但是普通大众对激素替代治疗的接受程度还不是很高,全科医师在对女性进行健康科普时,应该进一步加强围绝经期相关知识和激素替代治疗的宣讲。

全科医生面对该年龄段女性时,需做出是否进入围绝经期的正确判断,同时对围绝经期女性开展全面的健康指导,从生物-心理-社会医学模式对围绝经期综合征患者进行干预,改善患者生活质量,需要严格掌握 MHT 适应证,禁忌证,对慎用情况应充分评估,对在围绝经期和绝经早期这个"治疗窗口期"的适宜人群进行 MHT 的宣传和指导,并建议患者前往妇科内分泌门诊或者更年期门诊就诊,规范合理的使用 MHT,并进行严密的随访管理,使患者获益最大,而相关风险降至最低。

(兰义兵　王　静　阮恒超)

 思考题

1. 激素替代治疗的适应证有哪些?
2. 激素替代治疗复诊和定期随访的意义何在?

病例 6 ⊠

意外怀孕拟行人工流产,咨询避孕措施

孕妇,女,30 岁,已婚,单独前来就诊。

孕妇口述:平时月经规律,目前确定妊娠 7 周,无手术禁忌证,已预约 3 天后行人工流产术。平时男用安全套避孕,咨询流产后的避孕措施。孕 4 产 2。无重大脏器疾病史,无放射线接触史,无不良药物服用史,无手术史,无传染病、家族性遗传病史。

请思考以下问题 →

1. 如何构建整体性临床思维?
2. 该患者最安全的避孕方式有哪些? 需要完善哪些辅助检查?
3. 各种常见避孕方式的适应证、禁忌证、放置/使用时机以及副反应?
4. 什么是紧急避孕? 其他的避孕措施还有哪些?
5. 病例总结。
6. 知识拓展。

1. 如何构建整体性临床思维?

(1)避孕思路:避孕是女性生殖健康的重要内容之一,它是指应用科学手段使妇女暂时不受孕。避孕方式的选择涉及到妇女的生育年龄、生育状况、生育意愿、生活方式、经济条件、生殖健康状况、是否合并有内外科疾病等多重因素的影响。现采用整体性临床思维——临床 4 问,列出以下考虑的内容(图 4-6-1)。

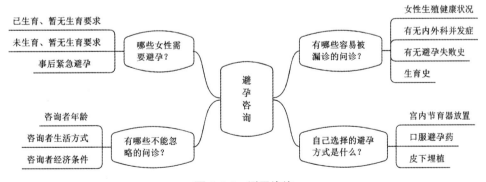

图 4-6-1 避孕咨询

(2)避孕方式:每一种避孕方式都有其相应的有效性、安全性、可获得性、可接受性等特点,不同人有着不同的避孕需求,如有的人选择易于使用的,而有的更注重避孕效果,有的人处在哺乳期,需要选择不影响乳汁分泌的避孕方式,有的则用来事后紧急避孕。因此,全科医生在接诊避孕咨询患者的时候,要详细了解患者需求,结合不同避孕方式的特点为患者提供必要的知情选择服务,以便患者能更好的做出自己的选择(图 4-6-2)。

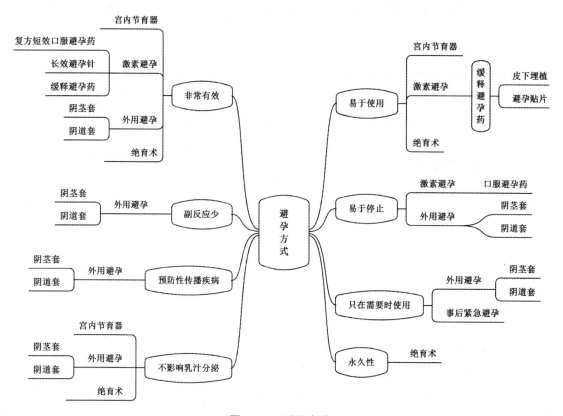

图 4-6-2　避孕方式

(3)问诊要点:针对避孕咨询的患者,首先需问诊患者的年龄、生育情况以及未来的避孕需求,如是否已经生育、分娩方式如何、未来是否有进一步的生育计划等。再结合患者的具体情况推荐几种适合患者使用的避孕方法,并就这些避孕方法的避孕效果以及可能出现的副反应与患者进行充分的沟通。最后让患者选择一种其偏向于使用的避孕方法。全科医学强调以人为中心,要将全人照顾的核心理念贯彻于疾病的诊疗和健康服务的整个过程。了解患者对疾病的看法、担忧和期望。在温馨的全科诊室,全科医生采用以患者为中心的问诊(RICE)方法,与患者进行深入访谈。

R(reason)——**患者就诊的原因**

医生:您看上去有点不开心,我可以帮助您吗?　(自我介绍和同理心,让患者感觉到来自医生情感上的支持)

孕妇:医生,我怀孕了,需要做人工流产手术,手术预约在 3 天后。

医生:孩子不要啦?

孕妇:我已经有一个儿子,一个女儿,两个孩子都挺健康,都是平产的。这次是意外怀孕。

医生：您丈夫知道您要做人工流产吗？

孕妇：他知道的。

I(idea)——患者对自己健康问题的想法

医生：平时您采取哪种避孕措施呢？

孕妇：一般使用安全套，有时候会忘记用。感觉每次忘记使用就容易怀孕，这是我第二次意外怀孕了。

医生：事后采取补救措施了吗？

孕妇：没有。所以我这次想来咨询一下关于避孕的问题。

医生：您之前生孩子的过程顺利吗？

孕妇：自己生的，较顺利的。

医生：您了解过其他的避孕方法吗？（了解患者对自身健康问题的理解）

孕妇：之前在网上查过，应该还有放环、吃避孕药之类的。但是没有详细的去了解，也没有专门就这方面的问题咨询过医生。

C(concern)——患者的担心

医生：目前常用的避孕方法有安全套、放环或者口服避孕药等。您想选择哪一种？

孕妇：医生，我想吃避孕药，但担心有副作用？避孕药安全吗？

医生：您有这方面的担忧？（了解患者到底担心什么？）

孕妇：是的，我有个小姐妹吃了避孕药后经常会有恶心的感觉。

医生：有一部分人会出现恶心、呕吐之类的副作用，一般坚持服药一段时间后就会好的。也有些人可能会出现不规则的阴道流血等情况，但总体来说还是蛮安全的。

孕妇：那吃药的避孕效果怎么样啊？那万一哪天忘记吃了会怎么样？

医生：如果能够正确服用，发生意外怀孕的概率是小于百分之一的。发现漏服，需要及时补服。没有及时补服，会影响避孕效果，导致意外怀孕。

孕妇：医生，放环效果怎么样呢？

医生：放环避孕成功率一般在90%以上，效果不错的。不同的环避孕效果也会有些不一样，有些环的避孕成功率会更高一些。

孕妇：放环有什么副作用吗？

医生：有时会出现盆腔炎、环脱落和穿孔之类的风险，但发生概率很低。多种避孕方法中，中国妇女选择放环的比例最高。

E(expectation)——患者的期望

孕妇：我还是放环吧。我可以在做人流的时候同时把环放进去吗？

医生：放环和口服避孕药都有适应证和禁忌证。人流后马上放环一般是可以的，具体需要手术医生评估后决定。您在人流手术之前再向手术医生说明一下放环的愿望，手术医生会根据您的情况确定是否放环。祝您手术顺利！（向患者通俗解释人流术后放环的可行性和安全性）

孕妇：好的，谢谢医生！

(4)查体：包括一般体格检查及妇科检查。

1)一般体格检查：生命体征平稳，全身检查未见明显异常。

2）妇科检查：外阴已婚已产式，阴道通畅，子宫颈光滑，子宫前位，增大如孕 50 天大小，质地中等，活动度好，无压痛，未及包块，双侧附件区未及包块，无压痛。

2. 该患者最安全的避孕方式有哪些？需要完善哪些辅助检查？

（1）最安全的避孕方式的选择：患者目前是早期妊娠状态，已预约 3 天后人工流产术，需要在术后立刻采取避孕措施。可以选择的最安全的避孕方式有宫内节育器、激素避孕（如复方口服避孕药和皮下埋植剂等）、外用避孕（如阴茎套）等。根据患者意愿，可考虑患者在实施人工流产术的同时放置宫内节育器一枚。

（2）需要完善的辅助检查　行辅助检查的目的，主要是为了排除手术禁忌。

1）实验室检查：血常规，血凝四项、肝炎系列、梅毒、HIV、β-hCG、白带常规检查等，以排除手术禁忌证。

2）影像学检查：妇科超声、心电图检查；了解宫腔形态是否正常，是否存在手术禁忌证。

检查回报：

1）实验室检查：血常规、血凝未见异常，肝炎系列、梅毒、HIV 等均为阴性，β-hCG 为 80 324U/L、白带常规检查清洁度 Ⅱ 度，余无殊。

2）影像学检查：妇科 B 超提示子宫增大，如孕 40$^+$ 天大，双侧卵巢回声无殊。心电图为窦性心律、正常心电图。

根据病史和实验室检查结果，患者无人工流产术 + 宫内节育器放置术禁忌证，可行手术。

3. 常见且安全有效的避孕方式的适应证、禁忌证、使用时机以及副反应？

（1）宫内节育器放置术的适应证、禁忌证、放置时机以及副反应？

1）适应证：凡育龄妇女无禁忌证、要求放置者。

2）禁忌证：①妊娠或妊娠可疑；②生殖器官急性炎症；③人工流产出血多，怀疑有妊娠组织物残留或感染可能；中期妊娠引产、分娩或剖宫产胎盘娩出后，子宫收缩不良有出血或潜在感染可能；④生殖器官肿瘤；⑤生殖器官畸形如纵隔子宫、双子宫等；⑥宫颈内口过松、重度陈旧性宫颈裂伤或子宫脱垂。⑦严重的全身性疾病；⑧宫腔 < 5.5cm 或 > 9cm（除外足月分娩后，大月份引产后或放置含铜无支架宫内节育器）；⑨近 3 个月内有月经失调、阴道不规则流血；⑩有铜过敏史者，不能放置含铜宫内节育器。

3）放置时机：①月经干净 3 ~ 7 天无性生活；②人工流产后立即放置；③产后 42 天恶露已净，会阴伤口愈合，子宫恢复正常；④剖宫产半年后放置；⑤含孕激素宫内节育器在月经第 3 天放置；⑥自然流产于转经后放置，药物流产 2 次正常月经后放置；⑦哺乳期放置应先排除早孕；⑧性生活后 5 天内放置含铜宫内节育器为紧急避孕方法之一。

4）放置宫内节育器后常见的副反应有：①下腹胀痛；②阴道少量点滴流血；③经期延长或经量增多；④月经间隔期间出血；⑤经期腹部绞痛或疼痛等。

以上副反应一般不需特殊处理，大部分可逐渐恢复。

（2）激素避孕之复方口服避孕药的适应证和禁忌证、使用时机以及副反应？

1）多数妇女能够安全的使用复方口服避孕药，如有下列情况则不宜使用：①严重心血管疾病、血栓性疾病不宜应用，如高血压、冠心病、静脉栓塞等；②急、慢性肝炎或肾炎；③恶性肿瘤、癌前病变；④内分泌疾病，如糖尿病、甲状腺功能亢进症；⑤哺乳期不宜使用复方口服避孕药；

⑥年龄 > 35 岁的吸烟妇女服用避孕药,增加心血管疾病发病率,不宜长期服用;⑦精神病患者;⑧有严重偏头痛,反复发作者。

2)复方口服避孕药的使用时机:①从正常月经周期的第 5 天开始服用;如果肯定没有怀孕,可以从月经周期的任何一天开始服用,如在月经来潮第 5 天后开始服药,服药最初 7 天内最好加用其他避孕措施;②产后,如果母乳喂养,可以从产后 6 个月开始服用;③产后,如果不是母乳喂养,可以从产后 3 周开始服用;④人工流产或者自然流产以后,可以立即开始,在流产后的 7 天内开始服用,无需额外的保护;⑤如果从皮埋转换过来,最好立即开始服用;⑥如果从避孕针转换过来,应该在进行重复注射的时候开始服用;⑦如果从宫内节育器转换过来,月经来潮的第 1 ~ 5 天内开始服药,并在下一次月经周期取出宫内节育器。

3)服用复方口服避孕药常见副反应有:①类早孕反应;②不规则阴道流血;③月经量减少或停经;④体重及皮肤变化;⑤头痛、复视、乳房胀痛等。

(3)激素避孕之皮下埋植剂的适应证和禁忌证、使用时机以及副反应?

1)适应证和禁忌证:绝大多数妇女可以安全的使用。但有下述情况的,一般不能使用:①母乳喂养未满 6 周;②不能排除怀孕可能;③较为严重的其他健康问题,如有肺部或腿部深部静脉血栓,但浅表静脉血栓(包括静脉曲张)可以使用皮下埋植;曾患乳腺癌;不明原因的阴道流血;严重的肝脏疾病或黄疸(皮肤或眼睛发黄);正在服用抗结核病、抗真菌感染及抗癫痫发作的药物。

2)皮下埋植的时机:①如果肯定没有怀孕,可以从月经周期的任何一天开始。如果在最近 7 天之内有经血,则无需使用其他的避孕措施;如果 7 天之前有经血或者已经闭经(没有月经周期),应在植入的 7 天内使用安全套避孕或避免性生活。②产后,如果母乳喂养。如果是完全母乳喂养,可以从产后 6 周开始。如果是部分母乳喂养,最好在产后 6 周开始,等待时间越长,会增加怀孕的风险。③产后,如果不是母乳喂养,产后就可以开始。在产后的 4 周内,无须额外的保护。④人工流产或者自然流产以后,流产后就可以开始。在流产后的 7 天内,无需额外的保护。⑤如果从口服避孕药转换过来,最好立即开始使用。⑥如果从避孕针转换过来,应该在进行重复注射的时候开始使用。⑦如果从宫内节育器转换过来,且经血开始是在 7 天之前,现在就可以开始使用。但要等待下一次月经时才可取出宫内节育器。

3)皮下埋植剂可能的副反应:①不规则流血或点滴出血;②月经量减少或停经;③头痛、头晕、乳房胀痛、情绪变化等;④痤疮或皮疹、食欲变化、体重增加等。

4. 什么是紧急避孕? 其他的避孕措施还有哪些?

(1)无保护性生活后或避孕失败后几小时或几日内,妇女为防止非意愿性妊娠的发生而采用的补救避孕法,称为紧急避孕。

(2)常用的紧急避孕方法有:

1)紧急避孕药:①雌孕激素复方制剂,含炔雌醇及左炔诺孕酮(如复方左炔诺孕酮片等)。无保护性行为后 72 小时内开始服用;②单孕激素制剂,含左炔诺孕酮(如毓婷、惠婷、金毓婷等)。无保护性行为后 72 小时内开始服用;③抗孕激素制剂,米非司酮片。无保护性行为后 72 小时内服用。

2)宫内节育器:带铜宫内节育器可用于紧急避孕,特别适合希望长期避孕而且符合放置节育器者及对激素应用有禁忌证者。在无保护性行为后 120 小时内放入。

(3)紧急避孕药的副反应:常见的副反应有恶心和呕吐、月经延迟或提前、不规则阴道流血等,其他还有诸如腹痛、乳房触痛、头痛、眩晕和疲乏等不适。紧急避孕药物的副反应通常是轻微和一过性的,一般无需特殊处理。

(4)其他避孕措施的介绍

1)阴茎套:也称避孕套,为男性避孕工具。作为屏障阻止精子进入阴道而达到避孕目的。一般为筒状优质薄型乳胶制品,顶端呈小囊状,排精时精液潴留在囊内,容量为 1.8ml。使用前应先行吹气检查有无漏孔,同时排去小囊内空气,射精后在阴茎尚未软缩时,捏住套口和阴茎一起取出。每次性生活时均应全程使用,避孕率达 93% ~ 95%。阴茎套有防止性传播疾病的作用,受到全球重视。

2)阴道套:又称女用避孕套,既能避孕,又能防止性传播疾病。

3)外用杀精剂:是性生活前置入女性阴道,具有灭活精子作用的一类化学避孕制剂。正确使用外用杀精剂,有效率可达 95%,但如果使用失误,失败率高达 20% 以上。

4)阴道隔膜和子宫帽:阴道隔膜和子宫帽因为不受月经周期的干扰,副作用小且可立即消除,受到许多女性青睐。一个子宫帽或隔膜可以反复使用两年,因此成本相对较低。这种避孕方法完全在女性的控制下,可与安全期避孕或阴茎套等措施结合使用。

5)安全期避孕:又称自然避孕法。所谓“安全期”,就是指避开排卵期这一容易受孕的“危险时期”。常用计算方法有日程法,基础体温测量法和子宫颈黏液观察法。全科医生在推荐该方法之前应该认识到,成功使用自然避孕法需要双方接受性行为的限制,男女关系建立在平等和相互尊重的基础上。同时也必须认识到,使用自然避孕法,其避孕的失败率可以高达 20%。

6)绝育术:包括输卵管结扎术和输精管结扎术。具体选用何种方法需要夫妻双方充分协商后决定。

5. 病例总结

随着我国“二孩”以及“三孩”政策的全面开放,育龄女性的生育需求发生了较大的变化,女性的生殖健康关系到个人幸福、家庭和谐和社会稳定。为提升育龄妇女生殖健康水平,降低育龄女性意外妊娠人工流产率和重复流产率,全科医生除了做好健康教育外,还应根据育龄妇女的自身健康情况与需求,结合各种避孕方法的优缺点,为育龄女性提供咨询服务,帮助其选择最佳的避孕方法,促进落实避孕措施,保护育龄女性的生殖健康。

6. 知识拓展

避孕(contraception)是计划生育的重要组成部分,主要通过控制生殖过程中 3 个关键环节来达到避孕目的:抑制精子与卵子产生;阻止精子卵子结合;使子宫环境不利于精子获能、生存,或不适宜受精卵着床和发育。理想的避孕方法应符合安全、有效、简便、实用、经济的原则,对性生活及性生理无不良影响,为男女双方均能接受并乐意持久使用。一般可以根据生育年龄的不同时期结合育龄妇女的自身特点来选择避孕节育方法。

(1)新婚期

1)原则:新婚夫妇年轻,尚未生育,应选择使用方便、不影响生育的避孕方法。

2)选用方法:复方短效口服避孕药使用方便,避孕效果好,不影响性生活,列为首选。阴茎套也是较理想的避孕方法,性生活适应后可选用阴茎套。还可选用外用避孕栓、薄膜等。由于尚未生育,一般不选用宫内节育器。不适宜用安全期、体外排精及长效避孕药。

(2)哺乳期

1)原则:不影响乳汁质量及婴儿健康。

2)选用方法:阴茎套是哺乳期选用的最佳避孕方法。也可选用单孕激素制剂长效避孕针或皮下埋植剂,使用方便,不影响乳汁质量。哺乳期放置宫内节育器,操作要轻柔,防止子宫损伤。由于哺乳期阴道较干燥,不适用避孕药膜。哺乳期不宜使用雌孕激素复方避孕药或避孕针以及安全期避孕。

(3)生育后期

1)原则:选择长效、安全、可靠的避孕方法,减少非意愿妊娠进行手术带来的痛苦。

2)选用方法:各种避孕方法(宫内节育器、皮下埋植剂、复方口服避孕药、避孕针、阴茎套等)均适用,根据个人身体状况进行选择。对某种避孕方法有禁忌证者,则不宜使用此种方法。

(4)绝经过渡期

1)原则:此期仍有排卵可能,应坚持避孕,选择以外用避孕药为主的避孕方法。

2)选用方法:可采用阴茎套。原来使用宫内节育器无不良反应可继续使用,至绝经后半年取出。绝经过渡期阴道分泌物较少,不宜选择避孕药膜避孕,可选用避孕栓、凝胶剂。不宜选用复方避孕药及安全期避孕。

(杜永江　阮恒超)

💡 **思考题**

1. 放置宫内节育器后常见的副反应有哪些?

2. 哪些情况下不宜使用复方口服避孕药?

3. 试述男用安全套的使用注意事项。

推荐阅读

1. 王静 . 全科医学临床思维和沟通技巧 . 北京 : 人民卫生出版社 ,2020.

2. 王静 . 全科医学临床诊疗思维 . 北京 : 高等教育出版社 ,2023.

3. 郝伟 , 陆林 . 精神病学 .8 版 . 北京 : 人民卫生出版社 ,2018.

4. 咳嗽基层医疗指南 (实践版·2018). 中华全科医师杂志 ,2019.18(3):220-227.

5. 万学红 , 卢雪峰 . 诊断学 .10 版 . 北京 : 人民卫生出版社 ,2024.

6. 约翰·莫塔 . 全科医学 . 5 版 . 张泽灵 , 刘先霞 , 主译 . 北京 : 科学技术文献出版社 ,2019.

7. 中华医学会神经病学分会 , 中华神经科杂志编辑委员会 . 眩晕诊治多学科专家共识 . 中华神
   经科杂志 ,2017,(50)11 : 805-812.

8. 中华心血管病杂志编辑委员会 , 中国生物医学工程学会心律分会 , 中国老年学和老年医学
   学会心血管病专业委员会等 . 晕厥诊断与治疗中国专家共识 (2018). 中华心血管病杂志 ,2019,
   47(2):96-107.

9. 沈悌 , 赵永强 . 血液病诊断及疗效标准 .4 版 . 北京 : 科学出版社 ,2018.

10. DROSSMAN D A,HASLER W L.Rome Ⅳ -functional GI disorders:disorders of gut-brain interaction.
    Gastroenterology,2016,150(6):1257-1261.

11. SCOTT D.C, STERN, A, CIFU S, et al. Symptom To Diagnosis An Evidence-Based Guide.
    McGraw-Hill,2006 :9~31.

12. Drossman D.A,Chang L, CheyROME WD. 罗马 Ⅳ : 功能性胃肠病 .4 版 . 方秀才 , 候晓华 ,
    译 . 北京 : 科学出版社 ,2016.

13. 中华医学会外科学分会结直肠外科学组 . 中国成人慢性便秘评估与外科处理临床实践指南
    (2022 版). 中华胃肠外科杂志 , 2022.25(1):1-9.

14. 国家癌症中心中国结直肠癌筛查与早诊早治指南制定专家组 . 中国结直肠癌筛查与早诊早
    治指南 (2020, 北京). 中华肿瘤杂志 , 2021, 43(1):16-38.

15. 陈旻湖 , 张澍田 . 消化内科学高级教程 . 北京 : 中华医学电子音像出版社 ,2019.

16. 中华医学会男科学分会勃起功能障碍诊断与治疗指南编写组 . 勃起功能障碍诊断与治疗指
    南 . 中华男科学杂志 ,2022,28(8):722-755.

17. 中国抗癌协会泌尿男生殖系统肿瘤专业委员会前列腺癌学组 . 前列腺癌筛查中国专家共识
    (2021 年版). 中国癌症杂志 ,2021,31(5):435-440.

18. 葛均波 , 徐永健 , 王辰 . 内科学 .8 版 . 北京 : 人民卫生出版社 ,2024.

19. 中华医学会 , 中华医学会杂志社 , 中华医学会全科医学分会 , 等 . 广泛性焦虑障碍基层诊疗
    指南 (2021 年). 中华全科医师杂志 ,2021,20(12):1232-1241. DOI:10.3760/cma.j.cn114798-
    20211025-00790.

20. 国家基层糖尿病防治管理办公室中华医学会糖尿病学分会 . 中国糖尿病健康管理规范 (2020).

北京：人民卫生出版社，2020.

21. 赵金霞，苏茵，刘湘源，等.早期类风湿关节炎分类标准及其诊断意义的探讨.中华风湿病学杂志，2012,16(10): 651-656.

22. 中华医学会感染病学分会，中华医学会肝病学分会.慢性乙型肝炎防治指南(2019年版).中华肝脏病杂志，2019,27(12):938-961.DOI:10.3760/cma.j.issn.1007-3418.2019.12.007.

23. 杨芸峰.叙事医学 临终关怀中的倾听与照顾.上海：上海科学技术出版社，2022.

24. 中国健康促进基金会基层医疗机构骨质疏松症诊断与治疗专家共识委员会.基层医疗机构骨质疏松症诊断和治疗专家共识(2021).中国骨质疏松杂志，2021,27(7):937-944.DOI:10.3969/j.issn.1006-7108.2021.07.001.

25. 中华医学会呼吸病学分会慢性阻塞性肺疾病学组，中国医师协会呼吸医师分会慢性阻塞性肺疾病工作委员会.慢性阻塞性肺疾病诊治指南(2021年修订版).中华结核和呼吸杂志，2021,44(3):170-205. DOI：10.3760/cma.j.cn112147- 20210109-00031.

26. BECKER WJ, FINDLAY T. Guideline for primary care management of headache in adults. Canadian Family Physician,2015, 61 (8) :670-679.

27. 中国睡眠研究会.中国失眠症诊断和治疗指南.中华医学杂志，2017,97(24): 1844-1856.

28. 郝峻巍，罗本燕.神经病学.9版.北京：人民卫生出版社，2024.

29. 中华医学会妇产科学分会产科学组.围产期抑郁症筛查与诊治专家共识.中华妇产科杂志，2021,56(8):521-527.

30. 中华医学会，中华医学会杂志社，中华医学会消化病学分会，等.慢性腹痛基层诊疗指南(实践版·2019).中华全科医师杂志，2019,18(7):628-634.

31. 熊婉婷，吴和鸣，陈静.延长哀伤障碍的诊断评估与治疗研究进展.神经损伤与功能重建，2023,18(04):213-215,226.DOI:10.16780/j.cnki.sjssgncj.20210852.

32. 李兰娟.传染病学.10版.北京：人民卫生出版社，2024.

33. 中华医学会感染病学分会艾滋病丙型肝炎学组，中国疾病预防控制中心中国艾滋病诊疗指南(2021年版).中国艾滋病性病，2021,27(11):1182-1201.

34. 中华医学会，中华医学会杂志社，中华医学会全科医学分会，等.肺结核基层诊疗指南(2018年).中华全科医师杂志，2019,18(8):709-717.

35. 中华医学会，中华医学会杂志社，中华医学会全科医学分会，等.甲状腺功能减退症基层诊疗指南(2019年).中华全科医师杂志，2019, 18(11):1022-1028.DOI: 10.3760/ cma.j.issn.1671-7368.2019.11.004.

36. 国家心血管病中心,中国医师协会,中国医师协会高血压专业委员会,等.中国高血压临床实践指南.中华心血管病杂志,2022,50(11);1050-1059.

37. 中华医学会心血管病学分会高血压学组，中华心血管病杂志编辑委员会.中国高血压患者血压血脂综合管理的专家共识.中华心血管病杂志，2021,49(6);554-563.

38. 胡品津，谢灿茂.内科疾病鉴别诊断学.7版.北京：人民卫生出版社，2021.

39. 江滨.脑卒中后并发症流行特征分析及对基层管理优化建议.中国全科医学，2021,24(12): 1445-1453.

40. 黄国英，孙锟，罗小平. 儿科学 .10 版 . 北京：人民卫生出版社 ,2024.

41. 中华医学会儿科学分会风湿病学组，中国医师协会风湿免疫科医师分会儿科学组，海峡两岸
医药卫生交流协会风湿免疫病学专业委员会儿童学组，等 . 儿童自身炎症性疾病诊断与治疗
专家共识 . 罕见病研究 ,2022,1 (3)：296-303.

42. 邹强 . 免疫异常儿童疫苗接种（上海）专家共识 . 临床儿科杂志 ,2014,(12):1181-1190.

43. 孔北华，马丁，段涛 . 妇产科学 .10 版 . 北京：人民卫生出版社 ,2024.

44. 中华医学会妇产科学分会妇科内分泌学组 . 排卵障碍性异常子宫出血诊治指南 . 中华妇产
科学杂志 ,2018,53 (12)：801-807.DOI:10.3760/cma.j.issn.0529 -567x.2018.12.001.

45. 子宫肌瘤的诊治中国专家共识专家组 . 子宫肌瘤的诊治中国专家共识 . 中华妇产科杂
志 ,2017,52 (12):793-800.

46. 中华医学会妇产科学分会绝经学组 . 围绝经期异常子宫出血诊断和治疗专家共识 . 中华妇
产科学杂志 ,2018,53(6):396-401. DOI:10.3760/cma.j.issn.0529 -567x.2018.0.

47. 世界卫生组织 . 避孕方法知情选择咨询服务台式指南 . 北京市人口和计划生育委员会 , 中国
人口与发展研究中心，编译 . 北京：中国青年出版社 ,2009.

附病例诊断列表

第二章　全科常见症状的临床思维与沟通技巧

病例 1　惊恐障碍			王　静	蔡飞跃
病例 2　上气道咳嗽综合征 / 鼻后滴漏综合征			王　静	陈嘉林
病例 3　躯体忧虑障碍	吴　疆	何月妃	王　静	蔡飞跃
病例 4　良性阵发性位置性眩晕			柴栖晨	王　静
病例 5　过度通气综合征		王　静	柴栖晨	林锦春
病例 6　缺铁性贫血、慢性浅表性胃炎伴糜烂				陈嘉林
病例 7　药源性低血糖昏迷、2 型糖尿病			王　力	王　静
病例 8　中枢介导的腹痛综合征			柴栖晨	王　静
病例 9　急性间歇性卟啉病			陈嘉林	王　静
病例 10　功能性排便障碍			丛衍群	王　静
病例 11　结肠管状绒毛状腺瘤伴高级别上皮内瘤变			丛衍群	王　静
病例 12　功能性腹胀			丛衍群	王　静
病例 13　心因性阴茎勃起功能障碍			蔡飞跃	王　静
病例 14　前列腺癌	张雅丽	王　静	陈嘉林	王荣英
病例 15　广泛性焦虑障碍		何月妃	王　静	蔡飞跃
病例 16　2 型糖尿病		唐宽晓	左安举	黄　萍
病例 17　缩窄性心包炎				陈嘉林
病例 18　类风湿性关节炎、低蛋白血症		唐宽晓	左安举	黄　萍
病例 19　慢性乙型肝炎			邓宏宇	王　静
病例 20　食管癌、肝转移		杨芸峰	易春涛	王　静
病例 21　骨质疏松		刘亚贤	李卿慧	陈嘉林
病例 22　慢性阻塞性肺疾病急性加重期			崔丽萍	陈嘉林
病例 23　紧张型头痛			柴栖晨	王　静
病例 24　失眠症		吴　疆	王　静	蔡飞跃
病例 25　特发性面神经麻痹			黄素素	王　静
病例 26　产后抑郁	刘　湘	吴　疆	王　静	蔡飞跃
病例 27　延长哀伤障碍	邱陆珏骅	吴　疆	王　静	蔡飞跃
病例 28　获得性免疫缺陷综合征（艾滋病）	黄益澄	张家杰	王　静	潘红英
病例 29　梅毒（一期，获得性）		戴伊宁	王　静	潘红英
病例 30　肺结核			潘红英	王　静
病例 31　甲状腺功能减退症		张　敏	张雅丽	王荣英

病例 32 精神分裂症　　　　　　　　　　　　　　　何国枢　蔡飞跃　王　静

病例 33 中度抑郁症　　　　　　　　　　郭婷婷　吴　疆　王　静　蔡飞跃

病例 34 高血压高血脂　　　　　　　　　　　　　　　　　王荣英　张　敏

病例 35 右侧半球短暂性脑缺血发作　　　　　　　　　　　　　　　廖晓阳

病例 36 肝细胞癌、瘙痒症　　　　　　　　　　　　吴秋萍　王　静　林常敏

第三章　儿科常见症状的临床思维与沟通技巧

病例 1 神经性呕吐　　　　　　　　　　　　　　　吴　疆　王　静　蔡飞跃

病例 2 川崎病　　　　　　　　　　　　　　　　　　　　潘珊珊　王　静

病例 3 PFAPA 综合征　　　　　　　　滕丽萍　吴建强　王　静　卢美萍

病例 4 肠套叠　　　　　　　　　　　　　　　　　　　　潘珊珊　王　静

病例 5 疱疹性咽峡炎　　　　　　　　　　　　　　吴建强　王　静　卢美萍

病例 6 轮状病毒肠炎　　　　　　　　　　　　　　邹丽霞　王　静　卢美萍

病例 7 疫苗咨询　　　　　　　　　　　　　　　　　　　吴建强　卢美萍

第四章　妇女常见症状的临床思维与沟通技巧

病例 1 淋病　　　　　　　　　　　　　　　　　　　　　吴秋萍　王　静

病例 2 无排卵性异常子宫出血　　　　　　　　　　陈芳雪　王　静　阮恒超

病例 3 子宫肌瘤、贫血　　　　　　　　阮恒超　李　娜　王　静　黄艺舟

病例 4 异位妊娠、轻度贫血　　　　　　　　　　　杨　敏　王　静　阮恒超

病例 5 围绝经期综合征　　　　　　　　　　　　　兰义兵　王　静　阮恒超

病例 6 避孕咨询　　　　　　　　　　　　　　　　　　　杜永江　阮恒超